Rae Lawrence

Satisfaction

Einzig berechtigte Übersetzung
aus dem Amerikanischen
von Margarete Längsfeld

BASTEI-LÜBBE-TASCHENBUCH
Band 11704

Titel der Originalausgabe: Satisfaction
Copyright © 1987 by Rae Lawrence
Gesamtdeutsche Rechte beim Scherz Verlag, Bern, München, Wien
Lizenzausgabe: Gustav Lübbe Verlag GmbH, Bergisch Gladbach
Printed in France Mai 1991
Einbandgestaltung: Manfred Peters
Titelfoto: Image Bank
Satz: hanseatenSatz-bremen, Bremen
Druck und Bindung: Brodard & Taupin
ISBN 3-404-11704-2

1

Der ideale Mann kann überall sein, dachte Chris Dunne, während sie aus dem Fenster sah und die langen platinblonden Haare zurückschob. Er könnte in Boston sein, wohin dieser Zug fuhr, und in einem Straßencafé bei seiner zweiten Tasse Espresso die Erbfolge des englischen Königshauses für sein Geschichtsseminar memorieren. Er könnte in New York, wo der Zug soeben gehalten hatte, um wieder eine Schar Collegestudenten aufzunehmen, die Morgenzeitung kaufen, um festzustellen, ob sein Bericht über einen Lokalpolitiker schon erschienen war.

Oder er existierte überhaupt nicht; doch diesen Gedanken verwarf Chris rasch mit der Zuversicht der Siebzehnjährigen, die sich, zum erstenmal fort von zu Hause, auf der Schwelle eines einmaligen Abenteuers wähnt. Er war vielleicht in diesem Zug und warf noch einmal einen Blick in die Anmeldeformulare für Harvard, die Chris so oft gelesen hatte, daß sie sie auswendig kannte. Diese Möglichkeit machte sie hungrig, und sie ging in den Speisewagen, um sich ein Joghurt oder ein Pepsi zu holen, irgendwas, das den Knoten löste, der sich vor etwas über einer Stunde in ihrem Magen gebildet hatte, als ihre Mutter sie und ihren prallgefüllten Rucksack mit dem Ratschlag am Bahnhof abgesetzt hatte: »So, Schätzchen, nun fahr schön und mach, daß wir alle stolz sein können auf dich.«

Chris konnte die Studenten leicht von den Pendlern unterscheiden, sie waren jünger und sonnengebräunt und alle ähnlich angezogen, Jungen wie Mädchen: flache Sport- oder Turnschuhe, Cord- oder Baumwollhosen, grobgestrickter Pullover oder diese T-Shirts mit dem komischen kleinen Kragen und dem Krokodil auf der Brust. In diesem Zug merkt man nichts davon, daß wir 1972 haben, dachte Chris und schämte sich mit einemmal ihrer Kleidung, der lila mexikanischen Bauernbluse, der abgetragenen Latzhose und der Korksandalen mit Plateausohle und schiefgelaufenen Absätzen.

Sie spürte, wie sie angestarrt wurde, und es waren nicht die Blicke, die sie gewohnt war, Blicke, die dem schönsten Mädchen im Raum galten. Sie bewunderten nicht die platinblonden Haare, die ihr bis auf den Rücken fielen, die glatte hellrosa Haut, die hohen Backenknochen und die großen blauen Augen, die sie wie eine schöne, mit reinen Pastellfarben bemalte Porzellanpuppe aussehen ließen. Sie waren nicht beeindruckt von ihrem hochgewachsenen, gertenschlanken Körper, anmutig von jahrelangem Ballettunterricht, kräftig vom sommerlichen Schwimmen im Atlantik.

Sie lächelten über die großen, unechten Kreolenohrringe, die regenbogenfarbenen Ringelsöckchen, den knallroten Nagellack mit kleinen Silbersprenkeln. Die halten mich für eine billige Mexikanerin, dachte sie, und sie konnte sich ihr Wohnheim in Harvard genau vorstellen: lauter Zimmer mit sportlichen Mädchen in pastellfarbenen Männerhemden oder lindgrünen Pullovern, die sich hinter ihrem Rücken über sie lustig machten. Ich werde nie dazugehören, dachte Chris. Eine solche Ausstattung kostete mindestens 100 Dollar, und 100 Dollar waren fast ein Drittel von dem, was sie bei ihrem Sommerjob gespart hatte, praktisch alles, was sie bis Weihnachten zum Leben besaß.

Chris kaufte sich am Tresen ein Coca-Cola und tat einen Teelöffel Zucker hinein, damit es mehr wie ihr geliebtes Pepsi schmeckte. Sie hatte oft genug als Kassiererin gearbeitet und konnte blitzschnell ausrechnen, daß das Wechselgeld für eine kleine Portion Pommes frites zum Mittagessen reichte. Ich habe soeben meine erste Harvard-Lektion gelernt, dachte sie, dabei bin ich noch nicht mal dort. Es hatte nichts mit dem Aussehen zu tun, und es hatte nichts mit Intelligenz zu tun, und es hatte nichts mit Lässigkeit zu tun oder damit, wie viele Drogen man nahm, oder mit wie vielen Jungen man geschlafen hatte; es hatte einzig und allein mit etwas zu tun, was Chris nicht besaß: Geld.

Chris zählte im Geist alles auf, was sie beherrschte und wovon diese Mädchen nichts wissen konnten. Da waren zunächst einmal die Dinge, für die sie keine Worte hatte, sexuelle Erfahrungen, die sie in den vergangenen Jahren durch das Zusammensein mit verschiedenen Jungen gesammelt hatte. Sie konnte nachts auf einer unbeleuchteten Straße mit abgeschalteten Scheinwerfern so schnell fahren, daß die Polizei sie nicht erwischen konnte, wenn der Wagen nicht ordnungsgemäß angemeldet war. Sie konnte am Sitz der Kleidung erkennen, ob einer eine Waffe bei sich trug, und sie wußte, je nachdem, wo er sie verstaut hatte, ob er auch Gebrauch davon machen würde. Der Art, wie eine andere Frau ihr in die Augen sah und wie lange sie wartete, bevor sie sie von oben bis unten musterte und Figur und Kleidung taxierte, konnte Chris entnehmen, ob sie dieser Frau etwas über den Mann, mit dem sie zusammen war, anvertrauen durfte. Sie wußte, daß man in Plattengeschäften, Clubs und Einkaufszentren die nettesten Jungen traf. Lauter Dinge, von denen diese Mädchen unmöglich etwas wissen konnten. Ob man in Harvard etwas damit anfangen konnte, blieb dahingestellt.

Eine klassische geisteswissenschaftliche Allgemeinbildung stand an fünfter oder sechster Stelle auf der Liste dessen, was sich Chris von Harvard versprach. Die hätte sie auch anderswo bekommen können. Und es war auch nicht nur die Chance, aus New Jersey herauszukommen. Nein, Chris Dunne strebte nach Norden, um eine andere zu werden. Wie, wußte sie noch nicht genau. Bestimmt wollte sie nicht so ein sportliches Mädchen werden wie die im Zug. Sie wollte höher hinaus, sie suchte etwas, um den Ehrgeiz und die Wildheit zu befriedigen, die seit ihrer frühen Kindheit in ihr waren. Sie besaß kein besonderes Talent. Sie war zwar gescheit, aber nicht überdurchschnittlich. Sie war schön, aber nicht so naiv zu glauben, daß das genügte.

Wieder an ihrem Platz angekommen, sah sie auf Connecticut hinaus; so weit nördlich war sie noch nie gewesen. Sie versuchte, dieselbe Begeisterung zu spüren, die sich ihrer gestern abend bei der Aussicht auf ein neues Leben in neuer Umgebung bemächtigt hatte. Ihre Familie war so oft umgezogen, daß Chris es gewohnt war, die Zelte abzubrechen und neu anzufangen. Das hatte sie selbstsicher und auch unbekümmert gemacht, denn so mußte sie sich nie länger mit einem Fehler oder einer Peinlichkeit herumschlagen, bevor sie an einen anderen Ort zogen, wo niemand wußte, wer sie war.

In Harvard weiß niemand, wer ich bin, dachte sie und begann, den Glitzerlack von ihrem linken Daumennagel abzupulen. Niemand hat die leiseste Ahnung, sagte sie sich und lächelte zum erstenmal, seit sie New Jersey verlassen hatte.

Sie werden bald wissen, wer ich bin, dachte Katie Lee Hopewell, als sie die Plastikhülle vom letzten der zehn Seidenkleider in ihrem Schrank entfernte. Sie war gerade mit Auspacken fertig geworden, und von ihren drei Zimmergenossinnen war noch keine erschienen. Sie gratulierte sich zu ihrer Klugheit, Daddy überredet zu haben, daß er sie in seinem Firmenjet hierherfliegen ließ. Sie hatte in ihrem Wohntrakt das zweitgrößte Zimmer belegt (sich das größte zu nehmen, hätte vielleicht Stunk gegeben, und außerdem hatte dies den größeren Kleiderschrank); sie konnte in Ruhe das Terrain sondieren, ehe die anderen kamen.

Sie hatte die Namen ihrer Zimmergenossinnen vor ein paar Wochen mit der Post bekommen und den Personalchef ihres Vaters veranlaßt, Erkundigungen über sie einzuziehen. Vorausinformationen waren stets nützlich. Ihr Vater war im Hotelgeschäft, und da es in fast jedem Ostküstenbezirk ein »Hopewell Inn« gab, war leicht zu ermitteln gewesen, was sie wissen wollte.

Miranda Vincent kam aus Richmond, New Jersey. Die Vincents hatten ihr Geld mit Grundstücksspekulationen verdient, und Mirandas Onkel und Cousins waren angesehene Anwälte und Geschäftsleute; einige praktizierten sogar offiziell, doch jedermann wußte, daß sie eng mit dem organisierten Verbrechen liiert waren und daß man in der Umgebung von Richmond ohne die Zustimmung von Mirandas Großvater nichts unternehmen konnte, weder eine Wohnsiedlung bauen noch ein Restaurant eröffnen, ja nicht einmal eine Straße pflastern. Katie Lee konnte sich nicht vorstellen, was Miranda in Radcliffe, diesem angesehenen Mädchen-College, tat. Mädchen wie sie saßen gewöhnlich zu Hause herum, bis sie eine politisch vorteilhafte Ehe mit einem genehmen, vielversprechenden Sproß aus einer anderen großen Familie eingingen.

Rosalie Van Schott gehörte zum alten Geldadel. Das Geld war schon so lange in der Familie, daß kein Mensch sich an seine Herkunft erinnern konnte, und es war ewig her, seit ein Van Schott für seinen Lebensunterhalt gearbeitet hatte. In den Klatschmagazinen, die ihre Mutter abonnierte, hatte Katie Lee auf den Seiten mit den Berichten über Wohltätigkeits- und Rennsportveranstaltungen Bilder von Rosalies Eltern gesehen. Ihr Vater war ein notorischer Trinker.

Für Katie Lee, die Bekanntschaft mit Leuten zu machen hoffte, die ihr Vater die »richtigen« nannte, könnte sich Rosalie als nützlich erweisen. In Lexington erinnerte man sich noch an die Zeit, als Katie Lees Vater arm war und sein ganzes Geld in sein erstes Motel gesteckt hatte, bevor das Signet in Gestalt eines Rotkehlchens auf Moteldächern an fast jeder größeren Straßenkreuzung im ganzen Land thronte. Katie Lee hatte noch viel zu lernen und hoffte, daß Rosalie es ihr beibringen oder sie zumindest mit den richtigen Leuten bekannt machen könnte.

Das einzige Rätsel war Chris Dunne. Sie war die Adoptivtochter eines Mannes namens Willie Dunne, der zwei Schnellimbißrestaurants besaß. Er hatte Chris' Mutter Gloria geheiratet, und Chris war offenbar Teil des Ehekontrakts gewesen. Danach verlief die Spur im Sande. Ob Gloria ihren Namen geändert hatte oder ob sie schon mal verheiratet gewesen war, hatte nicht ermittelt werden können, die Familie war so oft umgezogen. Für Katie Lee spielte es keine Rolle; sie konnte sich schon denken, wie Chris war: eine Streberin, die sich ihren Weg nach Radcliffe erbüffelt hatte und die nächsten vier Jahre damit verbringen würde, sich ihren Weg zum Jura- oder Medizinstudium zu erkämpfen. Durch und durch humorlos.

Katie Lee knipste das Licht ihres Schminkspiegels auf »natürlich« und trug mit einem Zobelbürstchen ein wenig pfirsichfarbenes Lip gloss auf. Sie war das Goldkind ihres Vaters, und so sah sie auch aus. Ihr makelloser Teint wurde durch winzige goldene, mit Diamanten besetzte Ohrringe betont. Ihre runden grünen Augen waren an den Rändern goldgesprenkelt wie Katzenaugen. Ihre langen, dichten, normalerweise hellbraunen Haare waren jetzt sanftgelb und blondgesträhnt in jenem »Naturton«, der in der Natur nicht vorkommt. Sie untersuchte die Haarwurzeln; in etwa einem Monat war eine Nachtönung fällig, und Katie Lee würde dafür nach Lexington fliegen. Ihre Zimmergenossinnen brauchten nicht zu wissen, daß sie ihre Haare färbte, und außerdem war André der einzige, der das anständig machte.

Katie Lee warf einen Blick auf die Liste der Dinge, die sie vor Beginn der Vorlesungen erledigen mußte. Sie mußte eine gute Maniküre und eine zuverlässige Reinigung finden. Sie mußte eine Garage für den kleinen roten Sportwagen besorgen, den sie zum Schulabschluß geschenkt bekommen hatte. Und sie brauchte einen detaillierten Stadtplan von Cambridge, denn der erste Schritt ihrer Zukunftsplanung war, ein Grundstück zu finden, wo sie mit ihrem ureigenen Geld ihr erstes ureigenes Hopewell Inn errichten konnte. Es würde ein bescheidener, jedoch vielversprechender Anfang sein auf ihrem Weg nach oben, denn Katie Lee Hopewell, eben 18 geworden und vor weniger als drei Stunden in Harvard angekommen, beabsichtigte, die reichste Frau der Vereinigten Staaten zu werden.

Rosalie Van Schott war schrecklich verängstigt, aber das war bei ihr schon ein Dauerzustand. Sie sagte sich wiederholt sämtliche Gründe vor, weshalb sie keine Angst haben müsse. Es war höchst unwahrscheinlich, daß das Auto ausscherte und mit einem entgegenkommenden Lastwagen zusammenstieß. Philip, der Fahrer, chauffierte die Familie seit Jahren, ohne je in einen Unfall verwickelt worden zu sein, und der graue Mercedes, eigens in Deutschland bestellt und in den Staaten nach den Angaben ihres Vaters umgerüstet, war ein überaus zuverlässiger Wagen. Es war höchst unwahrscheinlich, daß Rosalie von irgendwem belästigt oder gar überfallen würde, sobald sie den Campus von Harvard erreicht hatte; Cambridge war wohl eine schmutzige, gefährliche Stadt mit Untergrundbahn und armen Leuten, aber Rosalie hatte auf Stadtplänen und Bildern gesehen, daß das Gelände von Harvard umzäunt und durch hohe Eisentore vom Rest der Stadt abgeschirmt war, und sie wußte, daß Harvard über eine eigene Polizei verfügte. Es war höchst unwahrscheinlich, daß jemand sie auf dem Weg zu ihrem Wohnheim ansprach; sie hatte ja ihre Mutter bei sich, die sie beschützte, ihre große, blonde, tüchtige Mutter, die besorgteste Person, die Rosalie kannte.

Aber nachdem ihre Mutter ihr geholfen hatte, ihre Schubladen mit parfümiertem lavendelfarbenem Schrankpapier auszukleiden, nachdem sie ihre weichen belgischen Schuhe ordentlich auf dem alten hölzernen Schuhregal aufgereiht und für den Notfall die Telefonnummern eines Allgemeinarztes, eines Zahnarztes und eines Augenarztes in Boston herausgeschrieben hatte, was dann? Was würde geschehen, wenn ihre Mutter sie mit den drei wildfremden Mädchen allein ließ?

»Es wird dir guttun, neue Freundinnen zu finden«, hatte ihre Mutter gesagt, als ob Rosalie alte Freundinnen, als ob sie überhaupt Freundinnen hätte. Charlotte, die anhand von Zeitungsausschnitten und Fotoalben beweisen konnte, daß sie einst die beliebteste Debütantin von New York gewesen war, spielte mit ihrer schüchternen Tochter dieses Spielchen: Sie tat so, als sei Rosalie eine jüngere Ausgabe von ihr und als stände ihr ein ausschweifendes Gesellschaftsleben mit den Sprößlingen anderer prominenter Familien bevor.

Dabei waren sie grundverschieden: Charlotte war groß und sorgfältig zurechtgemacht, mit akkurat aufgetragenem korallenroten Lippenstift, die Haare mittels Spray zu einem perfektsitzenden Goldhelm frisiert. Rosalie dagegen war sehr klein und linkisch, die lockigen rotbraunen Haare waren auf der Höhe des Halsansatzes stumpf geschnitten, um die widerspenstige Dichte zu kaschieren. Ihre leuchtend grünen Augen, zu groß für das zarte Gesicht, verliefen schräg nach oben, und die schweren Wimpern wuchsen gerade nach vorn, so wie die Brauen gerade nach oben wuchsen. Sie hatte eine leicht gelbliche Haut, vermutlich das Erbe einer spanischen Urgroßmutter, und ihre kleinen, vollen Lippen waren stets zu einem Schmollmund verzogen, wie er seit den zwanziger Jahren nicht mehr modern war.

Rosalie wußte, daß Charlotte sie für einen hoffnungslosen Fall hielt. Mit zwölf Jahren war sie, nach einer besonders schlimmen Sauforgie ihres Vaters, rasch in ein Schweizer Internat gesteckt und vor ein paar Monaten, nachdem Charlotte einen beunruhigenden Brief der Direktorin erhalten hatte, ebenso eilig nach New York zurückbeordert worden. Rosalie konnte die Vorwürfe der Direktorin nicht widerlegen: Sie hatte keine Freundschaften geschlossen, sie zeigte kein Interesse an den Sportveranstaltungen, für welche die Schule berühmt war, sie verweilte stundenlang im Wald hinter der Schule, wo sie Bücher las und zu den Tieren sprach, meistens jedoch nur ins Weite starrte. Sie hatte hervorragende Zeugnisse, aber das beunruhigte Charlotte erst recht, wußte sie doch, daß der Weg zur alten Jungfer gewöhnlich mit Büchern gepflastert war.

Daher bemühte sich Charlotte in den wenigen Monaten, bevor Rosalie aufs College ging, ihre Tochter in einer Art Schnellkurs zu einer attraktiven, begehrenswerten, charmanten jungen Dame zu trimmen. Sie kaufte ihr ein Dutzend Seidenblusen, und Rosalie hatte es geschafft, jede einzelne zu bekleckern. Sie ging mit ihr zu Elizabeth Arden, doch sobald auch nur das geringste bißchen Make-up auf Rosalies empfindliche Haut aufgetragen wurde, bekam sie Ausschlag. Charlotte schleppte sie auf Partys und zu Dinnereinladungen, doch Rosalie stand nur unbeholfen in einer Ecke und verdarb Charlotte den Spaß. Charlotte hatte das Gefühl, daß Rosalie es bewußt aufs Unglücklichsein anlegte, um ihr zu trotzen — hätte sie sonst heute, nach Charlottes zahllosen Vorträgen, wie wichtig der erste Eindruck war, einen pfirsichgesprenkelten Shetlandpullover über einem überhaupt nicht dazupassenden lindgrünen Unterziehpulli angezogen?

Charlotte war es, die beim Hausmeister den Zimmerschlüssel holte, die Philip anwies, wo Rosalies Koffer hinsollten, die ihrer Tochter auf der Treppe voranging und energisch an die Tür klopfte, die von einem Mädchen geöffnet wurde, das in Rosalies Augen wie eine Stewardeß aussah. Sie duftete nach Shalimar.

»Nur herein«, sagte sie und reichte Charlotte die Hand, als sei sie und nicht Rosalie ihre zukünftige Mitbewohnerin. »Ich bin Katie Lee Hopewell.«

»Sehr erfreut. Das ist meine Tochter Rosalie«, sagte Charlotte. Sie musterte Katie Lees Schuhe, marineblaue Pumps mit goldenen Zierschnallen. »Bist du zufällig aus Lexington?«

»Ja, von *den* Hopewells«, sagte Katie Lee. Charlotte sah noch dünner aus als auf den Fotos. »Und Sie sind wohl aus New York?«

»Ja, natürlich«, entgegnete Charlotte und ging an Katie Lee vorbei in das große Wohnzimmer. »Schade, daß sie den Kamin zugemauert haben.«

»Dies ist eigentlich kein richtiges Wohnzimmer«, sagte Katie Lee. »Eine muß hier schlafen. Wir sind zu

14

viert und haben nur drei Schlafzimmer. Der Fairneß halber werden wir uns wohl abwechseln.«

Charlotte sah Katie Lee verwundert an, als sei Fairneß ein Begriff, den sie eben zum allerersten Mal hörte. Nachdem der letzte Koffer ausgeladen und für Rosalie ein Zimmer gewählt worden war, und nachdem Charlotte das Badezimmer (ohne Wanne, dafür mit einer großen Duschkabine) inspiziert hatte, machte Katie Lee ihnen auf einer Kochplatte, deren Benutzung in diesem alten Gebäude eigentlich verboten war, Tee. Bald darauf verabschiedete sich Charlotte.

Katie Lee zündete sich eine Zigarette an und sah Rosalie beim Auspacken mehrerer französischer Taschentücher zu.

»Ah, das tut gut«, hauchte sie. »Ich dachte, ich warte lieber, falls deine Mutter was dagegen hat.«

»Keine Sorge«, sagte Rosalie, und als sie lächelte, bemerkte Katie Lee ihre phantastischen Zähne. »Sie hat gegen alles was.« Rosalie kicherte und konnte nicht mehr aufhören. »Entschuldige«, sagte sie und hielt sich die Hand vor den Mund; in der anderen hielt sie ein geblümtes Bettlaken. »Ich habe nicht die leiseste Ahnung, was ich damit anfangen soll. Ich meine, ich weiß nicht, wie man ein Bett macht. Ich meine, es muß ganz leicht sein, schließlich tut es alle Welt, bloß ich hab's noch nie gemacht, aber ich denke, ich schaff das schon.«

»Ach, sei nicht albern«, sagte Katie Lee, und diesen Satz sollte sie im ersten Jahr noch oft zu Rosalie sagen, die wahrhaftig nichts anderes zu können schien als Bücher lesen und Aufsätze schreiben und ungefähr vier Sprachen sprechen. »So, siehst du«, sagte sie, während sie das Bett machte, und sie erklärte alles ganz genau, jeden Einschlag, jede umgeschlagene Ecke, und Rosalie zeigte sich unendlich dankbar.

Katie Lee dachte voraus und stellte sich vor, wie Rosalie sie zu Thanksgiving in ihre Wohnung an der Fifth Avenue oder gar auf ihr Gestüt in Virginia einladen würde. Rosalie würde sie zu einer Silvesterparty in einem eleganten New Yorker Hotel mitnehmen und gutaussehenden, reichen jungen Männern vorstellen. In den Ferien würde sie mit Rosalie und Rosalies Schulfreundinnen in der Schweiz Ski laufen. Rosalie war ein wenig passiv, das hatte Katie Lee gleich gemerkt, und solche Menschen fühlten sich stets zu Katie Lee hingezogen.

Rosalie bewunderte Katie Lees Tüchtigkeit und Energie. Sie wirkte offen und freundlich, gar nicht wie die versnobten, sarkastischen Mädchen, die sie in Europa kennengelernt hatte. Wenn ich Glück habe, dachte Rosalie, wenn ich großes Glück habe und nicht zu anspruchsvoll und natürlich nicht aufdringlich bin, und wenn ich immer lächle und nie über allzu Persönliches oder Deprimierendes spreche, dann wird Katie Lee vielleicht, ganz vielleicht, meine Freundin.

Miranda drückte den Joint an der metallenen Toilettentür aus und schob den Rest, fast die halbe Zigarette, in ihr ausgeklügeltes Versteck: hinter die Folie, die ihre Antibabypillen enthielt. Ihre Mutter würde vielleicht die Pillen finden, obgleich das unwahrscheinlich war — Miranda war sehr vorsichtig —, aber sie würde nie auf die Idee kommen, die Folie zurückzuschieben, wo das Rauschgift versteckt war.

Miranda hatte Übelkeit vorgeschützt, damit ihre Eltern an der Autobahnraststätte anhielten. Hier würde ihre Mutter ihr nie auf die Toilette folgen. Ihre Mutter glaubte, daß es auf öffentlichen Toiletten von Bazillen, Prostituierten und allen möglichen unbeschreiblichen Gefahren wimmelte, sogar hier, mitten in Massachusetts auf dem Land. Als sie erfuhr, daß ihre Tochter in einem gemischten Wohnheim untergebracht sein würde, hatte sie einen Dekanatsassistenten angerufen, um sich zu vergewissern, daß Jungen und Mädchen nicht dasselbe Badezimmer benutzten, und anschließend hatte sie mit der Krankenstation telefoniert, um sicherzugehen, daß sie in Radcliffe keine Probleme mit Infektionen hatten, wie zum Beispiel Fußpilz.

In einem schmutzigen, von einer flackernden Neonlampe beleuchteten Spiegel prüfte Miranda, ob ihre Augen nicht ungewöhnlich rot unterlaufen waren. Ihre großen dunkelbraunen Augen hatten dieselbe Farbe wie die langen, dichten lockigen Haare, die ihr wirr ins Gesicht und auf die Schultern fielen. Miranda wischte etwas Asche von ihrem großen dunklen Pullover — sie besaß mehrere solche und versuchte damit vergeblich, die großen Brüste zu verbergen, die die Männer überall anstarrten, wohin sie auch ging — Männer, die sie nicht kannte, Männer, mit denen sie nichts zu tun haben wollte, Männer, die kein Recht hatten, sie so anzusehen. Ansonsten war sie ziemlich schlank, mit schmalen Hüften und zierlichem Knochenbau, aber wie sehr sie auch Diät hielt (und irgendeine Diät hielt sie immer), mit ihren Brüsten kam sie sich dick vor. Ihre Nase, schmal und leicht gebogen, als deute sie auf den großen, vollen Mund, war für alle Vincents typisch. Und sind wir auch noch so reich, dachte sie, wir sehen immer wie Bauern aus. Peter hatte ihr einmal gesagt, sie wirke exotisch und sinnlich, aber der eigene Freund ist der letzte, auf dessen Urteil über weibliche Schönheit man sich verlassen kann. Sie zog sich ihren lockigen Pony ins Gesicht. Ich sehe aus, als hätte ich eben barfuß in einem Bottich voll Weintrauben getanzt, dachte sie. Ich sehe aus, als hätte ich vor meinem 40. Geburtstag zehn Kinder geboren. Ich sehe aus wie die königliche Hure, die im Schiffsraum der Yacht versteckt bleibt, bis die Gäste schlafen gegangen sind.

Miranda war ein kleines bißchen zu high, und als sie zu dem langen, dunkelblauen Pontiac zurückkehrte, meinte sie ein Raumschiff zu besteigen, das sie in eine neue, ferne Galaxie bringe. Ihr Vater war der Captain; er beugte sich über das Steuerrad, rauchte eine Zigarre und strich sich mit der Hand über den Kopf, wo einst seine Haare gewachsen waren. Ihre Mutter war Leutnant Uhuru, der Fernmeldeoffizier, der perfekte Job für jemanden, der praktisch vom Telefonieren lebt. Sie hatten vor, Miranda an einen Ort zu bringen, wo sie unter Fremden leben sollte. Es handelte sich um ein Vierjahresprojekt. Dann sollte sie zu ihrem Heimatplaneten zurückkehren, um ihrem Volk mit ihren Erfahrungen beizustehen.

Aber da irren sie sich, dachte Miranda. Nach dem College und dem vorgesehenen anschließenden Jurastudium sollte sie nach New Jersey zurückkehren und in der Anwalts- oder in der Immobilienfirma ihrer Familie arbeiten, oder auch in der Kommunalverwaltung. Nach ein paar Jahren würde sie einen Katholiken, vorzugsweise italienischer Herkunft, heiraten, der entweder sehr wohlhabend oder politisch sehr einflußreich war, oder alle Aussichten hatte, beides zu werden.

Aber Miranda würde nicht zurückkehren, das hatte sie in der Nacht beschlossen, als sie zum erstenmal mit Peter Johnson schlief, ihrem idealen Freund, der in diesem Augenblick wahrscheinlich im Speisesaal seines College in Yale sein Mittagessen verzehrte. Peter hatte ihr vor Augen geführt, wie bedrückend ihre familiäre Situation war, und er hatte ihr Miles Davis, Eric Clapton und Kurt Vonnegut nahegebracht. Der Verlust ihrer Unschuld war der erste Schritt auf dem Weg, der sie von allem fortführte, was ihre Eltern mit ihr vorhatten.

18

Peter sagte, er könne mit einem Blick erkennen, ob ein Mädchen noch Jungfrau sei oder nicht; Miranda aber dachte, in Wirklichkeit meint er, er kann mit einem Blick erkennen, ob ein Mädchen mit ihm schlafen will oder nicht.

Jetzt schläft er natürlich nur mit mir, sagte sich Miranda, und als sie ins College kam, stellte sie erleichtert fest, daß in ihrer Wohneinheit noch ein kleines einzelnes Schlafzimmer frei war.

»Natürlich tauschen wir im Laufe des Jahres, der Fairneß halber«, sagte das Mädchen, das Rosalie hieß, mit sanfter Stimme.

Sie saßen in dem großen Zimmer, Miranda, ihr Vater, Rosalie und Katie Lee, während Mrs. Vincent in Mirandas zukünftigem Zimmer die Möbel abstaubte (sie hatte eine Rolle Papiertücher und einen Reinigungsspray aus New Jersey mitgebracht).

Katie Lee rauchte Winston-Zigaretten und schnippte die Asche in eine Kristallschale, die sie aus Kentucky mitgebracht hatte. Frische rote Rosen aus einem nahen Blumengeschäft waren in einer Kristallvase arrangiert.

»Hopewell Inns, wie?« sagte Mr. Vincent lächelnd. »Wir haben vor ein paar Jahren Land an die Firma verkauft, aber ich glaube, ich hatte nicht direkt mit deinem Vater zu tun. Eure Hotels gehen recht gut, wie ich höre.«

»Wir haben eine achtzigprozentige Belegung, manchmal auch mehr, wenn große Kongresse gebucht sind«, erwiderte Katie Lee.

So eine Arschkriecherin, so was Affektiertes, die flirtet doch tatsächlich mit ihm. Mrs. Vincent kam herein und schwenkte ein staubgestreiftes Papiertuch über dem Kopf.

»Siehst du?« sagte sie. »Niemand putzt so gründlich wie deine Mutter. Selbst wenn sich das Mädchen den ganzen Tag im Haus zu schaffen gemacht hat, ich finde immer noch eine Stelle, die ihr entgangen ist.«

Mr. Vincent lachte und sah Katie an.

»Die Vincents finden immer den Schmutz, den sonst niemand sieht«, sagte er. »Das ist ein Familienmerkmal.« Er lud die Mädchen zum Abendessen in ein Bostoner Fischrestaurant ein, doch seine Frau meinte, es sei höchste Zeit, sich nach Providence aufzumachen, wo sie sich um Familienangelegenheiten zu kümmern hätten.

Der Vater drückte Miranda beim Hinausgehen einen Fünfzigdollarschein in die Hand und umarmte sie. »Lade sie heute abend zum Essen ein, Schätzchen«, sagte er. »Sei die erste, die eine Rechnung bezahlt. So kommt man weit im Leben.«

»Ja, Papa«, sagte Miranda. Und in gewisser Weise hat er recht, dachte sie, dafür kann ich drei Rückfahrkarten zu Peter nach New Haven kaufen.

Als gutaussehender, intelligenter, überaus charmanter junger Mann, der an die wild-romantische junge Liebe glaubte, sie jedoch noch nicht gefunden hatte, wurde Schuyler Smith allmählich zynisch. Zu zynisch, wie er selbst fand, und darauf trank er noch einen Schluck Bourbon in der warmen Septembersonne. Er saß mit Teddy Rossiter, seinem Freund und Cousin zweiten Grades, auf einer Feuertreppe, und sie beobachteten die vorübergehenden Mädchen von Radcliffe.

»Guck dir die an«, sagte Teddy. Er nickte zu einer Honigblonden mit einem leuchtendroten Blumenstrauß hinüber. Teddy öffnete noch eine Dose Bier, es war das einzige alkoholische Getränk, das er vertrug, doch als er Schuyler so beobachtete, meinte er, er könne mal versuchen, Geschmack an Bourbon zu finden. Teddy war im ersten Semester, und Schuyler war im vorletzten Studienjahr, da verstand es sich von selbst, daß Schuyler seinen jüngeren Cousin hier auf dem College unter seine Fittiche nahm.

»Ich wette, die ist aus dem Süden«, sagte Schuyler. »In der ersten Woche tragen sie Kleider, bis sie sich einen geangelt haben.« Schuyler hatte soeben mit einem Mädchen aus Georgia Schluß gemacht, die er gelegentlich dabei ertappt hatte, wie sie ein paar besorgniserregende Sekunden zu lang die Anzeigen für Diamantschmuck in den Illustrierten betrachtet hatte. Sie konnte nicht verstehen, daß Schuyler Journalist werden wollte – damit sei absolut kein Geld zu verdienen –, und sie war zu seinen Freunden von der Collegezeitung richtig unfreundlich gewesen.

Ein langer grauer Mercedes fuhr vor, und Schuyler hielt das zarte, blasse Mädchen, das dem Wagen entstieg, zunächst für die jüngere Schwester einer neuen Schülerin. Aber sie hatte etwas Ängstliches, Unbeholfenes, das Schuyler daran erinnerte, wie er selbst als Neuling gewesen war, und sie sah sich auf dem Campus mit einer Miene um, als wolle sie fragen, ob es denn wirklich wahr sei, daß sie nun hier, in diesen klobigen Ziegelbauten leben sollte, die nach einigen der prominentesten Familien Neuenglands benannt waren.

Teddy war es nicht gewöhnt, am hellichten Nachmittag Alkohol zu trinken, er stieß eine Dose um und verspritzte etwas Bier auf das Dach eines blauen Pontiacs, der direkt unter ihnen parkte.

»Scheiße«, sagte Teddy, doch das Mädchen, das seine Koffer aus dem Heck des Wagens lud, lachte nur – sie wirkte selbst etwas betrunken. »Ich hab noch nie so viele schöne Weiber gesehen. Ich glaub, ich krieg 'nen Herzanfall.« Er griff sich an die Brust. »Aber ich sterbe als glücklicher Mann.«

»Wenn du großes Glück hast, kann es durchaus sein, daß du mit einem von diesen exquisiten Wesen ins Gespräch kommst«, entgegnete Schuyler. »Zum Beispiel, wenn wir mein altes Zimmer besuchen«, fuhr er fort und zeigte zum obersten Stockwerk hinauf. »Ich kann's immer noch nicht fassen, daß hier jetzt Weiber wohnen dürfen. Ich war ein so nervöser Trottel, als ich hier neu war, ich glaub, ich hätt's nicht ausgehalten, wenn ich es tagtäglich mit richtigen weiblichen Wesen zu tun gehabt hätte.«

Schuyler erinnerte sich noch an jede Einzelheit seines ersten Tages in Harvard vor zwei Jahren. Er hatte abgetragene Bluejeans über blanken Lederstiefeln angehabt, ein kariertes Flanellhemd, eine braune Wildlederjacke und seinen glücksbringenden Jägerhut aus rotem Filz. Seine Zimmergenossen im Internat hatten ihn Cowboy genannt, und der Spitzname war ihm geblieben, bis er seine Kameraden ein paar Wochen später an einem Samstagnachmittag unter den Tisch trank und sagte, wenn sie ihn noch einmal Cowboy riefen, würde er ihnen eine Schrotladung in ihre dämlichen Ärsche jagen. Natürlich glaubten sie ihm nicht, aber Schuylers Art, etwas ganz ruhig und ernst zu sagen, fast ohne die Lippen zu bewegen, flößte Respekt ein. Er lächelte selten und machte kaum Komplimente, aber er wirkte mutig, ehrlich und zuverlässig. Mit seinem scharfgeschnittenen Gesicht, dem ausgeprägten Kinn, den kühlen grauen Augen und dem dichten hellbraunen Haarschopf, der ihm in die hohe Stirn fiel, ähnelte er Gary Cooper. Er war als Kind so viel in der Sonne gewesen, daß er eine Dauerbräune besaß, die auch im strengsten Winter nicht verblaßte. Mit Stiefeln war er 1,88 groß, aber er war so mager — ein gerader Strich, unterbrochen von muskulösen Schultern, die er der Arbeit auf der heimischen Farm in Montana verdankte —, daß er meistens größer geschätzt wurde.

Auf seinem Schreibtisch stand eine Fotografie von seinen Eltern, aufgenommen gleich nachdem sie das große

Steinhaus gebaut hatten, in dem Schuyler geboren und aufgewachsen war. Sie saßen auf der Veranda, Mr. Smith las in einem ledergebundenen Buch, Mrs. Smith häkelte an einem dunkelgrünen Wollteppich, an dessen rauhes Gefühl sich Schuyler heute noch erinnern konnte, obwohl er schon vor Jahren, als er noch ein kleiner Junge war, abgeschabt gewesen war. Es war nicht nur ein Bild von seinen Eltern, sondern von einem Leben, wie er es sich wünschte und wie es hier, wo alle sich unentwegt abmühten und wetteiferten und redeten, selbst wenn es nichts zu sagen gab, unmöglich schien.

Teddy gehörte zu den wenigen Menschen unter Schuylers Bekannten, die auch schweigen konnten; im Moment machte er allerdings einen Mordsradau, als er über der Feuertreppe hängend einem Mädchen zuwinkte, das auf sie zukam.

»Immer mit der Ruhe, Teddy«, sagte Schuyler, obwohl er Teddy das Theater kaum verübeln konnte: Das Mädchen war unglaublich schön, mit langen platinblonden Haaren, die beim Gehen wehten. Schuyler seufzte, denn Teddy beging den denkbar schlimmsten Fehler: einem Radcliffe-Girl zeigen, daß sie einem gefiel. Sie würde sich vermutlich umdrehen und fortgehen, sie würde Teddys Pfiffe überhören oder, falls sie aus New York war, ihnen sagen, sie sollten sich verpissen.

Aber nein, sie schritt geradewegs auf sie zu unter die Feuertreppe und sagte: »Ich hätte gern ein Bier, wenn es noch kalt ist.«

Teddy nahm ein Bier und hielt es in der ausgestreckten Hand. »Komm rauf und hol's dir. Schöne Haare hast du, sind die echt? Die sind bestimmt echt. Bourbon haben wir auch, wir sind sehr respektable Gentlemen, wir bieten dir unsere Gastfreundschaft und soviel Bier, wie du willst — natürlich ist es kalt.« Teddys Hand zitterte, und er beugte sich zu weit übers Geländer.

Schuyler zog ihn auf die Feuertreppe zurück, und dabei ließ Teddy das Bier fallen.

Zwei Treppenabsätze tiefer fing das Mädchen es auf. Mit links.

»Leck mich am Arsch«, sagte sie, lächelte ein breites Lächeln, drehte sich um und ging davon, genau eine Sekunde zu früh, so daß sie nicht sah, daß Teddy betrunken zusammenbrach und Schuyler zurücklächelte.

»Wir können in ein paar Monaten tauschen, wenn du das fair findest«, sagte Miranda, als Chris ihr einziges passables Kleid in den Wohnzimmerschrank hängte. Sie zogen abwechselnd an einem Joint, während sie auf die Rückkehr von Katie Lee und Rosalie warteten, die losgegangen waren, um etwas zu essen zu holen.

»In Ordnung«, sagte Chris. »Zu Hause hatte ich auch kein eigenes Zimmer, ich mußte es mit meiner Schwester teilen.«

»Ich habe mir immer eine Schwester gewünscht«, sagte Miranda, »statt dessen habe ich fünf Brüder.«

»Wir sind wieder da«, verkündete Rosalie, die die Pizza trug. Sie hatte noch nie Pizza gegessen, und sie kam sich gewagt und ein kleines bißchen unartig vor. Sie hoffte, daß sie sich nicht bekleckerte.

»Ich hab sie draußen warten lassen, bis ich die hier gekauft habe«, sagte Katie Lee und hielt zwei Flaschen kalifornischen Sekt in die Höhe. »Der Mann wollte nicht mal meinen Führerschein sehen, ich war fast ein bißchen enttäuscht, weil es doch mein erster ganz legaler Alkoholkauf war.«

Sie setzten sich mit gekreuzten Beinen auf den Fußboden, aßen und tranken und diskutierten, welche Kurse sie belegen sollten. Rosalie und Katie Lee liebäugelten mit Kunstgeschichte, Chris mit Shakespeare.

In den Gängen liefen Leute auf und ab, klopften an

Türen, stellten sich einander vor. Die vier hatten ihre Betreuerin, eine Art Ersatzmutter, und die Mädchen von nebenan und einige Jungen vom Erdgeschoß kennengelernt, die sich »Casablanca« ansehen gingen, den alle übereinstimmend für einen der besten Filme überhaupt hielten.

»Huch, ich bin fast betrunken«, sagte Miranda.

»Ich bin stockbetrunken«, lächelte Katie Lee, doch Chris sah, daß Katie Lee vollkommen nüchtern war und die Betrunkenheit nur vortäuschte, damit ihnen allen wohler war.

»Ich bin absolut tödlich betrunken«, sagte Rosalie und versuchte, nicht an ihren Vater zu denken.

»Ich kenn ein prima Saufspiel«, sagte Chris. »Wir spielen es meistens mit Bier. Ist wirklich lustig. Es heißt ›So rum‹.«

»Hoffentlich muß man da nicht Hand auf Auge koordinieren«, sagte Miranda.

»Nein, es ist ganz einfach. Man denkt sich was aus, was man sich wünscht, zum Beispiel eine Karriere. Man wechselt sich ab, und wenn ich dran bin, beschreibe ich die Karriere, die ich mir wünsche, und dann muß ich die ganze Dose Bier oder in diesem Fall das ganze Glas Sekt in einem Zug austrinken, und dann dreh ich die Dose oder das Glas um, so rum. Und wenn es einem gelingt, geht das, was man sich gewünscht hat, eben so rum in Erfüllung.«

»Ach, *Karriere,* so was Langweiliges«, wandte Miranda ein.

»Beschreib, was du willst, zum Beispiel deinen idealen Mann.«

Miranda hielt ein volles Glas Sekt in die Höhe und beschrieb Peter. »Er muß natürlich wunderbar und geistreich und großartig sein und alles, das versteht sich von selbst.«

»Du sollst uns nicht einfach bloß von deinem sagenhaften Yale-Studenten erzählen«, sagte Katie Lee, »sondern den Mann deiner Träume schildern.«

Miranda überlegte eine Weile. »Also, ich liebe Peter wirklich, aber ein Teil von mir ist immer — also ich bin richtig scharf auf eine bestimmte Sorte Jungs, ihr wißt schon, diese hartgesottenen mysteriösen Typen, die nicht viel reden. Sie sehen aus, als könnten sie zu Leuten, die sie nicht mögen, richtig fies sein, aber für dich würden sie alles tun.«

»Hört sich an wie Humphrey Bogart«, meinte Rosalie.

»Ja, wie Humphrey Bogart in einem Western vielleicht«, sagte Miranda. Sie schloß die Augen, trank ihren Sekt aus und drehte das Plastikglas um. »Jetzt bist du dran, Katie Lee.«

»Ich wünsche mir einen Mann mit einem Haufen Geld, aber das bleibt unter uns.«

»Ach komm«, sagte Miranda. »Du hast doch Geld wie Heu.«

»Eben. Wenn er selbst Geld hat, weiß ich, daß er nicht hinter meinem her ist. Und er darf nichts dagegen haben, daß ich hart arbeite, denn das hab ich vor. Er kann nicht erwarten, daß ich zu Hause sitze und seine Kinder großziehe. Und er muß sich gut mit seiner Mutter verstehen; denn Männer, die ihre Mütter nicht respektieren, behandeln ihre Frauen nicht gut. Und ich wünsche mir einen, der gut gebaut ist, groß muß er sein und helle Augen haben, damit wir schöne, perfekte Kinder bekommen.« Sie leerte ihr Glas und drehte es um.

Vielleicht ist sie doch ein bißchen betrunken, dachte Chris, sonst hätte sie nicht so viel verraten. Es sei denn, so berechnend zu sein, ist für sie vollkommen normal.

»Ich wünsche mir jede Menge Kinder«, sagte Rosalie. Sie hatte noch nie einen Freund gehabt und war auch noch nie richtig geküßt worden; ihre Erwartungen stammten aus Büchern und Märchen. »Ich wünsche mir, daß ein Märchenprinz mich in sein Schloß im Wald entführt, wo wir glücklich leben bis in alle Ewigkeit.« Ich muß erlöst werden von meiner Mutter, der bösen Hexe, dachte sie, dann fuhr sie fort: »Ich möchte einen Mann, der unglaublich romantisch ist. Ich möchte Dinners mit Blumen und Kerzenlicht und klassischer Musik im Hintergrund. Ich möchte noch Sekt«, sagte sie und spritzte sich beim Trinken ein wenig Sekt aufs Kinn. »Und wann geht mein Wunsch in Erfüllung?«

»Du kannst jeden Tag damit rechnen.« Chris lachte.

»Jetzt bist du dran«, sagte Miranda, während sie die Pilze von der übriggebliebenen Pizza pickte.

»Der ideale Mann«, sagte sie und schloß die Augen, »kennt keine Angst. Wir gehen überall zusammen hin, wohin wir wollen, einfach drauflos, aber wir fürchten uns nie, denn wir sind ja zusammen.« Sie kniff die Augen noch fester zu. »Wie sieht er aus? Groß muß er sein; denn ich bin fast einsachtzig. Mal überlegen.« Er kam ins Bild, so wie die Kamera zu Beginn eines Films auf den Helden zufährt, wenn die Anfangsmusik verklingt.

Aber es blieb keine Zeit zu überlegen, denn just in diesem Moment platzten zwei junge Männer zur Tür herein. Der eine war sichtlich betrunken und erklärte, sein Cousin habe früher hier gewohnt, und sie wollten es mal besichtigen, von wegen alten Zeiten und so.

Und Chris verlor das Bild vom idealen Mann, den sie erschaffen hatte, und öffnete die Augen, um zu sehen, wer sie in ihrer Konzentration zu stören wagte.

An die Tür gelehnt, eine Wildlederjacke über eine Schulter geworfen, stand mit finsterem Gesicht, die grauen Augen direkt auf sie gerichtet, Schuyler Smith.

2

Vorige Woche waren die letzten Blätter gefallen, und Schuyler hatte jetzt von seinem schmalen Badezimmerfenster aus eine ungehinderte Sicht auf den Fluß. Er beendete soeben seine frühabendliche Rasur, wobei er überlegte, wohin er mit diesem Mädchen zum Essen gehen sollte. Er konnte es noch gar nicht fassen, daß er mit ihr verabredet war, und hielt sich wohl zum hundertsten Mal an diesem Tag vor Augen, wie es dazu gekommen war. Er hatte in der Bibliothek ein Buch herausgesucht, und da stand sie direkt hinter ihm und zwirbelte mit dem Zeigefinger eine Haarsträhne. Er hatte sie zuerst gar nicht erkannt — es war fast ein Monat vergangen, seit er sie an dem Abend, als Teddy sich betrank und sie in sein altes Zimmer in Harvard gegangen waren, kennengelernt hatte. Ihre Kleider waren in seinem alten Schrank, ihre Bücher in seinem Regal, ihre rosa Daunendecke mit den Rosenapplikationen an den Kanten am Fußende des Bettes, wo einst seine rauhe dunkle Decke gelegen hatte.

Er hatte sich erboten, sie nach Hause zu begleiten, und ihre sanfte Art zu sprechen, wobei sie die Stimme am Ende jedes Satzes hob, als ob sie eine Frage stellte, ihre Unschuld und ihr Vertrauen weckten seinen Beschützerinstinkt. Schuyler glaubte, was er seit langem nicht geglaubt hatte, daß es auf der Welt fröhlich und einfach zugehen könne, wenn man den richtigen Menschen fand, was ihm vielleicht soeben gelungen war.

Ich werde sehr langsam vorgehen, sagte er sich, als er ein frisches Flanellhemd aus dem Schrank nahm. Ich werde sehr sorgsam mit diesem zarten, ängstlichen, einfach wunderbaren Mädchen umgehen. Er knöpfte sein Hemd bis oben zu, machte dann die oberen zwei Knöpfe auf, dann den vorletzten wieder zu, und dann sang er leise ihren Namen, Rosalie, wie ein Gebet oder ein Kinderlied.

Rosalie wußte nicht, was schlimmer sein würde: wenn er sie zu küssen versuchte, oder wenn er es nicht versuchte. Wenn er es nicht versuchte — keiner hatte es bisher getan —, bedeutete es, daß sie irgendwie versagt hatte: Sie war nicht hübsch genug oder hatte nicht genug oder vielleicht auch zuviel geflirtet. Wenn er es versuchte, würde er merken, wie unerfahren sie war. Er würde sich nie wieder mit ihr verabreden. Er würde sich mit seinen Freunden über sie lustig machen.

Katie Lee durchstöberte kopfschüttelnd Rosalies Kleiderschrank. »Wir müssen was Anständiges zum Anziehen für dich finden. Und denk dran, was ich dir gesagt habe: Sprich nicht über Geld, sprich nicht über deine Familie und sprich nicht über Politik. Hier, wie wär's damit«, sagte sie und hielt einen schwarzen Cordsamt-Trägerrock mit Perlmuttknöpfen hoch.

»Ich hab passende Schuhe dazu«, sagte Rosalie. Sie kramte ein Paar schwarze Samtballerinas hervor.

Katie Lee verdrehte die Augen. »Wir müssen dir welche mit hohen Absätzen kaufen. Gleich Montag. Und was Neues zum Anziehen.«

»Meine Mutter sucht alle meine Kleider aus. Was für eine Farbe soll ich drunter anziehen?« fragte Rosalie und zog eine Schublade voll baumwollener Unterziehpullis auf.

»Du brauchst nichts drunter, Schätzchen. Das Ding reicht dir doch sowieso bis ans Schlüsselbein.«

»Es ist ein Trägerrock, Katie Lee.«

»Hör auf, ich will das gräßliche Wort nicht mehr hören. Rosalie, du bist fast achtzehn.«

Chris kam mit einer Tasche voll Schminksachen herein. »Hier, das Wechselgeld, Rosalie. Denk dran, du darfst dir nicht die Augen reiben, wenn du das Zeug drauf hast.«

»Und wenn ich allergisch drauf reagiere?«

»Keine Ausflüchte, Mädchen. Er wird jede Minute hier sein«, sagte Chris und breitete die Schminksachen auf Rosalies Schreibtisch aus. Sie bemerkte, daß Katie Lee sich ganz schön aufgedonnert hatte für ein Mädchen, das nicht verabredet war; das ganze Zimmer roch nach ihrem Parfüm. Sie erkannte innerlich lächelnd, daß sie unbewußt genau dasselbe getan hatte, als sie am hellichten Nachmittag eine frische Bluse anzog und ihre langen Haare so zeitig wusch, daß sie trockneten, bis Schuyler ihre Zimmergenossin abholen kam.

»Es ist lieb von euch, daß ihr das alles für mich tut«, sagte Rosalie, als Chris und Katie Lee sich an ihrem Make-up zu schaffen machten.

Chris dachte, von wegen lieb, aber Rosalie ist zu nett oder zu naiv, um zu merken, daß wir das bloß aus schlechtem Gewissen tun. Sie halfen Rosalie, um wiedergutzumachen, daß sie den ganzen Nachmittag vor dem Spiegel standen und sich fragten, was für einen Eindruck *sie* auf Schuyler machen würden, wenn er ihre Mitbewohnerin abholen karn.

Katie Lee dachte, es ist nicht zu fassen, wie schön dieses Mädchen ist, dabei weiß sie es nicht einmal, und das ist vermutlich der einzige Grund, daß ich es ertrage, mit ihr zusammenzusein. Ich möchte wissen, ob Schuyler einen Zimmerkameraden hat oder besser noch einen eineiigen Zwillingsbruder.

Aber als es klopfte, war es Miranda, die in einem weißen Angorapullover, den noch keine von ihnen an ihr gesehen hatte, aus ihrem Zimmer geschossen kam und vor ihnen an der Tür war, um ihn in ihr bescheidenes Quartier zu bitten.

»So bescheiden finde ich das gar nicht«, sagte Schuyler mit einem Blick auf die gerahmten Drucke und die Stereoanlage, die Katie Lee mit der Kreditkarte ihres Vaters gekauft hatte. »Na, was hast du denn vor, Miranda?«

Schuyler musterte den Pullover, die goldenen Armreifen und die Samtjeans.

Miranda wurde rot. »Mein Cousin gibt heute abend eine Party — er studiert im vorletzten Semester und wohnt in Haus Winthrop — vielleicht schau ich dort später mal vorbei.«

»'n Abend, Schuyler«, sagte Chris, »Rosalie kommt gleich.« Sie schenkte ihm ein vertrauliches Lächeln, als teilten sie ein wunderbares Geheimnis, und als Miranda fortsah, lächelte Schuyler zurück.

»Wie geht's?« fragte er, obwohl er es natürlich wußte: Chris' sexuelle Ausschweifungen hatten sich innerhalb der ersten Woche rasch herumgesprochen. Sie hatte mit dem Sohn eines Kongreßabgeordneten, einem Gastprofessor vom Wirtschaftsministerium, zwei Uni-Angestellten und einem Arzt vom Universitätsgesundheitsdienst geschlafen. Aber als Schuyler ihr Lächeln sah, hatte sie nichts von einem Flittchen an sich. Es war, als wäre sie die Nehmende und nicht diejenige, die genommen wurde; sie schlief sich durch wie ein Mann, nahm sich das Beste, das sich ihr bot, und ging ohne Reue oder Bindungen. Sie hatte etwas Wildes, fand er, als fordere sie einen Mann heraus, sie zu fangen. Sie zu zähmen.

»Ich kann nicht klagen«, sagte Chris.

»Unser Liebling Chris klagt nie«, schaltete sich Katie Lee ein, die in einer Wolke von »Miss Dior« hereingeschwebt kam, »nicht einmal darüber, daß sie im Wohnzimmer schlafen muß«, fuhr sie fort und wies auf das schmale Bett, das die meisten Nächte unbenutzt blieb.

»Hallo Schuyler«, sagte Rosalie und starrte auf ihre Schuhe.

»Hallo Rosie«, erwiderte er, und sie sah auf und lächelte. Niemand hatte sie bisher so genannt, und die unbeschwerte Vertraulichkeit des Kosenamens löste etwas in ihr.

Schuyler trat einen Schritt auf sie zu, und in diesem Moment sah er den Verlauf der Beziehung vor sich: ein Abendessen bei Kerzenlicht, die blaßgelben Rosen, die er ihr am nächsten Morgen schicken würde, ein ganzer Monat mit solchen Essen und Blumen, und Spaziergänge mit Rosalie am Fluß; mit jedem Mal wurde ihr Schritt zuversichtlicher, hielt er ihre Hand etwas fester, bis sie sich, sie erwachsener, er jünger werdend, endlich als Liebende vereinigten.

Er nahm ihren Arm und führte sie, ohne sich von den anderen zu verabschieden, in die Nacht hinaus.

Miranda versuchte zu ergründen, was Schuyler bloß an Rosalie fand. Sie war nicht richtig eifersüchtig; sie hatte schließlich einen festen Freund. Aber irgendwie fühlte sie sich abgewiesen wie so oft, wenn ein Mann, an dem sie kein Interesse bekundete, sich mit einer Freundin von ihr verabredete. Es war, als wünsche sie, daß alle Männer heimlich in sie verliebt seien. Sie versuchte sich irgend etwas zu beweisen, etwas, das mit Macht zu tun hatte und das sie sich mit Peter nicht beweisen konnte.

»Er ist unglaublich, nicht?« sagte Chris hinter ihr.

»Was? Ja, er ist süß, bißchen wie 'n Cowboy, wenn man auf so was steht.«

Chris hob die Augenbrauen. »Eine Frau, die nicht auf so was steht, braucht dringend ärztliche Behandlung.«

»Er ist bloß ein Junge, Chris.« Miranda fand es Rosalie gegenüber unfair, so über Schuyler zu reden.

Manchmal sprach Chris alles aus, was ihr in den Sinn kam, anscheinend ohne zu überlegen, ob es angebracht oder höflich war. Miranda war überzeugt, daß dieses Benehmen ihre Freundin noch in ernste Schwierigkeiten bringen würde.

Chris zuckte die Achseln. Sie hatte im Laufe der letzten Wochen erfahren, daß man sich nicht offen mit Miranda unterhalten konnte. Zu viele Barrikaden waren um das errichtet, was Miranda verbergen wollte, was immer das sein mochte. Ihr Freund Peter zum Beispiel rutschte offenbar in ein ernstes Drogenproblem — das war bei seinem letzten Besuch in Cambridge deutlich geworden —, aber als Chris versuchte, die Sprache darauf zu bringen, wollte Miranda nichts davon wissen. Miranda gab stets vor, ihr Leben sei vollkommen. Vollkommen langweilig, dachte Chris.

»Was soll ich für die Party anziehen?« fragte Chris.

»Ach, nichts Besonderes«, sagte Miranda und dachte dabei an die Plateausohlen und kurzen Röcke, die Chris so liebte. »Jeans sind okay.«

Katie Lee kam in einer lindgrünen Hose und einem rosa Shetlandpullover aus ihrem Zimmer. »Hoffentlich gibt's auf der Party was Anständiges zu trinken; ich glaube, noch so eine Bierfete überleb ich nicht.«

Miranda lachte. »Bei Bobby gibt's die besten Partys. Mach dir keine Sorgen.«

Katie Lee machte sich Sorgen um Chris, die etwas aus einem Gegenstand inhalierte, der wie ein Tauchgerät aussah, und sie machte sich Sorgen, weil ihre grüne Hose mit Rotwein befleckt war, den eine schrecklich laute Person auf dem Weg zur Toilette verschüttet hatte. Unglaublich, wie die Leute sich aufführten. Der Sohn eines Senators, der die Antidrogengesetze in den Kongreß eingebracht hatte, schnupfte Kokain mit der

Tochter einer Schauspielerin, die ihre Karriere durch einen Sturzflug in den Alkoholismus beendet hatte. Die Erbin eines Bergwerkvermögens legte einen rasenden Tanz mit zwei Jungen hin, einer weiß, einer schwarz, die Katie Lee zuvor auf der Treppe beim Küssen überrascht hatte.

»Du siehst aus, als könntest du das hier gebrauchen«, sagte eine Stimme hinter ihr. Katie Lee drehte sich um, um zu sehen, worin das Angebot bestand: Ein großer, muskulöser junger Mann hielt ein Glas Whisky und ein Glas Sodawasser in den Händen. Er trug ein sorgfältig gebügeltes Frackhemd, das in braunen Cordjeans steckte. Seine tiefe Bräune, die schwarzen lockigen Haare und die scharfgeschnittene Nase kontrastierten mit Augen, die nicht zu dem strengen Gesicht zu gehören schienen: ein helles, warmes Braun, und sie lächelten, als hätte jemand soeben einen Witz erzählt. Für Katie Lee sah er aus wie die Männer, die sie in Anzeigen gesehen hatte, die für Reisen ans Mittelmeer warben, der sinnliche Sonnenanbeter, auf einem Felsen über dem Meer ausgestreckt, das Salzwasser perlt noch auf seiner glatten dunklen Haut.

»Du mußt ein Schwimmer sein«, sagte Katie Lee.

»Woran siehst du das?«

»An den Schultern«, erwiderte sie, »und den kurzen Haaren.«

»Nach allem, was Miranda mir erzählt hat, mußt du Katie Lee sein. Ich bin ihr Cousin Bobby Vincent«, sagte er und hielt ihr die Gläser hin.

Katie Lee trank einen Schluck Whisky. »Meine Lieblingsmarke«, sagte sie. »Ich weiß hundertprozentig, daß es diese Sorte in Boston nicht zu kaufen gibt.«

»Ich lasse mir zu Beginn jeden Semesters per Schiff eine Kiste kommen. Das ist auch für dich«, sagte er und reichte ihr das Sodawasser.

»Ich denke nicht im Traum daran, Kentuckys edelste Sorte mit kohlesäureversetztem Leitungswasser zu verderben.«

»Es ist für deine Hose. Um den Wein rauszukriegen. Ein alter Trick, hab ich von meiner Mutter gelernt. Hier, ich zeig's dir.« Er goß etwas Soda auf die Stelle, wo der Wein hingespritzt war, unmittelbar über ihrem Knie, und als es aufhörte zu sprudeln, wischte er es mit einem Handtuch ab. Katie Lee war schockiert, daß dieser fremde Mensch es tatsächlich wagte, seine Hände auf ihr Bein zu legen (das Wort Schenkel benutzte sie nie, nicht einmal in Gedanken), aber da es ringsum dermaßen wild zuging, nahm sie an, daß es niemand bemerkte. Es war eigentlich ein ganz angenehmes Gefühl, wie die starken Sportlerhände sie massierten, so was brachte man ihnen wohl beim Training bei. Unter seinem dünnen Baumwollhemd konnte sie das Spiel seiner Schultermuskeln sehen.

»Das Privileg eines Gastgebers«, lächelte Bobby und richtete sich auf.

»Es funktioniert«, rief Katie Lee, »das ist ja unglaublich!«

»Es klappt immer«, sagte Bobby. »Es ist einer der nützlichsten Tricks, die ich kenne.« Und mit einem Winken verzog er sich in eine andere Ecke des Zimmers.

»Und was hast du mit Katie Lee angestellt?« fragte Miranda und reichte Bobby einen Joint.

»Ich war bloß der hilfreiche Gastgeber.«

»Du brauchst dich nicht um sie zu bemühen. Sie ist eine professionelle Jungfrau.«

»Du meinst, sie wird dafür bezahlt? Oder vielmehr dafür, daß sie's nicht tut?«

»Du weißt, was ich meine. Sie hat mir gesagt, sie will

warten, bis sie verheiratet oder zumindest verlobt ist. Sie meint, es ist dumm von mir, mit Peter zu schlafen, bevor er mir einen Heiratsantrag gemacht hat.«

»Wird er dir denn einen Heiratsantrag machen?«

Miranda verdrehte die Augen. »Nun mal langsam. Ich bin erst achtzehn.«

»Keine verläßt Radcliffe als Jungfrau. Das ist ein Universitätsgesetz.«

»Wenn ich auf eine wetten müßte, würde ich auf Katie Lee wetten«, entgegnete Miranda. »Ich glaube, sie macht sich tatsächlich einen Jux daraus, die Jungs verrückt zu machen. Sie läßt sie bis hierhin und nicht weiter und hält ihnen dann ihren kleinen Vortrag über Sex und Bindung.«

»Hör ich hier jemanden über Sex sprechen?« fragte Bobbys Zimmerkamerad Carter, der zu ihnen trat, um das letzte Ende vom Joint zu schnorren.

»Wen, mich?« sagte Miranda, »Gott bewahre. Bobby, worüber haben wir gesprochen? Ich weiß es nicht mehr. Entschuldige mich, ich glaube, die Toilette ist frei. Die müssen mindestens zwanzig Minuten da drin gewesen sein.«

»Hab ich was Falsches gesagt?« fragte Carter. Er fuhr sich mit der Hand durch seine langen zerzausten Haare. »Bin ich in eine wichtige Familienkonferenz geplatzt?«

»Wir haben über ihre Zimmergenossin gesprochen, die da drüben mit dem rosa Pullover. Ich finde sie sehr hübsch.«

»Ach Gott, Bobby, gib dir keine Mühe«, sagte Carter.

»Von Mühe kann gar keine Rede sein«, erwiderte Bobby.

»Sie ist nicht dein Typ. Obwohl du vermutlich ihr Typ bist. Du bist vermutlich der einzige Mensch, den ich kenne, der noch ehrgeiziger ist als sie. Laß sie bloß nichts von deinem Geld wissen.«

»Sie weiß es schon. Sie wohnt mit Miranda zusammen.«

»Es ist nicht die Mühe wert.«

»Vielleicht nicht«, sagte Bobby, aber er erinnerte sich, wie Katie Lees Schenkel sich unter seinen Händen zuerst gespannt und dann gelöst hatte, und er dachte, wieviel interessanter der kalte Winter sein würde, wenn er einen Weg fände, Kentuckys edelste Sorte zu verderben.

Gegen Morgen saß Chris im Schneidersitz auf dem Fußboden und rauchte eine Menthol-Zigarette. Auf diesem kleinen Raum zwischen einem Stereolautsprecher und einer Apfelsinenkiste voll Schallplatten war es zu laut zum Reden, und Chris fand, es sei Zeit, nach Hause zu gehen. Sie war nicht müde, aber sie hatte genug von Bobbys Freunden. Es lag etwas Gemeines in der Art, wie sie beim Sprechen nie die schmalen Lippen bewegten und wie sie beim Tanzen gelangweilt dreinsahen, als sei die Welt ein Ort, der ihre Anstrengungen nicht verdiene.

Ein Junge in einer schmalgeschnittenen Smokingjacke aus grünem Samt packte sie am Handgelenk und zog sie auf die Füße.

»O nein«, sagte Chris, überrascht, wie dünn er war, nachdem sie seinen festen Griff gespürt hatte, »ich kann unmöglich tanzen. Ich bin fix und fertig.«

Der Junge lächelte flüchtig. Seine schiefen Zähne waren ein Schock für sie, denn alles übrige an ihm war perfekt zusammengestellt. Seine Samtjacke — sie mußte extra für ihn angefertigt worden sein, dachte Chris, so gut wie sie saß — wies keine Spur von den Strapazen des Abends auf. Darunter trug er ein T-Shirt, wie Chris noch keins gesehen hatte, nicht die Soße, die in Plastik-hüllen in der Unterwäscheabteilung lag, sondern etwas Teures, das man vermutlich in die Reinigung geben mußte. Auch seine Jeans war anders, aus normalem blauen Jeans-Stoff, aber geschnitten wie eine Anzugho-se. Seine Stiefel waren silbern, und er trug einen einzel-nen silbernen Ohrring im linken Ohr. Seine roten Haa-re ringelten sich bis auf seine Schultern, und er hatte große grüne Augen. Seine Mundwinkel waren nach un-ten gezogen, als sei er im Begriff, etwas überaus Mißbil-ligendes zu äußern, und seine Haut war so zart wie die eines jungen Mädchens.

»Klar, daß du nicht tanzen magst«, sagte er mit eng-lischem Akzent. Seine Aussprache war so deutlich, daß Chris annahm, er sei aus London. »Zu dieser gräßli-chen Musik kann keiner tanzen. Ich gehe frühstücken und würde mich freuen, wenn du mitkämst.«

»So?« fragte Chris. »Warum?«

»Ich zieh immer mit dem hübschesten Mädchen los.«

»Versuch's noch mal«, sagte Chris.

»Also gut. Weil alle neugierig sind, mit wem du nach Hause gehst. Dein Ruf eilt dir voraus. Du brauchst nicht so ein Gesicht zu machen, ich bin sicher, es ist dir egal. Und weil sich Bobby furchtbar ärgert, wenn du mit mir gehst, und ich Lust habe, Bobby zu ärgern, weil er sich vorige Woche meinen Wagen geliehen und eine häßliche Beule in den hinteren linken Kotflügel ge-macht hat. Ich glaube, er hat dich schon einem von sei-nen miesen Zimmerkameraden versprochen, oder viel-leicht hat er dich verkauft, der skrupellose Italiener. Und weil eine alte Freundin von mir eine Szene ma-chen will und mir nicht auf die Straße nachläuft, wenn ich dich als Beschützerin habe.«

Chris kicherte. »Der letzte Grund gefällt mir am be-sten. Du hast getan, als wärst du zu meiner Rettung gekommen, aber in Wirklichkeit mußt du gerettet werden.«

»Wofür ich dich mit einer netten Mahlzeit in meiner netten Wohnung belohnen werde.«

»Unter einer Bedingung.«

»Und die wäre?«

»Daß du mir deinen Namen sagst.«

»Child. Alexander Child. Hier nennen mich alle Alex.«

»Abgemacht, Alex«, sagte Chris und nahm seinen Arm. Er sieht aus wie ein Rockstar, dachte sie, als sie die zehn kurzen Häuserblocks zu dem Vorkriegswohnhaus aus braunem Ziegelstein gingen, wo Alex drei luxuriös möblierte Zimmer bewohnte.

»Sei bloß nicht zu sehr beeindruckt«, sagte er, während er das Kaffeewasser aufsetzte. »Die Wohnung gehört eigentlich meinem Cousin. Er war jahrelang hier, aber wir benutzen sie alle, wenn wir sie brauchen. Mein Vater hat hier ein Semester als Gastprofessor gewohnt. Meine Schwester hat sich nach ihrer zweiten Scheidung hier verkrochen. Ich bleibe hier bis zum Examen, es sei denn, Cynthias dritte Ehe geht auch bald in die Brüche, dann kriegt sie die Wohnung. Sie ist die älteste.«

Chris betrachtete die Bücherregale, während Alex ein Omelett zusammenrührte. Sie waren angefüllt mit wunderschönen Fotobänden, die erforderten, daß man sich vor dem Betrachten die Hände wusch.

Alex kam mit dem Frühstück auf einem Silbertablett herein. »Im Grapefruitsaft ist Wodka«, sagte er. »Mein Cousin ist Fotograf. Das ist sein Vorwand, um mit schönen Frauen zusammenzukommen. Ich nehme an, es ist ein besserer Vorwand als der, den ich bei dir benutzt habe. Wenn du mir sagst, dies ist das beste Omelett, das du je gegessen hast, bin ich ewig dein.«

»Es ist das beste Omelett, das ich je gegessen habe.«

»Du hast es ja noch gar nicht probiert.«

»Ich hab keinen Hunger. Ich kann Frühstück nicht ausstehen.«

»Wozu bist du dann hier?«

»Ich hab bloß getan, was mir gesagt wurde.« Chris rührte den Wodka vom Grund des Glases auf. Weil, dachte sie, du geheimnisvoll und englisch und elegant und nicht auf den Mund gefallen bist und ich diese Kombination noch nicht ausprobiert habe. Weil du schrecklich gut aussiehst, und weil du es weißt, und weil du weißt, daß ich es weiß, und du trotzdem kein bißchen arrogant bist.

»Chris geht nach Harvard, ist das zu fassen?« hatte Gloria eines Abends beim Essen verkündet. Die Aufnahme ihrer Tochter in eine der besten Schulen war für Gloria die Wiedergutmachung aller schlimmen Episoden in ihrem mühevollen Leben; jeder unglückliche Bruch und jeder traurige Rückschlag hatten zu diesem Augenblick geführt. Es gehörte zu Gottes Plan, glaubte Gloria, daß die Mutter zum Wohle der Tochter litt.

Gloria war auf einer Blaubeerfarm in South Jersey aufgewachsen, und mit sechzehn Jahren wurde sie vom bestaussehenden Jungen ihrer Klasse geschwängert. Der Farmerssohn Harrison Sonny Kidwell war der geborene Charmeur. Mit zwölf hatte er sich auf einem alten Traktor das Fahren beigebracht. Er konnte Rauchringe blasen und am Reißverschluß seiner Jeans ein Streichholz anzünden. Er schien alles zu wissen, was es zu wissen gab, außer wie man seinen Job behielt, und Gloria kochte in einem Restaurant, um für den Unterhalt der Familie aufzukommen. Am Tag, an dem sie ihre Tochter gebar, am 31. Dezember 1954, gelobte sich Gloria, daß ihre Tochter ein besseres Leben haben sollte.

Sonny Kidwell starb, als Chris vier war, und Gloria fand, es hätte ihr nichts Besseres passieren können. Drei Monate später hatte sie ihren Mädchennamen wieder angenommen; sie zog nach North Jersey und heiratete einen vierzigjährigen irischen Einwanderer namens Willie Dunne, dem zwei Tankstellen und ein kleines Restaurant gehörten. Willie Dunne hatte Geld, und nachdem Gloria ihm zwei Kinder geboren hatte, Madeline und Willie junior, kümmerte es ihn nicht besonders, wie Gloria es ausgab. Gloria gab das meiste davon aus, um ihr und Chris' Leben neu zu gestalten. Sie möblierte das Haus im amerikanischen Kolonialstil. Chris erhielt Spielzeug, Bücher und Rüschenkleider und unzählige Klavier-, Steptanz- und Gymnastikstunden. Gloria schnitt aus *Life* ein Bild von Prinzessin Gracia aus und klebte es über Chris' Spiegelkommode, als Ermahnung für ihre Tochter, »nach den Sternen zu greifen«. Sie schärfte Chris ein, sie habe nur zwei Regeln zu befolgen. Die erste sei, immer zu versuchen, ihr Bestes zu geben, um besser zu sein als die andern. Die zweite sei, niemals ihren Vater oder ihr Leben vor Glorias Heirat mit Willie zu erwähnen.

Beim vierten Drink und dritten David Bowie Album lagen Alex und Chris auf dem chinesischen Seidenteppich und sannen darüber nach, welches Dschungeltier sie am liebsten sein möchten.

»Vielleicht eine von diesen Antilopen mit den exotischen Namen«, sagte Chris, »oder ein Löwe.«

»Fällt dir die Entscheidung schwer, ob du Jäger oder Beute sein möchtest?«

»Also, wenn du es so siehst, dann auf jeden Fall ein Löwe. Ich hab die richtige Mähne dafür.«

Alex nahm eine Strähne von Chris' Haaren und hielt sie sich einatmend ans Gesicht. »Nur die männlichen

Löwen haben Mähnen. Deine Haare riechen phantastisch.«

»Neues Shampoo.«

Alex fuhr mit der Nase langsam in kleinen Kreisen durch Chris' Haare, am Haaransatz entlang, über ihre Stirn, um ihr kleines, nicht durchlöchertes Ohr. »So nähern sich die Tiere einander«, sagte er.

»Und was für ein Tier bist du?«

»Ein schwarzer Panther, ganz klar. Das ist die absolut höchste Kombination von Kraft und Anmut. Schwarze Panther sind schön und selten.«

Genau wie ich, wird er als nächstes sagen, dachte Chris.

»Weißt du«, sagte Alex, »du ziehst dich schauderhaft an.«

»Oh, vielen Dank«, sagte Chris. »Mit Schmeicheleien kommst du überall an.«

»Du weißt, daß ich recht habe, mein Liebling«, fuhr er fort und befingerte das Zugband, das ihre leuchtende mexikanische Bluse aus grobem Baumwollstoff zusammenhielt. »Du solltest Samt und Seide tragen. In blauen, grauen und violetten Tönen. Um die wunderbare helle Haut und die sagenhaften Augen zu betonen. Du solltest wie die Eisprinzessin in einem Ballett des neunzehnten Jahrhunderts aussehen.«

»Hört sich sehr dekadent an«, sagte Chris und richtete sich auf einem Ellbogen auf. »Und sehr teuer.«

»Laß uns bitte nicht über Geld reden, das ist so ein langweiliges Thema. Ich muß mit dir einkaufen gehen. Stell dir vor, du in einem langen blauen Samtkleid mit Knöpfen von den Fesseln bis hier oben«, sagte er und berührte mit einem Finger ihr Schlüsselbein. Chris legte sich zurück und schloß die Augen.

»An deinen Füßen die zierlichsten grauen Wildlederschnürstiefel, die genau bis zum Knöchel reichen«, flüsterte er, indem er die Schnallen ihrer Plateausandalen löste und ihr die geringelten Baumwollsöckchen auszog. Er zog den Reißverschluß ihrer Jeans auf und streifte sie ihr mit einer einzigen zügigen Bewegung ab. »Und Seidenstrumpfnähte.« Er hob ihre Hüften an, um ihr die Unterwäsche auszuziehen, und dann ihre Schultern, um ihr die Bluse über den Kopf zu ziehen. »Eine elfenbeinfarbene Satinbluse, mit Spitze besetzt. Satinhöschen, so glatt wie deine Haut.«

Er sprach leise weiter, während er aufstand. »Du liegst auf einem dicken Federbett, auf kühlen weißen Federkissen.« Chris hörte, wie eine Schnalle aufschnappte und wie ein Reißverschluß aufgezogen wurde und Kleidungsstücke leise auf den Teppich fielen. »Draußen dämmert es. Es ist ganz ruhig, ganz still.« Er legte sich neben sie, nahm ihren Kopf in eine Hand. Sie drehte sich zu ihm, die Augen noch geschlossen, und er küßte sie sachte, wobei ihre Lippen sich kaum streiften, wieder und wieder. Chris atmete schneller, aber als sie ihn an sich ziehen wollte, hielt er sie zurück.

»Schscht«, flüsterte er, »alles wird ganz langsam geschehen. Du hast sehr lange auf mich gewartet.« Mit einer Hand streichelte er ihre Haare, mit der anderen kreiste er sachte über ihre Wangen, an ihrem Hals hinunter, um ihre Brüste, jede kreisende Bewegung etwas tiefer, etwas fester, und Chris fühlte, wie er an ihrem Schenkel steif wurde.

»Alles wird ganz langsam geschehen«, wiederholte er, und sie spürte seine Finger in sich, immer noch in kreisenden Bewegungen.

»Wie in einem Traum«, sagte er, und dann war er still, und das einzige Geräusch war ihrer beider Atem und der Baß der Musik, die das Zimmer erfüllte. Seine Finger waren jetzt naß von ihr, und sie vermochte nicht mehr zu zählen, wie oft er sie bis kurz vorm Kommen massiert, geknetet und gereizt und dann plötzlich einge-halten hatte, bis sie ruhiger wurde und er wieder ganz von vorn begann. Der Teil von ihr, der selbst beim wil-desten Sex immer bei vollem Bewußtsein geblieben war, der Teil, der abgewägt hatte, ob ein Rhythmus zu schnell war oder zu langsam, der auf den Augenblick achtete, wann sie sich vielleicht in eine andere Lage drehen oder etwas Unerwartetes mit den Händen ma-chen sollte, dieser Teil war jetzt verschwunden, und Alex beherrschte sie vollkommen. Sie war nichts, außer was er aus ihr machte, und gerade als sie das Gefühl hatte, es könnte womöglich immer so weitergehen, schob er sie hoch, so daß sie rittlings auf ihm saß, und umklammerte ihre Hüfte mit seinen Händen.

Nun war Chris an der Reihe. Sie öffnete die Augen und begann sich zu bewegen, zuerst langsam, in kleinen Kreisen, dann schneller und fester, bis sie an den Schweißperlen auf seiner glatten Brust und der Straf-fung seines Halses sah, daß er kurz vorm Kommen war. Da hielt sie ein und saß ganz still, bis er tiefer atmete und sich in ihr etwas entspannte. Und dann fing sie wieder an, bewegte sich zunächst kaum, nahm nur seine Spitze in sich hinein, und so fuhren sie fort, bis ihr die Beine vor Erschöpfung zitterten. Er zog sie zu sich hin-unter und rollte sich herum, bis er auf ihr war, und als er sie auf den Mund küßte, wußte sie, daß sie sich jetzt endlich nicht mehr zurückhalten mußten. Sie wiegten sich zusammen und kamen zusammen mit dem tiefen, gedehnten Stöhnen von Menschen, die das letzte Quentchen Energie aufgeboten haben, um absolute Vollkommenheit zu erreichen.

»Schön«, war alles, was Alex sagen konnte, »schön, schön, schön.«

Chris sagte nichts. Sie lächelte und küßte ihn auf die Nase.

»Du bist das vollkommenste aller Geschöpfe«, sagte er, und dann schlief er ein.

Chris wachte als erste auf. Es war kalt auf dem Fußboden. Die Nachmittagssonne erhellte das Zimmer durch die dünnen Mullgardinen. Sie zog sich an und spülte das Geschirr, dann wusch sie sich das Gesicht mit einer Seife, die nach Zimt roch, und putzte sich die Zähne mit einer Zahnpasta mit Pfefferminzgeschmack, die sie auf ihren Zeigefinger gedrückt hatte.

Sie machte Kaffee und betrachtete den schlafenden Alex. Bei Tageslicht sah er anders aus: Sein Körper wirkte jungenhafter, weniger muskulös, doch sein Gesicht schien härter mit den winzigen Fältchen um die Augen, die sich bei Rothaarigen schon sehr früh bilden. Sie wollte ihn nicht wecken — er mußte sehr müde gewesen sein, und solange er schlief, konnte sie in dieser herrlichen Wohnung bleiben.

Einige Keramikschalen sahen so zierlich aus, daß sie sich fürchtete, sie in die Hand zu nehmen oder auch nur zu berühren. Als sie eine aus Holz geschnitzte Spieldose öffnete, erklang eine Melodie von Schubert. Sie fuhr mit der Hand über ein Regal voll teurer Bücher mit glänzenden Schutzumschlägen. Bei Chris zu Hause gab es auch Bücher, aber Taschenbücher oder billige Buchgemeinschaftsausgaben von Bestsellern, Werke über Kriegsgeschichte und Thriller für ihren Stiefvater, Kitschromane für ihre Mutter. Chris zog einen großformatigen Fotoband mit Bildern von Gartengemüse und rauschenden Wassern heraus. Ein anderes Buch zeigte Mannequins, die dem Geschmack verschiedener Jahrzehnte entsprechend geschminkt und geschnürt waren. Eine Geschichte grauenhafter Verbrechen begann mit einer Einführung von einem berühmten Psychiater, in der er sich über das Thema »Natur gegen Erziehung«

ausließ, über die Frage, ob Psychopathen zum Töten geboren oder durch frühe widrige Umstände dazu gebracht werden.

Chris blätterte die Seiten um. An einer Mauer lehnten Bonnie und Clyde. Bonnie war erstaunlich unattraktiv, verglichen mit Faye Dunnaway im Film. Der Würger von Boston sah aus wie vier oder fünf Jungen, die mit Chris in die Oberstufe gegangen waren.

Sie blätterte weiter, bis sie fand, was sie suchte. Zwei ganze Seiten waren ihm gewidmet, mit kleinen Fotos von den zwölf älteren Leuten, die er in sieben Monaten erstochen hatte, alle abends allein in ihren Farmhäusern, manche ohne Telefon. Ein Ehepaar hatte nicht mal fließendes Wasser. Dadurch war man ihm schließlich auf die Spur gekommen, er hatte das Blut nicht von seinen Kleidern waschen können, bevor er wieder in sein Auto stieg.

Das größte Bild war das berühmte, wie er den Reportern am Tag, bevor er in die Gaskammer ging, zulächelte. Seine scharfgeschnittenen, hübschen Züge, die hellblonden Haare und die unschuldigen blauen Augen hatten ihm den Spitznamen »Chorknabenmörder« eingebracht.

Harrison »Sonny« Kidwell, 1937—1959, lautete die Bildunterschrift.

»Guten Morgen, Geliebte«, sagte Alex, während er sich auf den Ellbogen aufrichtete. »Oder sollte ich guten Abend sagen?«

Chris stellte die Bücher rasch zurück, dabei ließ sie das mit den Mannequins fallen.

»Ist schon in Ordnung«, sagte Alex, »mein Cousin hat bestimmt nichts dagegen. Du kannst dir ausleihen, was du willst. Komm her und gib mir einen Kuß.«

»Danke, vielleicht leih ich mir das hier«, sagte sie und hob das Buch mit den Mannequins auf. Ihre Hände zitterten.

»Weißt du, du könntest Fotomodell werden, wenn du wolltest. Du bist groß genug. Das hast du bestimmt schon öfter gehört. Du brauchst bloß ein bißchen Unterricht, wie du dich schminken und anziehen und wie du gehen mußt. Damit läßt sich hübsch Geld verdienen.«

Chris fing an zu weinen.

Alex stand auf und zog seine Hose an. »Ich wollte dich nicht traurig machen. Hör auf, ich bin hilflos, wenn eine Frau in Tränen ausbricht. Komm her, komm in meine Arme. Was ist denn nur? Schscht, was hab ich bloß getan?«

»Nichts, es ist nichts«, flüsterte Chris. »Ich bin einfach nur glücklich. Ich bin jetzt richtig glücklich.«

3

Katie Lee Hopewell   Rosalie Van Schott
und
Miranda Vincent   Chris Dunne
geben sich die zweifelhafte Ehre, anläßlich
ihres ersten Jahrestages
am Samstag, 15. Dezember, um 21 Uhr
zur Weihnachtsparty einzuladen.
u. A. w. g., sonst . . .

»Sonst was?« fragte Alex und winkte dem Kellner, er möge die Rechnung bringen.

»Was weiß ich«, sagte Chris, »ich hasse es, Partys zu geben. Ich hab ihnen gesagt, ich kann es mir nicht leisten, Geld beizusteuern, und ich hab ihnen gesagt, ich möchte eigentlich niemanden einladen, und ich hab ihnen gesagt, es ist mir zuwider, den Dreck von anderen Leuten wegzuputzen, aber sie bestanden trotzdem darauf, meinen Namen auf die Einladung zu setzen, weil es komisch aussähe, wenn ihre drei draufstünden und meiner nicht.«

»Ihr müßt mich entschuldigen. Ich fliege am zehnten nach London.«

»Wann kommst du zurück?«

»In der ersten Januarwoche.« Einfach so, dachte Chris. Kein Wort von Weihnachten. Kein Wort von Silvester, ihrem Geburtstag. Verdammter Mist, sagte sie bei sich, ich hab ja gewußt, daß es eine Mordsschlaucherei ist, wenn man einen festen Freund hat. Chris war in den zwei Monaten, seit sie Alex kannte, nur zweimal fremdgegangen.

»Wird vermutlich sowieso eine gräßliche Party. Es war Katie Lees Idee. Sie macht ein Riesentamtam, von wegen der Gästeliste und dem Band mit der Tanzmusik und was wir anziehen.«

»Und was ziehst du an?« fragte Alex. Er legte einen Fünfdollarschein auf den Tisch und stand auf.

Chris zuckte die Achseln.

»Du hast doch nichts dagegen, daß ich mal für ein paar Stunden den Weihnachtsmann spiele?« meinte er. »Komm, ich kenn einen kleinen Laden. Es wird Zeit, daß wir dir was Anständiges besorgen.«

Alex führte sie den schmalen gepflasterten Bürgersteig entlang. Obgleich sie sich seit Bobbys Party mehrmals wöchentlich sahen, war dies erst das zweite oder dritte Mal, daß sie in aller Öffentlichkeit zusammen ausgingen. Meistens ging Chris nach ihrer letzten Vorlesung zu Alex; er kochte das Abendessen, und dann blieben sie bis spät am nächsten Morgen im Bett.

»Da wären wir.« Alex öffnete die Tür zu einem langen, schmalen Raum, dessen eine Wand ganz mit Spiegeln verkleidet war. »Hallo Maggie«, sagte er zu der Frau, die an einem antiken Walnußpult saß. »Ich bringe dir ein neues Opfer. Darf ich vorstellen, Chris, Maggie. An die Arbeit, Maggie, Kleider, Schuhe, Hüte, Unterwäsche, wir fangen ganz von vorn an. Alles soll sehr eng sein, denn unter dem Sweatshirt steckt ein sensationeller Körper. Ich wünsche einen Touch zwanziger Jahre — leicht dekadent, Pastellfarben, hier und da soll die Haut sichtbar sein.«

Chris stand mitten im Salon auf einem chinesischen Teppich, während Maggie die Jalousien herunterließ, die Ladentür schloß und Chris wortlos zu umrunden begann. Chris schätzte Maggie auf etwa Vierzig. Sie hatte die grauen Haare zu einem strengen Zopf geflochten und die Augen übertrieben schwarz umrandet. Sie trug mehrere Schichten wallender Kleidungsstücke über einem augenscheinlich massigen Körper, und wie andere dicke Frauen, die Chris gesehen hatte, Unmengen protzigen Schmuck: große baumelnde Ohrringe, Perlenschnüre, mehrere Armbänder an beiden Armen.

Alex setzte sich in einen Schaukelstuhl und rauchte eine Zigarette, und Maggie taxierte ihre Beute. Sie hob Chris' Haare hoch und hielt sie ans Licht. Sie drehte ihr Gesicht von einer Seite zur anderen. Sie bog ihre Schultern zurück, umfaßte ihre Taille mit beiden Händen, prüfte ihre Oberschenkel auf Festigkeit und maß Länge, Weite und Umfang mit einem durchsichtigen Plastikmetermaß.

»Zieh deine Klamotten aus«, forderte sie dann Chris auf.

Chris gehorchte, und Maggie stieß ihre Sachen mit dem Fuß unter einen antiken Schrank. Dann begann die Arbeit. Niemand sprach, nur Brahmsmusik erklang über Lautsprecher, und Alex gab mit einem Kopfnicken zu verstehen, wenn etwas seine Zustimmung fand. An keinem Kleidungsstück waren Preisschildchen; Maggie machte nur einen Eintrag in ein kleines ledergebundenes Heft, und Alex unterschrieb unten auf jeder Seite. Chris stand still wie eine Schneiderpuppe und betrachtete jede Verwandlung in dem hohen Spiegel.

In einem malvenfarbenen Samtkleid mit herzförmigem Ausschnitt und in der Taille engem, unten ausgestelltem Rock und in grünen Wildlederschnürstiefeln, die bis zu den Knien reichten, fühlte sich Chris wie die Geliebte eines sehr berühmten, alten französischen Malers. Mit jeder neuen Zusammenstellung — am Ende waren es zehn — machte sich Chris in ihrer Phantasie ein anderes Bild von sich: Kabarettsängerin, Tangotänzerin, Doppelagentin, Mannequin auf dem Laufsteg.

»Großartig, Maggie«, sagte Alex, als sie fertig war. »Jetzt fehlt uns nur noch eine Art Markenzeichen, das sie zu allem tragen kann.« Er langte zu einer Hutablage hinauf und zog einen alten elfenbeinfarbenen Fliegerschal herunter, den er Chris um den Hals legte. »Den kannst du auf dem Heimweg tragen. Maggie, schick das übrige zu mir.«

»Alex, ich weiß nicht, was ich sagen soll«, flüsterte Chris. »Die Sachen sind sagenhaft. Ich weiß nicht, wann und wo ich sie tragen kann, sie sind alle so schön. Danke.«

Alex runzelte die Stirn. »Du wirst sie natürlich jeden Tag tragen, ab Januar, wenn ich zurück bin. In der Zwischenzeit habt ihr eure Party, und dann sind Weihnachtsferien, und du kannst dich in deinen Jeans und T-Shirts und Bauernblusen amüsieren, aber wenn ich zurückkomme, wandern sie in Kartons unter dein Bett. Und dann möchte ich dir einen guten Sprachlehrer suchen, damit du diesen gräßlichen Akzent los wirst. Gott sei Dank hattest du Ballettunterricht und kannst dich wenigstens bewegen.«

»Ich wußte gar nicht, wie unvollkommen ich bin.«

»Du bist vollkommen, Schatz, und jetzt wirst du noch vollkommener. Wie würde es dir gefallen, die schönste, berühmteste, gefragteste Schauspielerin der Welt zu werden?«

»Willst du mich auf den Arm nehmen?«

»Bitte laß diese gewöhnlichen Ausdrücke. Antworte mir einfach mit Ja oder Nein.«

Chris blickte in den Spiegel und sah sich, wie sie war: In Jeans, Sweatshirt und Clogs mit abgelaufenen Absätzen war sie ein sehr hübsches junges Mädchen. Dann dachte sie daran, was sie vor ein paar Minuten in den von Maggie zusammengestellten Kleidungsstücken gewesen war: ein Star.

»Okay«, sagte sie, »ich meine, ja.«

Alex nahm ihre Hände und küßte sie auf den Kopf. »Dann vertraue mir, mein Liebling, denn ich bin der einzige, der dich versteht, und ich habe Großes mit dir vor.«

Jeden Morgen beim Aufwachen fiel Rosalies Blick als erstes auf den lavendelfarbenen Schuhkarton, der mit einem blauen Samtband verschnürt auf der Fensterbank neben ihrem Bett stand. Er enthielt kleine Erinnerungsstücke an ihre Abende mit Schuyler. Obwohl sie den Inhalt ganz genau kannte, blieb sie an manchen Tagen, wie heute, etwas länger im Bett und betrachtete Stück für Stück, jede getrocknete Blume, jedes Streichholzbriefchen von einem Restaurant, lauter Beweise, daß die Romanze Wirklichkeit war.

Da lag der hellgelbe Papierstreifen mit der Aufschrift »Überraschungen kommen nur, wenn man nicht darauf wartet«; es war der Glückszettel, den sie an dem Abend in ihrem Plätzchen gefunden hatte, als sie mit Schuyler in einem chinesischen Restaurant war. Er hatte ihr seinen Zettel nicht gezeigt, sondern ihn lächelnd zusammengefaltet und gesagt, wenn man wirklich wolle, daß Wünsche wahr werden, dürfe man sie niemals laut aussprechen. Ich wünsche mir dich, hatte sie zu sich gesagt und dabei die Kerze auf dem Tisch ausgeblasen.

Da lag die abgerissene Eintrittskarte von dem Abend, als sie sich »Singin' in the Rain« angesehen hatten. Als sie herauskamen, regnete es plötzlich. Rosalie sprang in Pfützen herum, und Schuyler rotierte um Laternenpfähle, und bis sie zu Hause anlangten, waren sie durch und durch naß. Er zog sie an sich, und als er sie küßte, wurden ihr die Knie weich, und sie dachte, sie würde auf den Bürgersteig sinken, hätte er sie nicht gehalten, eine Hand um ihren Hals und die andere in ihrem Kreuz. Als sie später ihren Cordmantel aufhängte, konnte sie Schuylers Handabdruck darauf sehen.

Ihr erster Kuß. Rosalie erinnerte sich an jeden einzelnen Kuß, weil jeder etwas Besonderes war, oder vielleicht auch, weil es nicht so viele waren. *Noch* nicht, dachte sie bei sich, zog das blaue Band fest und stieg aus dem Bett.

Im Wohnzimmer bügelte Chris einen langen weißen Schal. »Na, Rosalie«, sagte sie, »du bist aber früh auf.«

»Katie Lee will zum Supermarkt fahren und ein paar Sachen für die Party kaufen. Hübscher Schal. Ob dem das Bügeln bekommt?«

»Eigentlich nicht. Je mehr Hitze, desto kürzer hält er. Aber einem geschenkten Gaul schaut man nicht ins Maul.«

Rosalie setzte sich auf die Kante von Chris' Bett und stützte ihr Kinn auf die Hände. »Alex war in letzter Zeit sehr spendabel.«

Chris stellte das Bügeleisen hin. »Du hast was dagegen. Miranda auch. Sie hat mir einen kleinen Vortrag gehalten, als ich ihr von den vielen Kleidern erzählte. Sie sagt, es ist, als ließe ich mich für Sex bezahlen, als würde ich von ihm ausgehalten, oder als wäre ich ein Callgirl, weil ich die Sachen annehme. Du mußt zugeben, die Sachen sind phantastisch. Der Mann hat Geschmack.«

»Nein, ich hab nichts dagegen. Du siehst großartig aus, wenn du dich schön machst, um mit Alex auszugehen. Es muß toll sein, sich −«, hier machte Rosalie mit dem Selbstbewußtsein eines sehr reichen Mädchens, das mit einem sehr armen Mädchen über Geld spricht, eine Pause, »es muß toll sein, sich in so ausgefallenen Kleidern zu zeigen. Ich wollte, ich könnte das auch.«

Chris zündete sich eine Zigarette an. »Alex legt so großen Wert auf Äußerlichkeiten, das macht mich manchmal wahnsinnig, aber ich muß ehrlich gestehen, es sind die Äußerlichkeiten, die uns füreinander attraktiv machen.«

»Oh, vielleicht am Anfang, aber wo ihr euch jetzt besser kennt, ist das doch bestimmt nicht mehr so wichtig«, entgegnete Rosalie.

Ihre Naivität ist doch immer wieder eine Überraschung, dachte Chris. Rosalie denkt, so wie es mit ihr und Schuyler ist, muß es mit uns allen sein. Chris war zum erstenmal im Leben eifersüchtig, nicht wegen Schuyler persönlich, sondern wegen der Art, wie er mit ihrer Freundin umging. Nie wird einer so von mir denken, dachte sie seufzend, die Hoffnung hab ich schon lange aufgegeben. Und was habe ich gewonnen? fragte sie sich. Genug Kenntnisse über Männer, um damit ein ganzes Geschichtsbuch über den Krieg zwischen den Geschlechtern zu füllen; diesen wahnsinnigen Ehrgeiz, der niemals befriedigt wird; einen reizenden dekadenten Engländer, der unter der Dusche »Ruby Tuesday« pfeift; ein Paar grüne Wildledersstiefel.

»Wann kommst du von New York zurück?« fragte Chris.

»Gleich nach Neujahr«, sagte Rosalie. »Schuyler und ich wollen übers Wochenende wegfahren, irgendwohin, wo es ruhig ist und ich ein bißchen arbeiten kann; ich muß vor den Prüfungen noch so viel lesen.«

Also hat er alles geplant, dachte Chris. Die Landgasthaus-Schneeballschlacht-Brandy-am-Kamin-Himmelbett-Masche.

»Aber ich weiß nicht, was ich meiner Mutter erzählen soll.«

»Du meinst, falls sie anruft, wenn ihr weg seid?« fragte Chris. »Keine Bange, ich deichsle das schon.«

»Oh, danke. Ich hab so was noch nie gemacht.«

»Du meinst, deine Mutter belügen?«

»Ja, das auch. Ach, Chris, du *weißt*, was ich meine.«

»Warum sagst du dann nicht, was du meinst?«

»*Du weißt es.* Ich war noch nie mit jemandem weg.«

»Das ist nicht, was du meinst, Süße.«

»Ich war noch nie mit einem Jungen weg, ich meine, mit einem Mann.«

»Das ist immer noch nicht, was du meinst. Spuck's aus, Rosalie. Sag, was du fühlst.«

Rosalie setzte sich auf Chris' Bett und zog sich ein Kissen auf den Schoß. »Also gut.« Sie wurde knallrot und zupfte an den Ärmelbündchen ihres Pullovers. »Ich glaube, Schuyler möchte, nein, falsch, ich *weiß*, wir *beide* möchte — ich weiß, wir *werden* — kann ich mal an deiner Zigarette ziehen? Danke. Also, ich gehe weg, um mit diesem Mann zu schlafen, und du weißt, ich bin noch Jungfrau, Chris, und mir ist ein bißchen mulmig zumute. Ich liebe Schuyler, aber es ist trotzdem unheimlich — kann ich noch mal ziehen? Mir wird schwindlig von Zigaretten, von allem, kurz und gut, ich habe schreckliche Angst.«

Chris setzte sich ans andere Ende des Bettes und zündete eine Zigarette für Rosalie an. »Das ist ganz normal. Alle haben Angst.«

»Du auch?«

»Jetzt nicht mehr. Du kannst Schuyler bestimmt vertrauen. Er ist verrückt nach dir, und er ist großartig und...« Chris brach ab, ehe sie sagte, was sie dachte: Und ich kann dir sagen, der ist Dynamit im Bett, so was seh ich aus meilenweiter Entfernung. »Und du sei einfach ganz locker und laß ihn alles machen.«

»Alles? Chris, ich lese Bücher und gehe ins Kino wie alle anderen, aber du weißt ja, ich war auf dieser *Klosterschule*, und da haben sie uns nicht viel erzählt. Was gewisse Dinge angeht. Wie war es für dich beim ersten Mal?«

»Romantisch, denke ich.« Chris war fünfzehn, und er hieß Jack. »Das ist lange her. Ich könnte dir nicht sagen, wo er jetzt ist. Aber er war richtig lieb, das ist das Wichtigste, Rosalie. Ich hab Glück gehabt. Und du hast Glück, weil du Schuyler hast. Und er hat Glück, weil er dich hat.«

Miranda saß allein auf einer langen Holzbank und beobachtete die Menschenmenge, die aus dem Zug stieg. Sie wartete auf den vertrauten leuchtendroten Schal und die braunlederne Fliegerjacke. So war es jedesmal: Die ganze Woche sehnte sie sich nach Peter, und dann, in den letzten Augenblicken auf dem Bahnhof, zog sich ihr Magen zu einem harten Klumpen zusammen, und eine Welle der Furcht kam aus dem Nichts und schlug über ihr zusammen, und sie wünschte sich, er würde nicht auftauchen. Vielleicht hatte er den Zug verpaßt. Vielleicht war er krank geworden und hatte keine Möglichkeit gehabt, sie zu benachrichtigen. Vielleicht blieb er ohne Grund weg, und sie konnte ein ganz normales

Wochenende verbringen wie Rosalie oder Katie Lee oder Chris, einkaufen gehen, in der Bibliothek büffeln, auf Partys mit andern Mädchen herumalbern und mit betrunkenen Jungen tanzen.

Aber da war er, die Menge um einen ganzen Kopf überragend, mit seinem latschigen Gang, die langen rötlichbraunen Haare zu einem Pferdeschwanz gebunden. Eine Pilotenbrille verdeckte seine tiefliegenden haselnußbraunen Augen. Er ist so wunderbar gebaut, dachte Miranda, er wird gut aussehen, wenn er älter wird. Natürlich wird er sich irgendwann die Haare abschneiden, und das Rot wird graumeliert sein wie bei seinem Vater.

So machte sie es immer mit Peter: sich vorstellen, wie er aussehen würde, wie sie beide in ferner Zukunft aussehen würden. Peter in einer konservativen Smokingjacke, die seine knabenhaft schlanke Figur locker umhüllte, und sie in einem langen Satinabendkleid. Peter lehnte an der Reling ihres Segelbootes, seine schmalen nackten Füße lugten durch die aufgeplatzten Nähte der geliebten alten Leinenschuhe, seine Wangen brannten vom Wind, und Miranda brachte ihm einen Brandy aus der Kombüse herauf. Peter besaß Fähigkeiten, die er nicht kannte — die niemand erkennt außer mir, dachte Miranda, und er wäre zu allem fähig, sobald er wüßte, was er wollte, sobald er diese Phase bewältigt hätte. Das machten viele Jungen in seinem Alter durch. Miranda wollte geduldig warten, bis Peter sich zu einem wunderbaren Menschen entwickelt hätte, und ihre Geduld würde belohnt werden, davon war sie überzeugt.

Ihr Vater konnte nicht verstehen, warum Peter (dessen Familie schon vor dem Bürgerkrieg politisch wie finanziell etabliert war) sich einfach treiben ließ und von seinem Monatswechsel lebte, anstatt seine Karriere in Wirtschaft und Politik zu planen.

Keiner kann ihn verstehen außer mir, dachte Miranda und winkte Peter über die Menge hinweg zu. Er warf seinen Armeerucksack neben sich auf die Bank und zog sie an sich zur Begrüßungsumarmung, die jedesmal eine Sekunde zu früh endete, und zum Begrüßungskuß, der sich jedesmal eine Sekunde zu schnell zum Zungengemenge entwickelte.

»Frohe Weihnachten, bißchen verfrüht«, sagte er und zerwühlte ihre Haare. »Bist du mit Katie Lees Wagen gekommen?«

»Nein, mit der U-Bahn. Katie Lee braucht den Wagen, um Sachen für die Party zu transportieren.« Sie gingen aus dem Bahnhof. Eine steife Brise wehte vom Wasser herüber. »Wir haben mit allem bis zur letzten Minute gewartet.«

»Party, Party, ich kann Partys nicht ausstehen. Ach was, war nur Spaß, es wird bestimmt ein grandioses Fest. Kommt Bobby auch?«

»Bobby und die ganze Truppe. Bobby und Katie Lee sind wahnsinnig verknallt, ich kann das gar nicht mitansehen. Ich glaube, sie will ihn heiraten oder so was. Sie hat so Andeutungen gemacht, daß sie über Weihnachten nicht nach Kentucky will, und ich dachte zuerst, sie wollte eine Einladung aus Rosalie herausschinden, aber dann kam ich dahinter, daß es ihr bloß darum geht, Bobby zu sehen.« Miranda schob ihre Hand in Peters Jackentasche.

»Wir haben schon mal darüber gesprochen, nicht? Sie ist auch eins von diesen leicht zu gängelnden Mädchen. Laß du dich bloß nicht gängeln.« Peter legte seine Hand auf Mirandas Schulter. »Ich könnte jetzt was zu rauchen vertragen. Wegen der Energiekrise sind die Züge so voll, da kommt man nicht aufs Klo, um sich was reinzuziehen. Die Leute haben den ganzen Weg von New York bis hierher gestanden.«

»Wir sind in einer halben Stunde zu Hause.«

»Menschenskind, laß uns ein Taxi nehmen. Die Fahrt war fürchterlich. Ich bezahl's«, sagte er und hielt ein Taxi an. Sie sprachen nicht während der halben Stunde, die es dauerte, bis sie sich durch den Verkehr nach Harvard gewühlt hatten; sie sprachen nicht, bis sie in Mirandas Zimmer waren, die Tür geschlossen war, die Stereoanlage lief, das Sodawasser und die Chips, die sie gekauft hatten, auf Mirandas Schreibtisch bereitstanden und Peter dicken Rauch aus der transparenten blauen Plastikhaschpfeife inhalierte, die Miranda in ihrem Kleiderschrank hinter ihren Gummistiefeln für ihn aufbewahrte.

»Hast du dir Arbeit mitgebracht?« fragte sie.

»Nicht viel. Ich dachte, es hat keinen Sinn, wegen der Party und so.« Sie lagen nebeneinander auf dem schmalen Bett.

»Bist du fit für deine Prüfungen nächste Woche?«

»Ja und nein. Aber eigentlich bin ich hergekommen, um das alles zu vergessen.«

»Aber ich muß morgen ein bißchen was lernen.«

»Bis zu deinen Prüfungen ist noch ein ganzer Monat. Bloß keine Hektik.«

»Ich kann nicht alles über Weihnachten machen.«

Peter nahm wieder einen kräftigen Zug und drehte die Stereoanlage lauter. »Du wirst dich nie ändern«, sagte er und knöpfte ihre Hemdbluse auf.

»Sie können jede Minute zurück sein«, sagte Miranda. »Wir haben noch das ganze Wochenende.«

»Ich hab die ganze Woche an dich gedacht«, sagte er, während er sie auszog. »Hier, hilf mir mal aus dem Pullover. Die Woche war fürchterlich. Komm, wärm dich unter der Decke. Leg deinen Kopf an meine Schulter und mach die Augen zu. Alles läuft schrecklich, Miranda, nichts ist so, wie ich es mir vorgestellt habe.«

»Ach Liebling, es wird schon werden. Was kann ich nur tun«, flüsterte sie.

»Halt mich einfach fest und erzähl mir was.«

»Ich vermisse dich andauernd, Peter. Manchmal kann ich nachts nicht schlafen, und ich wünsche, du wärst hier, ich wünsche, wir wären zusammen.« Sie schmiegte sich an ihn. Sie spürte seinen flachen Atem in ihrem Nacken. »Manchmal hab ich das Gefühl, ich schlage bloß die Zeit tot, bis wir uns wiedersehen. Ich glaube, deswegen streng ich mich so an beim Lernen, nicht bloß wegen der Noten, obwohl die auch wichtig sind. Aber wenn ich in der Bibliothek einen Aufsatz oder ein Buch lese, kann ich den Rest der Welt ausschließen. Es ist eine Flucht. Peter? Verstehst du, was ich meine?«

Er war eingeschlafen. Miranda sah aus dem Fenster, während die Platte zu Ende lief. Sie fragte sich, wieso sie, wenn er in New Haven war, das Gefühl hatte, sie wären die besten Freunde auf der Welt, und warum sie jetzt, da sie zusammen waren, so eine Distanz spürte. Das Rauschgift hatte bestimmt teil daran, es beförderte Peter an einen Ort, wo er ganz allein war, wohin sie ihm nicht folgen konnte, es sei denn, sie würde so high wie er, was ihr zuwider war. Ihr war hinterher immer so übel. Auch die Schule hatte teil daran: Sie hatte immer bessere Noten als er, wenn auch nur, weil sie viel fleißiger war, und er machte, daß sie sich deswegen wie eine Streberin vorkam. Draußen fiel der erste Schnee, und Miranda schlief in Peters Armen ebenfalls ein.

Sie wachte auf, als Peters kalte Hand ihre Brust berührte. Es war schon Nachmittag; sie hatten das Mittagessen verpaßt, und sie hörte ihre Zimmergenossinnen im Wohnzimmer die Möbel rücken.

»Wir müssen aufstehen«, sagte sie. »Ich muß da draußen helfen.«

»Noch ein paar Minuten«, bat Peter. »Es ist gerade so schön hier drin.« Er stellte den Plattenspieler an und ließ die Seite der Platte laufen, die sie schon gehört hatten.

An seinem Atem und der Festigkeit seiner Berührung erkannte sie, was er wollte. Sie war jetzt so müde und hatte einen Schlafgeschmack im Mund; sie wollte einfach nur aufstehen, sich die Zähne putzen, duschen und an die Arbeit gehen, den Teppich aufrollen für die Party. Wenn sie es jetzt machten, wußte sie, wie es sein würde: hastig und lustlos.

Und wenn sie es nicht machten, wußte sie auch, wie es sein würde: Peter würde so tun, als wäre es ihm egal, aber er würde es ihr ankreiden; er würde seinen Verdruß in sich verschließen und sie später bestrafen. Er würde sich auf der Party danebenbenehmen, in Gegenwart ihrer Freundinnen bissige Bemerkungen machen, vielleicht mit einer anderen flirten, sich mit Bobby zukoksen.

Er streichelte sie, und sie faßte ihn an. Er war so schlapp. Das würde ewig dauern.

»Peter«, sagte sie, »Peter, hör mal . . .«

»Psst, Baby, sag nichts. Du bist so schön jetzt. Ich hab die ganze Woche an dich gedacht. Es war eine schreckliche Woche. Sie haben mir gedroht, mich rauszuschmeißen. Meine Eltern drehen durch, wenn sie meine Noten sehen. Es ist, als ginge alles in die Brüche, und ich kann es nicht aufhalten. Jeden Tag wach ich auf und sag mir, heute werde ich nicht high, ich nehm mir meinen Krempel vor und arbeite, und dann, ich weiß nicht wie, werde ich einfach schwach. Das tut so gut. Du fühlst dich schön an.«

Er war immer noch schlapp. Miranda wußte nicht, was schlimmer wäre: wenn sie es nicht versuchten, oder wenn sie es versuchten und er ihn nicht hoch bekäme.

»Du weißt nicht wie das ist, Baby«, sagte er und fuhr mit dem Finger über ihre Lippen. »Für dich ist es leicht.« Er schob ihren Kopf sachte an seiner Brust entlang nach unten. Sie unterdrückte einen Seufzer, dann nahm sie ihn in den Mund, bis er hart war, umkreiste seine Spitze mit der Zunge, bis sie ihn rascher atmen hörte. Er war nicht mit dem Herzen dabei; es würde ewig dauern; er versuchte, ihr etwas zu beweisen, aber sie konnte nicht ergründen, was.

Sie könnte ewig so weitermachen, dachte sie, mechanisch lutschend, während ihre Gedanken woandershin schweiften. Peters Vorgänger hatte gern mit ihren Brüsten gespielt, während sie ihn ablutschte, aber Peter lag am liebsten ganz still da und beobachtete sie. Sie fühlte den kalten Schweiß auf seiner Brust, der das Ende ankündigte, und dann kam er in einem einzigen kurzen Erguß, und sie legte ihren Kopf auf seinen Bauch.

Es klopfte an der Tür. »Miranda?« sagte Rosalie. »Bist du da? Wir dachten, wir hängen alle Lautsprecher an Katie Lees Verstärker. Störe ich?«

Peter setzte sich auf und zog sein T-Shirt an. »Hab ich einen Hunger«, sagte er und riß eine Tüte Kartoffelchips auf.

»Wir sind in einer Minute draußen«, sagte Miranda. Jetzt konnte sie sich nicht gleich die Zähne putzen, sonst wäre Peter beleidigt. »Peter ist hier, wir haben ein bißchen geschlafen.«

Peter war jetzt hellwach, er lief hin und her, während er sich anzog. »Laß uns ein paar Hamburger holen«, sagte er.

»Ich muß hierbleiben und beim Vorbereiten helfen.«

»Wie lange wird das dauern?«

»Ich weiß nicht. Ein paar Stunden, schätze ich«, sagte Miranda. Schuyler und Teddy waren abends zuvor gekommen und hatten ihnen geholfen, die schwersten

Möbelstücke zu verrücken. Wenn sie Peter bäte, zu bleiben und zu helfen, würde er es tun. Aber sie bat ihn nicht, und er bot es nicht an. Als er gegangen war, sagte Katie Lee: »Die Bar stellen wir am besten ganz nach hinten, oder vielleicht in ein Schlafzimmer. Dann müssen die Leute rotieren. Ich kann es nicht ausstehen, wenn alle an der Bar rumhängen und es sonst überall leer ist. Und wir hätten so das ganze Wohnzimmer zum Tanzen.«

»Wir haben bloß ein paar Stunden Musik auf Band«, sagte Chris. »Es hat viel länger gedauert, als ich dachte.«

»Macht nichts«, sagte Katie Lee. »Bobby hat versprochen, daß er seine Bänder mitbringt.«

Aber Bobby verleiht seine Bänder nie, dachte Miranda, wie hat sie ihn bloß dazu gekriegt. Katie Lee führte etwas im Schilde, das war klar: Diese Party war nur Teil eines größeren Komplotts. Katie Lee hatte immer Pläne, das wußte Miranda unterdessen, und das mußte sie ihr lassen: Ihre Pläne schienen immer zu funktionieren.

»Das ist das absolut Irrste, was ich je gehört habe«, sagte Carter zu Katie Lee, die ihm ein Glas Bourbon mit Soda und Eis reichte. »Das kann nicht dein Ernst sein.«

»Ich hab alles genau geplant, Carter, und du mußt zugeben, es ist genial.« Sie tippte ihm mit einem rosa lackierten Fingernagel an die Brust, »Ah, Bobby«, sagte sie dann, »schön, daß du endlich da bist.«

»Ich hab die Bänder neben die Anlage gelegt«, sagte er. »Hallo Carter.«

»Entschuldigt mich, ich muß nur rasch das Band wechseln«, sagte Katie Lee.

Carter sah ihr nach, als sie ging. »Du wirst es nicht glauben, worüber wir eben gesprochen haben. Sie sagt, sie wird dich heiraten.«

Bobby verzog keine Miene. »Sonst noch was?«

»Sie sagt, ihr werdet euch noch vor dem Examen verloben, und sie wird bis zur Hochzeitsnacht Jungfrau bleiben. Sie hat alles ganz genau geplant. Sie will, daß wir diesen Sommer in Washington arbeiten . . .«

»Wer, *wir?*«

»Du und ich, Bobby. Sie arbeitet bei einem Abgeordneten, der das Hotelgewerbe vertritt, und sie sagt, ihr Vater kann uns ein Praktikum besorgen, bei Kongreßabgeordneten, Agenturen, wo wir wollen. Mit einem einzigen Anruf. Das ist phänomenal.«

»Warum soll ich nach Washington gehen und mich von einem Mädchen an der Nase rumführen lassen, wenn ich in Jersey bleiben und ein schönes Leben führen kann?«

»Du kannst in Washington ein schönes Leben führen. Du kriegst bestimmt mehr Spaß, als wenn du bei deiner Familie bleibst, wetten?«

»Um wieviel?«

»Ich hab nicht von Geld gesprochen.«

»Aber ich spreche von Geld«, sagte Bobby. »Um wieviel willst du wetten?«

»Worauf?«

»Daß ich in Washington mehr Spaß kriege. Mit Katie Lee. Nun sag schon, wieviel.«

»Das ist 'ne Scheißwette, Bobby, das kann ich nicht machen.«

»Komm schon. Wieviel? Daß wir nach Washington gehen und ich Katie Lee rumkriege.«

»Okay. Hundert Dollar.«

»Nein, Carter, ich spreche von richtigem Geld. Du sagst doch immer, man muß ein Risiko eingehen.«

»Also gut. Fünftausend Dollar.«

Bobbys Augen weiteten sich. »Wo willst du fünftausend Dollar hernehmen?«

»Mein Onkel hat mir etwas Geld vererbt. Aber das ist völlig egal, weil du nämlich verlieren wirst.«

»Also abgemacht.« Bobby sah über Carters Schulter in die dunkle Ecke, wo Peter allein saß und einen Joint rauchte. »Entschuldige mich, ich glaube, ich sehe einen Freund von außerhalb.«

Carter stellte sich ein paar Minuten allein an die Bar und sah den Tanzenden zu. Fünftausend Dollar: mehr Geld, als er in seinem ganzen Leben besessen hatte. Mit fünftausend Dollar würde er weit kommen. Und das beste war, es war eine absolut sichere Sache.

»Ach, Schuyler, du weißt, ich tanze fürchterlich«, sagte Rosalie. Sie starrte auf die schwarzen Lacklederpumps, die ihre Mutter ihr eigens für die Party aus New York geschickt hatte. »Du weißt, diese Musik ist nicht mein Fall.«

»Für die nächste Party müßt ihr ein paar Walzer aufnehmen. Kannst du Walzer tanzen?« Er setzte sich neben sie.

Rosalie verdrehte die Augen. »Jahrelang Tanzstunden. Ich hab meistens mit anderen Mädchen getanzt. Aber bei Rock and Roll bin ich verloren. Sieh dir dagegen Chris an, ist sie nicht phantastisch?«

Schuyler beobachtete Chris mitten auf der Tanzfläche. Sie tanzt wie eine Schwarze, dachte er, wie sie mühelos Hüften und Schultern zu dem schnellen Rhythmus bewegt. Schuyler fiel auf, daß eine Menge Männer Chris beobachteten; alle wußten, daß Alex nicht in der Stadt war und daß Chris eine Party nie allein verließ. Wenn sie herumwirbelte, schwangen ihre platinblonden Haare im Kreis und gaben ihren bloßen Rücken in einem tiefausgeschnittenen Trägerhemd frei. Es war nicht nur ihre Schönheit, die die Männer anzog, und es war auch nicht bloß etwas Sexuelles. Sie bietet dir Phantasie, dachte Schuyler, das Versprechen, daß deine Phantasien wahr werden, wenn auch nur für eine Nacht.

Schuyler seufzte. Wozu Phantasien die Menschen trieben. Chris zum Beispiel ging von einem Mann zum andern, tat so, als bedeute es nichts, und hoffte die ganze Zeit, daß eine von diesen nächtlichen Begegnungen sich als ihr wahrgewordener Traum erweisen möge. Schuyler verstand Chris, er war selbst so gewesen. Er hatte von einem Mädchen geträumt – einem Mädchen wie Chris, stark und furchtlos, wild und schön, ja, auch wie Chris, mit langen blonden Haaren und großen blauen Augen, die geheimnisvoll funkelten. So ist das nun mal, wenn man erwachsen wird, dachte er, du erkennst, daß deine Phantasien nichts anderes sind als eben dies, und siehst zu, daß du mit deinem Leben zurechtkommst. Rosalie zum Beispiel. Sie ist wunderbar, und er liebte sie mit einer Zärtlichkeit, die er sich nicht zugetraut hatte, und sie erwiderte seine Liebe auf eine Art, die ihm das Gefühl gab, sie könnten alles zusammen machen. Wenn er Rosalie nicht kennengelernt hätte, so wäre er vermutlich genauso wie Chris jetzt, würde ein bißchen zuviel trinken und sich an einem Samstagabend auf einer Party auf die Suche machen und sehen, daß man irgendwie bis Sonntagmorgen durchhielt.

»Komm, gehen wir ein bißchen an die frische Luft«, sagte er und nahm Rosalies Hand. Draußen hörten sie durch die offenen Fenster die Musik von Partys auf allen Seiten des Rasens, der soeben mit dem ersten Schnee überstäubt war.

»Ich hab was für dich. Zu Weihnachten«, sagte Schuyler und langte in seine Tasche.

»Ach, aber ich hab nichts für dich! Ich hab's natürlich nicht vergessen, aber ich dachte, ich besorge dir etwas in New York, wie dumm von mir.« Sie betrachtete das in Geschenkpapier gewickelte Schächtelchen, das er ihr in die Hand drückte. »Oh, ich kann's jetzt nicht aufmachen. Sky, laß uns warten bis später, bis wir wegfahren. Wir machen uns ein zweites, eigenes Weihnachten, nur wir zwei.«

»Du mußt es jetzt nicht aufmachen. Du kannst es Weihnachten aufmachen oder in ein paar Wochen, wenn wir zusammen sind, oder wann du willst. Aber ich will es dir jetzt schenken.« Er schloß ihre Finger um das Schächtelchen und gab ihr einen Kuß. Sie standen eine Minute allein im Hof, in einem kleinen Lichtstreifen, den eine Straßenlaterne warf, und ringsherum fiel Schnee. Welch ein Glück, dachte Rosalie, welch ein Glück, von dem wunderbarsten Jungen auf der Welt geküßt zu werden.

Mr. und Mrs. Wunderbar, zum Kotzen, dachte Miranda, die Schuyler und Rosalie durchs Fenster beobachtete. Peter und Bobby waren in ihrem Schlafzimmer und zogen sich hinter geschlossenen Türen einen rein.

»Ah, das glückliche Paar«, sagte Chris und trat zu ihr. »Süße junge Liebe, daran erinnerst du dich doch noch, Miranda?«

»Bestimmt besser als du«, versetzte Miranda. »Ich hätte nicht gedacht, daß du noch hier bist. Könnte es sein, daß du bleibst, um aufräumen zu helfen? Oder liegt es daran, daß keiner dir anbieten kann, dich nach Hause zu begleiten, weil die Party mitten in deinem Schlafzimmer stattfindet?«

»He, tut mir leid, daß ich gefragt habe.« Chris trat einen Schritt zurück. »Bloß weil Peter restlos hinüber ist, brauchst du's noch lange nicht an mir auszulassen.«

»Blödsinn«, sagte Miranda. »Ich hab gesehen, wie du vor Schuyler und nahezu jedem Mann im Zimmer mit dem Arsch gewackelt hast. Kannst du dir nicht denken, wie Rosalie dabei zumute war?«

»Warum fragst du Rosalie nicht, wie ihr zumute ist?« Chris wies aus dem Fenster. »Kannst du nicht mal aufhören, deine Unsicherheit auf alle andern zu übertragen? Bloß weil du mit Peter unglücklich bist, heißt das noch lange nicht, daß der Rest der Welt so unglücklich ist wie du.«

»Ich bin glücklich«, sagte Miranda mit zusammengebissenen Zähnen. »Ich bin so glücklich, daß ich spucken könnte.« Und damit stampfte sie aus dem Zimmer.

Wohl eher eifersüchtig, dachte Chris. Sie ist wahnsinnig in Schuyler verknallt – Chris erkannte die Zeichen. Wie Miranda genau eine Minute zu lang am Telefon blieb, wenn Schuyler Rosalie sprechen wollte. Wie sie ihn fragte, welche Kurse er nächstes Semester belege, und dann so tat, als hätte sie vorgehabt, einige davon ebenfalls zu belegen. Natürlich gibt sie es vor mir nicht zu, dachte Chris bei sich, aber sie könnte es wenigstens vor sich selbst zugeben. Schuyler wäre ein guter Tausch, wenn man an einem Versager wie Peter festklebt.

Scheiße, Schuyler wäre aus beinahe jedem Blickwinkel ein guter Tausch. Er war wie ein wahrgewordener Traum, bloß daß Träume nie wahr werden. Solange sie zurückdenken konnte, träumte Chris davon, dem idealen Mann zu begegnen. Eines Tages würde er einfach da sein, groß, braungebrannt und streng, aber er hätte auch einen sanften Zug, um die Augen und in seinem Lächeln. Wir werden es einfach wissen. Wir brauchen nicht darüber zu reden.

Reden kann alles verderben, dachte sie. Sie fing den Blick eines älteren Studenten aus der Schwimmannschaft auf, der mit Bobby Vincent gekommen war. Kein Traumjunge, aber genug, um sich ein, zwei Nächte zu amüsieren. Wir sollten lieber bald gehen, dachte Chris, ehe die Party sich auflöst und es Zeit zum Aufräumen wird.

»Oh, es gibt morgen noch genug aufzuräumen«, sagte Katie Lee, als Chris den Mantel anzog, »mach dir deswegen keine Sorgen.«

»Fein, danke. Also bis dann.«

»Schlaf schön, Süße«, gurrte Katie Lee. »Rosalie, wo ist Schuyler geblieben?« fragte sie.

»Seine Maschine geht morgen in aller Frühe. Falls der Flug nicht wegen des Schnees gestrichen wird. Die Party ist fabelhaft, nicht? Ich meine, sie war fabelhaft. Nicht zu fassen, wie lange alle geblieben sind.«

»Ja, die Party war ein voller Erfolg. Alles lief wie geplant. Schau, es sieht gar nicht mehr so schlimm aus, wenn man erst einmal die Gläser weggeräumt hat. Das war die beste Party seit langem, findest du nicht? Und alle waren da.«

»Du meinst Bobby, nicht?«

»Was soll das, Rosalie? Bobby und ich sind bloß gute Freunde, das weißt du doch. Hast du was anderes läuten hören?«

»Aber nein. Ich mein ja bloß, ich weiß, daß du ihn magst, du sprichst so viel von ihm, und ich bin sicher, er hat dich wirklich gern. Wenn du's drauf anlegst, wird er sich bestimmt mal mit dir verabreden.«

»Rosalie, unter uns gesagt, man kann Jungens zu allem bringen, wenn man will. Schuyler würde bestimmt alles für dich tun.«

»O ja, wir lieben uns.«

»Na klar, Herzchen. Jetzt kommt's drauf an, nachdem er nun mal wahnsinnig in dich verknallt ist, was willst du von ihm?«

»Du meinst, ob ich will, daß er mir einen Heiratsantrag macht?«

»Willst du ihn heiraten, Rosalie? Männer sind außer zum Heiraten noch für vieles andere gut. Wir müssen uns morgen einen Staubsauger holen. Willst du sonst nichts außer heiraten?«

»Ich hab drei Jahre Zeit, um mir das zu überlegen.«

»So? Die drei Jahre kriegst du nie zurück. Sieh mich an, ich weiß genau, was ich im Hotelgewerbe will. Ich hab schon damit angefangen.«

»Wirklich?«

»Hab ich dir das nicht erzählt? Ich bin auf der Suche nach einem Grundstück, hier in Cambridge. Ich werde nicht drei Jahre mit Warten verschwenden, bis ich das Examen mache.«

»Ich dachte, wir sprechen über Liebe und Ehe, nicht über Karriere.«

Katie Lee sah Rosalie an. Ein hoffnungsloser Fall. In drei Tagen reise ich ab nach Kentucky und hab immer noch keine Einladung für eine Silvesterfeier in New York an Land gezogen. Liebe und Ehe. Karriere. Würde Rosalie es denn nie begreifen? Liebe und Ehe und Karriere. Familie und Geld. Es war alles dasselbe.

In den folgenden drei Wochen legte Rosalie als letztes vor dem Schlafengehen jeden Abend das Geschenk-schächtelchen unter ihr Kopfkissen. Und jede Nacht träumte sie von Schuyler, während sie zusammengerollt wie ein Kätzchen lag; die eine Hand hielt die bis ans Kinn hochgezogene Steppdecke, die andere umklammerte das winzige Schächtelchen unter dem Kissen.

Die Ferien waren nicht annähernd so gräßlich gewesen, wie sie gedacht hatte. Ihre Mutter hatte sie wie gewöhnlich zu Freunden und auf Partys geschleppt, und ihr Vater hatte sich, auch wie gewöhnlich, fast täglich bis zum Spätnachmittag sinnlos betrunken, aber das machte ihr jetzt nicht mehr so viel aus, seit sie Schuyler hatte.

Und nun war sie wieder in Cambridge und packte ihren kleinen Koffer für ihren und Schuylers Trip nach New Hampshire: feste Stiefel, falls sie eine Wanderung machen wollten, und lange Unterhosen, falls ein Kälteeinbruch käme; die Charles-Dickens-Biographie, die sie für eine Abschlußprüfung lesen mußte; eine neue Zahnbürste; zwei Weihnachtsgeschenke: eine rosa Kaschmirstrickjacke (von ihrer Mutter) und ein schmales goldenes Armband (von ihrem Vater).

Und oben auf dem Koffer, zwischen mehreren Lagen lavendelfarbenen Seidenpapiers, damit es nicht knitterte, das erste Kleidungsstück, das sie ganz allein gekauft hatte: ein langes, weißes Spitzennachthemd, das ihr bis an die Fesseln reichte, die Ärmel mit blaßgelbem Satinband eingefaßt, der Ausschnitt mit demselben Band zusammengehalten, das vorn am Hals zu einer kleinen Schleife gebunden war. Sie hatte es zwischen den Weihnachtsgeschenken für ihre Eltern verwahrt, wo sie wußte, daß Charlotte nicht suchen würde.

In das sorgfältig gefaltete Nachthemd gesteckt, wie ein geheimes Amulett, das allem, was mit ihm in Berührung kam, einen Zauber verlieh, lag ihr Weihnachtsgeschenk für Schuyler. Sie hatte tagelang danach gesucht, war die breiten Avenuen und die schmalen Nebenstraßen auf und ab geschlendert, in die sanft beleuchteten Antiquitätengeschäfte, die nach Zitronenöl rochen, hinein und wieder hinaus gegangen, in die Antiquariate, in denen es so still war, daß Rosalie kaum den Mut aufbrachte, die Händler zu fragen, ob sie hatten, was sie suchte, und in die kleinen Geschenkboutiquen, die alles führten, von Souvenirlöffeln aus Sterlingsilber bis zu Kristallvasen mit Ziersträußen aus Zimt und Rosen. Dort hatte sie es schließlich gefunden. Sie war so aufgeregt, daß sie vergaß, sich nach dem Preis zu erkundigen, sie gab dem Verkäufer einfach einen Fünfzigdollarschein und steckte das Wechselgeld ein, ohne nachzuzählen, wieviel es war.

Auf der Fahrt nach Norden redeten sie und Schuyler über alles außer über das eine, woran sie wirklich dachten. Schuyler sprach von einem Aufsatz, den er schreiben mußte, und beschrieb jedes einzelne Stück, das den Weihnachtsbaum seiner Familie schmückte. Rosalie berichtete den ganzen Ferienklatsch, den sie von Katie Lee gehört hatte: daß Alex Heiligabend Chris ein Dutzend weiße Rosen geschickt hatte, daß Peter fast an einer Überdosis Aufputschpillen draufgegangen war und Miranda den Silvesterabend in der Notaufnahme eines Krankenhauses verbracht hatte, daß ein ehemaliger Mitschüler von Katie Lee ihr in betrunkenem Zustand einen Heiratsantrag gemacht hatte und ohnmächtig geworden war, bevor Katie Lee ihm zum zweitenmal das Herz brechen konnte.

»Katie Lee hat ihn einfach mitten auf dem Rasen vor dem Haus stehen lassen, und er ist die ganze Nacht dageblieben, und als der Gärtner ihn am nächsten Morgen fand, hat er die Polizei gerufen«, sagte Rosalie. »Der Schnee bleibt hier ganz weiß. Sieh mal, eine richtige überdachte Brücke, hab ich noch nie gesehen, könntest du mal einen Moment langsamer fahren?«

Schuyler hielt an, und Rosalie konnte die Brücke und das gefrorene Flüßchen darunter betrachten. So ging es schon seit einer halben Stunde, immer wieder bat sie ihn, langsamer zu fahren oder anzuhalten, wenn sie an etwas Interessantem vorbeikamen. Er wußte, sie versuchte den Augenblick der Ankunft in dem Zimmer mit dem breiten Himmelbett, das er vorbestellt hatte und wo sie das Wochenende verbringen wollten, hinauszuzögern.

»Möchtest du weiterfahren?« fragte er. Er streichelte ihre Wange, während sie aus dem Fenster sah. »Es ist okay, wenn du umkehren möchtest. Es ist okay, wenn du es dir während der Ferien anders überlegt hast. Rosalie?«

Sie drehte sich zu ihm um. »Nein, ich hab's mir nicht anders überlegt. Ich möchte mit dir zusammensein, Schuyler. Ich bin bloß, na ja, ich glaub, ich bin einfach nervös. Du weißt schon, verreisen, Prüfungen und das alles.«

Schuyler lächelte und fuhr wieder auf die Straße. Rosalie war so anders als die andern Mädchen, die er gekannt hatte. Es war unglaublich, daß es heutzutage noch eine wie sie geben konnte. Die erste Frau, mit der er ins Bett gegangen war, war älter gewesen als er, auf fast dreißig Jahre hatte er sie geschätzt. Sie war kürzlich von einem Professor geschieden worden, der ein Buch geschrieben hatte, das Schuyler gerade für den Geschichtsunterricht lesen mußte. Schuyler war vierzehn und konnte nicht recht begreifen, was diese kluge, weltoffene Frau an ihm fand. Er war ein magerer, langbeiniger, unberührter Knabe, dem in Gesellschaft von Rindern wohler war als bei Mädchen.

Unberührt, Rosalie war unberührt. Schuyler hatte noch nie einem Mädchen die Unschuld genommen, und ihm war bange vor der Verantwortung. Es würde das eine Mal sein, das sie nie vergaß, nicht die kleinste Kleinigkeit; so ist es nun mal, so sind die Menschen, dachte er, sie vergessen nichts. Und er würde der Eine sein, an den sie sich immer erinnerte.

»O, sieh mal, das Haus da.« Rosalie zeigte nach vorn. »Können wir eine Minute anhalten? Schau mal, die vielen Schornsteine, es müssen mindestens zwanzig sein! Und die Kiefern, die die Auffahrt säumen, die müssen mindestens hundert Jahre alt sein.«

»Das müssen wir uns genauer ansehen«, sagte Schuyler. Er bog in den Privatweg ein und hielt den

Wagen ein paar Meter vor dem Haus an. Es war ganz weiß gestrichen, ausgenommen die Eingangstür, die leuchtend rot und mit einem Kranz aus Kiefernzapfen geschmückt war.

»Manchmal, wenn ich so ein Haus sehe, stell ich mir gerne vor, wer darin wohnen mag«, sagte Rosalie. »Eine große, glückliche Familie? Oder nur ein alter Mann, der in allen Kaminen Feuer macht, damit er nicht so einsam ist? Es ist so still«, sagte sie, ohne zu merken, daß Schuyler den Motor abgestellt hatte. »Die Tische im Eßzimmer sind gedeckt, obwohl es erst drei Uhr ist. Vielleicht geben sie heute abend eine Party. Es ist ein glückliches Haus, das sehe ich ihm an. Hier geschehen glückliche Dinge.« Sie lehnte ihren Kopf an Schuylers Schulter.

»Das ist es, Rosie«, sagte Schuyler und nahm ihre Hand. »Wir sind da. Siehst du das Zimmer im obersten Stockwerk ganz rechts?«

»Das mit dem Erkerfenster?«

»Das ist für uns reserviert«, sagte Schuyler.

»O Sky«, flüsterte sie so leise, daß er sie kaum verstehen konnte. »Es ist herrlich.«

Rosalie und Schuyler saßen am Kamin und tranken Brandy aus dem Cognacschwenker, den Schuyler aus Cambridge mitgebracht hatte. Rosalie setzte sich ganz aufrecht und zog ihr Nachthemd über ihre kleinen bloßen Füße.

»Mach du deins zuerst auf«, sagte sie.

»Laß sie uns zusammen aufmachen«, erwiderte Schuyler. Er hatte nur ein weißes T-Shirt (eigentlich ein Unterhemd, fand Rosalie) und ausgebleichte Jeans an. Rosalie starrte unverwandt auf seine Füße, sie konnte nicht anders. Ich habe seine Füße noch nie gesehen, sagte sie sich. Ich habe kaum jemals seine Ellenbogen gesehen. Ihr schwindelte bei dem Gedanken an das Übrige.

Rosalie wickelte ihr Geschenk aus, achtsam, um das Papier nicht zu zerreißen, dann öffnete sie die dunkelblaue Samtschachtel. Sie enthielt ein herzförmiges goldenes Schloß an einer zierlichen Goldkette.

»Oh«, sagte sie. Ihr fiel nichts ein, was sie sonst noch sagen könnte. »Machst du's mir um?«

»In dem Schloß ist was drin«, sagte Schuyler.

Sie öffnete das Schloß mit dem Daumennagel und zog einen winzigen Papierstreifen heraus: Schuylers Glückszettel aus dem chinesischen Restaurant, den er ihr nicht gezeigt hatte. »Sei vorsichtig, wenn du dein Herz verschenkst«, stand darauf, »denn du bekommst es vielleicht nie zurück.« Sie lehnte ihren Kopf auf Schuylers Knie, während er ihre dichten roten Haare im Nacken anhob und die Kette umlegte.

»Jetzt du«, sagte sie. Sie streckte ihre Beine aus und stützte sich auf einen Ellenbogen.

»Shakespeares Sonette.« Er strich mit der Hand über den glatten Ledereinband. »Wie schön, Rosie.«

»Ich weiß, daß du sie fast alle auswendig kennst, aber ich konnte nicht widerstehen. Liest du mir eins vor?«

Er streckte sich neben ihr aus und las. Sie hörte mit geschlossenen Augen zu. Es ist, als hätte er sie für mich geschrieben, dachte sie, wenn er die Zeilen liest, hört es sich an, als lese er sie zum erstenmal.

»Jetzt lies du mir vor«, sagte er.

Rosalie lehnte sich auf ein Kissen zurück und hielt das Buch gerade vor die Augen. Vielleicht hatte Schuyler tatsächlich auswendig rezitiert, denn es war schwierig, den kleinen Druck in dem dämmrigen Licht der Kerzen zu erkennen, die sie im ganzen Zimmer in Aschenbechern und auf Untertellern aufgestellt hatten.

Während Rosalie las, fühlte sie Schuylers Finger durch ihre Haare fahren. »Nummer achtzehn«, sagte sie und spürte seinen Atem in ihrem Ohr. »Nummer achtzehn«, wiederholte sie, dann legte sie das Buch hin und schloß die Augen. »Wie geht es?«

Schuyler strich mit dem Finger über ihre Lippen und fuhr gerade hinunter zu ihrer Kehle, wo das Nachthemd mit dem schmalen gelben Band zusammengehalten war. »Soll ich dich einem Sommertag vergleichen«, sagte er. »Der Rest fällt mir nicht mehr ein.« Er löste das Band und zog das Nachthemd bis zu ihren Schultern herunter. »Rosie«, sagte er, »Rosie.«

»Psst«, sagte sie. »Du hast mir dein Herz geschenkt. Jetzt schenke ich dir meins.« Sie zog ihn an sich, und sie gaben sich einen sanften, keuschen Kuß, dann nahm er sie auf die Arme und trug sie zum Bett.

Schuyler zog sich aus und küßte sie wieder, immer noch diese sanften, unschuldigen Küsse, dann zog er das Nachthemd weiter hinunter, über die Arme, bis zur Taille, und bedeckte sie überall mit kleinen Küssen. Sie fühlte sich so geborgen mit diesen Millionen sanfter Küsse und nur einem Hauch von seiner Zunge, bloß für einen Moment hier und da, auf ihrem Hals, ihren Brüsten, den Schultern. Und dann küßte er sie fester, auf den Mund, und er schob den Saum ihres Nachthemds hinauf bis über ihre Knie, und sie spürte, wie sein Atem tiefer ging und ihr eigener auch. Er legte eine Hand um die Innenseite ihres Schenkels unmittelbar oberhalb des Knies. Sie war jetzt fast nackt, das Nachthemd war nur mehr ein loses Spitzengewirr um ihre Taille.

Rosalie fühlte sich vergehen, wie eine Kerze, zu etwas Weichem, Warmem und Formlosem. Sie erwiderte Schuylers Küsse mit einer Heftigkeit, die ihr vollkommen neu war, und sie führte seine Hand unwillkürlich weiter ihren Schenkel hinauf, weiter und weiter, und da war sie dann. Sie war trocken, das war nicht ganz richtig, oder, und dann schob er seine Hand zu ihr hinauf, und sie bedeckte sie mit nassen Küssen, und dann berührte er sie wieder, und ihr war, als sei ihr Hirn aus ihrem Kopf geflogen, sie konnte nichts mehr denken, sie war nur dieses zitternde Etwas in seinen Armen.

Schuyler legte ein Kissen unter sie und schob ihre Beine auseinander. Ich will mich an alles erinnern, was jetzt geschieht, dachte Rosalie, und sie öffnete eine Sekunde die Augen und sog alles ein. Sie sah Schuylers gebräunte Schulter an ihrer weißen Haut. Alles war weiß: der Schnee, der gegen das Fenster fiel, der hohe Betthimmel, die Laken und die Kissen, die Steppdecke und ihr Nachthemd und das Dutzend nach Rosen duftende Kerzen, die ihren flackernden Schein auf die weißen Wände und Rosalies Haut warfen. Sie schloß die Augen, und in diesem Moment gab sie sich ihm vollkommen hin.

Sie spürte einen kleinen Schmerz, eigentlich mehr Überraschung als Schmerz, und nach einer Weile gewöhnte sie sich nicht nur daran, sondern es begann ihr zu gefallen, und sie fragte sich, ob sie nicht etwas tun, sich nicht bewegen sollte. Schuyler hatte eine Hand auf ihrer Hüfte, er führte sie vor und zurück, und sie entdeckte, daß es ein schöneres Gefühl war, wenn sie entspannt mitging.

Es ist wie Musik, fand sie. Dies ist der Rhythmus. Und es muß eine Melodie da sein und auch Harmonie. Sie versuchte sich etwas anders zu bewegen und lauschte auf Schuylers Atem; er machte ein Geräusch wie ein leises Stöhnen, das muß bedeuten, daß es ihm gefällt. Es ist wie eine Symphonie, dachte sie, alles baut auf diesem Rhythmus auf, bis hin zum Crescendo. Plötzlich stieß er in ihr fester und schneller zu, sie dachte, er könnte sie völlig zerquetschen, und er sagte »Rosie,

Rosie, Rosie«, wieder und wieder, und zog sie ganz eng an sich.

Es war wieder still. Als sie die Augen öffnete, starrte er sie an, und er hatte Tränen im Gesicht. Er wischte ihr eine Träne fort, dabei konnte sie sich gar nicht erinnern, daß sie geweint hatte.

Er gehört mir, und ich gehöre ihm, und ich liebe ihn, und er liebt mich, und ist die Welt nicht wunderbar, dachte sie. Ich bin das glücklichste Mädchen auf der Welt. Wir sind die zwei glücklichsten Menschen auf der Welt. Schuyler und Rosalie, Rosie und Sky.

4

Das ist doch auch so ein altes Sprichwort, das nicht stimmen kann, dachte Katie Lee bei sich, ich sehe noch genauso aus wie vorher: dieselben Augen, derselbe Mund; dieselben Haare (mit den hellen Strähnen, die sie sich letzten Samstag hatte färben lassen; der Friseur hatte doch wahrhaftig Referenzen von ihr verlangt); dieselbe Haut (während des Sommers leicht gebräunt vom zweimal wöchentlichen Besuch des Fitneßclubs; das war ungefährlicher, und man bekam nicht diese gräßlichen Falten von der Sonne).

Vielleicht sieht man es am Gang, dachte Katie Lee. Sie ging auf den mannshohen Spiegel zu und trat ein paar Schritte zurück. Oder an den Hüften. Sie betrachtete sich mit Hilfe eines Handspiegels von hinten und beobachtete sich beim Gehen. Es war einfach nicht wahr: Man merkte einem Mädchen absolut nicht an, daß es seine Unschuld verloren hatte.

Außer natürlich, der Junge redete darüber, aber sie hatte das Gefühl, daß Bobby Vincent den Mund halten würde. Carter würde er es erzählen — sie hatten darüber gesprochen, daß jeder seinem besten Freund alles anvertraute, doch ansonsten fühlte sie sich ziemlich sicher. Hinterher hatte sie ihm die Reaktion ihres Onkels geschildert, als jemand ihre Cousine Sally verführt hatte; ihr Vater sei noch zehnmal schlimmer als ihr Onkel. Obendrein hatte sie noch ein paar Tränen vergossen. Sie hatte Bobby, wo sie ihn haben wollte. Er steckte schon viel tiefer drin, als er geplant hatte.

Sie aber auch, wenn man es so sah. Als sie merkte, daß es einfach unmöglich war, jemanden wie Bobby zu einem Heiratsantrag zu bewegen, ohne mit ihm geschlafen zu haben, da hatte sie ihren Plan etwas abändern müssen. Das war Daddys Devise: flexibel bleiben, die Situation immer wieder neu bewerten, keine Angst vor notwendigen Änderungen. Und es war notwendig gewesen. Im Herbst ihres letzten Collegejahres würde sie den Ring haben. Spätestens Weihnachten. Damit blieben Bobby noch zwei Jahre, um sich die Hörner abzustoßen, und Katie Lee blieben noch zwei Jahre, um ihre eigene Firma aufzubauen. Jede Menge Zeit.

Als es passiert war, hatte Katie Lee niemanden gehabt, mit dem sie darüber reden konnte. Sie hatte daran gedacht, Rosalie anzurufen, die während der Rennsaison mit ihrer Familie in Saratoga weilte. Aber Rosalie verstand nur etwas von wahrer Liebe — sie hätte kein Verständnis für die Abmachung, die Katie Lee mit Bobby getroffen hatte: daß sie im Herbst, wenn das Studium wieder anfing, so tun wollten, als sei nichts gewesen.

Es war ja eigentlich auch nichts Besonderes gewesen. Man richtete sich nach der traditionellen Dreierregel: wenn sie einen rumzukriegen versuchen, die ersten beiden Male nein sagen und beim dritten Mal nachgeben. Man läßt sich erst von ihm ausziehen, wenn er das Licht gelöscht hat. Man überprüft die Kondompackung, um sicherzugehen, daß sie nicht schon vier Jahre in seiner Sokkenschublade liegt. Dann tut er's — wenn man Tampons benutzt, kennt man das Gefühl sowieso schon —, und nach einer Weile macht er's noch mal. Beim zweitenmal dauert es länger. Er hatte über Nacht bleiben wollen, aber Katie Lee wußte, daß er es am Morgen wieder wollen würde, deshalb bestand sie darauf, daß er ging.

Als sie am nächsten Tag aufwachte, nahm sie als erstes ein ausgiebiges heißes Bad. Dann kaufte sie sich bei Saks eine komplette neue Herbst- und Wintergarderobe in leuchtend grünen, rosa und roten Tönen.

Eine letzte Kleinigkeit blieb ihr vor dem Rückflug noch zu tun. Sie wählte eine Nummer, ließ zweimal läuten und legte auf.

Keine Minute später klingelte ihr Telefon.

»Katie Lee? Bleibt es dabei, daß du heute abreist? Ich bin froh, daß es vorbei ist, wenn du's wissen willst«, sagte er.

Aber es ist nicht vorbei, dachte Katie Lee. Mitgefangen, mitgehangen. »Kannst du in einer Stunde vorbeikommen?« fragte sie.

»Klar. Bobby ist schon weg.«

»Ich weiß, Carter«, sagte sie barsch und legte auf.

Miranda drehte ihren Liegestuhl zum See hin.

»In der Tüte ist noch eine Portion Pommes frites«, sagte sie. »Und eine Dose Cola. Für später, wenn du willst.«

Peter zuckte die Achseln. »Dann sind die Fritten kalt und die Cola ist warm. Das Essen hier ist ganz gut, wie gesagt. Du hättest mir nichts mitbringen müssen. Ich meine, vielen Dank und so, aber es war nicht nötig.«

Ich hab's nicht für dich, ich hab's für mich getan, hätte Miranda beinahe gesagt. Damit wir hier draußen allein essen konnten. Um nicht mit — mit »dem Haufen« essen zu müssen, wie sie die anderen Patienten insgeheim nannte.

»Du verpaßt den herrlichen Sonnenuntergang, wenn du den Stuhl nach Osten drehst«, sagte Peter. Er ließ seinen Kaugummi knallen. Seit er hier war, kaute er ununterbrochen, drei Päckchen täglich.

»Ich will nicht in die Sonne sehen«, erwiderte Miranda. Sie legte sich ihren Pullover über die Schultern.

»Du willst bloß nicht auf die Klapsmühle sehen«, sagte Peter.

»Das ist keine Klapsmühle, du sollst das nicht immer sagen«, entgegnete sie, ließ aber ihren Stuhl umgedreht. Peter hatte recht: Sie wollte das große graue Sandsteinhaus nicht sehen, wo Peter mit 50 weiteren Patienten, einem Dutzend Schwestern und Beratern sowie drei Ärzten lebte. Sie wollte den alten Holzstall nicht sehen, der zu einer Turnhalle mit Schwimmbad umgebaut worden war, oder das Kutschhaus, das man in ein Atelier und eine Dunkelkammer unterteilt hatte, oder die Tennisplätze oder den Garten mit seinen preisgekrönten Rosen und der schmiedeeisernen Laube. Wenn man nichtsahnend die Hauptstraße entlangfuhr, konnte man den Gebäudekomplex für eine teure Privatschule oder einen exklusiven Club halten. Miranda aber wußte Bescheid: Es war eine Heilanstalt, die fast 2000 Dollar pro Woche verlangte, um die sorgfältig abgeschirmten Patienten von Drogen- und Alkoholabhängigkeit zu kurieren.

Es wunderte Miranda, daß man Peter hier aufgenommen hatte. Die meisten Patienten hatten ernstere Probleme als er. Sie hatten ihre Stellung verloren, sie hatten ihr Leben verpfuscht, einige wurden von Zeit zu Zeit gewalttätig. Und Peter erfüllte vor allem nicht das wichtigste Kriterium; im Grunde wollte er gar nicht geheilt werden.

Miranda seufzte. Als Peters Eltern ihn gezwungen hatten, sich Anfang des Sommers hier anzumelden, hatte sie fest geglaubt, er werde rechtzeitig zu Beginn des Wintersemesters wieder draußen sein. Er war mit einem Freund bei dem Versuch erwischt worden, sich Kokain zu beschaffen; ein juristischer Schachzug hatte ihn vor einer gerichtlichen Verfolgung bewahrt. Na wenn schon, hatte Peter anfangs gesagt, so was kommt alle Tage vor, dafür kommt einer wie ich (weiß, wohlhabend, mit guten Beziehungen) doch nicht ins Gefängnis. Eine Woche später verlor Peter am Steuer des Audi seiner Eltern die Besinnung und krachte mit dem Wagen in ein Telefonhäuschen. Das war im Juni. Jetzt war September, und er war immer noch hier.

»Du hast doch nicht vergessen, daß ich morgen zurück muß?« fragte Miranda.

»Hab ich nicht vergessen. Ich hab's *nicht* vergessen. Ich und vergessen? Willst du etwa behaupten, ich leide an zeitweisem Gedächtnisschwund?«

Peters Berater hatten Miranda gesagt, daß er vieles von seiner Wut und seinen Aggressionen gegenüber seiner Familie und der Welt im allgemeinen an ihr auslassen werde. Er konnte nichts dafür. Sie mußte es über sich ergehen lassen.

»Ich kann Ende November wiederkommen«, sagte sie. »Meine Eltern wollen Thanksgiving in unserem Ferienhaus am Strand feiern. Meinst du, du kannst kommen?«

»Da muß ich den Doktor fragen.«

»Aber bis Thanksgiving sind es noch drei Monate«, entfuhr es Miranda, »ich kann nicht glauben, daß du dann noch hier sein mußt.«

»Ich *muß* nicht hier sein, Mirandalita. Vergiß nicht,

ich bin freiwillig hier. Ich kann jederzeit gehen. Sobald ich das unsichtbare elektronische Halsband abstreife, das sie mir angelegt haben. Haha, war bloß ein Scherz, wir dürfen ja hierüber noch scherzen, oder, Miranda? Thanksgiving hört sich ausgezeichnet an. Ich weiß mich vor Freude kaum zu lassen.«

Miranda packte die Reste ihrer Schnellimbißmahlzeit in die Tüte und stand auf. »Begleitest du mich zum Wagen?« fragte sie.

Als er aufstand, fiel ihr auf, daß er immer noch so mager war. Seine Kleider waren gewaschen, aber nicht gebügelt.

»Ob Batmans Fans immer noch in der Einfahrt rumhängen?« fragte Peter in übertriebenem Bühnenflüsterton, als sie zu der kreisrunden Kiesauffahrt gingen. Batman war ein Fernsehdarsteller, den man am Tag, nachdem seine Serie abgesetzt wurde, eingeliefert hatte.

»Hattest du nicht gesagt, er sollte vorige Woche entlassen werden?« Miranda warf die Tüte auf den Rücksitz und schnallte sich an.

»Ja, aber dann hat ihm seine Frau gesagt, sie würde die Scheidung einreichen, und jetzt bleibt er noch mindestens einen Monat hier. Ich werde es sehr bedauern, wenn er geht«, sagte Peter. Er stützte sich mit den Händen aufs Autodach und beugte sich zum Fenster hinein. Er riecht nach Bleichsoda, dachte Miranda.

»Ein seltsamer Ort, um einen neuen Freund zu gewinnen«, sagte sie.

»Freund?« Peter stieß sich vom Wagen ab und trat zurück. »Freund?« wiederholte er und scharrte dabei mit den Füßen wie ein Tingeltangel-Komödiant. »Ich werde ihn vermissen, Mirandabelle, weil er mein Kontaktmann ist.«

Sie meinte, sie hätte ihn beim Rattern des Motors nicht richtig verstanden.

»Batman, der Wohltäter«, sagte er und hielt sich die Hände wie eine Maske vor die Augen. »Er bringt mir guten Stoff. Ganz richtig, Miss Hochwohlgeboren, er ist mein Dealer.« Peter lächelte, machte eine tiefe Verbeugung und verzog sich in das hohe steinerne Gebäude.

Was ich Alex im Sommer zu tun versprochen habe

Sieben Pfund abnehmen
Mit hohen Absätzen gehen üben (Plateausohlen gelten nicht)
»Nora« auswendig lernen; Ibsenbiographie lesen; Literaturkritiken nachlesen
Im Spiegel küssen üben — nur Lippen; keine Falten um den Mund! Mindestens einmal im Monat Spitzen schneiden lassen. Täglich Sonnenschutzmittel benutzen, nicht im Meer baden. Nicht: Zigaretten, Nägelkauen, Schnaps, Kaffee, Tee, süße Limonaden
Ende des Sommers Zähne polieren lassen

Chris drehte das dicke Blatt Pergamentpapier um und las, was Alex vor mehr als drei Monaten mit seiner eleganten, gleichmäßigen Schrift geschrieben hatte.

Was ich zu tun schwöre, wenn Chris im Sommer ein braves Mädchen ist

Ihr einen anständigen Wintermantel kaufen
Auf Partys keine Sonnenbrille mehr tragen
Mit ihr nach New York zu einer Modellagentur fahren
(Sieben Pfund, Liebling)

Ich habe alles getan, was er verlangt hat, und noch mehr, dachte sie. Sie hatte sich zwei Pfund zusätzlich abgehungert, -gejoggt und -gehüpft, gewissermaßen als Versicherung gegen einen Freßanfall in letzter Minute oder unvorhergesehene Gewichtszunahme durch Flüssigkeit. Sie war fast schon zu mager, aber Alex sagte, die Kamera erfordere es.

Das Rollenstudium hatte am meisten Spaß gemacht; Chris hatte ihren Text mit an den Strand genommen und die Rettungsschwimmer, wenn sie Pause hatten, die anderen Rollen lesen lassen. Sie hatte sich für ihren ersten Versuch als Schauspielerin für eine kleine Rolle in einem unbedeutenden Stück bewerben wollen, aber Alex hatte behauptet, wenn sie sich anstrengte, hätte sie durchaus die Chance, die Hauptrolle in der ersten größeren Studenteninszenierung im neuen Semester zu bekommen.

Sie hatte versucht, Rosalie alles zu erklären, als sie am Morgen in ihrer neuen Unterkunft die Zimmer aussuchten (Chris nahm sich das einzige mit einem ausreichenden Kleiderschrank, bloß um zu sehen, wie Katie Lee reagierte, wenn sie abends einträfe). Niemand wurde berühmt, ohne dafür zu arbeiten. Sie wollte im College erste Erfahrungen mit der Schauspielerei sammeln und könnte nebenbei in New York und Boston als Fotomodell arbeiten. Bis sie Examen machte, wäre sie in New York und Kalifornien schon bekannt, und sie könnte dann an ernstzunehmenden Häusern vorsprechen.

Alex hatte ihr einen kleinen psychologischen Trick beigebracht, um sie bei der Stange zu halten. Wollte man an einem strahlenden Tag am liebsten im offenen Kabriolett an der Küste entlangfahren, mußte man sich zum Beispiel darauf konzentrieren, wie es wäre, in Galagarderobe zur Oscarverleihung zu gehen. Das Kleid: enganliegend, aber sehr schlicht, mit einigen wenigen Pailletten, die das Blitzlicht der Kameras auffangen.

»Stell dir vor, du wirst durch die Menge zu deinem Platz geführt – natürlich direkt am Mittelgang, weil du ja nominiert bist – und alle drehen sich um, um deine Frisur zu sehen. Alle applaudieren dir, hören deine Rede, beglückwünschen dich hinterher auf der Party, die dir zu Ehren gegeben wird.«

Chris kam nie dahinter, wovon Alex träumte – wie paßte er in diese Phantasievorstellung? War er es, der ihr aus dem Wagen half, der im Theater neben ihr saß, der ihr auf der Party, die er in seinem Haus in Hollywood für sie gab, ein langstieliges Glas Champagner reichte? War er ihr Liebhaber, ihr Manager, ihr Produzent, ihr Berater oder alles zusammen?

Rosalie hatte von alledem nichts begriffen. Kein Wunder, dachte Chris, es hört sich sogar für mich ein bißchen albern, ein bißchen großspurig an, wenn ich mit jemand anderem als Alex darüber spreche. Aber wenn Alex und ich zusammen sind, dann scheint alles möglich. Alex hätte dies mit jeder Menge hübscher Mädchen abziehen können, aber er hatte sie erwählt, um – sie konnte das Wort immer noch nicht ohne Unbehagen aussprechen – einen *Star* aus ihr zu machen.

Sie hütete sich, das Wort vor Rosalie auszusprechen, als sie ihr Katharine-Hepburn-Poster über ihren Schreibtisch pinnte. »Fotomodell ist der erste Schritt, um Schauspielerin zu werden«, sagte sie und fuchtelte bedeutungsvoll mit der Hand. »Man kann schließlich nicht von mir erwarten, daß ich mein Geld als Kellnerin verdiene, wenn es sich irgendwie vermeiden läßt. Nach all den Jahren bei McDonald's hab ich von Küchen die Nase voll!«

Rosalie kicherte. »Ich hab gestern meine ersten eigenen Plätzchen gebacken. War gar nicht so schwer, wie ich dachte. Man muß nur auf die richtigen Abmessungen achten — die Köchin hat mir gezeigt, wie man den Meßlöffel mit einem Messer glattstreicht.«

»Du hast Plätzchen gebacken?«

»Ja, ich hatte schon alles gepackt, und es gab nichts mehr zu tun. Sie sind für Schuyler. Ich wollte unbedingt selbst etwas für ihn machen, nicht einfach hingehen und was kaufen. Magst du eins probieren?«

Chris zog ein Gesicht. »Ich bin auf Diät.«

»Das kann ich nicht glauben.«

»Hat Dr. Alex verordnet. Die Kamera läßt einen zehn Pfund dicker aussehen. Aber ich bin überzeugt, daß sie köstlich sind.«

»Sie sind unglaublich einmalig phantastisch!«

»Rosalie, ich kann dich mir einfach nicht mit einer Schürze und mit Mehl an den Händen vorstellen«, sagte Chris. Sie hätte gerne gefragt, und wer hat aufgeräumt? Hast du die vielen klebrigen Satzschüsseln selbst abgewaschen? Nein, natürlich nicht, Rosalie hatte alles ordentlich im Spülbecken gestapelt, und ein Dienstmädchen hatte sich das Zeug vorgenommen. Chris wollte eines Tages auch ein Dienstmädchen haben, eine richtige Haushälterin, die all die gräßlichen Aufgaben erledigte, die Gloria Dunnes Tage füllten. Eine Karriere und eine Haushälterin und etliche hunderttausend Dollar auf der Bank: Das brauchte Chris, um sich davor zu bewahren, so zu werden wie ihre Mutter.

»Und wann ist dein Vorsprechtermin?« fragte Rosalie, »bei dem es alle vom Stuhl kippt?«

»Es heißt, vom Stuhl *hebt*. In zwei Wochen. Alex kommt in ein paar Tagen, dann fangen wir zu proben an.«

»Wir sind wie Kriegsbräute«, sagte Rosalie, »die darauf warten, daß die Jungs nach Hause kommen. Hilfst du mir mal das Bett von der Wand rücken? Ich hab Schuyler seit Monaten nicht gesehen. Guck mal, die neue Bettwäsche, die ich gekauft habe, hübsch, nicht? Drei Monate und zwei Tage, um genau zu sein. Bloß immer diese endlosen Telefongespräche.«

Wie schön, daß ihr sie euch leisten könnt, dachte Chris; Alex, der immerhin sagenhaft reich war, hatte sie allerdings nicht oft angerufen.

»Und was hat Schuyler diesen Sommer so getrieben?« fragte sie.

»Willst du was Komisches hören? Er und Miranda haben angefangen, sich zu schreiben. Zuerst hat sie ihm nur eine Postkarte geschickt, dann kam ein langer Brief über Peter — du hattest recht, Peter ist ein hoffnungsloser Fall, aber Miranda glaubt immer noch, das sei nur so eine Phase, die er überwinden muß. Schuyler hat mir den Brief vorgelesen, es war so ein trauriger Brief, und seitdem schreiben sie sich regelmäßig.«

»Bist du eifersüchtig?«

»Ach bewahre, dazu würde Schuyler mir keinen Grund geben.«

»Er ist auch bloß ein Junge wie viele andere.« Mit den unglaublichsten Schlafzimmeraugen, dachte Chris bei sich. »Manchmal werde ich wegen Alex so eifersüchtig, daß ich nicht mehr geradeaus gucken kann. Aber Schuyler ist natürlich ganz anders.«

»Wir lieben uns.«

»Natürlich.«

»Mit uns ist es wirklich was Besonderes, Chris. Erinnerst du dich an unser Gespräch, bevor wir — du weißt schon, letzten Winter? Ich hab dir nie richtig dafür gedankt.«

»Wozu auch, ich habe nichts gesagt, was du im Grunde nicht schon wußtest.«

»Schon möglich.« Rosalie strich die Decke glatt. Es war ein sentimentales Gefühl, das Bett wieder selbst zu machen. Sie konnte Chris nicht erzählen, was sie wirklich dachte, daß sie sich während des Sommers vorgestellt hatte, sie würde wieder Jungfrau und vergäße alles, was geschehen war, und sie und Schuyler müßten noch einmal ganz von vorn anfangen.

Aber so war es eben, wenn man mit jemandem schlief; Rosalie hatte erkannt, daß man mit den Freundinnen nicht mehr so über ihn sprechen konnte wie vorher. Man konnte nicht sagen, was einem durch den Kopf ging, man konnte nicht jede beliebige Frage stellen, es wäre gewissermaßen Verrat an dem Geliebten.

Die Frage, die Rosalie durch den Kopf ging, war die: Was die Männer fühlten, wenn sie kamen, das Schwitzen und Stöhnen und die abrupten Bewegungen, gab es das bei Frauen auch? Oder war es bei ihnen anders, ein sanftes, warmes Prickeln, wie es Rosalie die meiste Zeit verspürte, wenn sie mit Schuyler zusammen war — nun ja, zumindest die halbe Zeit. Einiges tat er nur ihr zu Gefallen, und es war natürlich sehr angenehm, aber manchmal hatte sie das Gefühl, er würde nicht eher aufhören, als bis sie etwas Dramatisches tat. Stöhnen oder sich aufbäumen, so wie er. Etwas, das ihm sagte, daß es okay war, wenn er aufhörte. Täuschte man so einen Orgasmus vor? Rosalie sah darin eigentlich keine Vortäuschung, eher eine Übertreibung. Sie wollte Schuyler doch nur glücklich machen, es machte ihn so glücklich, sie waren beide so glücklich, hinterher, wenn sie einander umarmten, sich aneinanderschmiegten.

An Schuyler konnte es jedenfalls nicht liegen, er hatte ja vor ihr schon so viele Freundinnen gehabt. Vielleicht gab es noch etwas, das sie tun sollte, etwas, von dem Chris ihr erzählen konnte, wenn sie nur nicht das Gefühl hätte, daß sie, wenn sie mit Chris über Sex redete, Verrat an ihrem Liebsten beging.

Rosalie strich die gesteppte Tagesdecke glatt und

schenkte Chris ein flüchtiges Lächeln. »Du könntest ein Plätzchen nehmen, bloß damit ich weiß, daß sie gut sind, ehe ich sie Schuyler schenke. Ich versprech dir, ich laß dich nicht mehr als eins essen.«

»Du hast bestimmt noch nie eine Diät gemacht, Rosalie. Es ist so ähnlich, als wäre man eine Nonne. Es geht um das Absolute. Du hältst nur durch, wenn du vollkommen keusch bleibst. Du mußt dir vormachen, daß dein Leib gereinigt ist: von Süßigkeiten, von Öl, von Fleisch, von Butter, von nahezu allem, was gut schmeckt. Wenn ich ein einziges Plätzchen esse, verliere ich die Motivation.«

»Hoffentlich weiß Alex das zu schätzen.«

»Wenn nicht, kann er was erleben«, sagte Chris. Sie stimmte nicht ein, als Rosalie kicherte. »Wir können ja in die Eisdiele gehen und vier Portionen Schokoladen-Eistorte bestellen.«

»Und zum Nachtisch Schokoriegel«, sagte Rosalie.

»O Gott, ich phantasiere vom Essen«, sagte Chris. »Das ist ja zum Heulen. Hoffentlich ist es die Mühe wert.« Sie zog ihre Jeans hoch, die ihr in der Taille zu weit geworden war. Die Diät war ihr mit der Zeit leichter gefallen, nach ein paar Wochen hatte sie tatsächlich das Interesse am Essen verloren. Seltsam war nur, sie hatte auch ein gut Teil ihres Interesses am Sex verloren. Sieh dir Rosalie an, sie ist ganz aufgeregt, weil sie Schuyler bald wiedersieht, und sieh mich an — mehr nervös als geil.

Er ist bloß ein Junge wie andere auch, sagte sie sich vor, *stell dich seinetwegen nicht so an.* Aber das war nicht wahr. Alex war ihr mehr als ein Freund. Er war ihre Hoffnung und ihre Rettung. Er würde sie von ihrer Vergangenheit erlösen. Er war ihre Austrittskarte.

5

»*Chris, mein süßer* Liebling«, sagte Alex, als sie fertig waren und sie, die Haare über seine Brust gebreitet, an ihn geschmiegt lag. »Ich fing schon an zu denken, es gäbe dich nur in meiner Einbildung.«

Chris fuhr mit dem Finger über seine Unterlippe. »Das dachte ich von dir auch«, sagte sie. Der Abend war nicht so gelaufen, wie sie ihn sich vorgestellt hatte, aber sie konnte nicht genau begründen, was nicht stimmte. Alex hatte seine Wohnung mit Blumen gefüllt, als wolle er sich für etwas entschuldigen, aber Chris wußte nicht, wofür. Er hatte im Sommer die Parfümmarke gewechselt — was hatte das zu bedeuten? Und auch beim ersten Sex seit Monaten ging es seltsam zu. Nach der langen Zeit hatte er sie doch wahrhaftig von hinten genommen, und das war die am wenigsten romantische Stellung, die Chris sich denken konnte. Vielleicht war er ja nur genauso nervös wie sie. Vielleicht.

»Das Vorsprechen wird für dich ein Kinderspiel«, sagte er.

»Ich wünschte, ich wäre so zuversichtlich wie du.«

»Du mußt zuversichtlich sein, Liebling, mit Zuversicht ist das Spiel mehr als halb gewonnen. Denk an die großartige Party nach der Premiere. Ich habe schon ein paar Freunde aus New York eingeladen. Sie können es gar nicht erwarten, dich kennenzulernen.«

Chris kannte nur sehr wenige von Alex' Freunden. »Was hast du ihnen von mir erzählt?« fragte sie.

»Daß du in jeder Hinsicht absolut vollkommen bist und dich vielleicht herabläßt, sie mit deiner Anwesenheit zu beehren, wenn du unglaublich reich und berühmt bist.« Alex untersuchte eine Haarsträhne von ihr nach gespaltenen Spitzen.

Und wenn ich diese Rolle nicht bekomme, oder wenn ich einen Freßanfall habe und zwanzig Pfund zunehme, oder wenn ich mir morgen die Haare abschneide und in Latzhosen rumlaufe, was dann? dachte Chris, und sie wußte die Antwort. Adieu, Adios, ciao Baby, nimm deine Stevie-Wonder-Platten und mach die Tür hinter dir zu.

Und dann kam endlich der große Tag. Um Punkt 16 Uhr sollte die Besetzungsliste innen am Hintereingang des Theaters angeschlagen werden. Chris schwänzte die Vormittagsvorlesungen und verbrachte den größten Teil des Nachmittags in einem Schaumbad mit Zitronenduft. Alex hatte ihr einen blauen Mohairpullover geschickt, den sie anziehen sollte, wenn sie hinterher zur Feier des Tages essen gingen, so zuversichtlich war er, nachdem sie ihm geschildert hatte, wie das Vorsprechen gelaufen war, und Katie Lee hatte ihr eine zum Dunkelblau des Pullovers passende Kette aus Lapislazuli geliehen.

Um halb vier rief sie Alex an.

»Bei Child«, sagte eine unbekannte Stimme mit englischem Akzent.

»Hallo, hier ist Chris. Ist Alex da?«

»Alex schläft. Er will vor vier nicht gestört werden. Kann ich was ausrichten?«

»Kann er wirklich nicht mit mir sprechen? Kannst du ihm sagen, daß ich am Apparat bin?«

»Er wird sauer, wenn er im Schlaf gestört wird.«

Wem sagst du das, dachte Chris bei sich. »Dann muß ich wohl warten. Mit wem spreche ich?« fragte sie.

»Ich bin Bruno. Bin erst heute morgen aus New York gekommen. Ich freu mich drauf, dich heute abend kennenzulernen. Alex hat mir viel von dir erzählt.« Er hatte fast denselben Akzent wie Alex, als wären sie am selben Ort aufgewachsen und zusammen zur Schule gegangen.

»Dann richte ihm aus, daß ich angerufen habe. Also bis heute abend.«

»Ciao«, sagte Bruno und legte auf.

Chris ging so langsam wie möglich zum Theater, kam aber immer noch fünf Minuten zu früh. Schließlich pinnte ein dünner Chinese in einem Sweatshirt die Besetzungsliste an die Anschlagtafel. Sie trat näher und las. Neben Nora stand: Vicki Gold.

Chris lief rückwärts aus der Tür und löste dabei die Alarmglocke aus. Sie drehte sich um und rannte ziellos, bis sie den Alarm nicht mehr hörte, bis sie den Campus verlassen hatte und sich in schmalen Gassen in einer fremden Gegend wiederfand, bis sie so erschöpft war, daß sie nicht mehr gehen konnte, ohne die schmerzhaften Seitenstiche zu spüren, und sie sich ans Flußufer kauerte, den Kopf in die Hände stützte und weinte.

Sie blieb dort sitzen, die Arme gegen die frühherbstliche Kühle verschränkt, bis der Himmel zu verblassen begann und die rosafarbenen Straßenlaternen über den Fluß blinkten. Sie suchte eine Telefonzelle, überprüfte in der Glastür, ob ihr Gesicht verweint aussah, und wählte Alex' Nummer. Es war besetzt; sie zählte bis zehn, wählte noch einmal, und es war immer noch besetzt. Alex versuchte vermutlich, sie in ihrem Zimmer anzurufen. Vielleicht hatte er schon gehört, daß sie die Rolle nicht bekommen hatte. Sie ging zu seiner Wohnung und malte sich unterwegs alles mögliche aus, was ihr an diesem Unglückstag zustoßen konnte; die Welt war plötzlich voller Bedrohungen.

Nur noch zehn Häuserblocks bis zu Alex, sie würde sterben, ganz bestimmt, noch fünf Blocks, ihre Hände zitterten so stark, daß sie kaum auf den Klingelknopf drücken konnte. Keine Antwort. Sie konnte nicht nach

Hause gehen – es würde zu regnen anfangen, sie würde vom Blitz erschlagen werden. Sie wollte in Alex' Wohnung warten, bis er zurückkam.

Warum hatte Alex ihr keinen Schlüssel zu seiner Wohnung gegeben? Rosalie besaß einen Wohnungsschlüssel von Schuyler, so daß sie sich einschließen konnte, wenn sie länger schlief als er. Chris zog ihren Studentenausweis aus der Gesäßtasche. Das lächelnde Gesicht auf der Plastikfolie, nur 2 cm² groß, war nicht wiederzuerkennen. War es erst zwei Wochen her, daß sie so glücklich aussah, so hübsch, so jung? Sie schob den Ausweis zwischen Tür und Pfosten schräg nach unten, bis die Verriegelung sich löste.

Drinnen war es dunkel. Ein kleiner brauner Koffer lag geöffnet auf dem Teppich. Aus dem Schlafzimmer hörte Chris einen Wilson-Pickett-Song, und Alex sang mit. Sie hob eine leere Schnapsflasche auf, die auf das Samtsofa gefallen war. Der Telefonhörer war von der Gabel genommen und baumelte, im Takt zur Musik tutend, gegen ein Tischbein.

»Alex?« rief Chris. Sie wartete unmittelbar vor der halbgeschlossenen Schlafzimmertür. »Ich habe geklingelt und geklopft, aber du hast mich anscheinend nicht gehört.« Keine Antwort. »Alex? Hallo?«

Er kam mit nichts als seiner Jeans bekleidet an die Tür; der Reißverschluß war zu, aber der Knopf stand offen.

»Ich muß eingeschlafen sein«, sagte er, »wie spät ist es? Wir haben für acht Uhr reserviert. Setz dich, ich bin gleich soweit.«

»Ich hab sie nicht bekommen. Ich hab die Nora nicht bekommen.«

»Was? Oh. Hm. Das kannst du mir alles beim Essen erzählen.«

»Sieh mich an, Alex, so kann ich nicht ausgehen. Ich

bin den ganzen Nachmittag durch Cambridge gelaufen, ich sehe fürchterlich aus.« Sie brach in Tränen aus. »Ich hab die Rolle nicht gekriegt, weil ich sie nicht verdiene, ich bin eine miserable Schauspielerin.« Sie schmiegte sich an seine Brust, wartete, daß er seine Arme um sie legte. »Ich weiß nicht, warum ich es überhaupt versucht habe. Ich weiß nicht, wieso ich mich von dir dazu überreden ließ.«

»So ein ausgemachter Unsinn.« Er legte seine Hände auf ihre Schultern und hielt sie von sich. »Du bist erschöpft und hungrig, und du solltest dich erst einmal hinsetzen wie ein braves Mädchen, bevor du etwas sagst, was du später bereust. Wir gehen in das kleine Lokal an der Ecke, und ich bestelle dir Lasagne und Rotwein, und dann geht es dir hundertprozentig besser. Ich brauche bloß fünf Minuten.«

»Immer sagst du mir, was ich tun soll«, begehrte sie auf, »das halte ich nicht mehr aus.« Sie sah an Alex vorbei auf das Durcheinander im Wohnzimmer: das ausgehängte Telefon, die Schnapsgläser, den Aschenbecher voll Zigarettenkippen, die auf dem Teppich verstreuten Kleidungsstücke. »*Du* bist ja nicht total gedemütigt worden. Du hast den ganzen Tag rumgelegen und gesoffen, und — sieh mich an, ja? — es macht dir absolut nichts aus«, schluchzte sie, aber ihr war, als spräche sie mit sich selbst. Er sah an ihr vorbei ins Schlafzimmer, und sie drehte sich um, um zu sehen, worauf er starrte.

An die Kissen gelehnt, die Hände hinter einem Kopf voll dichter schwarzer Locken verschränkt, nackt bis auf das um die Taille gewickelte Bettlaken, eine Zigarette zwischen den lächelnden Lippen, lag ein sonnengebräunter, gutaussehender Junge.

Alex rührte sich nicht von der Stelle. »Darf ich vorstellen, Bruno, Chris«, sagte er.

Bruno beugte sich im Bett nach vorn und streckte den Arm aus, als wolle er ihr die Hand geben. »Endlich lernen wir uns kennen«, sagte er. »Es ist mir ein Vergnügen.«

Chris konnte sich nicht erinnern, wie sie an Alex vorbei auf die Straße gelangt war. Sie hatte es getan, ohne zu denken, so wie eine Hand bei der Berührung eines heißen Topfes zurückzuckt, und nun war sie wieder allein in der Dunkelheit.

Als sie nach Hause kam, schnipste Katie Lee an einem Stapel Wollsocken die Preisschildchen ab.

»Hallo, Chris«, sagte sie. »Wer diese kleinen Plastikhalter erfunden hat, sollte für die Hälfte aller Zahnschäden in diesem Land zur Verantwortung gezogen werden. Du siehst fürchterlich aus.«

»Danke.«

»Ja, wirklich.« Katie Lee zuckte die Achseln. »Hat alles geklappt?«

»Nein. Ist das Miranda, die da telefoniert?«

»Richtig geraten. Sie haben Peter aus der Heilanstalt rausgeschmissen, und er weigert sich, zum Psychiater zu gehen.«

»Wo ist Rosalie?«

»Sie will den letzten Flug nach New York nehmen. Sie ißt bei Schuyler, dann bringt er sie zum Flughafen. Ihr Vater ist offenbar wieder auf Sauftour, und ihre Mutter hat sie zu einer Familienkonferenz gerufen. Ehrlich, manchmal glaube ich, ich bin hier der einzige normale Mensch. Du siehst wirklich furchtbar aus. Ich nehme an, du hast die Rolle nicht bekommen.«

»Richtig geraten. Ich will sehen, daß ich Rosalie noch erwische. Wenn Alex anruft — ach egal, wenn irgendwer anruft, sag einfach, du weißt nicht, wo ich bin.« Sie steuerte auf die Tür zu.

»Chris, warte einen Moment.« Katie Lee trat mit einer Schere in der einen Hand und einer hellroten Socke in der anderen auf sie zu. »Wenn ich irgend etwas tun kann, ja ja, ich vermute, es gibt nichts, was ich tun kann. Tut mir leid wegen der Rolle, wirklich. Der Direktor muß ein kompletter Idiot sein; das Mädchen, das die Rolle gekriegt hat, kann nicht annähernd so hübsch sein wie du.«

»Katie Lee, sie geben die Rolle nicht dem hübschesten Mädchen.«

»Weiß ich doch. Magst du irgendwo was trinken gehen? Ich kann sehr verständnisvoll sein, sogar beinahe mitfühlend, solange du versprichst, es keinem zu verraten«, sagte sie lachend.

Chris hatte den Eindruck, daß Katie Lee zum erstenmal, seit sie sich kannten, ihr eine Freundin zu sein versuchte. »Ich könnte wirklich einen Drink vertragen«, sagte sie.

»Ich bin mit ein paar Leuten verabredet. Komm doch einfach mit. Sie haben bestimmt nichts dagegen.«

»Ach, ich weiß nicht. Vielleicht ist das mit dem Drink doch keine so gute Idee. Außerdem möchte ich Rosalie gern noch sehen, bevor sie abfliegt. Dann bis morgen«, sagte Chris und ging die Treppe hinunter.

Katie Lee stand im Flur und sah ihr nach. Eine Schande, dachte sie bei sich, bei der ersten Enttäuschung bricht das Mädchen zusammen. Am Ende kriegt jede, was sie verdient. Das hat sie davon, weil sie mit jedem schläft, weil sie vorgibt zu sein, was sie nicht ist, weil sie denkt, sie kann sich alles erlauben, bloß weil sie hübscher ist als wir anderen.

Katie Lee betrachtete den Stapel Socken und Unterwäsche auf dem Fußboden. Einmal jährlich ersetzte sie ganze Schubladen voll von den Sachen. Die alten warf sie einfach weg — man konnte Unterwäsche nicht der

Heilsarmee geben, und außerdem war es ein unange-
nehmer Gedanke, daß irgendeine dahergelaufene Person ihre Sachen trüge. Kleider sind wie Menschen, sagte sich Katie Lee. Der Vergleich gefiel ihr, sie merkte
ihn sich, um ihn geschickt in eine Unterhaltung einflie-
ßen zu lassen. Kleider sind wie Menschen: Wenn Katie
Lee mit ihnen fertig ist, haben sie keinen irdischen Nut-
zen mehr.

»Sie wollte aus der Stadt sein, bevor der Sturm los-
bricht«, sagte Schuyler. Er hoffte, daß Chris nicht hier
in seinem Flur in Tränen ausbrach. »Sie hat einen früheren Flug genommen.«

»Hoffentlich kommt sie heil nach Hause«, sagte
Chris. Die Panik vom Nachmittag war noch in ihr. Ein
Flugzeug konnte abstürzen.

»Bestimmt«, erwiderte Schuyler. »Aber *du* machst
mir Sorgen. Ich hab frischen Kaffee, wenn du möchtest.«

»Gern.« Chris war noch nie bei Schuyler gewesen.
Sie blickte sich um, während er in der Küche hantierte.
Der einzige, langgestreckte Raum war fast kahl. In der
Mitte standen zwei Schaukelstühle aus Eichenholz, gegenüber eine abgewetzte Couch mit einer Patchwork-
decke, und auf dem Fußboden lag ein gewebter Nava-
joteppich. An einem Ende des Zimmers, vor einem
Fenster, das auf einen Schulhof hinausging, diente eine
unbearbeitete Holzplatte auf ramponierten grauen Ak-
tenschränken als Schreibtisch. Über dem mit einer gestreiften Decke bedeckten Bett am anderen Ende befand sich das einzige Kunstwerk, das Schuyler an die
kahle weiße Wand gehängt hatte: eine riesengroße Fotografie von einer Wüste mit im Hintergrund aufragen-
den Bergen. Es war das genaue Gegenteil von Alex'
Wohnung — asketisch, ruhig, besänftigend.

»Hier ist Whiskey.« Schuyler stellte einen Tonkrug neben sie auf den Fußboden. Chris wartete auf seine Fragen: Was ist passiert? Warum hast du die Rolle nicht bekommen, und wer hat sie? Warum bist du nicht bei Alex oder Miranda oder Katie Lee? Aber er sagte nichts. Sie saßen eine Weile schweigend und lauschten auf den Regen, der unten schwer auf das Pflaster fiel.

Chris starrte auf die Holzmaserung des Fußbodens. Hin und wieder hob sie die Augen zu Schuyler, und dann sah er sie jedesmal an, ohne zu blinzeln. Sie hatte das Gefühl, wenn er sie lange genug anstarrte, könne er ihre Gedanken lesen und sie brauche ihm nicht zu sagen, wie ihr zumute war. Er würde einfach wissen, was ihr Schlimmes zugestoßen war. Dann und wann stand er auf und füllte ihre Tassen neu, und jedesmal war die dem Kaffee beigefügte Whiskeymenge größer, und jede bittere Tasse war leichter zu leeren.

Schuyler beobachtete sie, als sie sich im Stuhl vor und zurück wiegte. Er konnte sich denken, was passiert war. Sie hatte die Rolle nicht bekommen, und Alex hatte sich beschissen benommen. Er beugte sich vor und berührte sachte ihr Knie, als wolle er sich vergewissern, daß sie wirklich und wahrhaft hier in seinem Zimmer war. Sie nahm seine Hand, und so saßen sie, immer noch stumm. Es war, als hätten seine Finger einen elektrischen Draht berührt. Er fühlte die Hitze in seinem Arm brennen, sein Rückgrat hinabrieseln und sich in jedem Teil seines Körpers verzweigen wie eine unter Strom stehende schematische Darstellung des Nervensystems.

Als sie sich küßten, spürte er, wie diese Strömung zwischen ihnen hin- und herwanderte. Keiner war passiv oder aggressiv, es gab keinen, der führte, und keinen, der folgte, keine drängende Aufforderung und keine zärtliche Bitte zu warten, kein Recht oder Unrecht.

Nur Schuyler und Chris. Sie hielt mit einer Hand seinen Hinterkopf, und mit der anderen knöpfte sie sein weiches Cordhemd auf. Sie beugte sich vor und küßte ihn auf die Brust, und er zog ihr das Hemd über den Kopf und sah das sanfte Licht sich in ihren Haaren fangen, die ihr auf die Schultern fielen.

Chris fühlte sich erneuert, als wäre ihr Blut mit Giftstoffen angefüllt gewesen und würde nun gereinigt und mit Sauerstoff angereichert, während ihr Herz in schnellerem Rhythmus pumpte. Schuylers Berührung — an ihren Schultern, ihren Rücken entlang, über ihre Brüste, um ihre Taille herum — war mächtiger als alle Worte, die sie je gehört hatte. Irgendwie wußte er alles von ihr. Sie wußte alles von ihm. Sie wußte, was er von ihr wollte und was er für sie zu tun gewillt war. Es war am Ende so einfach, zu lieben und geliebt zu werden. Dieser Mann — seine Haare und Lippen und Zähne, sein Fleisch und seine Knochen — er war ihr Schicksal.

Vor der einzigen hellen Lampe stand in einem Lichtkranz, wie der Mond während der Mondfinsternis, Rosalie, den Koffer an die Brust gedrückt. Sie war triefnaß.

»Mein Flug wurde gestrichen«, sagte sie und blickte auf einen Punkt unmittelbar über ihren Köpfen. Chris hob ihr Hemd vom Boden auf und bedeckte sich. Ein paar Minuten sprach niemand, und dann ließ Rosalie nach einigem Gestammel mit leiser Stimme eine Erklärung vom Stapel, als sei sie diejenige, von der eine Entschuldigung erwartet wurde.

»Zuerst wurde er verzögert, und sie ließen uns in die Maschine, aber dann wurde das Wetter so schlecht, daß alle Flüge abgesagt wurden, und wir mußten aus der Maschine, und dann waren sämtliche Telefonzellen besetzt, und natürlich war kein Taxi zu kriegen, also sind alle zur U-Bahn gerannt, das hat ewig gedauert, und als ich aus dem Bahnhof kam, fing es natürlich noch fester zu regnen an.« Um ihre dünnen Wildlederschuhe hatte sich eine Pfütze gebildet. Die Vorderseite ihres Regenmantels war fleckig von dem dunkelroten Leder ihres Koffers.

»Rosalie«, Schuyler trat auf sie zu. »Hör mich an.«

Rosalie hielt die Hand hoch wie ein Verkehrsschutzmann: Stop, komm ja nicht näher, sei still. »Ich bin mit dem Schlüssel reingekommen, weil ich dachte, du schläfst schon. Es tut mir leid«, sagte sie und strich sich die nassen Haare aus dem Gesicht. »Es tut mir sehr leid«, flüsterte sie.

»Es ist meine Schuld«, sagte Chris.

»Ich will nichts hören«, entgegnete Rosalie und schlurfte zur Tür. »Ich gehe jetzt nach Hause. Ich werde vergessen, was hier passiert ist. Weil ich nämlich vergessen werde, daß ihr beide existiert, daß ich so dämlich war, euch für meine Freunde zu halten. Ich will euch beide nie wiedersehen und nie mehr mit euch sprechen.«

Sie wird nicht schreien und nicht weinen oder dergleichen, dachte Schuyler. Weil sie schon weg ist. Es ist schon aus.

An der Tür zögerte Rosalie einen Moment. Mit zitternden Händen löste sie den Verschluß des goldenen Kettchens und legte es in die Emailschale, wo Schuyler seine Autoschlüssel und seine unbeantwortete Post verwahrte. Das Herzchen, ein winziges glitzerndes Etwas, wirkte unbedeutend zwischen den unbezahlten Rechnungen und dem Kleingeld, das Schuyler untertags aus seinen Taschen geleert hatte.

»Was ich dir geschenkt habe, kann man nicht zurückgeben«, sagte sie mit einer Stimme ruhig und hart wie Glas, und dann ging sie.

6

Wieder und wieder hatte Chris mit sich Zwiesprache über ihre Episode mit Schuyler gehalten. So nannte sie es in Gedanken: eine Episode, eine Nacht, in ihr Leben gefallen wie ein Stein in einen Teich, ein kurzer Strudel, bis der Stein auf den Grund sank und die Oberfläche wieder glatt war.

Hatten Schuyler und Rosalie Probleme gehabt, war Chris gerade in ihren unvermeidlichen Bruch hineingeraten? War er einfach betrunken gewesen, zu ungehemmt, um, was immer sie ihm bot, zurückzuweisen? War er schon monatelang fremdgegangen, wohl wissend, daß Rosalie zu naiv war, um etwas zu merken? Oder, schlimmer noch — gehörte er zu den Männern, die keinem verzweifelten weiblichen Wesen widerstehen konnten, die von weinenden, in einer Krise steckenden, schwachen Frauen angemacht wurden? Ein Mitleidsfick. Chris hatte sich oft genug auf der anderen Seite eines solchen Austausches befunden. Sie hatte dort gesessen, ein sexueller Sozialfall, sich sehnend nach einer Berührung, die ihr Selbstwertgefühl wiederherstellte. Tiefer konnte man nicht sinken. Das Untergeschoß des Liebeshandels. Die Erinnerung an die Szene überkam sie in den willkürlichsten Momenten — wenn sie im Gegenlicht die Straße überquerte, wenn sie sich morgens die Zähne putzte — und es genügte, um sie für den Rest des Tages in einen Strudel aus Niedergeschlagenheit versinken zu lassen.

Doch das alles zählte jetzt nicht mehr. Nicht Schuyler, nicht Rosalie, nicht Alex, keine von ihren Freundinnen des ersten Jahres in Cambridge. In den letzten zehn Monaten hatte sie das College nur zweimal wöchentlich mit dem Flugzeug von New York aus besucht. Sie hatte alle ihre Vorlesungen auf Dienstag und Donnerstag gelegt; sie holte ihre Bücher aus der Bibliothek, sie lieferte ihre Aufsätze ab und fuhr mit dem Taxi vor der abendlichen Stoßzeit zum Flughafen zurück.

Ihr modernes L-förmiges Studio in einem Hochhaus, das mit zwei Portiers, die rund um die Uhr ihren Dienst versahen, und mit elektronischen Alarmanlagen in jeder Wohnung glänzte, würde niemals vermuten lassen, daß sie Studentin war. Ein Bücherbord und eine Schreibmaschine waren in ihrem begehbaren Kleiderschrank hinter den Plastiktüten, die ihre unmodern gewordene Garderobe enthielten, versteckt. Die Möbel aus Leder und Chrom, fast neu gekauft von ihrem Nachbarn, einem Flugbegleiter, der kurzfristig nach Atlanta versetzt worden war, gaben keinerlei Aufschluß über die Bewohnerin.

Sie hatte reichlich Ablenkung, wenn sie nicht studierte. Gymnastikstunden, Schwimmen im Fitneßclub, endlose Vorstellungstermine, die Aufnahmen, wo sie mit wenigen Arbeitsstunden genug verdiente, um ihre Monatsmiete zu bezahlen. Und die Partys, halb geschäftlich, halb zum Vergnügen — New York war voller Partys, wo sie glänzen konnte. Manchmal kannte sie den Gastgeber. Manchmal ging sie mit einem Freund hin. Manchmal erhielt sie einen Anruf von ihrem Agenten, daß die Einladung durch Boten bei ihr eintreffen würde, und er nannte ihr die drei, vier Namen der Leute, zu denen sie unbedingt nett sein müsse, da die ihr unter Umständen ein paar lukrative Aufträge beschaffen könnten.

Als Alex anrief und ihr den Namen eines befreundeten Fotografen nannte, der Kontakte zu den besten Agenturen hatte, wollte sie zunächst nichts davon wissen. Es war von Anfang an Alex' Plan gewesen, und nun, da er von der Bildfläche verschwunden war, wollte sie lieber eine andere Beschäftigung finden. Sie konnte weiterstudieren oder Computer programmieren lernen oder die Prüfung für den öffentlichen Dienst ablegen.

Dann fing der Fotograf an, sie anzurufen. Alex habe ihm alles über sie erzählt, sie suchten Gesichter wie ihres, es gebe eine Gegenreaktion gegen die vielen ethnischen Gesichter, und sie könne davon profitieren. »Nur eine einzige Sitzung«, sagte er, »ich zahl dir den Flug für eine Sitzung hier, und wenn dir die Bilder nicht gefallen, dann ist Schluß damit.«

Sie hatte nichts zu verlieren. Also flog sie eines Samstagnachmittags hin, in ihren schlampigsten, unschmeichelhaftesten Kleidern, ohne eine Spur Make-up.

Terry lächelte, als er die Tür öffnete. »Wie ich sehe, hast du die Sonne gemieden«, sagte er, »sehr gut. Dies ist meine Freundin Becky, sie kümmert sich um dein Gesicht und deine Haare. Du hast sie heute morgen gewaschen? Sehr gut. Wir haben hier ein Kleid für dich und einen Waschbärmantel, ich möchte gern, daß du ihn anprobierst, und einen Badeanzug − du hast doch nichts dagegen? Sehr gut. Was zu trinken? Zigarette? Besser nicht, aber ich hab was zum Entspannen. Nichts? Sehr gut. Ich komm in einer halben Stunde wieder rein. Dann fangen wir an.«

Becky machte sich an ihr zu schaffen, schminkte sie, bearbeitete ihre Haare mit einem Spray. Terry drehte die Stereoanlage voll auf.

»Was hältst du von diesem Discosound? Stark, was?« Er probierte mit dem Licht, Becky stand stirnrunzelnd mit verschränkten Armen hinter ihm. »Du mußt dir diese neuen Clubs ansehen. Absolut wahnsinnig. Lichter, Tanz, irre Leute, lauter irre Sachen. Total neu, total stark. Das ist bloß eine Kamera, Chris, keine Strahlenpistole. Es tut nicht weh. Denk an was sehr Schönes. Denk an jemanden, den du sehr gern hast.«

Chris fiel niemand ein.

»Wo bist du her? Das Meer, stell dir vor, du bist am heißesten Tag des Jahres am Strand, es ist zu heiß, um sich zu rühren, sehr gut, das kommt großartig. Die blonden Mädchen sehen meistens albern aus, wenn sie ihre sinnlichen Gesichter aufsetzen, aber ich sehe schon, das hier kommt sehr gut. Beweg deine Schultern, dafür ist die Musik da. Becky, heb ihr hinten die Haare ein bißchen an.«

Er arbeitete eine Stunde, das war leichter als Schauspielunterricht — man mußte seine Empfindung nur für die paar Sekunden festhalten, die die Kamera brauchte, um ein halbes Dutzend Stellungen abzusurren.

»Fast fertig, so gut wie fertig«, sagte Terry, als Becky die weiße Hintergrunddrapierung gegen eine violette austauschte. »Jetzt kommt die Krönung. Ich möchte, daß du an den wunderbarsten Mann auf der Welt denkst. Den Topmann. Primo. Numero Uno. Ich möchte, daß deine Augen von Liebe zu diesem Mann erfüllt sind. Sieh mich an, nein, nicht gut, komm, konzentrier dich; zeig mir, wie sehr du lieben kannst. Stell dir vor, ich wäre dieser wunderbarste Mann auf der Welt.«

Chris sah im Geist eine Reihe gutaussehender Männer vor sich: Vorige Woche hatte sie auf einer Party einen sagenhaften Deutschen kennengelernt, sehr witzig, interessant und ausgerechnet Börsenmakler, sie könnte sich womöglich in ihn verlieben. Er hatte ihr ein Dutzend langstieliger Rosen geschickt mit einem Briefchen, er werde anrufen, wenn er aus München zurück sei.

»Du konzentrierst dich nicht«, sagte Terry. »Ich brauche mehr von dir. Gib mir alles.«

Chris ging die Liste durch: ein Schulfreund, die College-Rudermannschaft, Alex flüchtig, ein Rettungsschwimmer vom letzten Sommer, sogar Paul McCartney, den sie im Geist geheiratet und mit dem sie mehrere kleine Beatles hatte, nachdem Rubber Soul herausgekommen war.

Terry legte ein neues Stück mit einem fetzigen Synthesizerrhythmus auf. Eine Frau jammerte stöhnend über einen Mann, der sie verlassen hatte, über eine verlorene Liebe, über den Regen, der an ihr Fenster prasselte. Und da war er, sein Gesicht schwebte vor ihr, seine Augen waren zu einem tieftraurigen Lächeln verkniffen. Schuyler. Er beugte sich vor, um ihr Knie zu berühren. Er war im Begriff, sie zu küssen. Ihre Lippen öffneten sich. Sie neigte den Kopf leicht nach links.

»Sehr gut.« Terry stellte seine Kamera ab und winkte Becky, sie möge die Lampen ausmachen. »Mehr als sehr gut. Phantastisch. Absolut phantastisch.«

Die Bilder kamen zwei Wochen später per Luftkurier in Cambridge an. Miranda hatte Chris aufgeweckt, sie hielt den rotgestreiften Umschlag mit zwei Fingern, als könne er sie mit etwas anstecken. »Sieht ganz so aus, als hätte der Kerl es wirklich ernst gemeint«, sagte sie schnippisch. Chris nahm an, sie müßte dankbar sein, daß Miranda und Katie Lee überhaupt noch mit ihr sprachen. Rosalie war ausgezogen, und Chris' Zimmergenossinnen kehrten von ihren Besuchen in Rosalies neuer Wohnung mit überaus nichtssagenden Kurznachrichten zurück. »Schöne Möbel. Hat ihre Mutter geschickt.« »Neue Frisur, bißchen kürzer geschnitten.« »Nudelsalat. Besser als es sich anhört.« Okay, hätte Chris gerne gesagt, aber wie geht es ihr? Ist sie deprimiert, wütend, haßt sie mich, haßt sie Schuyler, was fühlt sie? Chris hätte Rosalie gern eine Nachricht zukommen lassen, etwas, das sie Miranda oder Katie Lee nicht anvertrauen konnte, etwas, das sie noch nicht in Worte gefaßt hatte. Etwas, das mehr besagte als *du fehlst mir* (Alex war es, der ihr fehlte), und das weniger besagte als *es tut mir leid* (sie hatte sich nie für etwas entschuldigt, das mit Männern zu tun hatte).

»Hoffentlich hast du dich nicht von ihm überreden lassen, dich auszuziehen«, sagte Katie Lee, die Miranda den Umschlag entriß. »Du wirst den Tag bereuen. So was pflegt später ausgerechnet dann aufzutauchen, wenn du zur Botschafterin beim Vatikan ernannt werden sollst.«

Chris stieg aus dem Bett und zog ein Sweatshirt an. »Ich glaube nicht, daß sie mir den Job geben.«

»War ja bloß ein Beispiel«, sagte Katie Lee.

»Weil ich nämlich kein Italienisch kann.« Chris lächelte. »Ansonsten wäre ich die perfekte Kandidatin.« Sie wußte, was sie dachten, sie waren stets höflich, aber die Mißbilligung entstieg ihnen wie Rauch dem Feuer. Sie mußte von ihnen fort, sobald sie konnte. Schlau gemacht, Rosalie.

»Seht euch das an«, rief Katie Lee, »Chris, die sind unglaublich. Du bist phantastisch.«

»Danke.«

»Laß mal sehen.«

Miranda beugte sich vor, um einen Blick darauf zu werfen. »Du hättest versuchen sollen, den Mantel zu behalten. Ist es nicht üblich, daß Fotomodelle alles behalten können, was sie anziehen? Erstaunlich, was ein bißchen Make-up ausmacht.«

»Das waren Tonnen von Make-up«, sagte Chris. »Und Haarspray. Uff.«

»Sieh dir dich in diesem Kleid an«, sagte Katie Lee. »Du könntest auf den Titelseiten von allen Illustrierten sein, Schätzchen. Gelobt sei Alex, wo immer er ist, ich nehme nicht an, daß du es weißt, aber er hatte recht. Du könntest haufenweise Geld verdienen. Riesige Haufen Geld, so hoch wie das Empire State Building. Mir wird schwindlig, wenn ich bloß daran denke.«

»Ich habe noch nicht zugesagt.«

»Natürlich erlaubst du ihm, daß er die Bilder den Agenturen zeigt. Chris, das ist deine große Chance«, sagte Katie Lee eindringlich. »Um mit meinem Daddy zu sprechen, solche Gelegenheiten lassen sich an den Fingern einer Hand abzählen.«

»Ich denke, es kann nicht schaden.«

»Chris Dunne, jetzt hör mir mal zu. Leg bloß diese Es-kann-nicht-schaden-also-warum-nicht-Haltung ab. Auf diese Weise erreichst du nichts. Du willst es, und du bist der größte Dummkopf, der mir je begegnet ist, wenn du es nicht wahrnimmst. Du gehst jetzt hin und wirst das verdammt größte Fotomodell, das es je gab.«

»Vielleicht will sie das gar nicht«, sagte Miranda. »Sie will ein Harvard-Examen machen, sie ist nicht so eine Landpomeranze, die keine andere Chance hätte. Fotomodell, das ist, du weißt schon, die Mädchen, die das machen, ich will ja nicht sagen, daß sie alle doofe Flittchen sind, es ist bloß —«

»Es ist bloß was, Miranda?« unterbrach sie Chris. »Es ist eine gute Methode, Geld zu verdienen und Menschen kennenzulernen und herumzukommen und berühmt zu werden. Ich habe ja nicht vor, das Studium aufzugeben.«

»Das hab ich nicht gemeint.«

»Es ist bestimmt gut genug für mich, falls du das gemeint hast.« Chris hielt eine Aufnahme in die Höhe, an die ein Kärtchen geheftet war, worauf stand: »Dies ist die beste — hiermit wirst Du ein Star — Küßchen, Terry.« Es war die letzte Aufnahme, die er gemacht hatte.

»Ich mach's«, sagte sie, sammelte die Fotografien ein und warf sie auf ihr Bett. »Ich gehe nach New York.«

Und in New York war sie schließlich Rosalie begegnet, ausgerechnet auf einer Party, die ein paar Harvard-Studenten zur Feier ihres Examens gaben. Chris war ins Schlafzimmer gegangen, um ihre Tasche und ihre Lederjacke unter dem Bett zu verstauen, und da saß Rosalie am Fenster und legte gerade den Telefonhörer auf.

»Rosalie«, sagte sie und ließ ihre Sachen auf den Boden fallen. »Endlich!«

Rosalie drehte sich um und hielt die Hände hoch, als wolle sie ihr Gesicht vor einem fliegenden Gegenstand schützen. »Ich wußte nicht, daß du hier bist«, sagte sie, »ich bin bloß übers Wochenende in der Stadt, zu einer Taufe. Ich habe gerade versucht, ein Taxi zu rufen. Ich bin so gut wie weg.«

»Können wir uns nicht eine Minute unterhalten«, sagte Chris, »bloß eine Minute. Dann kannst du gehen.«

Rosalie blickte in ihren Schoß und schüttelte den Kopf. »Es gibt nichts zu sagen, wirklich. Wie ich höre, geht es dir gut, und ich wünsche dir alles Glück der Welt, ehrlich. Aber reden ist zu schwer«, sagte sie mit überschnappender Stimme.

»Dann hör mir wenigstens eine Minute zu.«

Rosalie stand auf. »Bitte nicht.«

»Es macht mich wahnsinnig, Rosalie. Du mußt mich wenigstens erklären lassen, was passiert ist. Wenn du mich angehört hast, kannst du zur Tür hinausspazieren, und ich sage nie wieder ein Wort zu dir. Aber gib mir wenigstens eine Chance.«

»Ich kann nicht. Es tut mir leid, aber ich kann einfach nicht. Ich kann nie wieder deine Freundin sein, was hätte es da für einen Sinn. Du willst nur erklären, was immer du meinst, erklären zu müssen, damit du nicht mehr darunter leidest, was du getan hast. Es ist mir völlig schnuppe, was du zu sagen hast, und es ist mir schnuppe, ob du darunter leidest, oder nein, das ist mir nicht schnuppe. Wenn du dich mies fühlst, um so besser, du hast es verdient. Das ist der Preis, den du dafür bezahlst, daß du — daß du schlecht bist«, sagte Rosalie, die Hände im Schoß verschränkt.

Chris' Beine gaben unter ihr nach, sie lehnte sich an die Wand und rutschte mit dem Rücken hinab, bis sie, die Knie an die Brust gedrückt, auf dem kalten Holzfußboden saß. »Du machst mich wahnsinnig«, sagte sie, »und weißt du was, ich glaube, du machst dich selbst wahnsinnig. Weil du's nicht rausläßt. Fein, du willst nicht darüber reden, weil du denkst, du kannst mich damit bestrafen, und vielleicht stimmt das sogar, aber du bestrafst dich selbst obendrein.«

»Schon möglich«, flüsterte Rosalie. Sie schniefte in ein Papiertaschentuch, das sie aus der Tasche gezogen hatte. »Aber ich will's nicht hören. Jedenfalls jetzt nicht.«

Chris zog die Knie ans Kinn. »Für dich ist es viel schlimmer. Gut, du willst mich zappeln lassen, okay, das verstehe ich, aber du weißt, es ist nicht meine Art, mit schlechtem Gewissen herumzusitzen und zu leiden.«

»Das glaube ich dir nicht.« Rosalie sah Chris in die Augen. »Das ist doch bloß eine Masche. Ich hab dir das nie geglaubt. Du hast immer so getan, als hättest du dich vollkommen im Griff, als könntest du alles verkraften, als wärst du das tapferste Mädchen der Welt. Aber manchmal denke ich, du bist die ängstlichste von uns allen. Es ist, als würdest du etwas verbergen, ich weiß nicht, oder vor etwas davonlaufen.«

Chris und Rosalie starrten sich einige Sekunden an, dann mußte Chris wegsehen. Ich muß ihr das letzte Wort lassen, sagte sich Chris, ich muß das einfach runterschlucken, bis Rosalie bereit ist, mich anzuhören.

»Ich kann Partys nicht ausstehen«, sagte Rosalie.

»Früher hast du sie gemocht.«

»Tatsächlich? Kann das wahr sein? Beim bloßen Gedanken daran, wieder zu denen rauszugehen, wird mir angst und bange. Die vielen lauten Betrunkenen, die sich zu amüsieren versuchen.«

»Manche amüsieren sich wirklich. Oder bilden es sich ein. Ist dir aufgefallen, daß in den letzten Minuten niemand hier reingekommen ist? Die fragen sich da draußen vermutlich, ob wir uns gegenseitig die Augen auskratzen.«

»Ich könnte mir die Haare ein bißchen zerzausen.« Rosalie kicherte. »Dann hätten sie was zu klatschen.«

»Na komm. Wenn wir schon keine Freundinnen sind, laß uns wenigstens den Schein wahren. Ich begleite dich nach draußen, aber vorher trinken wir was zusammen, damit sie nicht über dich reden, und dann setze ich dich in ein Taxi.«

Rosalie überlegte kurz. »Na gut«, seufzte sie. Sie war dazu erzogen, den äußeren Schein mehr zu achten als alles andere.

Draußen im andern Zimmer schnappte sich jemand Chris und wirbelte sie auf der Tanzfläche herum. Chris lächelte und legte mit ihrem Partner einen wilden, trunkenen Tanz hin.

Sie sieht aus, als mache es ihr Spaß, dachte Rosalie. Vermutlich macht es ihr tatsächlich Spaß. So ist das also in New York, dachte sie, du gehst auf Partys und tanzt mit fremden Jungen und hoffst, daß einer dich genug gut mag, um sich deine Telefonnummer geben zu lassen und sich mit dir zu verabreden. Sie würde dazu nie imstande sein, sie würde am College ihr Examen machen und dann wieder nach New York ziehen und — wie pflegte ihre Mutter zu sagen — an der sprichwörtlichen Rebe verdorren. Sie wollte nach Hause, traute sich aber nicht ohne Begleitung auf die Straße. Es war fast Mitternacht, und sie hatte alle möglichen Geschichten gehört. Vielleicht konnte der Portier ihr ein Taxi rufen.

Sie beobachtete Chris beim Tanzen, und sie beobachtete die Männer, die Chris beobachteten. Rosalie war sehr müde. Chris schien nie schwindlig zu werden oder aus dem Takt zu geraten.

Als die Musik aus war, parodierte Chris einen Knicks und verließ die Tanzfläche. Sie war in Hochstimmung, vom Tanzen, von dem Gefühl, daß aller Augen im Raum sie bewunderten, von dem Wissen, daß Rosalie sie am Ende doch nicht haßte, daß es Hoffnung auf irgendeine Form von Versöhnung gab.

Sie wollte sich mit Rosalie zum Mittagessen verabreden, bevor sie die Stadt verließ. Irgendwo, wo es ruhig war, und anschließend könnten sie vielleicht einen Spaziergang im Park oder einen Einkaufsbummel machen. Sie könnten über Katie Lee und Miranda schwätzen wie in alten Zeiten.

Chris durchquerte das Wohnzimmer, suchte in beiden Schlafzimmern, warf einen Blick ins Bad und kehrte wieder ins Wohnzimmer zurück, wo sie neben einem vollen Plastikbecher mit Cola ein zerknülltes rosa Papiertaschentuch fand. Rosalie war verschwunden.

Chris streckte sich unter der Bettdecke aus und zog sich ein Kissen übers Gesicht. New York machte sie wahnsinnig. Vielleicht gab es ja nette, gelöste, normale Menschen in der Stadt, Menschen, die einen am hellichten Nachmittag anriefen und sagten, sie seien gerade in der Nähe und ob sie vorbeikommen könnten, Menschen, die einem was zu essen brachten, wenn man krank war — aber sie wollte verdammt sein, wenn sie wüßte, wo sie zu finden waren.

Heute war einer von den Tagen, die Chris als ihre geistigen Erholungsphasen zu bezeichnen pflegte. Ihr Terminkalender war leer. Joey, der arbeitslose Schauspieler, der für sie die Anrufe entgegennahm, war verständigt, daß sie bis zum nächsten Morgen nicht in der Stadt sein würde. Sie zog eine alte Flanellhemdbluse und eine Cordjeans an und ging hinunter zu dem VW-Käfer, den sie letzten Sommer gebraucht gekauft hatte. Sie verließ die Stadt in westlicher Richtung, und auf der Schnellstraße begann sie, zum erstenmal seit einer Woche, sich zu entspannen. Sie kurbelte die Fenster herunter und drehte das Radio auf. Sie bog von der Schnellstraße ab und fuhr durch kleine Ortschaften die Küste entlang. Die vom Wind aufgepeitschten Wellen schlugen über den hohen Steindamm und spritzten über ihr Auto hinweg.

In der Bar drängten sich die Fischer, die für heute Feierabend gemacht hatten, und eine Baukolonne, die man frühzeitig nach Hause geschickt hatte, weil die Arbeit bei dem schweren Sturm zu gefährlich war. Auch einige Frauen waren in der Bar, Ehefrauen und Freundinnen, überwiegend Angestellte vom nahegelegenen Krankenhaus, deren Schicht entweder um vier Uhr nachmittags begann oder um acht Uhr früh endete, aber die meisten Anwesenden waren Männer, die sich über Baseballmeisterschaften und Footballentscheidungsspiele unterhielten.

»Kann ich dir 'n Bier spendieren, Süße?« erbot sich einer. Hier kostete es nur einen Dollar, den Gentleman zu spielen

Chris schüttelte den Kopf. »Nur eine Cola, danke.« Sie setzte sich an den Tisch, wo eine lebhafte Diskussion über die Vor- und Nachteile verschiedener Isoliermaterialien in Gang war.

»Ist 'ne ziemliche Schweinerei, aber es funktioniert und ist billig, also was soll's«, sagte der Mann, der ihr die Cola spendiert hatte. Er hieß Chip und war ungefähr so alt wie sie. »Verstehst du, was ich meine?« fragte er Chris mit hochgezogener Augenbraue.

»Wie ich sehe«, sagte sie, »ist dies ein sehr ernstes philosophisches Thema. Hält man die Wärme drinnen? Oder hält man die Kälte draußen?«

»Genau«, sagte Chip, in sein Bier lachend. »Oder ist dieses Glas halb leer oder halb voll? Der Barkeeper ist Grieche, fragen wir ihn. George, ist das Glas hier halb leer oder halb voll?«

George stellte wortlos eine neue Flasche Bier auf die Theke.

»Schätze, es war halb leer«, sagte Chip. »Du magst also Philosophie?«

Chris zuckte die Achseln. »Manchmal.«

»Ich kann diese Bar nicht ausstehen«, fuhr er fort. »Was mich nicht davon abhält, jeden verflixten Tag herzukommen. Hast du Lust, irgendwo was zu essen?«

»Fisch, ich würde gern wieder Fisch essen«, erwiderte sie. Sie kannte diese Tour in- und auswendig, denn sie hatte sie, seit sie vor einem Jahr nach New York gezogen war, fast jede Woche abgezogen. Abendessen in einem billigen Lokal, wo Chris das Tagesgericht bestellte. Der Abend endete häufig in der Wohnung oder dem Haus des jeweiligen Mannes.

Chris würde lange vor Tagesanbruch wieder in New York sein. Sie würde, sobald ihr Fitneßclub aufmachte, ins Schwimmbecken springen und zehn extra Bahnen schwimmen, als würde sie das von allem läutern, was sie in der Nacht erlebt hatte. Sie würde ausgiebig heiß duschen und jeden Zentimeter ihres Körpers mit dem rauhen braunen Schwamm abrubbeln, den ihr ein Hautarzt empfohlen hatte; sie würde Joey anrufen und fragen, wer eine Nachricht für sie hinterlassen hatte, sie würde sich bei der Agentur erkundigen, ob irgendwelche kurzfristigen Aufträge vorlägen, und dann mit ihrem Tagesprogramm fortfahren.

Schuyler war nach seinem Examen in der Hoffnung auf einen Neubeginn nach New York gekommen, doch er hatte nur Pech gehabt; seine wenigen unbeholfenen Verabredungen hatten zu nichts geführt. Er hatte nicht nur seit Monaten mit keiner Frau geschlafen, er hatte nicht nur seit Monaten keine gefunden, mit der er schlafen wollte, er hatte nicht einmal viel an Sex gedacht, seit — seit jenem Vorfall, den er in Gedanken *die Szene* nannte. Der Abend mit Chris und Rosalie. Jedesmal, wenn er die Szene nachspielte, fragte er sich, ob eine Möglichkeit für ein anderes Ende bestanden hätte. Chris hatte sich angezogen, und nach der schüchternen Erklärung, sie könne weder zu Alex noch nach Hause gehen, fragte sie, ob sie über Nacht bleiben könne. Als er ihr statt dessen das Geld für ein Hotelzimmer lieh, fing sie an zu weinen und sagte, sie werde sich dafür eine Eisenbahnfahrkarte nach New Jersey kaufen. Sie habe noch einiges zu erledigen, und sie nahm ihm das Versprechen ab zu warten, bis sie sich bei ihm meldete. Was sie nie tat, was ihm eigentlich ganz recht war. Sie verkörperte das Schlimmste, Schändlichste, das er je getan hatte, und er wollte nicht daran erinnert werden. Er war eine Zeitlang ein regelrechtes Wrack. Er hörte von Teddy, daß sie nach New York gezogen war, aber er lief ihr nie über den Weg.

Nachdem er an jenem Abend seine Wohnung verlassen hatte, versuchte er, Rosalie zu Hause zu erreichen, aber sie wollte ihn nicht sehen. Miranda hatte mit diesem mißbilligenden Blick die Tür geöffnet, der besagt, »ihr Männer seid alle gleich und habt den Tod verdient«, dem Blick, der ausdrückt, daß die Frauen seit Anbeginn der Zeiten die Last untauglicher Männer getragen haben und nur vorgeben, es mache ihnen nicht das geringste aus. Rosalie nahm weder seine Anrufe noch seine Briefe entgegen. Dies war der kindliche, unschuldige Teil von ihr, der nicht zu Kompromissen fähig war, der Teil, der glaubte, man müsse das Leben genau so leben, wie es gelebt werden sollte. *Verzeih mir,* schrieb Schuyler ihr immer wieder, *ich verdiene es vielleicht nicht, aber ich liebe Dich. Ich brauche Dich, ich will Dich wiederhaben, ich will alles für Dich tun.* Aber verzeihen war etwas, das Rosalie nie gelernt hatte. Und selbst wenn sie ihm verzeihen könnte, daß er Chris geküßt hatte, sie könnte ihm nie verzeihen, daß er nicht vollkommen war. Denn ihm war klargeworden, was es war, was sie eigentlich geliebt hatte: Sie hatte im Grunde nicht ihn, Schuyler, geliebt, den Jungen, der lernte, ein Mann zu werden, sondern sie war in die Vorstellung von der vollkommenen, reinen Liebe verliebt gewesen. Wenn sie die bei Schuyler nicht finden konnte, mußte sie Schluß mit ihm machen und sich einen anderen suchen. Sie konnte nicht glauben, daß die vollkommene Liebe nicht existierte, daß das Leben nicht so funktionierte, daß es ein »Und sie lebten glücklich bis in alle Ewigkeit« nur im Märchen gab.

7

Der Wecker klingelte um fünf Uhr morgens, und binnen einer halben Stunde war Rosalie gewaschen und angezogen. Sie sah die ersten Sonnenstrahlen über die Baumwipfel im Central Park huschen. Dies war ihr die liebste Zeit, wenn sie ihre Eltern in New York besuchte; dann begleitete sie frühmorgens ihren Vater zu den Stallungen. Seit dem »Vorfall« mit Schuyler und Chris war sie fast jedes Wochenende nach New York gekommen. So nannte sie es in Gedanken: einen »Vorfall«, jene Art von geschmackloser Szene, über die anständige Leute nicht sprechen. Ihre Eltern hatten sich gottlob nicht nach den unsäglichen Details erkundigt.

Ihre Mutter ermunterte sie, ihr geselliges Leben fortan in New York zu führen, mit netten jungen Männern, deren Eltern mit ihren Eltern befreundet waren und die es nicht wagten, sich danebenzubenehmen wie dieser Smith. Rosalie war nicht offiziell in die Gesellschaft eingeführt worden, aber Charlotte machte dies wie besessen wett, indem sie ihre Tochter auf Wohltätigkeitsveranstaltungen und Premieren schleppte und ihr attraktive Begleiter besorgte.

Gestern abend war Rosalie mit Trevor Goodwood verabredet gewesen, einem entfernten Cousin. Sie war seit ihrem Bruch mit Schuyler ganze zweimal verabredet gewesen, und beide Male war es schiefgegangen. Ich verstehe mich nicht auf lässige Konversation, sagte sie sich, ich weiß nicht, wie man sich nach ihrem Studium oder ihrer Arbeit erkundigt oder wie man sie aushorcht. Die Abende endeten damit, daß Rosalie stumm auf die Tischdecke starrte und der verlegene junge Mann mit der Kreditkarte seines Vaters beim Kellner bezahlte, dessen höfliche Frage, ob es geschmeckt habe, dem totalen Disaster nichts von seiner Peinlichkeit nehmen konnte. Keiner von den Jungen hatte sich wieder gemeldet.

Wenn man diese Umstände berücksichtigte, war Trevor erstaunlich ritterlich. Er führte Rosalie in ein kleines Restaurant, und anders als die andern zwei, die mit ihrem Schulfranzösisch protzten, ließ er sie selbst bestellen. Er zog sie bei der Wahl des Weines zu Rate und machte nicht diese müden Scherze über ihr minderjähriges Aussehen. Er sprach kenntnisreich über Musik und etliche exotische Orte in Asien, die er nach seinem Yale-Examen besucht hatte. Dennoch entstanden viele peinliche, schweigsame Momente, wo keiner etwas zu sagen wußte. Rosalie spielte mit ihrem Weinglas. Sie spürte, wie Trevor sie anstarrte, und sie wußte, was er dachte: Wieso habe ich mich zu diesem Schlamassel überreden lassen?

Wer wollte ihm das verdenken? Trevor, groß und kräftig, war bestimmt an besserausssehende Begleiterinnen gewöhnt. Seine Mutter hatte ihm dies vermutlich eingebrockt und ihn gezwungen, auf andere, vielversprechendere Pläne zu verzichten, in der Hoffnung, daß Charlotte sich nächste Woche bei ihr revanchieren würde. Rosalie meinte unter seinem starren Blick zu schrumpfen. Ihr fiel nichts ein, was sie sagen konnte, was nicht ausgesprochen dämlich war. Sie ging nicht skilaufen oder segeln, sie tat nichts, was ihn interessierte. Zu ihrem Schrecken fing sie an zu weinen.

Ohne ein Wort zu sagen, verlangte Trevor die Rechnung, bezahlte und bugsierte Rosalie aus dem Restaurant auf die Park Avenue, wo leichter Schneefall soeben die Gehsteige zu bedecken begann.

»Ich begleite dich nach Hause«, sagte Trevor und winkte nach einem Taxi.

»Danke, das ist nicht nötig«, entgegnete Rosalie mit zitternder Stimme.

»Doch, ich bestehe darauf.« Ein Taxi kam, und Trevor hielt ihr die Tür auf. Schneeflocken hafteten in Trevors dichten, strohblonden Haaren und auf dem Kragen von Rosalies dunkelblauem Wintermantel. Wieder kamen ihr die Tränen.

»Wirklich, mir fehlt nichts. Vielen Dank für den Abend!« sagte sie, als sie einstieg und die Tür zuzog.

»Wohin?« fragte der Fahrer und fuhr an, bevor die Tür richtig zu war.

»1042 Fifth Avenue«, sagte Rosalie. Sie hoffte, ihre Eltern nicht sehen zu müssen, wenn sie nach Hause kam. Charlotte würde sie nach dem Verlauf des Abends fragen, und Rosalie wußte nicht, was sie antworten sollte. Sie war schlicht und einfach ein hoffnungsloser Fall.

Trevor war vermutlich froh über diese Gelegenheit, sie zeitig loszuwerden und allein auf das halbe Dutzend Partys zu ziehen, auf die ein junger Hochschulabsolvent an jedem Samstagabend eingeladen war. Rosalie argwöhnte, daß er das von vornherein beabsichtigt und sich sogar für später mit seiner richtigen Freundin verabredet hatte; es war erst zehn, und das Nachtleben fing eben erst an. Rosalie konnte sich vorstellen, was er von ihr dachte: reine Zeitverschwendung. Bestimmt schwor er sich genau wie sie, daß dies die letzte von den Eltern aufgezwungene Verabredung war.

Aus dem Rückfenster des Taxis hätte sie an einer dunklen Straßenecke einen jungen Mann stehen sehen können, die Hände in den Taschen und mit einem Gesichtsausdruck, den eine erfahrenere Frau mühelos zu deuten gewußt hätte. Trevor nahm den kalten Novemberwind nicht wahr und auch das Geplauder und Gelächter auf dem Gehsteig nicht. Er verfluchte sein Ungeschick und sein Unvermögen, Rosalie die Befangenheit zu nehmen, er ärgerte sich über seine Steifheit und Reserviertheit, die dazu geführt hatten, daß sie ihm die Taxitür vor der Nase zuschlug. Es wäre sinnlos, sie morgen anzurufen und sich für den Verlauf des Abends zu entschuldigen. Es war eine Katastrophe gewesen, und doch war er irgendwie guter Dinge, denn er hatte sich soeben unsterblich in das schönste Mädchen der Welt verliebt.

Um sieben Uhr früh lehnten Rosalie und ihr Vater am Geländer in Belmont Park und beobachteten die Pferde, die zum ersten Training des Tages herausgeführt wurden. Joseph Van Schott betrachtete seine Pferde mit Vergnügen. Er hatte das Gestüt Blue Smoke von seinem Vater geerbt, zusammen mit dem Domizil in der Fifth Avenue, einer Tabaksfarm in North Carolina, einem vierstöckigen viktorianischen Haus in Saratoga Springs sowie Wertpapieren, deren Erträge ausreichen, um das alles im gewohnten Stil zu unterhalten.

Die Pferde von Blue Smoke wurden von George Parker trainiert, einem vierzigjährigen Mann aus Kentucky, der für seinen Erfolg mit jungen Stutenfohlen und für seine Gewohnheit, seine Binder stets auf seine Socken abzustimmen, bekannt war. Parker freute sich, wenn Van Schott die Bahn besuchte. Joseph gehörte zu den wenigen Besitzern, die eine Menge von Pferden verstanden, aber er ließ seinem Trainer freie Hand bei der Entscheidung, wann und wo die Pferde liefen.

Rosalie hörte zu, als Parker einen Zwischenbericht über jedes einzelne von Van Schotts Pferden lieferte, während sie auf die Bahn hinausgeführt wurden. Sie bemerkte das Aufblitzen einer gelben Windjacke auf der Bahn, die dem Reiter eines kleinen schwarzen Hengstfohlens gehörte, das mit beachtlichem Tempo ein älteres, größeres Pferd überholte.

»Wer ist das?« fragte sie.

»Keins von unseren, leider«, antwortete Parker. »Einer von Hopkins' Zweijährigen, wird nächste Woche nach Hialeah verschifft. Gut trainiert, obwohl nichts in seiner Abstammung auf großes Talent schließen läßt. Wenn er durchhält, reicht nichts an ihn heran.«

»Wann lassen sie ihn starten?«

»Vielleicht im Februar. Er wird für die Herbstmeisterschaften in Saratoga trainiert. Der Hengst ist noch keine drei Wochen hier, und schon ist er das schlechtest gehütete Geheimnis auf der Bahn.«

Rosalie verfolgte die leuchtend gelbe Windjacke auf der Strecke und blieb ein paar Schritte zurück, als Parker und Van Schott zu den Stallgebäuden gingen. Sie lehnte sich gegen den Wagen ihres Vaters und befingerte nervös einen ihrer kleinen Perlenohrringe; es war der einzige Schmuck, den ihre Mutter ihr tagsüber zu tragen erlaubte. Sie sah einem Stutenfohlen zu, das seinen Kopf am Arm seines Pflegers rieb, als der winzige goldene Steckverschluß von der Hinterseite ihres Ohrrings sprang.

Rosalie kniete sich hin, um ihn zu suchen; er war zu klein, als daß sie ihn zwischen den Kieselsteinen und Grasbüscheln fühlen konnte. Sie wandte den Kopf hin und her, als lauschte sie dem langsamen Rhythmus einer Symphonie, und hoffte, das Metall werde im Sonnenlicht reflektieren.

Sie hörte hinter sich Leder auf Stein scharren. Sie drehte sich auf den Knien um, und als sie aufstand, sah sie ein Paar staubige braune Stiefel, eine Jeans, die weniger verblichen als abgetragen war, ein Zeichen, daß sie viel strapaziert, jedoch wenig gewaschen wurde, einen breiten Lederriemen, der durch zwei große Stahlringe gezogen war und so als Gürtel diente, eine Nylonwindjacke in der Farbe von Osterglocken und prächtige weiße Zähne in einem schmalen, dunklen Gesicht.

»Sie suchen?« Der Akzent war spanisch. Die Augen waren leuchtend grün.

»Nein danke.« Rosalie wußte nicht recht, worin das Angebot bestand.

Der Reiter wirkte verwirrt, vielleicht von Rosalie, vielleicht, weil sein Englisch mangelhaft war. Er schob seinen Stiefel im Schmutz auf Rosalies Schuh zu.

»Nicht suchen?« fragte er.

»Oh. Doch.« Ihre Augen waren auf gleicher Höhe. Er war so groß wie sie und von derselben zarten Struktur; ohne seine breiten eckigen Schultern und die Muskeln vom täglichen Reiten wären sie gleichgewichtig gewesen.

»Ich hab einen Ohrring verloren.«

Er starrte sie unentwegt an, und Rosalie schloß daraus, daß er ihr Englisch nicht verstand. Er steht zu nahe bei mir, dachte sie, ich möchte wissen, was er will.

»He, Frankie!« rief jemand auf der anderen Straßenseite. »Komm jetzt!«

Rosalie trat einen Schritt zurück, worauf der Reiter sich bückte und den verlorenen Gegenstand hinter einem glatten weißen Kieselstein aufhob und in die Sonne hielt.

»Danke«, sagte Rosalie.

»Bitte. Bitte wer sind Sie?« fragte er.

»Rosalie.«

»Rosalie«, wiederholte er.

»Danke, danke schön, Frankie.« Sie streckte ihre Hand nach dem goldenen Gegenstand aus. Der Mann legte seine Hand über ihre. Sie fühlte die scharfe Kante des Metalls zwischen ihren Handtellern.

»Nicht Frankie. Francisco«, sagte er mit einem betonten Rollen des »R«. Er ließ ihre Hand los und überquerte die Straße gerade, als ihr Vater in Sicht kam.

»Parker sagt, du entwickelst dich zu einer recht ansehnlichen jungen Dame«, sagte er und hielt ihr die Wagentür auf.

»Er versteht sicher mehr von Pferden als von Frauen«, entgegnete sie.

»Das will ich hoffen.« Van Schott lachte. Parker war dreimal geschieden und gab jedes Jahr auf Jährlingsauktionen Millionen Van-Schott-Dollars aus. »Mal sehen, wir sind heute morgen um fünf aufgestanden, vier Stunden früher als gewöhnlich. Dann ist es jetzt nach unserer inneren Uhr um die Mittagszeit. Hast du Lust, mir bei einem Mittagscocktail Gesellschaft zu leisten?« Er zog eine flache silberne Flasche aus dem geschnitzten Walnußkästchen, das auf den Boden des Wagenfonds aufgeschraubt war, und nahm einen Schluck, ohne Rosalies Antwort abzuwarten.

Es war sinnlos, ihm vorzuschlagen, es aufzuschieben. Van Schott war bei weitem nicht der reichste Mann der Welt, aber er war zweifellos der reichste Säufer der Welt.

»Ich könnte wirklich einen Drink vertragen«, sagte Rosalie. »Ach was, war nur Spaß.«

»Hast du Kummer?« fragte er. »Die Verabredung ist wohl nicht so gut gelaufen?«

»Erraten. Aber ich mag nicht darüber reden.«

»Na gut. Weißt du, unter anderem bat ich dich auch deswegen, mich heute morgen zum Training zu begleiten, damit wir uns mal allein unterhalten können. Das machen wir fast nie.«

»Wem sagst du das.«

»Ich finde das bedauerlich. Manchmal denke ich, ich habe meine Verantwortung abgelegt. Vielleicht habe ich Charlotte zu viel freie Hand gelassen. Sie weiß immer so genau, was das Beste für dich ist. Ich weiß es so gut wie nie.«

»Na ja, ich schätze, ich bin ganz gut geraten. Hab der Familie bislang keine Schande gemacht. Ich wüßte auch nicht, wie ich das anstellen sollte.«

»Schätzchen, ich finde, du bist fabelhaft geraten. Zum Teil wegen, aber vermutlich zum ebenso großen Teil trotz deiner Mutter.«

Rosalie blickte aus dem Fenster auf die Leute in den anderen Autos. Ein junger Schwarzer nickte mit dem Kopf zu einem Song im Radio, und Rosalie überlegte, ob er wohl von der Nachtschicht nach Hause oder zur Tagesarbeit in die Stadt fuhr. Ein Paar überholte sie in einem roten Oldsmobile, und ihre angeregten Gebärden veranlaßten Rosalie, sich zu fragen, ob sie sich stritten oder sich über ihre Kinder unterhielten. »Danke«, sagte sie.

»Manchmal ist es leichter, sich zurückzulehnen und sie einfach machen zu lassen«, fuhr Joseph fort. »Sie will dich unbedingt auf schnellstem Weg verheiraten.«

»Ich bin kaum einundzwanzig, und ich mache erst in anderthalb Jahren Examen. Wozu also die Eile?«

»Dir steht nicht gerade eine große berufliche Karriere bevor, Schätzchen. Nichts würde Charlotte glücklicher machen, als wenn du gleich in der Woche nach dem Examen heiraten würdest. Nach ihrer Zeitrechnung bedeutet das nächstes Jahr an Thanksgiving Verlobung. Damit bleiben dir zwölf Monate, um den geeigneten Kandidaten kennenzulernen, zu betören und einzufangen.«

»Bist du eingefangen worden?« fragte sie.

Joseph lachte. »Im Rückblick möchte ich es annehmen.«

»Ich wünschte bloß, sie würde mich nicht so bevormunden«, sagte Rosalie. »Sie versucht nahezu mein ganzes Leben zu kontrollieren — sie kauft mir immer noch meine Unterwäsche, ob du's glaubst oder nicht —, und ich habe einfach nicht die Kraft, mich zu wehren. Ich lasse mich von ihr überfahren, und hinterher hasse ich mich dafür.«

»Das hast du dir vermutlich von mir abgeschaut.« Joseph seufzte. »Sei dir im klaren, daß sie nicht locker läßt, ehe du nicht in der Obhut eines gesellschaftlich akzeptablen Ehemannes bist. Sie hat nicht die Absicht, dich aus ihrer Aufsicht zu entlassen, sie will einfach die Zügel einem würdigen Nachfolger übergeben.«

Rosalie seufzte ebenfalls. Sie waren vor ihrem Haus angekommen. »Und ich dachte, die Elenden werden das Land erben«, sagte sie, als sie in den Aufzug stiegen.

Die Wohnung duftete nach frischem Kaffee und dem Rosenöl, das die Putzfrau einmal wöchentlich auf die Glühbirnen tupfte.

»Telefon für dich«, trällerte Charlotte in der Bibliothek. Sie hielt Rosalie den Hörer hin. »Ein junger Mann«, formten ihre Lippen lautlos. Ihr Gesicht drückte Überraschung aus. Rosalie nahm den Hörer und wartete, während Charlotte stehenblieb, bis sie merkte, daß von ihr erwartet wurde, sich zu entfernen.

»Hallo«, sagte Rosalie.

»Hallo, ich bin's, Trevor Goodwood.«

»Hallo.«

»Ich wollte dir bloß sagen, daß ich's schön fand gestern abend. Wirklich. Ich weiß, ich war ein bißchen fad, aber ich hab eine wahnwitzig aufreibende Woche hinter mir. Ich würde dich gern wiedersehen − Donnerstag abend? Wenn du dann noch in der Stadt bist.«

»Ich fahr heute abend zurück. Ich weiß nicht, wann ich wieder in New York bin.« Rosalie wickelte die Telefonschnur wie ein Armband um ihr Handgelenk.

»Kommst du noch mal vor den Weihnachtsferien?« fragte er.

»Ich weiß nicht.« Sie wand die Schnur los und ließ sie gegen ihr Bein baumeln.

»Also, wenn du mich nicht sehen willst, brauchst du es nur zu sagen. Ich werd schon nicht dran sterben.«

»Nein, natürlich möchte ich dich sehen. Ich war auch abgespannt.« Sie wickelte die Schnur um den vierten Finger ihrer linken Hand, wo nie ein Ring gesteckt hatte. »Wahrscheinlich komm ich nächstes Wochenende.«

»Also, dann Samstag abend?«

»Samstag abend wäre fein.«

»Vielleicht können wir ins Kino gehen.«

»Hört sich prima an«, sagte sie und zog die Schnur fester um ihren Finger.

»Ich ruf dich Samstag morgen an. Mach's gut, bis dann«, sagte er, und sie sagten sich auf Wiedersehen.

Rosalie legte auf und setzte sich auf den roten Lederstuhl, auf dem ihr Vater die Zuchturkunden zu studieren pflegte. Ihre Finger waren von der mangelnden Blutzufuhr taub und farblos. Trevor Goodwood. Mrs. Trevor Goodwood, geborene Rosalie Van Schott. Mr. und Mrs. Trevor Goodwood geben sich die Ehre, Sie zu einem zwanglosen Mittagessen zu bitten. Mr. und Mrs. Trevor Goodwood freuen sich, die Geburt ihres Sohnes Travis Goodwood anzuzeigen. Statt Geschenken werden Spenden für die Stiftung für überprivilegierte Kinder erbeten.

Zeit, erwachsen zu werden, sagte sie sich und wappnete sich für den fragenden Blick ihrer Mutter. Trägt er auch keine Rüstung und reitet er auch nicht auf einem Schimmel — dieser trotzdem irrsinnig nette junge Mann wurde soeben zu meiner Rettung erwählt. Wir werden natürlich glücklich leben bis in alle Ewigkeit. Trevor ist so einmalig nett und klug und gutaussehend und ausgeglichen, wie könnte es da anders sein? Mit einem Mann wie Trevor, einem Mann, der von Geburt an dazu erzogen war, ein Mädchen wie sie zu heiraten, wie könnte da etwas schiefgehen?

8

Den Hals von der heißen Augustbrise umfächelt, ein kaltes Wodka-Tonic in der Hand: So ließ sich Rosalie das Leben gefallen. Es lag nicht nur an der Rennbahn mit den wohlproportionierten alten Holzbalken und den uralten Ulmen auf dem infolge eines regenreichen Sommers üppigen Rasen. Es lag nicht daran, daß sie mit Katie Lee und Miranda hier war und sie ein letztes Mal die Sorglosigkeit genossen, bevor ihr Abschlußjahr auf dem College und dann, nach dem Examen, »das wahre Leben« begann. Es lag nicht allein an Trevor, der strahlend bei ihnen auf dem Tribünenplatz der Van Schotts saß, das perfekte Bild des verliebten jungen Mannes, obwohl er gewiß sein Teil dazu beitrug. Was Rosalie so zufrieden machte, hatte einen tieferen Grund: Es war die Gewißheit, daß sie es trotz aller Widrigkeiten, die sie erfahren hatte, geschafft hatte, ihr Dasein wieder in geordnete Bahnen zu bringen. Seit neuestem erwachte sie morgens mit der Gewißheit, daß der Tag von Glück erfüllt sein würde. Das Gefühl, daß eine unangenehme Überraschung sie erwartete, war verschwunden. Das Unheil lauerte nicht mehr um die Ecke — es war in ein anderes Land verbannt, an einen Ort, den Rosalie nie wieder betreten wollte.

»Na ja, Trevor«, gurrte Katie Lee, »bloß weil du dir einen einzigen Sieger herausgepickt hast, bist du noch lange kein Experte. Laß mal hören, was Rosalie meint.«

»Das sind Sieglose«, sagte sie, auf das nächste Rennen anspielend, bei dem kein Pferd lief, das schon einmal als Sieger durchs Ziel gegangen war. »Es ist sozusagen ein Vabanquespiel.«

»Daß du mir ja nichts vorenthältst, Rosalie«, sagte Katie Lee. »Ich glaube, seit diesem Wochenende hat mich die Wettleidenschaft gepackt. Wenn ich nicht wenigstens fünf Dollar setze, macht es mir überhaupt keinen Spaß.«

»Also«, sagte Rosalie mit einem Blick auf die Quoten, die auf dem Totalisator bekanntgegeben wurden, »Pferd Nummer drei, sein Trainer behält immer noch ein paar Asse für Saratoga im Ärmel. Aber das ist der Favorit, der wird dir kaum Geld einbringen.«

»Pah, wem liegt schon an Geld«, erwiderte Katie Lee. »Davon hab ich nicht gesprochen, oder? Nicht weitersagen, aber weißt du, der Siegesrausch und das alles. Ich will einfach einen Sieger.«

»Von deinem Geschrei platzt mir gleich das Trommelfell«, sagte Miranda lachend. »Kann ich dir nicht fünf Dollar zahlen, damit du das Wetten bleiben läßt?« Peter und seine Familie schienen endlos weit entfernt. In Saratoga gab es nichts zu tun außer essen, trinken, zu den Rennen und auf Partys gehen. Kein Wunder, daß Rosalies Vater nie einen Job angenommen hatte. Man wäre ein Esel, wenn man das hier aufgäbe.

Miranda hatte soeben ihre erste Ganztagsarbeit in der Anwaltskanzlei ihres Onkels quittiert, fünf Wochentage totale Plackerei, unterbrochen von zwei Tagen Tortur mit diesem Jungen, den sie liebte, wie sie sich unentwegt einredete. Wenigstens schliefen sie wieder zusammen — Gott sei Dank hatte er die Medikamente abgesetzt, die ihn zu einem wandelnden Toten machten —, aber es war so mechanisch geworden, sie konnte alles voraussagen, was er tun würde. Sie malte sich neuerdings aus, sie sei mit anderen im Bett — Filmschauspielern, Rockmusikern, den netteren Kollegen von der Kanzlei — alles, um die Leidenschaft anzufachen. Sie hoffte, Peter würde nicht merken, daß er jedes Wochenende gleichsam mit einer anderen Frau schlief. Letzte Woche hatte sie stöhnend einen der längsten, tiefsten Orgasmen gehabt, die sie je erlebt hatte. Komisch, sie hatte dabei gar nicht an einen gedacht, der unglaublich sexy oder schön oder berühmt war. Es war bloß Schuyler Smith.

Sie hatte versucht, mit Bobby darüber zu reden, aber er hatte sie nur ausgelacht. »Ihr Weiber wollt immer den großen Knall«, sagte er. »Jetzt beruhige dich mal und genieß Sex als das, was er ist.« Dann bat er sie, ein paar Recherchen für ihn durchzuführen, damit er mit Carter einen Nachmittag am Strand verbringen konnte.

Vermutlich ließ er seine juristischen Studien auch von andern erledigen. Es war schwer vorstellbar, daß Bobby irgend etwas ernst nahm.

»Und was macht Bobby?« fragte Katie Lee. »In diesem Rennen ist ein Pferd namens Zeigs-ihnen-Bobby. Das ist zwei Dollar wert, meinst du nicht?« Sie hatte Bobby seit Anfang Juli nicht gesehen, als sie nach der Hochzeit von gemeinsamen Freunden die Nacht zusammen verbrachten. Juli, August, September — es würde Oktober werden, bis sie ihm das nächste Mal das Vergnügen ihrer sexuellen Gunst gewährte. Sie hatte ihn so gut wie an der Angel. Es machte ihn verrückt, wie sie nachgab, gerade wenn er vor lauter Frust aufgeben wollte. »Aber Bobby, Liebling«, sagte sie dann, »ich weiß, daß du andere Mädchen hast, um deine Bedürfnisse zu befriedigen. Stell dich nicht so jämmerlich an. Das ist widerlich. Laß uns einfach für eine Weile Freunde sein.« Sie hatte ihn millimetergenau da, wo sie ihn haben wollte. Es hatte nur ein Mädchen gegeben, die eine wirkliche Bedrohung darstellte und der Bobby, wie Katie Lee fürchtete, sogar einen Heiratsantrag machen würde, wenn sie nichts unternähme. Aber Carter half ihr, die Sache zu beenden — er sagte dem Mädchen, Bobby hätte mit einer Sekretärin aus seinem Büro geschlafen (eine komplette, aber notwendige Lüge, fand Katie Lee) und er sei ohnehin mit Katie Lee verlobt (eigentlich keine Lüge, eher eine Übertreibung, fand sie, es würde ohnehin bald wahr werden). Carter würde alles tun, worum sie ihn bat, wirklich alles. Dafür hatte sie in jenem Sommer vor zwei Jahren in Washington gesorgt.

»Bobby geht's gut. Mit Celia ist es aus«, sagte Miranda.

»Ach wie schade, warum?« fragte Katie Lee.

»Wer weiß. Vermutlich, weil Bobbys Eltern ihretwegen aus der Haut gefahren sind. Gehen wir, bevor die Schlange zu lang wird.« Miranda und Katie Lee verließen die Tribüne und steuerten auf die Menge am Clubhaus zu.

»Gehen sie dir nicht auf die Nerven?« fragte Rosalie und nahm Trevors Hand.

»Sie sind prima«, gab Trevor zurück. »Ihr seid ein fabelhaftes Trio.«

Früher waren wir ein Quartett, dachte Rosalie. »Wir werden dieses Jahr wieder zusammenwohnen. Wir haben die allerschönste Suite, man kann von da aus den Fluß sehen. Du mußt mich mal besuchen kommen.«

»Aber gern«, sagte Trevor etwas erstaunt. Er hatte sie noch nie in Cambridge besucht, ja, sie hatten noch nie eine ganze Nacht zusammen verbracht. Sie trafen sich seit dem letzten Winter regelmäßig, es war eine altmodische Zeit der jungen Liebe in New York, angefüllt mit Partys und Ausflügen aufs Land und Mahlzeiten im Familienkreis. Erst im Mai hatte er den Mut gefunden, in seiner kleinen Wohnung für sie zu kochen, um sie hinterher, als sie beide ein wenig beschwipst vom Champagner waren, zu verführen. Verführen, es war so ein altmodisches Wort, und es traf nicht ganz, was sich abgespielt hatte – sie war nicht mehr Jungfrau, das war ihm klar –, aber es paßte zu Trevors Einstellung. Natürlich konnte sie nicht über Nacht in seiner Wohnung bleiben, wie hätte das ausgesehen.

Noch jetzt – Himmel, es war 1975, und wer scherte sich heute noch um solche Dinge – hatte Trevor Charlottes Angebot, ein Gästezimmer in ihrem geräumigen Haus zu beziehen, höflich zurückgewiesen und ein Zimmer in einem nahegelegenen Hotel reserviert. Rosalie hatte etwas an sich, das ihm gebot, behutsam vorzugehen. Sie war einmal tief verletzt worden, das hatte er gleich bei ihrer ersten Begegnung gemerkt, und er wollte sie nicht drängen, er wollte keinesfalls Gegenstand einer flüchtigen Romanze sein. Er wollte alles richtig machen, weil er wünschte, daß diese Beziehung dauerte, hauptsächlich aber, weil er schlicht und einfach der Typ war, der alles allein um des Richtigmachens willen richtig machen wollte. So, wie er seine konservativ geschnittenen Sommeranzüge aus reinster Baumwolle sorgsam auswählte, so, wie er genau wußte, welcher Wein zu welchem Essen paßte, so, wie er die richtigen Worte kannte, um ein Gespräch geschickt von einem peinlichen Augenblick abzulenken, so wußte er, wie man Rosalie glücklich machte.

Sie konnte einfach nicht aufhören, ihn anzulächeln; es stimmte, die Leute klatschten darüber, wie Trevor Goodwood ausgerechnet von Charlottes Tochter gekapert worden war. Rosalie konnte sich auf die Sekunde genau an den Moment erinnern, als sie sich in Trevor verliebt hatte. Es war am Silvesterabend gewesen. Sie waren auf einer lauten Party von Trevors ehemaligen Mitbewohnern, die kurz vor Mitternacht mit dem Absingen schmutziger lateinischer Lieder begannen.

»Geht es dir hier zu ordinär zu?« hatte Trevor sie gefragt. »Die Jungs sind ganz in Ordnung. Sie müssen bloß ab und zu ein bißchen Dampf ablassen.«

»O nein, es ist lustig«, schwindelte sie.

»Du bist eine schlechte Lügnerin«, sagte Trevor. »Komm, hol deinen Mantel, wir schleichen uns raus, irgendwohin, wo wir allein sein können.« Er führte sie über die Hintertreppe aufs Dach hinauf. »Die Leute, die das Penthouse bewohnen, sind über die Ferien in Mexiko. Wir sind ganz allein hier oben.«

Er umfaßte ihre Taille, als Rosalie sich übers Geländer beugte und auf die Park Avenue und die Lichter der Wolkenkratzer blickte. Das Empire State Building hatte noch seine rotgrüne Weihnachtsbeleuchtung.

»Eine miese Party war das, oder?« sagte er.

»Eigentlich nicht. Oder ja, ich denke doch.«

»Du bist ein bißchen wie ich, glaube ich«, sagte Trevor.

»Wieso?«

»Du tust lauter anständige Dinge, besuchst anständige Veranstaltungen, kommst aus dieser anständigen Familie, aber du hast noch eine andere Seite. Du bist ein bißchen, nicht richtig rebellisch, eher durchtrieben. Das ist die Seite von dir, die zum Vorschein kommt, wenn du dich in kalten Silvesternächten mit gefährlichen jungen Männern auf Dächern herumtreibst.«

»Trevor«, kicherte sie, »du bist nicht gefährlich.«

»Nein?« Er seufzte. »Nicht mal ein bißchen?«

»Nun gut, vielleicht ein bißchen, wenn du willst«, sagte sie. »Du bist mehr — geheimnisvoll als gefährlich.«

»Das gefällt mir. Geheimnisvoll. Trevor Goodwood, der große Geheimnisvolle.« Er drückte ihre Taille. »Du bist anders, das sehe ich.«

»Wieso?«

»Weil ich auch anders bin. Unterschwellig, meine ich.«

»Tagsüber der gewiefte Börsenmakler, nachts der Geheimnisvolle.«

»So ungefähr. Du darfst diese Seite von dir nie ablegen, Rosalie, nicht so wie die meisten Menschen, wenn sie älter werden. Du mußt sie festhalten wie das Leben selbst, weil das die allerbeste Seite an dir ist«, sagte er und küßte sie aufs Ohr.

»Und woher weißt du das, geheimnisvoller Mann?« flüsterte sie.

»Weil es die Seite von dir ist, in die ich mich gerade verliebe. Das heißt, falls du nichts dagegen hast.«

Sie drehte sich zu ihm hin und sah ihm ins Gesicht,

die Lichter waren jetzt hinter ihr. »Ich habe ganz und gar nichts dagegen«, sagte sie. »Ich glaube, ich bin auch dabei, mich ein bißchen in dich zu verlieben.«

»Nur ein bißchen?«

»Fürs erste«, sagte sie.

»Du wirst mir doch nicht zuerst Hoffnung machen und sie dann zerstören? Gebrochene Herzen können sehr strapaziös sein.«

»Als ob ich das nicht wüßte«, sagte sie und legte ihre Arme um ihn. »Ich werde dir nie das Herz brechen, das verspreche ich dir.«

»Das will ich hoffen«, sagte er, und dann folgte ihr erster richtiger Kuß, Schlag Mitternacht, während weit unter ihnen die Taxis hupten und die Leute die Fenster öffneten und auf die Straße hinaus sangen.

»Es ist erst das siebte Rennen, und ich bin schon fast bei zweihundert Dollar«, sagte Katie Lee. Ihre Brieftasche platzte fast von den gefalteten Zehndollarnoten, die sie den ganzen Nachmittag an den Wettschaltern abgeholt hatte. »Rosalie, wenn ich fünfzig Dollar auf das kleine rote Pferd setze, wie sieht das für dich aus?«

»Die Farbe heißt fuchsbraun. Ich denke, es sieht sehr gut aus.«

»Der Reiter sieht noch besser aus«, sagte Miranda. »Ich hab ihn zum Sattelplatz gehen sehen. Wenn es in Puerto Rico noch mehr davon gibt, spring ich ins nächste Flugzeug.«

Rosalie sah in ihr Programmheft. Der Fuchs hieß Bold Question, und sein Reiter war als Francisco Gomez, 50 Kilo, eingetragen. »Er ist aus Panama«, sagte sie. »Da kommen die besten Jockeys her.«

»Egal, er ist hinreißend. Ich setze zwei Dollar auf ihn. Wettest du auf ihn?« fragte Miranda.

»O nein«, erwiderte Rosalie. »Ich feure ihn bloß für dich und Katie Lee an.«

»Rosalie, bekommst du eine Provision, wenn sie gewinnen?« fragte Trevor. »In meiner Branche gibt es keinen Rat umsonst.«

»Katie Lee soll uns zum Essen einladen«, sagte Rosalie. »Im teuersten Restaurant, das wir finden können.«

»Prima«, sagte Katie Lee. »Ich hoffe, deine Eltern können uns Gesellschaft leisten.« Charlotte trat nur bei ganz großen Rennen in Erscheinung oder wenn ein besonders begabtes Pferd von Blue Smoke zum erstenmal lief. Für sie waren die Rennen nur ein Vorwand für die Mittag- und Abendessen, die ihren Terminkalender füllten; sie brauchte nur für ein paar Stunden wöchentlich anwesend zu sein, um die Leute daran zu erinnern, daß sie einen Van Schott geheiratet und somit die Zugehörigkeit zu dem exklusiven Kreis der renommiertesten Pferdezüchter erworben hatte. Außerdem war es hier im August so schrecklich heiß und feucht, aller Haarspray der Welt konnte nicht verhindern, daß der sorgfältig frisierte Platinhelm ihr nicht schlaff an den Ohren klebte.

»Wenn ich soviel wetten würde wie du, Katie Lee«, sagte Miranda, während sie zwei Dollar, ihren Höchsteinsatz, aus der Tasche holte, »wäre ich ein Nervenbündel.«

»Mit Vorsicht ist noch keiner reich geworden«, gab Katie Lee zurück, »ob auf der Rennbahn oder im Geschäftsleben. Und nichts bringt das Blut so in Wallung wie ein kleines Risiko.«

»Die Betonung«, sagte Trevor, »liegt hier auf ›kleines‹.«

»Ah, da spricht ein echter Konservativer«, sagte Katie Lee.

»Konservativ ist nur ein anderes Wort für vernünftig.«

»Soll das eine Anspielung auf die Hoteltransaktion sein, von der ich dir erzählt habe?« fragte sie. Katie Lee hatte mit Trevor fast während des ganzen Frühstücks die komplizierte Verzweigung von Partnerschaften und Holdinggesellschaften erörtert, mit deren Zusammenschluß sie das Hopewell Inn, das sie in Cambridge errichten wollte, zu finanzieren gedachte. Sie hatte den perfekten Standort für ihr erstes selbständiges Unternehmen gefunden: einen Supermarkt, daran anschließend eine Reihe Ladengeschäfte, halb geräumt, in einem Stadtviertel, das für die expandierende Computer- und Zubehörindustrie vorgesehen war. Nur wenige Häuserblocks entfernt war ein riesiger Bürokomplex im Bau, und eine kalifornische Beraterfirma hatte für ihre erste Ostküstenzentrale das Vorkaufsrecht auf die angrenzenden Grundstücke erworben. Neue Leute würden mit neuem Geld nach Cambridge kommen, und Katie Lee wollte ihnen eine Unterkunft bieten.

Sie hatte ihren Vater im Frühsommer von ihrem Vorhaben unterrichtet und ihm den Bauplan, den sie bei einem Architekten in Auftrag gegeben hatte, sowie ein demographisches Gutachten gezeigt, das ihr ein Studienfreund unentgeltlich erstellt hatte.

»Sieht vielversprechend aus«, sagte Henry und lehnte sich in seinen hohen Ledersessel zurück. »Ich lasse die Berechnungen von den Jungs unten überprüfen. Obwohl mir der Kostenvoranschlag sehr präzise zu sein scheint. Ich habe dieses Gebiet schon eine ganze Weile im Auge.«

»Aber Daddy, das hättest du mir sagen sollen«, sagte Katie Lee, »ich betrachte es nämlich inzwischen als mein ureigenes Territorium.« Sie sah auf die Kollektion goldgerahmter Familienfotos auf dem Teak-Sideboard hinter dem Schreibtisch ihres Vaters. Ein Bild zeigte ihren ältesten Bruder, Henry junior, als er bei den Golfmeisterschaften dazu ansetzte, den Ball vom Tee zu schlagen. Charlie, der nächste in der Reihe der Geschwister, stand triefnaß an einem Schwimmbecken, die Faust in Siegerpose gereckt, nachdem er soeben eine überraschende Bewertung als bestes Mitglied der Tauchermannschaft seines College erhalten hatte. Ihr jüngerer Bruder Tommy zeigte sich in Hochform, wie er in makellosem Weiß über den Tennisplatz des Sportclubs flitzte.

Hinter ihren Söhnen saß Mrs. Hopewell auf einem Foto, steif, mit gekreuzten Füßen, in dem architektonischen Garten, den sie nach einer Vorlage in einem Buch angelegt hatte. Neben ihr war ein Bild von Katie Lee, die die Schlüssel ihres ersten Autos, eines knallroten gebrauchten Oldsmobile Cabriolets, in der Hand hielt.

»Gute Arbeit, Mädchen, ich bin stolz, daß du dich so für unsere Firma interessierst«, sagte Henry. Er reinigte mit einem alten silbernen Brieföffner seinen Daumennagel.

»Du bist ein kleiner Apfel, der nicht weit vom Stamm gefallen ist. Es will mir einfach nicht gelingen, deinen Brüdern Feuer unterm Hintern zu machen. Sie meinen, die ganze Welt wird ihnen überreicht wie ein Teller mit gebratenem Fisch. Ich hätte nie gedacht, daß ausgerechnet mein süßes kleines Mädchen soviel Unternehmungsgeist entwickeln würde.«

»Das tu ich nur aus Liebe zu dir, Daddy«, sagte sie lächelnd.

»Vielleicht können wir dich nach deinem Examen bei diesem Projekt einsetzen.« Er fuhr mit dem Brieföffner über den Ärmel seines hellbraunen Anzugs.

»Was genau hast du mit mir vor?« fragte Katie Lee.

»Dies ist eine ausgezeichnete Gelegenheit für dich, etwas zu lernen. Ein Projekt von Anfang bis Ende durchführen. Casey könnte bestimmt eine Assistentin gebrauchen.«

»Du meinst, ich soll für Casey arbeiten?« fragte sie.

»Er ist unser bester Projektleiter.«

Katie Lee lehnte sich zurück und nahm genau dieselbe Haltung ein wie ihr Vater: die Hände hinter dem Kopf verschränkt, das Kinn zum Hals geneigt. »Ich möchte Casey gern bei diesem Projekt dabeihaben. Aber ich will nicht für ihn arbeiten. Ich wünsche, daß Casey für mich arbeitet.«

Lachend langte Henry über den Schreibtisch und zwickte seine Tochter in die Nase. »Du hast den Elan der Hopewells! Casey und für dich arbeiten! Ich schätze, wenn du deine Karten richtig ausspielst, wird es eines Tages dazu kommen. Aber man braucht keine Brille, um zu sehen, daß dies ein altmodisches Unternehmen ist, wir bauen keine Luxushotels, und dies war immer Männersache.«

»Ich hoffe, ich kann dich umstimmen«, sagte sie. Es war zum Kotzen, daß alle annahmen, ihr ältester Bruder würde eines Tages die Firma übernehmen, bloß weil er die richtige Ausrüstung zwischen den Beinen hatte und zufällig zuerst geboren war. Sie würde das auf keinen Fall hinnehmen. Daddy würde schon sehen, daß sie diejenige war, die wußte, wie man die Firma führte.

»Du bist schon dabei, mich umzustimmen, Schritt für Schritt«, sagte Henry. Er kratzte sich unmittelbar über dem rechten Ohr und hielt den Finger noch einen Moment dort, als deute er auf den Bereich seines Gehirns, der für seine Meinung über Katie Lee zuständig war. »Wenn du ein Jahr mit Casey gearbeitet hast, ist vielleicht hier zu Hause im Büro ein Platz für dich frei.«

»Daddy, ich glaube, du verstehst nicht. Ich *bin* die K. L. H.-Gesellschaft. Ich habe das Land gekauft. Es war meine Idee. Den Berechnungen nach wird das Hotel achtzehn Monate nach der Eröffnung beginnen, Gewinn zu machen. Noch eher, wenn wir eine achtzigprozentige Belegung durch Gruppen erreichen. Das wird für Hopewell ein Bombengeschäft. Ich will nicht für dich arbeiten, Daddy. Ich bitte dich, als mein Partner einzusteigen.«

Henry nahm seine Brille ab und rieb sich den Nasenrücken. »Und woher hast du das Geld dafür?«

»Ich habe das Land mit zehn Prozent Nachlaß vom Treuhandfonds gekauft. Zwei Tage nach meinem 21. Geburtstag.«

»Und an was für ein Partnerschaftsverhältnis hast du gedacht?«

»Halbe-halbe, ich will ja nicht habgierig sein, wo meine eigene Familie beteiligt ist. Ich habe das Land. Du kontrollierst die Franchisen. Ich stecke meine Zeit in das Unternehmen. Du hast das Personal mit der nötigen Erfahrung.«

»Und wenn ich nein sage? Dann stehst du da mit einem Supermarkt voll überholtem Inventar und einem Parkplatz von der Größe Rhode Islands.«

»Wohl kaum«, sagte sie. »Die Ramadakette würde sofort einsteigen, wie du weißt. Außerdem sagst du nicht nein.«

»Du denkst wohl, ich kann es dir nicht abschlagen, weil du meine Tochter bist?«

»Du kannst es mir nicht abschlagen, weil du bei einer solchen Aussicht auf Profit noch nie nein sagen konntest. Sind wir handelseinig?«

Henry lachte und reichte ihr die Hand. »Wir sind handelseinig, Fräulein Tochter«, sagte er und hörte unvermittelt auf zu lächeln. »Ich habe dich unterschätzt.

Du sollst wissen, daß das der einzige Grund ist, weshalb du damit durchkommst. Und du sollst wissen, daß ich nie zweimal denselben Fehler mache. Du willst aufs Ganze gehen, gut, das kann ich auch.« Er stand auf zum Zeichen, daß die Unterredung für ihn beendet war.

Sie hatte gedacht, er würde irgendwie glücklicher sein, würde ihr sagen, wie stolz er auf sie sei, und ihr einen Kuß geben, statt ihr die Hand zu schütteln. Sie hatte damit gerechnet, diesen Kampf zu gewinnen, aber es war ihr nicht klar gewesen, daß ihr Vater ihn als Kriegserklärung verstehen würde.

»Ich werde es schaffen«, sagte sie an der Tür, »du kannst mich ruhig beobachten.«

»Und ob ich dich beobachten werde. Ständig.« Er griff zum Telefon und wählte die Nummer seiner Sekretärin. »Darauf kannst du dich verlassen. Sag deiner Mutter, ich bin um acht zu Hause. Übrigens, was heißt eigentlich K.L.H.?«

»Katie Lees Hotel natürlich«, erwiderte sie. Katie Liebt Henry, dachte sie. Katie Liebt Henry.

»Die Quoten stehen acht-zu-eins für das Pferd«, rief Katie Lee. »Trevor, wieviel krieg ich raus?«

»Nichts, wenn es verliert.«

»Es wird gewinnen, ich weiß es. Miranda, du hast recht, der Knabe ist süüüß. Acht mal fünfzig, das macht vierhundert Dollar. Miranda, wieviel hast du gesetzt?«

»Zwei Dollar, mehr nicht.«

Rosalie und Trevor wechselten einen Blick. Er hatte den ganzen Tag gewettet, war still aufgestanden und allein hingegangen, um seine Wettscheine einzulösen. Trevor sprach außerhalb seiner Arbeit selten über Geld, und er verriet seinen Freunden nie genau, wieviel er auf der Rennbahn gewonnen oder verloren hatte. Trevor hatte

Rosalie erklärt, man könnte das Alter des Geldes einer Familie daran erkennen, wie wenig darüber gesprochen werde. Je älter es sei, desto weniger bekomme man davon zu hören. Katie Lee habe miterlebt, wie ihr Vater aus einem einzigen Landstraßenmotel und zwei Tankstellen seinen Betrieb zu einer der größten Hotelketten der Welt ausgebaut habe, und das merke man ihr an.

Miranda nahm ihr Fernglas, als die Pferde zur Startmaschine geführt wurden, die sich fast unmittelbar vor ihrem Tribünenplatz befand. Sie sah Bold Question in Schweiß ausbrechen und bemerkte die Spannung in Franciscos Kinn, als er sein Kaugummi knallen ließ.

Die Glocke ertönte, und die Pferde galoppierten über die Bahn. Francisco ließ das Pferd etwas hinter die voranpreschenden Pferde zurückfallen und lenkte Bold Question zu der bevorzugten Innenspur. Als sie die Gegengerade erreichten, begannen die von Anfang an in Führung liegenden Pferde bereits zu ermüden. »Lauf, lauf«, flüsterte Miranda, aber Francisco hielt Bold Question immer noch hinter den andern zurück. Du Esel, dachte sie, die Favoriten haben die ganze Woche gesiegt, du dämlicher Esel. Sie setzte das Fernglas ab. Sie besaß anscheinend eine Begabung dafür, sich Verlierer auszusuchen.

Katie Lee aber hüpfte auf und ab und zupfte Miranda am Ärmel. »Da, jetzt kommt er! Er benutzt die Peitsche!« sagte sie. Das Pferd holte allmählich auf, als es in den Bogen ging. Es hatte nur noch fünf Pferde vor sich.

»Leider zu spät«, sagte Trevor. »Von so weit hinten holt keiner auf.«

»Er wird siegen«, sagte Rosalie, als Bold Question sich an den dritten Platz vorkämpfte. »Sieh doch, wie viele Pferde er schon hinter sich gelassen hat.« Rosalie und Katie Lee wechselten einen Blick. Es war sonst nicht Rosalies Art, Trevor in der Öffentlichkeit zu widersprechen.

Bold Question stürmte an den zweiten Platz, mit jedem Galoppsprung verringerte sich sein Abstand zum Favoriten, und als die zwei Pferde über die Ziellinie gingen, konnte niemand sagen, wer erster war. Sie warteten auf die Auswertung des Zielfotos und bemühten sich aus Höflichkeit gegenüber Trevor, ihre Aufregung zu unterdrücken, bis dann endlich Bold Question als Sieger um eine Nasenlänge ausgerufen wurde.

Miranda und Katie Lee standen auf, um ihre Wettscheine einzulösen, und Trevor schloß sich ihnen an — er hatte zehn Dollar auf das Pferd gesetzt, das als zweites ins Ziel gegangen war.

Rosalie stützte sich mit den Ellbogen auf das Tribünengeländer und beugte sich vor, um zuzusehen, wie Bold Question in den Absattelring geführt wurde. Es war jetzt kühl am späten Nachmittag, und sie kramte in ihrer Handtasche nach dem kleinen geblümten Seidentuch, das sie mitgebracht hatte, um es sich um den Hals zu binden. Alle schüttelten sich die Hände und lachten in die Kamera — ihr Pferd hatte es gut gemacht. Die Gattin des Besitzers gratulierte Francisco und wollte ihm die Hand geben, er aber hob die ihre galant zum Kuß an die Lippen. Er warf einer Arbeitsreiterin, die ihm vom Geländer her zujubelte, eine Kußhand zu, und dann warf er eine Kußhand zu dem Tribünenplatz unmittelbar hinter Rosalie.

Sie drehte sich um, aber der Platz war leer, und als sie sich wieder auf ihrem Sitz zurechtsetzte, hob ein plötzlicher Windstoß den Schal vom Geländer. Er schwebte hoch über der Menge in den Absattelring, wo Francisco ihn schnappte und mit der Faust umschloß.

Verdammt, mein Lieblingsschal, dachte Rosalie verärgert. Sie hatte ihn eines Tages zufällig gefunden, als sie ein Geburtstagsgeschenk für ihren Vater besorgte. Die Kante war mit Gänseblümchen verziert, und bei genauem Hinsehen konnte man entdecken, daß das Muster in einer Ecke von einem handgemalten weißen Herzchen unterbrochen war. Rosalie wußte nicht, was sie mehr verdroß — daß sie ihren Lieblingsschal verloren hatte oder daß ihn jetzt ein Wildfremder besaß, dieser Francisco Gomez (war sie ihm schon mal begegnet? Sie glaubte es nicht), der das schöne Muster nicht zu schätzen wissen und das kleine weiße Herz niemals sehen würde, das Rosalie so sehr an ihr eigenes erinnerte.

9

»*Der Fitneßraum kommt* hier hinten hin«, sagte Katie Lee. Sie deutete auf einen der Entwürfe, die sie auf ihrem Bett ausgebreitet hatte. »Es sei denn, wir beschließen, den Swimmingpool zu umzäunen, in diesem Fall käme er hier drüben hin. Was hältst du davon?«

»Hört sich fabelhaft an«, sagte Carter. »Ich verstehe eigentlich nicht viel davon.« Es war ein Fehler gewesen, Katie Lee zu besuchen, wenn Miranda da war. Es könnte Bobby zu Ohren kommen.

»Es hängt alles mit dem zusammen, was ich dir vorige Woche erklärt habe. Wir wollen das Hauptgewicht auf Werktagssonderangebote für Geschäftsleute legen. Den Leuten ist es immer wichtiger, in Form zu bleiben. Bei uns können sie jedes Fitneßprogramm durchführen, das sie auch zu Hause machen. Wir wollen sogar in der Stadt eine Jogging-Strecke anlegen, falls ich von der Stadtverwaltung die Genehmigung für die Schilder erhalte. Aber die beste Zugnummer wird der Computerraum. Wir werden Terminals und Modems und sogar einiges an Software zur Verfügung stellen, damit die Leute direkt vom Hotel aus arbeiten können. Ich weiß, es hört sich verrückt an, und es kostet mich ein Vermögen, aber wart's nur ab, in zehn Jahren wird jedes gute Hotel im Land meinem Beispiel folgen.«

»Klingt sehr vernünftig«, sagte Carter. Ich gebe keinen Furz auf den ganzen Krempel, dachte er, ich hab die Nase voll von deinen blöden Projekten, kommen wir endlich zur Sache.

»Ist es auch«, sagte sie. »Aber nun genug von mir. Wie geht's Bobby?«

»Verglichen mit letztem Jahr ist das Jurastudium ein Kinderspiel. Er hat sich in Boston öfters mit dieser angehenden Krankenschwester getroffen, aber ich glaube, es ist nichts Ernsthaftes.«

»Ist sie sehr hübsch?«

»Ziemlich. Groß, lange braune Haare, gehört zu diesen gesunden Typen, die sich viel im Freien aufhalten. Will Hebamme werden.«

»O je. Wie oft in der Woche?«

»Meistens bloß Samstag abends, manchmal auch während der Woche. Sie ruft fast täglich an.«

»Bleibt er die ganze Nacht über?«

»Mal ja, mal nein.«

»Gut. Sag mir Bescheid, wenn sich irgendwas ändert«, sagte sie. Sie rollte die Pläne zusammen und steckte sie wieder in die langen Papprollen. »Und wie geht's dir so?«

»Nicht besonders. Das Studium ist kein Problem, aber mit den Finanzen sieht's schlecht aus.« Er beobachtete ihr Gesicht, aber sie verzog keine Miene. Verdammt, er haßte es, wie sie ihn betteln ließ. »Erwarte nach Weihnachten eine große Rechnung. Bin ein bißchen knapp bei Kasse.«

»Was hast du mit den zweitausend gemacht, die ich dir im Oktober gegeben habe?« Sie warf einen Blick in das Hauptbuch auf ihrem Schreibtisch. »Die kannst du doch nicht schon alle ausgegeben haben.«

»Ich hab dir doch gesagt, daß ich über Thanksgiving mit Bobby in Colorado war. Du wolltest doch, daß ich mitfuhr, dabei laufe ich nicht mal Ski, die halbe Zeit saß ich in der Hütte rum und hörte mir Geschichten von Knochenbrüchen an.«

»Armer Carter. Du tust mir beinahe leid. Das Leben muß ja schrecklich hart für dich sein. Ich denke, ich kann dir in der zweiten Januarhälfte dreitausend Dollar geben. Aber ich muß kürzertreten. Ich stecke fast alles, was ich habe, in das Hotelprojekt. Du ahnst ja nicht, was das alles kostet.«

»Dreitausend! Ich habe mit fünf gerechnet.«

»Ich hab's einfach nicht, Süßer, aber das könnte sich im März ändern.« Sie wollte nicht, daß er dachte, sie sei leicht zu schröpfen. Sie brauchte ihn jedoch noch, sie benötigte die Informationen über Bobby, die er ihr verschaffte. Und er brauchte das Geld, nicht nur fürs Studium, sondern auch, um mit Bobbys Lebensstil mitzuhalten: Reisen, Essen in teuren Restaurants, die Drogen, um den Zugang zu den Frauen zu erleichtern, denen der Name Vincent nicht genügte.

Alle Welt wußte, daß Carter hoffte, in Bobbys Kielwasser in Washington zu landen. Jede Politikerfamilie hatte diese ergebenen, allzeit bereiten Jungs, bei denen man sich darauf verlassen konnte, daß sie Schwierigkeiten aus dem Weg räumten und den Mund hielten. Solche Freundschaften begannen gewöhnlich in der Schule oder auf dem College, man absolvierte seine Lehrzeit, indem man Frauen, Drogen, Abschriften von Prüfungsaufgaben besorgte, alles, was vonnöten war, um den Goldjungen glücklich zu machen. Später arbeitete man für seinen Wahlkampf, schrieb seine Reden und begleitete seine unverheirateten Schwestern und Cousinen zu diversen öffentlichen Veranstaltungen.

Katie Lee hatte Carter bislang insgesamt fast 20 000 Dollar bezahlt, und sie hatte es allmählich satt. Dabei waren die ersten 10 000 Dollar nicht einmal mitgerechnet, von denen Carter Bobby 5 000 Dollar gegeben hatte, um die verlorene Wette zu begleichen, daß Bobby Katie Lee nicht rumkriegen würde. Die anderen 5 000 hatte er sich verdient als Belohnung dafür, daß er Bobby angestachelt, daß er Bobby überzeugt hatte, Katie Lee zu verführen sei die allergrößte Herausforderung. Schon damals hatte sie gewußt, daß Wagnisse aller Art das einzige waren, wovor Bobby nicht haltmachen konnte.

»Hier.« Sie reichte Carter ein kleines Couvert mit einem Packen Hundertdollarscheine.

Es klopfte an der Wohnungstür. Es war Bobby, der rief, jemand solle aufmachen.

»Er darf mich hier nicht sehen«, sagte Carter. Er sprang erschrocken auf und öffnete das Fenster, das auf die Feuertreppe hinausging.

Katie Lee schloß das Fenster hinter ihm und öffnete die Tür.

»Bobby, so eine wunderbare Überraschung. Möchtest du einen Drink?« Er sah aus, als könnte er einen vertragen. Sein Hemd war nur halb zugeknöpft, und seine Haare lagen an einer Seite flach am Kopf an, als sei er eben aus dem Bett gesprungen.

»Wo ist Miranda? Weißt du eigentlich, daß euer Telefon die letzten zwei Stunden andauernd besetzt war?« schimpfte er und schob sich an ihr vorbei.

»Ich kann nichts dafür«, sagte Katie Lee. »Du weißt, wieviel Zeit die Hochzeitsvorbereitungen beanspruchen. Einladungen, Partydienst, Hotelreservierungen, es ist ein Wunder, daß Rosalie überhaupt noch Zeit für ihre Vorlesungen findet.«

Bobby platzte zu Miranda hinein, die mit einem rosafarbenen Textmarker über die Seiten ihres Geschichtsheftes fuhr.

»Bobby, was ist?« fragte sie. Sie strich ihm die Haare glatt.

Er legte ihr seine Hände auf die Schultern. »Etwas Schreckliches ist passiert. Wir haben den ganzen Morgen versucht, dich zu erreichen.«

Mirandas Hand erstarrte. »Wir?« fragte sie leise.

»Deine Mutter rief mich an, als sie hier nicht durchkam.«

»Ist es Daddy?« fragte sie matt. »Es ist nicht Daddy, nicht wahr?«

»Nein, Miranda. Komm, setzen wir uns. Es ist Peter. Er hat schlechten Stoff in die Finger gekriegt, wir wissen noch nicht wie, die Ärzte wissen auch noch nicht, was passiert ist.«

»O Bobby, als du hier so hereingeschneit kamst, dachte ich schon, es wäre wirklich was Schlimmes passiert.« Sie setzte sich wieder an ihren Schreibtisch und markierte ihre Notizen, die rosa Filzspitze fuhr gleichmäßig über die Seite. »Er wird schon wieder, du wirst sehen. Mußten sie ihm diesmal den Magen auspumpen?«

»Dafür war es zu spät. Miranda, sieh mich an.«

»Ich hab eine Menge zu arbeiten, Bobby.« Er sah über ihre Schulter. Sie kritzelte wieder und wieder den Buchstaben »P« in krakeliger Blockschrift auf die Innenseite ihres linken Armes. »Ich ruf ihn nachher an. Schicken sie ihn wieder in die Anstalt?« fragte sie mit piepsender Stimme.

»Nein, diesmal nicht.«

»Dann kann's ja nicht so schlimm sein, nicht wahr«,

sagte sie. Sie malte leuchtend rosa Tränen auf ihre Wangen. »Peter macht das viel zu oft. Er tut es bloß, um Aufmerksamkeit zu erregen. Er tut es bloß, um mich zum Weinen zu bringen. Peter bringt Miranda gerne zum Weinen.« Sie legte den Stift hin und schlug die Hände vors Gesicht. »Er ist tot, nicht wahr«, flüsterte sie.

»Es tut mir leid, Baby.« Bobby nahm sie in seine Arme. »Es tut mir so leid, es war nichts mehr zu machen, es ist einfach passiert.«

»Es macht nichts«, sagte sie, »wirklich nicht.«

Bobby drückte sie an sich und weinte in ihre Haare.

Sie schob ihn von sich. »Nicht traurig sein, Bobby«, sagte sie mit leiser, ruhiger Stimme. »Der da gestorben ist, war nicht Peter. Es war jemand anders. Die Ärzte können es bestimmt aufklären. Es war nur jemand, der wie Peter aussah.«

»Solche Irrtümer passieren nicht«, sagte Bobby. Er versuchte, die Tinte mit einem Papiertaschentuch abzuwischen.

»O doch«, sagte Miranda lächelnd. »Alle haben sich täuschen lassen, nur ich nicht. Ich hab's immer gewußt.«

»Baby, du bist ja ganz durcheinander. Hör mir zu. Peter hat eine Überdosis genommen. Er ist heute nacht gestorben, kurz vor Mitternacht.«

»Ach Bobby, das ist ganz unmöglich«, sagte sie immer noch lächelnd. »Es war jemand anders. Beim erstenmal im Krankenhaus, da haben sie ihn vertauscht. Danach war es nie der richtige Peter.«

»Schau, ich hab dir Valium mitgebracht, du mußt wieder zu dir kommen. Wir müssen heute nachmittag nach New Jersey fahren.«

»Bobby, begreifst du denn nicht? Wir müssen nirgendwohin fahren. Peter ist vor langer Zeit gestorben.

Er ist seit Jahren tot.« Sie betrachtete die Fotografie, die sie über ihr Bett gehängt hatte: ein Schnappschuß von Peter am Strand, gleich nach seinem High-School-Abschluß aufgenommen. Er hatte aus dem feinen Sand eine Meerjungfrau geformt und sich, eine Brust mit der Hand umgreifend, daneben gelegt.

»Seit vielen, vielen Jahren«, sagte Miranda.

»Ich bin meine eigene Großmutter geworden«, sagte Miranda. Sie saß über ihren Sicherheitsgurt nach vorn gebeugt, die Hände vor der Brust verschränkt, so daß die langen weiten Ärmel ihres schwarzen Rollkragenkleides bis zu den Ellbogen rutschten. »Himmel, nicht mal Peters Mutter trug Schwarz zur Beerdigung. Seine Familie sah aus, als gingen sie alle zusammen zu einem Vorstellungsgespräch. Du fährst zu schnell.«

Bobby nahm den Fuß vom Gaspedal. »Eine gräßliche Familie, nicht?«

»Hab ich ja immer gesagt.«

»Ich wollt's nicht glauben, bis ich sie mit eigenen Augen sah«, entgegnete Bobby. Er warf die Kippe des Joints aus dem Wagenfenster. Peters Vater hatte sich bei Bobby für den Korb mit Obst, Käse und importierter Salami bedankt, den Mirandas Eltern geschickt hatten, »was für eine hübsche Sitte«, hatte er gesagt, aber die Sachen waren zwischen den Sterlingsilberplatten mit faden, in schmale, krustenlose Streifen geschnittenen Sandwiches nirgends zu sehen gewesen. Peters Mutter hatte Bobby gefragt, wie Miranda es trage, »sie sieht so entsetzlich blaß aus, aber vielleicht ist es nur das schwarze Kleid, wir hoffen, du wirst ihr helfen, über diese schreckliche Zeit hinwegzukommen, es war mir ein Vergnügen, sie kennenzulernen«, sagte sie, womit sie Bobby deutlich zu verstehen gab, daß sie am liebsten so tun würde, als ob Miranda nicht existierte, auch wenn die Sekretärin von Peters Vater vielleicht ein paar Jahre lang geprägte Weihnachtskarten schicken würde. Im Kofferraum von Bobbys Wagen war ein Schuhkarton voll Bilder von Peter, überwiegend lustigen; Miranda hatte gedacht, seine Familie würde sie vielleicht gerne haben. Bobby war abends zuvor lange mit Miranda aufgeblieben, als sie die Bilder durchsah und zu jedem einzelnen erzählte, was für schlaue Sachen Peter an dem betreffenden Tag gesagt oder getan hatte, bis Bobby sie bat aufzuhören, sie müßten um sechs Uhr aufstehen für die dreistündige Fahrt von Jersey nach Washington.

Bobby hatte die Fotos in seinem Wagen gelassen, er glaubte, daß Peters Eltern sie weder wollten noch verdienten. In Harvard hatte er eine Menge Kinder von solchen Eltern kennengelernt, Eltern, die ihre Kinder aufzogen, als wären sie lediglich Rohentwürfe ihres eigenen erfolgreichen Erwachsenenlebens, bloße Bleistiftskizzen, die erst koloriert würden, wenn sie ihren Wert bewiesen hatten. Peter hatte sich als Fehlschlag erwiesen und wurde ausradiert.

»Gibst du ihnen die Schuld für das, was passiert ist?« fragte Bobby.

Miranda zuckte die Achseln. Manchmal hatte sie Peter die Schuld gegeben, und Peter schob es auf seine Eltern, und seine Eltern schoben es auf die Drogen. Manchmal hatte Peter Miranda verflucht, und sie verfluchte die Drogen, und seine Eltern verfluchten die Ärzte. Aber heute war ihr, als sei sie an allem schuld.

»Es war nicht deine Schuld«, sagte Bobby. Er dachte, ein kleiner Anteil der Schuld treffe womöglich auch ihn, denn wie oft hatten er und Peter ihr Geld und ihren Einfallsreichtum zusammengelegt auf der Suche nach besserem Dope, billigeren Pillen, reinerem Kokain.

»Ich denke schon«, sagte Miranda. »Fährst du morgen nach Boston zurück?«

»Ich denke schon«, sagte Bobby. »Soll ich dich mitnehmen?«

»Ich denke schon«, sagte Miranda, obwohl sie für weitere kummervolle Gespräche keine Kraft mehr hatte.

Schulfreundinnen hatten Miranda unter Tränen angerufen, obwohl die meisten Peter seit über einem Jahr nicht gesehen hatten, und Miranda wußte, daß mindestens drei von ihnen nichts mehr mit Peter zu tun haben wollten, als die Drogen überhandnahmen. Chris rief an, um zu sagen, daß es nichts zu sagen gebe. Katie Lee war die schlimmste gewesen, sie hatte sich erboten, Miranda zur Beerdigung zu begleiten, Miranda vermutete jedoch, daß ihr Anerbieten, ihr in schwierigen Zeiten beizustehen, nichts weiter war als der Wunsch, in ein Mäntelchen aus Großmut und Selbstlosigkeit gehüllt in Bobbys Nähe zu sein. »Hat er ein Testament gemacht?« hatte Katie Lee gefragt. »Starr mich nicht so an, er war über achtzehn. Ich hab seitdem schon drei Testamente gemacht, und du solltest auch daran denken, Herzchen, man kann nie wissen, wir könnten alle jede Minute hopsgehen.«

Rosalie war grauenhaft fürsorglich gewesen, sie brachte Miranda etwas zu essen und half ihr packen, dabei plapperte sie verworrenen frommen Unsinn, daß Peter endlich Frieden gefunden habe und daß die Menschen nicht wirklich sterben, daß ihre Seelen in denen weiterleben, die sich ihrer erinnern, und ob Miranda wünsche, daß Rosalie mit ihr zur Messe ginge? Peter hat dich so geliebt, hatte Rosalie gesagt, und als Miranda es Rosalie sagen hörte, da wußte sie, daß es nicht wahr war.

»Nur keine Sorge, Miranda, meine Mutter hat noch massenhaft Stoff dazugekauft«, sagte Rosalie, als Miranda ihr drittes Hörnchen verspeiste. Sie hatte seit Peters Tod bestimmt 30 Pfund zugenommen und machte keinerlei Anstalten, sich zu bremsen. »Vielleicht können wir die Nähte etwas auslassen.«

»Es ist ja erst März«, sagte Miranda. »Wenn ich ab nächste Woche Diät halte, habe ich Zeit genug zum Abnehmen.« Es war ein Fehler gewesen, übers Wochenende mit Rosalie nach New York zu kommen. Sie konnte es nicht ertragen, sich sämtliche Details über die Hochzeit anzuhören. Sie und Rosalie wollten heute abend mit Trevor und einem Kollegen von ihm ausgehen; Trevor hatte sie seit August nicht gesehen, und sie bezweifelte, daß Rosalie ihm erzählt hatte, wie dick sie geworden war. Sie malte sich aus, wie Trevor seinen Freund beiseite nahm und entschuldigend flüsterte: »Tut mir leid, damals sah sie nicht so aus, sie war ein richtig hübsches Mädchen.«

»Du mußt es nicht meinetwegen tun«, sagte Rosalie. »Eine Diät wirkt angeblich nur, wenn man es für sich selbst tut.«

Hast du eine Ahnung, dachte Miranda. »Katie Lee wird in diesem Kleid sagenhaft aussehen«, sagte sie. Und ich watschel neben ihr durch den Mittelgang, ein Fettkloß, der auf knallig pinkfarbenen hochhackigen Schuhen vorwärts stolpert. Sie mußte mit der Diät anfangen, sobald sie wieder in Cambridge war.

»Wann bekommst du deinen Zulassungsbescheid fürs Jurastudium?« fragte Rosalie.

»Nächsten Monat.«

»Hoffentlich kommst du nach New York an die Columbia- oder New Yorker Uni. Ich würde dich gern hier bei mir in New York haben.«

»Wie ich gehört habe, bleibt im ersten Studienjahr

nicht viel Zeit für Geselligkeiten«, sagte Miranda. Und das war ihr nur recht: Ein Haufen Arbeit, so hoch, daß sie sich darunter vergraben konnte und sich mit nichts anderem befassen mußte. Eigentlich konnte sie sich nicht vorstellen, daß sie als Juristin dieselbe Arbeit tat wie ihr Vater und ihre Onkel, aber drei Jahre Jurastudium waren eine willkommene Möglichkeit, die unvermeidliche Entscheidung aufzuschieben, was sie mit ihrem Leben anfangen sollte.

»Und du?« fragte Miranda. »Irgendwelche Pläne nach dem College?«

»Den Juli über wollen wir nach Europa, und im August bin ich in Saratoga, und Trevor kommt an den Wochenenden hin. Dann müssen wir eine Wohnung finden, und ich werde ein paar Monate brauchen, um sie einzurichten, und dann, wer weiß?« Doch Rosalie wußte es genau, denn sie und Trevor hatten vor der Verlobung darüber gesprochen. Sie wollten Kinder, eine ganze Schar, und bekanntlich war es viel leichter, wenn man jung war. Später, wenn bei allen ihren Freundinnen über 30 eine Fruchtwasseruntersuchung vorgenommen wurde und die Ärzte ihnen empfahlen, die letzten drei Schwangerschaftsmonate mit hochgelegten Füßen im Bett zu verbringen, würden Rosalies Kinder schon alle zur Schule gehen, und sie könnte sich eine interessante Beschäftigung suchen, um tagsüber außer Haus zu sein.

»Hat Katie Lee ihre Baugenehmigung schon?« fragte Rosalie.

»Sie wird erst im Sommer Bescheid bekommen. Ich glaube, sie hat die Macht der Bürgerinitiativen in Cambridge unterschätzt, sie hatte keine Ahnung, daß die Nachbarschaft sich so anstellen würde. Aber ich kann es verstehen, manche Familien wohnen seit Generationen dort und haben Angst, daß die Gegend zu teuer wird und sie dann nicht wissen, wohin.«

»Katie Lee wird das schon irgendwie schaukeln«, sagte Rosalie.

»Vielleicht, vielleicht auch nicht. Es ist Wahljahr, das ist der Haken. Katie Lee hat eine Stimme, und die Leute, die gegen sie sind, ein paar tausend. Herrgott, die Zeit vergeht, ich muß los«, sagte Miranda verlegen. Sie hatte Rosalie gestern abend erzählt, daß sie mit Chris zum Mittagessen verabredet war, trotzdem war es ihr peinlich aufzubrechen.

»Bestell ihr einen schönen Gruß von mir, ja?« bat Rosalie. »Komisch, wo ich jetzt heirate, scheint es mir nicht mehr so wichtig — was mit Chris passiert ist. Ich wünsch ihr wirklich alles Gute. Wirst du es ihr ausrichten?«

»Ich grüß sie von dir«, sagte Miranda. Sie zog den khakifarbenen Herrentrenchcoat an, in dem sie sich wie ein wandelndes Zweimannzelt vorkam.

Charlotte kam herein, als Miranda gegangen war, und sah stirnrunzelnd auf die leere Kuchenplatte. Selbst die kleinsten glasierten Krümel waren vertilgt; Miranda hatte ihre Daumen mit der Zunge angefeuchtet und jedes einzelne Butterbröselchen aufgeklaubt.

»Hast du es ihr gesagt?« fragte Charlotte.

»Sie sagte, sie will eine Diät machen. Und wenn nicht, können wir immer noch das Kleid auslassen.«

»Ich will auf der Hochzeit meiner Tochter keine fette Brautjungfer haben. Was, wenn sie nicht abnimmt? Wir können sie nicht in letzter Minute von der Hochzeitsgesellschaft ausschließen. Je eher du es tust, um so leichter wird es sein. Warum hast du ihr nicht einfach gesagt, wir haben uns zu einem kleineren Rahmen entschlossen?«

»Das hätte sie doch sofort durchschaut, Mutter. Außerdem ist es mir egal, sie ist eine meiner besten Freundinnen, und ich will sie als Brautjungfer. Es ist mir egal, was die Leute denken.«

»Aber Herzchen«, sagte Charlotte, »ich wollte doch bloß das Beste für Miranda. Betrachte es doch mal aus ihrer Sicht. Denk daran, wie unwohl sie sich fühlen wird. Denk daran, welche Peinlichkeit du ihr ersparst. Stell dir vor, wie ihr zumute sein wird, wenn sie neben vier Mädchen steht, die in diesem Kleid einfach phantastisch aussehen. Wenn dir wirklich etwas an ihr liegt, tust du ihr das nicht an. Versprich mir, daß du noch mal darüber nachdenkst.«

»Warte noch einen Monat. Sie wird abnehmen. Ich helfe ihr dabei.«

»Natürlich hilfst du ihr«, sagte Charlotte und nahm Rosalies Hand. »Dafür ist eine beste Freundin schließlich da.«

»Ich weiß nicht, wie du das hingekriegt hast«, sagte Miranda. Sie sah sich in Chris' Wohnung um. Es sah aus wie im Ausstellungsraum eines Möbelhauses — in allen Einzelheiten perfekt, aber ohne Persönlichkeit. Keine Familienfotos, keine sentimentalen Nippessachen oder kitschigen Souvenirs, nicht ein einziger Hinweis darauf, was Chris bewegte. »Ist es nicht Vorschrift, daß Studentinnen in Cambridge wohnen?« fragte Miranda. Sie fuhr mit dem Finger über den Rand eines glatten Kristallaschenbechers. »Ist noch keiner dahintergekommen?«

»Ich hab der Frau monatlich zwanzig Dollar bezahlt, damit ich ihre Adresse benutzen kann. Wenn jemand anrief, sagte sie einfach, ich sei für ein paar Tage weg.«

»Kommst du zur Examensfeier?«

»Auf gar keinen Fall. Sie können mein Zeugnis an meine Mutter schicken, und sie kann es neben die Ehrenurkunde meines Vaters von McDonald's Hamburger-Universität hängen. Wie geht's Rosalie?«

»Gut. Sie kann an nichts anderes denken als an die Hochzeit, und es hängt mir schon zum Hals raus, aber wir lassen's über uns ergehen. Hm, ja, willst du hier zu Mittag essen, oder gibt es in der Nähe was, wo wir hingehen können? Ich komme um vor Hunger. Bei denen kriegt man kaum was zu essen, typische Gastfreundschaft der reichen Oberschicht.«

»Jesses, das Essen hab ich ganz vergessen«, sagte Chris. Sie stand auf und ging in die Küche. »Mal sehen, ich koche fast nie, aber ich glaube, wir können uns was zusammenmixen. Hier ist Suppe, und hier — wie wär's mit Tiefkühlpizza? Mit Pilzen und Peperoni.«

»Vielleicht sollten wir lieber auswärts essen?«

»Scheint so.«

»Kein Wunder, daß du so schlank bist«, seufzte Miranda, »ich wünschte, ich hätte deine Selbstdisziplin.«

»Du meinst, du wünschst, du hättest meinen Freund, den Medizinstudenten«, kicherte Chris. »Du glaubst doch nicht etwa, wir bleiben alle so schlank, indem wir durch den Park joggen und Salat knabbern?«

»Nein?«

»Wo denkst du hin«, sagte Chris. Sie zog ein Pillenfläschchen aus einer Schublade neben dem Herd. »Appetitzügler. Als wir sie zum Spaß nahmen, nannten wir sie Speed. Eine Pille am Morgen, und du bleibst den ganzen Tag ein braves Mädchen.«

Miranda lachte. »Gott, du ahnst ja nicht, wie gut es mir tut zu wissen, daß du nicht von Natur aus schlank bist.«

Chris lachte mit ihr. »Willst du ein paar? Ich hab unten bei der Apotheke ein Wiederholungsrezept deponiert.«

Miranda betrachtete die kleinen Kapseln. Es wäre so einfach, und sie war so verzweifelt. Peter hatte eine Speedphase durchlaufen, bevor er interessantere Dinge entdeckte.

»Nein, danke«, sagte sie. »Ich und Drogen, das verträgt sich nicht.« Sie würde schon eine Methode finden, bis Juni die Pfunde loszuwerden, und wenn nicht, na und? War sie nicht von Natur aus dick, war sie nicht ein molliges Baby gewesen, waren die schlanken Jahre nicht nur eine Phase wie der Rest der Jugendzeit, etwas, dem man entwuchs? Ihr Fett war ein Teil von ihr, sie würde eine von diesen strahlenden italienischen Mammas werden, wie ihre Mutter und ihre Tanten, das Fett hielt sie warm und beschützte sie vor — wovor beschützte es sie? Miranda sah Chris an, man konnte unter dem knappsitzenden T-Shirt fast ihre Rippen zählen. Wovor auch immer Fett mich beschützt, dachte Miranda, es ist etwas, wovor Chris sich ganz bestimmt nicht fürchtet.

Alt: das war das Hochzeitskleid ihrer Großmutter. Sie hatten es an den Nähten etwas abgenommen, damit der schräggeschnittene elfenbeinfarbige Satin Rosalies schlanke Figur weichfließend umspielte. Mieder und Ärmel waren mit Hunderten von Staubperlen bestickt, und die lange Samtschärpe fiel fast bis auf die Erde. Es war ein Kleid für eine Prinzessin, eine Märchenprinzessin, und genauso fühlte sich Rosalie.

Neu: das war der Schleier, den Charlotte aus Paris hatte kommen lassen. Als Trevor ihn von ihrem Gesicht hob, war es, als lasse er den Vorhang zum ersten Akt dieses Stückes hochgehen, das ihr gemeinsames Leben darstellte. Bis jetzt war alles nur Vorspiel und Vorbereitung gewesen; alles worauf es ankam, lag vor ihnen: die Familie, die sie zu gründen gedachten.

Geliehen: das waren die Smaragdohrringe, die ihr die Schwester ihres Vaters geborgt hatte und deren Funkeln das leuchtende Grün ihrer Augen zur Geltung brachte. Sie hatte befürchtet, sie würde vor all diesen Leuten zu weinen anfangen, oder schlimmer noch, einen hysterischen Kicheranfall bekommen, aber jetzt, als Trevor sie anstrahlte, schien es so einfach, das Wort zu sagen, das sie vom Tag ihrer Geburt an geübt zu haben meinte.

Es war einmal, dachte Rosalie Van Schott, eine blonde Maid, die lag im Wald und schlief, bis ein Jüngling namens Trevor herangaloppiert kam.

»Ja«, sagte sie und hob ihr Gesicht zum sanftesten, süßesten Kuß.

Und wir werden glücklich leben immerdar, dachte Mrs. Trevor Goodwood, immer und ewig bis zum Tage unseres Todes.

10

Sie dachte täglich an ihn, den ganzen Tag lang, pausenlos.

Wenn sie in ihrer kleinen Wohnung, in der die Räume ohne Flur ineinander übergingen, ihr einsames Frühstück zu sich nahm, bildete sie sich ein, er säße ihr gegenüber; er erkundigte sich nach ihrem Studium, und sie schenkte ihm eine zweite Tasse Kaffee ein, sie tauschten die Seiten der Tageszeitung aus, Nachrichten gegen Sport, Wirtschaft gegen Feuilleton.

Wenn sie in der Kleiderabteilung eines Kaufhauses etwas zum Anziehen kaufte, bildete sie sich ein, sie tanzten zusammen auf einer Party in einem Club in der Stadt; er forderte sie einem anderen Tänzer ab, zog sie an sich und flüsterte ihr etwas ins Ohr, dann wirbelte er sie herum und drückte ihr, sie anlächelnd, die Hand.

Wenn sie abends ins Bett ging, bildete sie sich ein, er liege neben ihr; er spielte mit den langen Strähnen ihrer über das Kissen gebreiteten Haare, knöpfte langsam die oberen Knöpfe ihres Nachthemdes auf, schob es dann über ihre Knie bis zu den Hüften hoch. Er sagte ihr, wie sehr er sie liebte, sagte, wie lange er auf sie gewartet habe, beschrieb alles, was er mit ihr machen wollte, sagte ihr, sie möge ganz still liegen, und langsam begann er mit dem Liebesspiel, im Rhythmus der Musik, die leise in einem anderen Zimmer spielte.

Jede Nacht bildete sie es sich ein, immer wieder, es war immer dasselbe und immer vollkommen. Nach einer Weile zog sie die Knie an und schob die Hand unter die Bettdecke, sie stellte sich vor, es seien seine Hand, seine Zunge, sein Schwanz, die ihr einen dermaßen intensiven Orgasmus bescherten, daß sie danach minutenlang dalag, selbstzufrieden, aber auch ein wenig erschrocken, weil sie den schönsten Sex ihres Lebens mit einem Mann beging, den sie noch nicht einmal geküßt hatte.

Aber ich weiß genau, wie seine Küsse sein werden, sagte sie sich jetzt, als sie an dem Gebäude vorüberging, wo er in einer Wohnung lebte, die sie noch nie gesehen hatte. Er war noch nicht zu Hause, das wußte sie, weil sie vor wenigen Minuten bei ihm angerufen und sich der Anrufbeantworter gemeldet hatte. Sie rief ihn mehrmals in der Woche an, bloß um seine Stimme zu hören. Sobald er sich meldete, legte sie auf. Mädchen rufen nicht bei Jungen an, ermahnte sie sich, du mußt warten, bis er dich anruft.

Aber Schuyler hatte Miranda in den zwei Monaten, seit sie in New York war, um Jura zu studieren, nie angerufen. Es war eine verfeinerte Form der Selbstquälerei, zweimal täglich einen Umweg von fünf Häuserblocks zu machen, um ihm möglicherweise zu begegnen, wenn er sein Haus verließ; sie kaufte ihre Lebensmittel (immer nur wenige Dinge auf einmal) in dem Feinkostladen bei ihm an der Ecke, für den Fall, daß er auch dort wäre, um sich ein Sandwich oder eine Sechserpackung Bier zu holen.

Sie hatte es nicht eilig. Sie liebte ihn schon lange, das wurde ihr jetzt klar, vermutlich, seit sie ihn das erste Mal gesehen hatte. Ich konnte es mir nur nicht eingestehen, solange Peter lebte, sagte sie sich. Und sie würde ihn auch in Zukunft lange Zeit lieben. Schließlich würde er ihr gehören. In der Zwischenzeit konnte sie träumen und beten, daß er nichts Ernstes mit einer anderen anfing, und versuchen, wieder etwas abzunehmen.

Sie hatte einige Abmagerungskuren ausprobiert, von denen sie in Frauenzeitschriften gelesen hatte, und sogar 200 Dollar hingeblättert für das Vergnügen, von einem Arzt eine Reihe schmerzhafter Stoffwechseltests vornehmen und sich dann sagen zu lassen, daß ihrem Stoffwechsel absolut nichts fehle. Sie esse einfach zuviel und habe zuwenig Bewegung, eine höfliche Umschreibung dafür, daß sie dick und träge sei.

Sie hatte erwogen zu joggen, bis sie in einem Artikel las, daß sie sich damit die Knie ruinieren würde. Zum Schwimmen müßte sie sich einen Badeanzug kaufen, und das hatte Miranda schon an den Rand der Verzweiflung gebracht, als sie noch eine ausgezeichnete Figur hatte. Tennis, Squash und Badminton erforderten Partner, die zwangsläufig zusahen, wie sie ihre Massen umherwuchtete, und vorgeben mußten, ihre Schweißausbrüche nach ein wenig Auf-der Stelle-Warmlaufen nicht zu bemerken. Sport treiben war paradox: Es tat denen gut, die es am wenigsten nötig hatten.

Jemand aus ihrem Zivilrechtsseminar hatte ihr ein Diätbuch geliehen, das täglich ausgedehnte Spaziergänge und Gerichte aus Kichererbsen, ungesalzenen Vollweizenwaffeln und rohem Spinat empfahl. Während sie über eine Packung Eiscreme hinwegstieg, die jemand auf den Gehsteig hatte fallen lassen, übte Miranda Kopfrechnen. Wenn sie circa fünf Kilometer pro Stunde ging, würde sie bei ihrem augenblicklichen Gewicht (das sie nur ungefähr wußte — ihre Waage war vorigen Monat kaputtgegangen, und sie wollte keine 2o Dollar für eine neue ausgeben) etwa fünf Kalorien pro Minute verbrennen. Mal sechzig, macht 300 Kalorien pro Stunde. Die magische Zahl 3500 — die Anzahl Kalorien, die man benötigte, um ein einziges lästiges Pfund zu verbrennen — geteilt durch 300, das bedeutete, sie müßte fast zwölf Stunden gehen, um ein einziges Pfund zu verbrennen. — Oh, war das nicht Schuyler, der gerade in den Schreibwarenladen ging? Es sah so aus. Es konnte nicht wahr sein. Es mußte wahr sein. Sie sprühte etwas Chanel auf den Hals und folgte ihm.

Da stand er neben der Registrierkasse und probierte japanische Filzstifte in verschiedenen Breiten auf dem weißen Papier aus, das der Laden dafür zur Verfügung stellte. Sie griff sich etwas aus dem Regal gleich neben der Tür — eine Packung Magnete, die wie Zirkustiere geformt waren — und ging damit zur Kasse.

»Miranda«, sagte er, als er von dem großen Kreis aufblickte, den er in verschiedenen Schattierungen von Marineblau gezeichnet hatte, »so eine nette Überraschung.«

»Hallo Schuyler, wie geht's?«

»Gut, danke. Und dir?«

»Gut, soweit. Wie geht's mit der Arbeit?«

»Geht so«, erwiderte er und nahm einen dunkelroten Stift mit feiner Spitze in die Hand. »Die Farbe erinnert mich an die Schule. Als Kind war ich regelrecht süchtig nach diesen Stiften.«

»Ich weiß noch, als sie aufkamen«, sagte sie, indem sie ein Dreieck in knalligem Lila zeichnete, »wir nannten sie Zauberschreiber. Herrje, komm ich mir alt vor, wenn ich mich so an eine Erfindung erinnere. Demnächst fange ich meine Sätze mit ›also die Jugend von heute‹ an.«

Schuyler lachte. »Meine Mutter hat erzählt, wie das erste Päckchen Margarine in meiner Heimatstadt ankam. Die Frau des Bürgermeisters hat eine Party gegeben, um es vorzuzeigen.« Er füllte das Dreieck mit leuchtend grünen Punkten aus. »Passen die Farben zusammen?«

»Großartig. Du könntest, ich weiß nicht was, entwerfen — Krawatten für Rock Stars vielleicht?«

»Tragen Rock Stars neuerdings wieder Krawatten?«

»Da fragst du die Falsche«, entgegnete sie. »Ich habe nur noch Zeit für mein Jurastudium.«

»Ich erinnere mich, als Mick Jagger zum erstenmal bei Ed Sullivan auftrat, da trug er eine Armbanduhr. Was macht überhaupt die Juristerei?«

»Tausendmal mehr Arbeit, als man mir prophezeit hat, und das bedeutet tausendmal mehr, als ich je im Leben gearbeitet habe. Ich hab kaum Zeit für irgendwas anderes.«

Schuyler hob eine Augenbraue. »Zum Beispiel?«

Miranda wurde rot. »Was man halt so macht, wenn man das erste Jahr in New York ist.« Sie holte tief Atem. »Ich wollte gerade einen Hamburger essen gehen. Magst du mitkommen?«

»Nein danke, ich hab eben gegessen«, sagte er. »Ich muß heute abend einen Artikel fertig schreiben. Ich dachte, der Kauf von ein paar neuen Stiften könnte mir zu dem nötigen Antrieb verhelfen.«

»Na schön. Ich werde denen jedenfalls sagen, was für ein guter Mitarbeiter du bist, weil du keine Stifte im Büro klaust.«

»Wir arbeiten an Computer Terminals. Die kann man nicht beim Herausgehen in die Tasche stecken.«

»Außer man hat eine riesengroße Tasche«, sagte sie. Er starrte sie an. In all ihren Phantasievorstellungen von ihm hatte sie diese Augen vergessen, hellgrau wie poliertes Metall. Wie eine Kugel, die ihr Herz durchbohrte. »Uff, das sollte ein Scherz sein. Verzeihung.«

Er nahm einen rosafarbenen Stift und zog einen vollkommen geraden Strich über das Blatt. »Und wie geht's dem Rest der Truppe?«

»Ganz gut. Eigentlich ist bloß Rosalie schwanger, aber so wie die Leute heute reden, sieht es fast so aus, als wären beide als Paar zusammen schwanger.«

»Das sind ja großartige Neuigkeiten«, sagte er und zog einen parallelen Strich. »Grüß Rosalie von mir. Und Trevor auch.«

»Kennst du ihn?«

»Wir sind uns nie begegnet.«

»Du würdest ihn vermutlich nicht mögen«, sagte Miranda und wünschte augenblicklich, sie könnte es zurücknehmen. »Ich meine, er ist überhaupt nicht so, wie man's erwarten würde, oder vielmehr, er ist genau, wie man's erwarten würde. Ich weiß selbst nicht recht, was ich meine. Er ist irgendwie berechenbar.«

»Vielleicht hat er innere Werte«, sagte Schuyler. Er hatte schon öfter festgestellt, daß Frauen dazu neigen, die erste Ehe in ihrer Gruppe zu mißbilligen. Hatte Miranda noch zugenommen, seit er sie das letzte Mal sah, oder hatte er nur vergessen, wie dick sie geworden war? Ihm schien, daß sie die Grenze zwischen Übergewicht und Fettleibigkeit überschritten hatte. Die Grenze, die kein Mann überschritt. Peter ist schon lange tot, dachte er, sie müßte sich inzwischen aufgefangen haben. »Ich bin überzeugt, daß Rosalie gut gewählt hat«, sagte er.

»O ja, das glaube ich auch.«

»Und Katie Lee?« fragte er. Er starrte sie immer noch an, während seine Hand gemächlich über das Blatt fuhr.

»Die letzte Anhörung zu ihrem Hotelprojekt findet nächste Woche statt. Sie schwitzt Blut und Wasser.« Ihr fiel nichts ein, was sie noch sagen könnte. Er sah sie mit einem Ausdruck an, der zugleich streng und aufmunternd war, so als habe er ihr eine sehr heikle Frage gestellt und hoffe, daß sie überlegt und korrekt antworten würde. »So«, sagte sie, indem sie der Kassiererin fünf Dollar gab. »Vielleicht sehen wir uns mal. Ich muß wieder an die Arbeit.«

»Ich dachte, du wolltest essen gehen.«

»Stimmt. Und dann zurück an die Arbeit«, sagte sie und steckte ihr Wechselgeld ein. »Ruf mich doch mal an und überrede mich zu einer Lernpause, wie wär's?« Sie schrieb ihre Telefonnummer auf, riß den Zettel vom Block und hielt ihn Schuyler hin. »Ich steh nicht im Telefonbuch, Vorschrift von Daddy.«

»Dürfen Männer ihre Meinung ändern, oder ist das ein ausschließliches Vorrecht der Frauen? Ich könnte Kaffee und ein Dessert nehmen, während du ißt. Falls das Angebot noch steht.«

»Klar, das wäre großartig«, sagte sie. »Um die Ecke ist ein Lokal mit einer prima Musikbox.«

»Das kenn ich«, sagte er. »Laß mich nur noch schnell ein paar Sachen raussuchen. Dauert bloß eine Minute.«

»Ich warte draußen«, sagte sie, und dann wartete sie auf dem Gehsteig. Es geht los, sagte sie bei sich, es geht los. Sie hielt den Zettel noch in der Hand. Ich werde ihm meine Nummer beim Essen geben, sagte sie sich, irgendwann muß er danach fragen. Dieses Blatt Papier würde das allererste Erinnerungsstück an ihre gemeinsame Zeit sein. Sie wollte es in derselben Schachtel verwahren, die seine besseren Zeitungsausschnitte und ein Foto von ihm enthielt, das Katie Lee einmal gemacht hatte, als sie alle zusammen ein Footballspiel besuchten.

Und Lila und Grün würden ihre neuen Lieblingsfarben sein. Sie warf einen letzten Blick auf den Zettel, bevor sie ihn zusammengefaltet in die Tasche steckte.

In einen weiten blauen Kreis zwischen dem Dreieck und den parallelen Strichen hatte er, während sie sich unterhielten, aufs Geratewohl ein paar Zeichen gekritzelt. Eins hätte ein winziges, krumm geratenes Herz sein können. Und ein Schnörkel sah für Miranda wie eine Meereswelle aus. Und noch etwas, es war offensichtlich nichts, es war offensichtlich alles; alles, nur kein Buchstabe, nur nicht das große C.

Am nächsten Tag gab Miranda in einem Schallplattenladen fast 100 Dollar aus und kaufte Alben von allen Sängern, die Schuyler während des Essens in der Musikbox gewählt hatte. Bob Dylan hatte sie schon, aber sie wollte einen Schnellkurs in Chuck Berry, Eric Clapton und den frühen Kinks absolvieren.

Es war nur ein Essen, sagte sie sich immer wieder vor. Sie war kaum imstande gewesen, den Spezialcheeseburger, den sie bestellt hatte, halb aufzuessen. Auch am nächsten Tag hatte sie keinen Appetit; sie hatte versucht, sich einen Becher Joghurt mit grünen Apfelschnitzen einzuverleiben (eine Mahlzeit von der sie normalerweise hungrig aufstand), aber sie brachte nichts herunter.

Sie hatten über nichts Wichtiges gesprochen, aber sie erinnerte sich trotzdem an alles, was er gesagt hatte. Er hatte vorwiegend von seiner Arbeit und dem Konkurrenzkampf dabei erzählt; es gab Reporter bei der Zeitung, die mit fünfzig immer noch auf ihren großen Knüller warteten, und die Leute sagten ihm, er könne viel schneller Karriere machen, wenn er die Stadt verlassen und bei einer kleinen Lokalzeitung anfangen würde. Die Vorstellung, er könne die Stadt verlassen, erschreckte sie.

Er hatte sie nach Hause begleitet, und sie wartete drinnen beim Aufzug, als er auf ihrer Straße zurückging. Dann verließ sie ihr Haus, rannte hinten herum um den Block und wartete an seiner Ecke, bis sie in seiner Wohnung die Lichter angehen sah. Jetzt wußte sie ganz genau, welches seine Fenster waren, und sie konnte von nun an erkennen, ob er zu Hause war, ohne ihn anzurufen.

Er hatte während des ganzen Essens das Thema Chris umkreist, ohne direkt auf sie zu sprechen zu kommen. Miranda hatte seit Wochen nichts von ihr gehört, aber die wenigen Neuigkeiten, die sie hatte, teilte sie ihm mit. Bevor sie zu Bett ging, rief sie Chris an und verabredete sich für die kommende Woche mit ihr zum Essen.

Sie besorgte eine Flasche billigen italienischen Weißwein und kam fünf Minuten zu früh bei Chris an.

»Die Frisur steht dir großartig«, sagte Chris, als sie Miranda aufmachte.

»Es ist bequemer, die Haare beim Arbeiten hochzustecken und den Rücken freizuhalten«, erwiderte Miranda. Seit sie zugenommen hatte, erhielt sie laufend Komplimente über ihre Frisur. Ihre Haare waren immer noch so lang wie zu ihrer Schulzeit. Haare, Make-up und Ohrringe: Sie gehörten zu der unausgesprochenen Sicherheitszone vom Hals aufwärts, wo schlanke Leute den nicht so schlanken Komplimente machen durften, ohne befürchten zu müssen, ins Fettnäpfchen zu treten.

»Ich habe letzte Woche tatsächlich fünf Pfund abgenommen«, sagte Miranda, »ohne mir eigentlich Mühe geben zu müssen. Es ging irgendwie ganz von selbst.«

»Nur weiter so«, sagte Chris. Sie entkorkte die Weinflasche. »Ist es eine neue Abmagerungskur, die ich noch nicht kenne?«

Die Schuyler-Kur, und ich bringe dich um, wenn du

auch bloß daran denkst, sie auszuprobieren, dachte Miranda. »Ich glaube, das Studium nimmt mich so in Anspruch, daß ich nicht mehr viel ans Essen denke. Hast du auch abgenommen, oder kommt es mir nur so vor, weil ich dich länger nicht gesehen habe?«

»Ich wiege immer ungefähr gleich viel«, sagte Chris schniefend. »Ich werde diesen lästigen Schnupfen einfach nicht los.«

»Nimmst du was dagegen? Ich meine, darfst du Wein trinken?«

Chris lächelte. »Nein, nein, ich nehme keine Antibiotika. Ich hole mir andauernd einen Schnupfen, dabei war ich immer so robust, aber die Luftqualität hier in New York ist so schlecht, sie macht mir die Nebenhöhlen kaputt, du kannst froh sein, daß du das Problem nicht hast.«

»Schon möglich.«

»So, und was macht dein Jurastudium? Du sagst andauernd, es ist langweilig und massenhaft Arbeit, aber das hast du gewußt, bevor du damit angefangen hast, oder? Nicht für eine Million Dollar würde ich noch mal die Schulbank drücken.« Sie kicherte und putzte sich die Nase. »Na ja, für eine Million Dollar vielleicht, wer weiß. Ich will dein Studium nicht schlechtmachen, für dich ist es in Ordnung, aber für mich wär das nichts, außerdem wäre ich vermutlich eine schlechte Anwältin. Ich meine, wenn mein Klient nun unrecht hätte, du weißt schon, ich glaube, ich könnte ihn nicht ordentlich verteidigen, aber das bringen sie einem natürlich bei. Vorigen Monat ging ich mal mit einem Anwalt, der hat mir das alles erklärt, aber ich weiß nicht, ich meine, wenn du genau wüßtest, daß dein Klient einen Mord begangen hat, und du müßtest ihn trotzdem verteidigen?«

»Strafrecht ist nicht mein Gebiet«, sagte Miranda,

»deshalb werde ich wohl nie in so eine Situation kommen.«

»Na ja, Mord, es muß ja nicht gleich Mord sein, es könnte auch was anderes sein. Weiße-Kragen-Kriminalität, was weiß ich.« Chris rollte den Korken zwischen den Händen und tippte mit dem Fuß. »Willst du ein bißchen Musik hören? Ich hab mir gerade eine neue Anlage gekauft, frag mich nicht warum, ich kam an dem Laden vorbei und hatte eine neue Kreditkarte und rechnete und dachte, zum Teufel, irgendwann bezahl ich sie eben. Ich kann mich einfach nicht beherrschen. Was willst du hören? Ich hab das neue Album von den Stones, aber ich hab auch dieses Synthesizer-Zeug, ziemlich schnell, aber ohne Text, dabei läßt es sich gut reden, was meinst du?«

Miranda verschränkte die Arme. »Das hängt wohl davon ab, ob du dir noch einen reinziehst oder nicht.«

»Oh.« Chris machte eine Faust um den Korken. »Das merkt man, wie?«

»Ich glaube, der Stoff, den ich hier habe, ist stärker als sonst, da hab ich wohl des Guten zuviel getan.« Sie zog ein kleines Plastikfläschchen aus ihrer Jeanstasche. »Die Tochter von einer Freundin von mir ist drei Jahre alt, und zu Weihnachten mach ich ihr aus diesen Dingern ein Gewürzregal für ihr Puppenhaus. Ihre Mutter kriegt einen Anfall.« Sie hob das silberne Löffelchen an die Nase und inhalierte, dann reichte sie einen vollen Löffel über den Couchtisch.

»Nein danke«, sagte Miranda. »Ich hab morgen früh Vorlesung. Aber mach du ruhig, ich hab nichts dagegen.« Sie hatte diese Abende satt — sie hatte sie zu oft mit Bobby und seinen Freunden erlebt. Damit hielt Chris sich also so schlank. »Wieviel nimmst du denn so zur Zeit?«

»Ach, nicht allzu viel, aber ich hab gerade einen fabelhaften Auftrag gekriegt, Aufnahmen in Arizona, das muß ich ein bißchen feiern.«

Klar, dachte Miranda. Sie wußte aus Erfahrung, daß Leute, die sich nicht präzise ausdrückten, mindestens jede Woche was kauften, mehrere Gramm auf einmal.

»Ist im Feiern immer noch ein Abendessen inbegriffen?« fragte sie.

»Klar, wenn du willst, bist du hungrig?«

»Nicht besonders«, entgegnete Miranda.

»In der Stadt ist 'ne Party, da können wir hingehen, ich hab die Leute durch meine Arbeit kennengelernt. Sie haben ein riesiges ausgebautes Dachgeschoß, und es gibt immer was Tolles zu essen.«

»Ich bin dafür nicht richtig angezogen«, sagte Miranda.

»Ach was, du siehst prima aus, das fällt keinem auf«, sagte Chris. »Ich meine, man kann kommen, wie man will, manche kommen mit schwarzer Krawatte und andere in Bluejeans und T-Shirts, es spielt wirklich keine Rolle. Aber ich denke, wir sollten erst mal reden und ein bißchen aufholen, ich hab dich eine Ewigkeit nicht gesehen, wie lange ist das her? Hab ich wichtige Klatschgeschichten verpaßt?«

»Rosalie ist schwanger. Das Baby kommt im Frühjahr.«

»Mensch, das ist ja toll, sie hat sich immer eine Unmenge Kinder gewünscht.«

»Ich nehme an, mit drei, vier ist sie glücklich. Katie Lee hat die Baugenehmigung für ihr Hotel nicht gekriegt. Wahljahr und so.«

»Ich möcht nicht sehen, wie sie als Verliererin dasteht.«

»Kein schöner Anblick«, nickte Miranda. Sie dachte an den nächtlichen Anruf von Katie Lee in Cambridge. »Sie hat einen Haufen Geld verloren. Nächste Woche hat sie mit ihrem Vater eine Art Gipfeltreffen über die Zukunft ihrer Karriere im Hotelgewerbe. Auf irgendeine verquere Art ist er froh, daß es schiefgegangen ist, verstehst du? Als ob er die ganze Zeit damit gerechnet hätte.«

»Er hört sich wie ein richtiges Arschloch an.«

»Ein richtiges reiches Arschloch. Bleib auf Empfang, ich hab noch mehr Neuigkeiten. Sie zieht vielleicht nach New York. Sie wollen in der Stadtmitte ein Luxushotel aufmachen, um das Kongreßgeschäft an Land zu ziehen.«

Chris betrachtete ihre Fingernägel. »Dann wären wir in New York wieder alle zusammen.« Sie sah Miranda an. »Stell dir vor, zuerst bin ich hierhergezogen, um von allen wegzukommen, und jetzt landen alle hier.« Sie sah aus dem Fenster. »Hast du in letzter Zeit sonst noch Leute gesehen, die ich kenne?«

»Bloß Rosalie und Katie Lee«, erwiderte Miranda. »Willst du wirklich auf diese Party gehen? Ich bin irgendwie unruhig. Wenn du nichts dagegen hast, geh ich ein bißchen früher weg — ich muß heute abend wirklich noch arbeiten.«

Chris sprang von der Couch und leerte ihr Weinglas. »Gehen wir. Es wird bestimmt lustig. Ich zieh mir nur einen sauberen Pullover an.«

»Ich muß erst mein Gesicht in Ordnung bringen«, sagte Miranda. »Kannst du mir einen Lippenstift und Rouge leihen?«

Chris deutete aufs Bad. »Bedien dich. Nimm dir, was du brauchst.«

Das Badezimmer war in Grün und Weiß gehalten mit zusätzlicher Beleuchtung über dem Arzneischrank und zwei runden schwenkbaren Vergrößerungsspiegeln an der Wand. Auf einem Tischchen neben der überdimensionalen Wanne ein Eiseimer, zwei saubere Sektgläser, ein Schaumbad, eine hohe schwarze Kerze in einem Kristalleuchter sowie ein Sammelsurium von Zeitschriften und Post. Die Seiten einer Zeitschrift waren gekräuselt, weil sie ins Wasser gefallen war. Eine Master-Charge-Abrechnung verriet, daß Chris einen Überziehungskredit von 3000 Dollar fast ausgeschöpft hatte. Unter der Rechnung lugte die Ecke eines mit zartblauer Tinte geschriebenen Briefes hervor, nur das Datum war zu sehen — von letzter Woche —, aber Miranda erkannte die Handschrift sofort.

Sie schloß die Badezimmertür und zog den Brief hervor.

Chris
ja, schon wieder ein Brief, verzeih mir, daß ich so dickköpfig bin und nicht kapiere, obwohl es doch, da Du nie antwortest, vollkommen klar zu sein scheint, daß Du nichts von mir hören willst.
Ich kann nichts dafür, ich habe einfach das Gefühl, daß wir etwas zu bereinigen haben, und ich würde mich gern mit Dir treffen, zum Essen oder auf einen Spaziergang im Park oder was immer Dir paßt, um die Sache zu besprechen. Komisch, daß wir beide in derselben Stadt sind und es so mit uns steht. Ich weiß, es geht Dir gut, oder vielmehr, ich *höre,* daß es Dir gutgeht, aber Du kannst es einem Mann nicht verübeln, daß er sich selbst überzeugen will. Ich denke an Dich, mehr als ich sollte. Mehr als Dir lieb ist, nehme ich an. Du sollst wissen, daß ich stolz auf Deinen Erfolg bin und, was immer geschieht, zu Dir halten werde.
Genug des nächtlichen betrunkenen Geschwafels eines alten Freundes.

Du weißt, wo Du mich findest.
Schuyler

Miranda schob den Brief wieder unter die Rechnung und setzte sich auf den Wannenrand. Schuyler hat sich eigentlich nicht deutlich geäußert, dachte sie, er hat nicht einmal mit »love« unterschrieben, wie es bei guten Freunden allgemein üblich ist. Betrunkene sagen alles mögliche, was sie nicht meinen.

Sie nahm Rouge, pinselte es auf ihre Wangen und begutachtete ihr Spiegelbild. Wieviel würde sie abnehmen müssen, fragte sie sich, bevor man es ihr im Gesicht ansah?

»Man sieht's dir im Gesicht an«, sagte der Mann im Westernhemd zu Miranda, »daß du ein sehr ernster Mensch bist. Das seh ich auf den ersten Blick.«

»Du sagst ›ernst‹, als wäre das was Schlimmes.« Miranda sah sich nach Chris um, die sie kurz nach ihrer Ankunft in der lärmenden Menge verloren hatte. Der Mann war Plattenproduzent, oder behauptete es wenigstens, und flirtete auf eine Weise mit ihr, deren einziger Charme in der ungenierten Direktheit bestand.

»Nein, ich habe auch meine ernste Seite«, sagte er und blickte stirnrunzelnd in eine Flasche Bier, »ich denke über den Tod nach. Die ganze Zeit.«

Miranda rückte von ihm ab. Er sah gar nicht übel aus. Er hätte was Besseres aufgabeln können. Vielleicht dachte er, sie sei leicht zu haben, weil sie dick war.

»Sterben müssen wir alle«, sagte sie. »Früher oder später.«

Er trat einen Schritt auf sie zu und starrte auf die Stelle zwischen ihren Augen. »Du bist sehr weise. Wie ich sehe, hast du auch darüber nachgedacht. Wir haben was gemeinsam.«

»Nicht allzuviel. Ich meine, ich denke nicht allzuviel über den Tod nach. Er kommt so oder so.«

»Den meisten Menschen ist das nicht richtig klar«,

sagte er und trat noch einen Schritt näher. »Tief im Innern glauben sie, daß sie ewig leben.« Sein Atem roch nach Zigaretten und Barbecuesoße. »Ich bemüh mich jeden Tag, es so gut zu machen, wie ich kann, weil wir bloß einmal zum Rodeo gehen, falls du weißt, was ich meine. Ich glaub, du weißt, was ich meine.«

»War nett, mit dir zu plaudern, aber jetzt muß ich gehen.« Miranda hielt in der Menge der Tanzenden nach Chris' platinblonden Haaren Ausschau.

»Rodeo ist eine Metapher für das Leben«, fuhr er, auf sie zuschwankend, fort, wobei er etwas Bier auf dem ausgebleichten Holzfußboden verschüttete. »Falls du weißt, was ich meine.«

»Die junge Dame ist allergisch gegen Pferde«, sagte jemand mit englischem Akzent hinter ihr und legte beschützend einen Arm um ihre Taille.

»Alex.« Sie drehte sich lächelnd um. »Ich kann es nicht glauben!«

»Ja«, fuhr Alex fort und lächelte den Mann aus Oklahoma an, »das ist eine tragische Geschichte. Sie ist gegen alle Tiere allergisch. Pferde, Hunde, Katzen, Pelzmäntel. Die Ärzte glauben, es ist psychosomatisch, aber ich bin anderer Meinung.«

Miranda kicherte. Alex machte ein ernstes Gesicht und flüsterte hinter vorgehaltener Hand: »Weil sie nämlich erst seit dem Zusammenbruch allergisch ist. Davor hat sie in einer Tierhandlung gearbeitet. Sie hat Schlangen dressiert.«

Der Mann aus Oklahoma wich zurück und machte eine leichte Verbeugung. »War mir wirklich ein Vergnügen.«

Miranda kicherte, und Alex schüttelte den Kopf.

»Das Kichern kommt von den Antidepressiva«, rief er dem Mann nach, der sich rückwärts in der Menge verzog.

»Danke, daß du mich gerettet hast«, sagte Miranda. »Der war widerlich. Ich hatte keine Ahnung, daß du in New York bist.«

»Wir haben wohl nicht in denselben Kreisen verkehrt.« Seine Haare waren kürzer, und er trug einen zweiten Ohrring am linken Ohr, doch ansonsten wirkte Alex unverändert. Die magere, gebückte Gestalt und die europäische Kleidung, die ihn in Cambridge so fremdländisch und dekadent erscheinen ließen, waren in dieser kostspielig ausgestatteten Dachwohnung voll abstrakter Gemälde und supermoderner Möbel genau richtig.

»Bist du mit Chris gekommen?« fragte er.

Miranda nickte. »Seht ihr euch manchmal?«

»Wir gehen oft auf dieselben Partys. Sie tut sehr von oben herab, ich glaube, sie ist mir immer noch böse.« Er seufzte.

»Das ist lange her«, sagte Miranda.

»Stimmt. Aber für Chris bin ich immer noch der böse Junge.«

»Du bist, der du bist. Du kannst nichts dafür.«

»Du bist sehr weise, Schätzchen«, sagte er.

Miranda warf den Kopf zurück und packte Alex am Ellbogen. »Oh, bitte nicht, das hat dieser Cowboy auch gesagt. Wo lebst du zur Zeit?«

»Mein Hauptwohnsitz ist jetzt Los Angeles. Ich schreib Filme, die nie gedreht werden. Was ich auch in London tun könnte, wenn die verdammte Steuer nicht wäre.«

»Hört sich glamourös an.«

»Unsere Chris sieht heute abend blendend aus, findest du nicht? Wo lernt ihr Amerikanerinnen, eure Hüften so zu bewegen?«

»Bei den Negerinnen. Sie sieht immer blendend aus, das ist ihr Job.«

Alex schüttelte den Kopf. »Und ich hab sie da reingebracht.«

»Sie ist dir bestimmt dankbar dafür.«

»Klar. Ich bin nicht sicher, daß ich es noch einmal tun würde.«

»Wieso nicht?« fragte Miranda.

Alex legte eine Hand auf Mirandas Schulter und beugte sich zu ihrem Ohr. »Ich mag mich nicht mitverantwortlich fühlen. Ich bin nicht der herzlose Kerl, für den ihr mich alle gehalten habt. Ich hatte sie wirklich gern, auf meine Art.«

»Sie ist reich und berühmt und erfolgreich und geht mit jedem, den sie haben will. Soll sie mir vielleicht leid tun?« fragte Miranda.

»Sie ist erfolgreich, weil sie sich zum Illustriertentitel raufgeschlafen hat, sie ist berühmt, weil ihr Poster an den Schlafzimmerwänden der Hälfte der männlichen Teenager von Amerika hängt, und reich wird sie nicht lange bleiben«, flüsterte Alex, »nichts davon wird ihr lange bleiben.«

»Du machst mir angst. Hör auf, wie die Katze um den heißen Brei herumzureden.«

Alex schüttelte den Kopf. »Eine grauenhafte Redensart, die ich dir nur verzeihe, weil du ein lieber alter Kumpel bist. Ich dachte, ihr zwei wärt dicke befreundet, aber ich sehe, ich habe mich geirrt. Sie wird mich hassen, weil ich dir was gesagt habe.«

»Ist sie krank? Was fehlt ihr?«

»Nichts, gar nichts. Deine Freundin Chris ist bloß zufällig die allerwunderschrecklichschönste Kokainsüchtige in New York.«

Miranda stöhnte. »Das glaub ich dir nicht«, sagte sie. Er hatte natürlich recht. Sie war ein Idiot gewesen, daß sie es nicht gesehen hatte.

»Ich wünschte, ich würde mich irren, mein Liebling.

Ich sehe, meine Begleitung an der Bar wird nervös. Pfeif einfach, wenn ein Cowboy dich einfangen will.«

Miranda bedankte sich beim Gastgeber, der nicht mehr wußte, wer sie war, sich jedoch erinnerte, daß Chris vor ein paar Minuten durch die Hintertür verschwunden war, und ging nach draußen, um ein Taxi zu rufen. Es ist wieder genau dasselbe, sagte sie bei sich, zuerst Peter, jetzt Chris. Ich hab beim erstenmal total versagt, dachte sie, während das Auto den ganzen Weg auf der Third Avenue bei Gelb über die Kreuzungen flitzte, das darf nicht wieder passieren.

»Tolle Wohnung«, sagte der Mann. Er warf ein Sakko aus englischem Tweed über eine Stuhllehne. Er hieß Jack, war Fotojournalist und leidenschaftlicher Kettenraucher. Er drehte seine Zigarette zwischen den Fingern, um Geschichten von Risiken und Gefahren zu unterstreichen, wobei er die gewölbte Hand im Handgelenk bewegte wie ein Kind, das im leeren weißen Licht eines Filmprojektors Schattentiere wirft.

Chris fand ihn ganz nett, zumindest nett genug, um ihn auf einen nächtlichen Drink mit nach Hause zu nehmen. Journalisten und Fotografen, die von einem Belagerungszustand zurückkehrten, waren meistens hochgradig nervös; wenn sie ihn hochkriegten (was nicht allzu oft der Fall war), waren sie angespannt und gesprächig, und sie gingen immer vor dem Morgengrauen. Sie hatte am nächsten Tag einen frühen Termin.

»Ich halte mich nicht oft hier auf«, sagte sie mit einer wegwerfenden Handbewegung.

»Wie viele Zimmer hat die Wohnung?« fragte er, nun plötzlich Architekturstudent.

»Drei. Möchtest du eine Führung?«

»Vielleicht später«, sagte Jack. Er setzte sich und

zündete sich eine Zigarette an. Er sei erst heute morgen auf dem Kennedy-Flughafen gelandet, erklärte er, und sei schon wieder auf dem Sprung. Die Zigarette zwischen die Zähne geklemmt, rieb er sich mit beiden Händen den Nacken.

»Laß mich das machen.« Chris stellte sich hinter ihn und massierte seine Schulter. »Herrje, du bist wirklich ein Wrack.«

»Vielen Dank«, sagte er blinzelnd, weil er den Rauch in die Augen bekam.

»Lauter Knoten«, sagte sie. »Ich weiß genau das Richtige. Bin gleich zurück.«

Er sah sich im Zimmer um, während sie im Bad geräuschvoll Schränke öffnete und zuschlug. Als er sie auf der Party kennenlernte, war er von ihr bezaubert und von ihrer Intelligenz überrascht gewesen, aber jetzt hatte er Bedenken. Manchmal war es leichter, wenn sie keine Ahnung hatten, wer man war oder was man tat oder wo man gewesen war. Wenn man überhaupt nicht unter Druck stand. Und wenn man sie enttäuschte, konnte man sie in dem Augenblick, wo man wieder auf die Straße trat, vergessen.

»Jetzt kommt deine Behandlung«, sagte sie. Sie nahm die Schnapsflasche in eine Hand und zog ihn mit der anderen hoch.

Im Badezimmer, im Licht einer einzigen schwarzen Kerze, setzten sie sich auf den Wannenrand und sahen zu, wie die nach Zitrone duftenden Blasen aus dem heißen Wasser aufstiegen. Er stützte die Ellbogen auf die Knie, während sie seinen Nacken knetete.

Chris berührte mit den Lippen flüchtig seinen Nakken, die leichteste Andeutung eines Kusses, und begann sein Hemd aufzuknöpfen. Er warf seine Zigarette in die Toilette und schloß die Augen. Sie zog ihm das Hemd aus der Hose und dann über die Schultern nach unten.

Sie tauchte ihre Finger in das warme Wasser und zog Kreise auf seinem Rücken.

Er seufzte. Er wußte, daß sie wußte, was mit ihm los war.

»Ich glaube, du bist sehr müde«, sagte sie.

»Stimmt«, flüsterte er. Er atmete tief durch, als sie ihn auszog.

»Du kannst alles ruhig mir überlassen«, sagte sie. Sie stand auf und ließ ihre Kleider auf den Fußboden fallen. Sie drehte die Wasserhähne zu, tauchte einen schwarzen Waschlappen ins Wasser und rieb damit seine Schultern. Sie hob seine Füße über den Wannenrand und sah zu, wie sie im Schaum verschwanden.

»Phantastisch«, sagte er, als sie beide im Wasser untergetaucht waren. Sie saßen hintereinander, sie mit dem Rücken an seiner Brust, ihre Kniekehlen gegen seine Knie gedrückt, seine Arme um ihre Brust gelegt, wie ein Pärchen, das darauf wartet, daß die Achterbahnfahrt beginnt.

»Schscht«, machte sie. Sie wandte den Kopf und küßte ihn auf die Brust. »Du bist wirklich sehr müde. Sei nur still und laß mich machen.« Sie drehte ihre Haare zu einem Zopf und steckte ihn mit einer Klammer fest, dann nahm sie den Waschlappen und fuhr damit langsam, ganz langsam an der Außenseite seiner Schenkel entlang, zuerst am linken, dann am rechten. Sie drückte ihr Ohr an seine Brust und lauschte auf seinen Herzschlag, ein kleines bißchen rascher jetzt, und schob den Waschlappen zur Innenseite seiner Schenkel. Er fuhr mit dem Finger über ihre Lippen, und sie nahm ihn zwischen die Zähne und biß ganz sanft hinein. Als er sich weder verspannte noch seine Hand zurückzog, wußte Chris, daß er jetzt wenigstens gelöst und vertrauensvoll war und daß sie beginnen konnte.

Sie ließ den Waschlappen los, und die Knie des Mannes fielen gegen die Wände der Wanne. Sie befühlte ihn mit der Hand — er war noch schlaff, und sie spielte unter Wasser mit ihm, ihre Finger umflatterten ihn von allen Seiten, bis sie ihn steif werden fühlte.

Sie zog ihn ins Wasser hinunter, stemmte ihre Füße gegen das Wannenende und hob seine Hüften bis dort, wo sich Wasser und Schaum trafen; er ließ sich da leicht halten, er schwebte gleichsam im warmen Zitronenwasser, und sie nahm ihn in den Mund. Zuerst bewegte sie ihren Mund rings um ihn auf und ab, und dann, als der Mann den Rhythmus aufnahm und sie sicher war, daß sie ihn bewegen konnte, wie sie wollte, hielt sie den Mund still, und mit einer Hand auf jeder Pobacke hob sie ihn auf und ab, während ihre Zunge an ihm hin- und herfuhr. Es war so still hier. Das sanfte Licht des frühen Morgens schien durch das schmale Milchglasfenster, und der Verkehr unten auf der Straße hatte nachgelassen. Der Mann war vollkommen still, nicht das leiseste Stöhnen entschlüpfte seinen Lippen. Das einzige Geräusch war das Plätschern von Wasser gegen Porzellan, das schwach von den Fliesenwänden widerhallte. Sie hielt ihn in seinem sachten Rhythmus, bremste ihn, wenn er versuchte, zur Eile zu drängen; sie wollte, daß alles so ruhig und unvermeidlich war wie die Flut, die vor dem Morgengrauen heranplätschert.

Als er kam, langsam, gleichmäßig, bäumte er sich in sie hinein, dann sank er zurück und riß sie mit sich. Er zog sie an ihrem Zopf hoch und lehnte ihren Kopf an seine Schulter.

»Meine Meerjungfrau«, sagte er. Er zwirbelte ihre Haare unter Wasser. Nach einer Weile langte er hinunter und spielte mit ihr, träge, ohne recht darauf zu achten, eine Hand befingerte sie, und die andere kitzelte ihre Brust. Es war mechanisch — die Nacht war für ihn schon um, sie wußte, daß er an Aufbruch dachte —, aber es machte ihr nichts aus, sie war bereit und kam schnell. Draußen war es hell, und sie hörte Lastwagen auf der Straße rumpeln. Sie drehte fast durch. Sie wollte, daß er ging.

Sie bediente den Abflußhebel mit dem Fuß und fühlte den kalten Lufthauch auf ihrer feuchten Haut, als das Wasser ablief. Sie fühlte ihn schaudern, dann stieg er aus, um sich anzuziehen. Er brauchte ewig. Sie hoffte, daß er sie nicht zum Frühstücken einlud. Sie wollte allein sein. Sie mußte sich unbedingt vor der Arbeit ein paar reinziehen.

11

Rosalie drehte sich vor dem mannshohen Spiegel zur Seite. Man sah es ihr kaum an, dabei war sie schon fast im fünften Monat. Der leuchtendrote Trägerrock (ein Geschenk von Trevor, das sie wohl nur einmal im Jahr, am Heiligen Abend, tragen würde) fiel ihr lose von den Schultern.

Kein Mensch würde vermuten, daß sie ein Baby bekam, wenn Trevor sich nicht neuerdings wie ein Vollidiot benähme, sobald ein Kind in der Nähe war. Erst gestern waren sie über die Lexington Avenue geschlendert und hatten in letzter Minute kleine Geschenke für die Weihnachtsstrümpfe gekauft, und Trevor hatte sich regelrecht an eine Frau herangemacht, die ihnen mit einem Kinderwagen entgegenkam. Die Mutter hatte erschrocken aufgeblickt, um zu sehen, wer dieser Fremde sei, dieser Mann, der ohne zu fragen mit den Plastikschlüsseln zu rasseln begann, die oben an dem Sportwagen baumelten. Als sie den kurzen, gepflegten Haarschnitt und den Kaschmirüberzieher gewahrte, lächelte sie Rosalie zu, die, ein wenig verlegen, ein paar Schritte zurückgeblieben war.

»Was unterwegs?« fragte die Frau. Rosalie nickte.

Trevor kniete sich auf den Gehsteig und plapperte närrisch auf das Kind ein, das zum Schutz vor der Kälte von oben bis unten in eine Steppdecke gehüllt war.

»Man sieht es kaum. Das erste?« fragte die Frau.

Rosalie lächelte. »Es kommt im Mai«, erwiderte sie. »Ich hoffe, es macht Ihnen nichts aus«, fuhr sie, auf Trevor deutend, fort.

»So ein hübsches Kind«, sagte er, »diese unglaublich blauen Augen.«

»Die hat er von seinem Vater«, sagte die Frau, »er ist in jeder Hinsicht ganz sein Daddy.«

»Acht Monate alt?« fragte Trevor.

»Sechs. Er ist groß für sein Alter.«

Trevor tippte mit dem Zeigefinger an die Schlüssel und setzte sein närrisches Geplapper fort. Rosalie verdrehte die Augen.

Die Frau kicherte. »Beim erstenmal sind sie alle so. Als ich mit meinem ersten schwanger war, wurde mein Mann in Gegenwart von Kindern immer ganz sentimental. Er brauchte nur an einem Schaufenster mit Kinderspielzeug vorbeizukommen, und schon schmolz er dahin. Warten Sie nur, bis das Baby da ist. Dann werden Sie erst richtig was erleben.«

»Was?«

»Es ist, als ob Sie gar nicht existieren«, sagte die Mutter. Trevor stand auf und nahm Rosalies Arm. »Es ist, als ob Sie überhaupt nicht existieren.« Die Mutter lächelte Rosalie betrübt zu, bevor sie ihren Weg fortsetzte.

»So ein niedliches Baby«, sagte Rosalie, als sie weitergingen.

»Unseres wird noch niedlicher. Und intelligenter.

Und größer. Und besser. Und selbstverständlich reicher.«

Rosalie lehnte ihren Kopf an seine Schulter. »Superbaby«, seufzte sie.

»Es steckt in den Genen«, sagte Trevor. Er blieb vor einem Schaufenster mit winzigen silbernen Bilderrahmen stehen. »Bei uns kann nichts schiefgehen. Was hältst du von denen?«

»Hübsch. Wir könnten für jeden einen mitnehmen. Sie sind so klein. Was kann man da reinstecken?«

Trevor hielt die Tür auf und winkte Rosalie hinein. »Babybilder natürlich. Die sind genau richtig für Babybilder.«

»Hast du ein bestimmtes Baby im Sinn?« Die Verkäuferin in dem Geschäft unterbrach ein Gespräch mit einem Kunden und kam zu Trevor. Er wurde immer sofort und zuvorkommend bedient, sogar mitten im Weihnachtstrubel oder in Restaurants, wo andere ewig auf einen Tisch warteten. Es verblüffte Rosalie, wie Taxis gewissermaßen aus dem Nichts auftauchten, sobald Trevor vom Bordstein trat, und wie selbst auf den überfüllten Flughäfen Gepäckträger auf wundersame Weise an ihrer Seite erschienen, um eilfertig ihr Gepäck nach draußen zu befördern.

»Ich werde einer von diesen kompletten Langweilern, die Millionen Babyfotos machen und sie jedem zeigen müssen, der ihnen über den Weg läuft«, sagte Trevor. »Wäre es wohl zu vulgär, so eine neumodische Videokamera zu kaufen?«

»Liebling, reiß dich zusammen«, sagte Rosalie. Sie suchte Rähmchen aus, und die Verkäuferin wickelte jedes einzelne in ein Dutzend Lagen weißes Seidenpapier.

»Ich bin völlig aus dem Häuschen, nicht?« sagte Trevor. »Und weißt du, es wird nur noch schlimmer.«

»Ich weiß, mein Herz, ich weiß«, flüsterte sie, während er seine Kreditkarte auf die Theke legte. Ihr war aufgefallen, daß man seine Kartennummer nie überprüfte.

»Ich glaube, ich habe mich entschieden, wie viele Kinder wir haben werden«, sagte er, als sie wieder auf der Straße waren.

»Wie schön«, sagte sie. »Wann werde ich es erfahren?«

»Rate mal. Eine Zahl zwischen eins und einer Million.«

»Vier?« Zwei Jungen und zwei Mädchen, dachte sie, ohne bestimmte Reihenfolge.

»Beinahe richtig«, sagte er. »Vierhundert. Ich glaube, das läßt sich machen. Ein Glück für uns, daß wir so früh anfangen.«

Sie lächelte und drückte seine Hand. »Ich glaube, du überschätzt meine Fähigkeiten.«

Es war ein Hochgenuß für sie, mit ihrem gutaussehenden Gatten durch New York zu schlendern. Sie drückte ihre Zehen gegen das dicke Schaffell, mit dem ihre neuen Winterstiefel gefüttert waren. Sie hatte sie eine Nummer zu groß gekauft für den Fall, daß ihre Füße anschwellen würden, wie man ihr prophezeit hatte. Aber bisher verlief ihre Schwangerschaft absolut problemlos, sie hatte überhaupt keine Beschwerden. Ihr war weder übel geworden noch war sie müde, und sie war zuversichtlich, daß sie durch die Schwangerschaft gleiten würde wie ein robustes kleines Boot an einem sonnigen Tag über einen glatten See.

Sie und Trevor waren vorige Woche bei einem anderen Ehepaar zum Essen gewesen — der Mann arbeitete in Trevors Firma, und die Frau hatte vor kurzem ihr zweites Baby bekommen. Nach dem Essen ging Philipp mit Trevor nach unten, um ihm seinen klimatisierten

181

Weinkeller zu zeigen, und Grace führte Rosalie nach oben, um nachzusehen, ob sie Umstandskleider hatte, die sie Rosalie vielleicht leihen könnte.

In den letzten Monaten war Rosalie mehr mit Grace zusammengewesen als mit jeder anderen gleichaltrigen Frau, und doch glaubte sie nicht, daß sie Grace jemals als wahre Freundin bezeichnen könnte; denn mit Grace war es wie mit allen anderen Ehefrauen von Trevors Freunden: Immer war da das unausgesprochene Einverständnis, daß die Freundschaft sich auf jede erstrekken würde, die Trevor zur Frau genommen hätte.

Vielleicht wäre es nett, eine Schwester zu haben. Da Katie Lee nun wieder in New York war, könnten sie sich vielleicht öfter sehen. Rosalie nahm sich vor, Katie Lee nächste Woche auf eine Party für den neuen Flügel des Krankenhauses mitzunehmen; Katie Lee lehnte niemals eine Einladung zu einer Wohltätigkeitsveranstaltung ab, und sie brauchten noch eine Tischdame.

Rosalie und Trevor kamen an einem Schaufenster mit handgestrickten skandinavischen Pullovern vorüber — ich sollte einen für Miranda mitnehmen, dachte Rosalie, ich habe sie seit Wochen nicht gesehen. Sie wußte, daß Miranda sich oft mit Chris traf, und hatte das Gefühl, daß Miranda ihr irgendwie entglitt. Vor einem Monat hätte sie den Pullover ohne zu überlegen gekauft, jetzt aber schien der Kauf mit versteckten Bedeutungen behaftet, die Rosalie lieber nicht ergründen wollte. Trevor riet ihr ab, zuviel Geld für ihre Freundinnen auszugeben — es würde sie verlegen machen oder schuldbewußt, oder sie würden sich überfordert fühlen, hatte er gesagt, wenn sie ihnen teure Geschenke machte, für die sie sich nicht revanchieren könnten.

Auf dem College sei es nicht so gewesen, hatte Rosalie ihm entgegengehalten und ihm erzählt, daß sie nie darüber Buch geführt hatten, wer im Restaurant die

Rechnung beglich oder wer die langen Ferngespräche bezahlte. Außerdem hatte Miranda jede Menge Geld. Und das erste Jahr auf der Rechtsakademie war bekanntlich sehr aufreibend, da wäre es egoistisch von Rosalie, nur an sich zu denken, wenn Miranda so im Druck war.

Ein Abendessen am Valentinstag, das wäre das Richtige. Ihre Wohnung war fast fertig eingerichtet. Trevor hatte wiederholt gemeint, es sei an der Zeit, Gäste zu sich nach Hause einzuladen, um sich für etliche Einladungen zu revanchieren, bevor wegen des Babys alles drunter und drüber gehe. Rosalie stellte sich die Tafel vor, zu jedem Gedeck eine rote Rose in einer schlanken Kristallvase, ihr englisches Porzellanservice mit dem mit Rosen bemalten Rand, und als Partyüberraschung mit Monogramm bestickte Spitzentaschentücher für die Damen und etwas Lustiges — rotseidene Fliegen? — für die Herren. Trevors Freunde mit ihren Frauen: Grace und Philipp, Sylvie und George, Rachel und Richard, Marie und Lewis. Und Katie Lee. Und Miranda, und sie könnte Miranda bitten, Bobby und Carter mitzubringen.

Die Schwangerschaft erfüllte sie mit mütterlicher Fürsorge. Sie fühlte sich vorübergehend im Besitz ungewöhnlicher Mächte — der Macht, sich ihre Freundinnen vorzustellen, wie sie als Kinder waren, Jahre bevor sie sie kennenlernte; der Macht, die Emotionen, wenn nicht gar die ganze Lebensgeschichte von Leuten zu verstehen, die sie kaum kannte; die Macht, in jedermann das Gute zu sehen, denn war nicht jeder einst ein Kind gewesen, unschuldig und lieb, so süß und hilflos wie das Kind, das sie jetzt in sich trug?

Die Schwangerschaft war ihre Droge, und ihre halluzinogene Vision war Vergebung. Sie verzieh ihrem Vater den Alkoholismus, der erwiesenermaßen eine unheilbare Krankheit war. Sie verzieh ihrer Mutter, die ein Glied in einer langen Kette war, die durch Rosalie und ihre Kinder fortgesetzt werden würde, eine Kette von Töchtern, die zu Müttern wurden.

Sie kam an einer Pennerin vorbei, die in eine Parkuhr hineinbrüllte, und verzieh ihr, welchen falschen Weg sie auch immer eingeschlagen haben mochte, und sie verzieh denen, wer immer sie auch waren, die die Frau auf die Straße getrieben hatten, ein treuloser Ehemann oder eine lieblose Familie. Sie verzieh der Nonne, die in der Schweiz besonders streng mit ihr gewesen war; sie war eine irregeleitete, aufgewühlte Frau, die überzeugt war, zu Rosalies Bestem zu handeln.

Sie verzieh Katie Lee ihre Gier und ihren Ehrgeiz; es war nicht fair von Rosalie, die in Geborgenheit aufgewachsen war, diejenigen zu verurteilen, die dieses Privileg nicht hatten. Sie verzieh Miranda ihre Bitterkeit; Miranda war schroff zu den Menschen, aber sie war noch schroffer zu sich selbst, und was mit Peter passiert war, war ja so schrecklich. Sie verzieh sogar Schuyler — er war ebenso jung und töricht gewesen wie sie, die sie geglaubt hatte, ihn wirklich zu lieben. Außerdem, wenn sie nicht mit Schuyler Schluß gemacht hätte, wäre sie vielleicht nie mit Trevor zusammengekommen und womöglich nie an diesem kostbaren, wunderbaren Augenblick ihres Lebens angelangt.

Und als sie dann um eine Ecke bogen und eine mit Platanen gesäumte Straße entlanggingen, wo Hunderte winzige weiße Weihnachtskerzen in die feinen Äste gewunden waren, da verzieh sie Chris, die schön war, ein freier Geist, ein seltenes, wunderbares, einmaliges Mädchen, das anders war als alle anderen. Rosalie würde einen Weg finden, um sich mit Chris zu versöhnen, und mit Schuyler, und sie würde einen Weg finden, damit Miranda ihr nicht entglitt. Die Menschen sind so kostbar, dachte sie, so zerbrechlich, so leicht verletzbar. Man konnte alle Liebe, die man hatte, seinem Kind schenken, und es wäre vielleicht immer noch nicht genug. Es passierte ja so viel. Die Menschen erlitten in ihrer Jugend Schäden — siehe Joseph, siehe Charlotte — und wurden womöglich nie richtig wiederhergestellt. Sie wollte dies alles Trevor mitteilen, fand aber keine Worte dafür.

Aber Trevor ist gut, ohne sich darüber Gedanken zu machen, dessen war sie sicher, als sie unter den breiten grauen Baldachin ihres Hauses traten und den Portiers zunickten, die sich gerade ablösten. Der Tannenbaum in der Eingangshalle war mit dem Glasschmuck dekoriert, den Rosalie seit ihrer Kindheit kannte, als ihr Kopf kaum bis zu den untersten Zweigen gereicht hatte. Hier veränderte sich nichts von einem Jahr zum anderen, und warum sollte sich überhaupt etwas ändern, dachte Rosalie.

Rosalie sah zu, wie ihre Mutter, die Servierkelle mit sicherer Hand drehend, den Rum mit dem mächtigen Eierflip verquirlte. Die Gäste wurden um acht Uhr zum Abendessen erwartet. Joseph hatte Trevor in die Bibliothek gebeten, um ihm zu sagen, daß ein Familienanwalt ihn nächste Woche wegen finanzieller Arrangements für das ungeborene Kind aufsuchen werde. Gespräche über die Finanzen der Familie fanden niemals in gemischter Gesellschaft statt. Während Joseph kurz umriß, warum bestimmte Papiere vor der eigentlichen Geburt unterzeichnet werden mußten (die Einzelheiten überließ er den Anwälten beider Parteien, die sich natürlich seit Jahren kannten und schon in den Wochen nach der verkündeten Verlobung die Vorsorge für Rosalies und Trevors Kinder ausgehandelt hatten), besprach Charlotte noch einmal die Lage mit ihrer Tochter.

»Eigentlich brauchst du dir nur zu merken, daß das Kind mit achtzehn Jahren eine Pauschalsumme aus dem Goodwood Trust erhält, aber auf den Van Schott Fonds bis zu seinem 25. Geburtstag beziehungsweise dem Tag seiner Heirat warten muß«, sagte Charlotte, während sie die Schüssel mit Muskat bestreute. Trevor hatte Rosalie die Klatschgeschichte erzählt, daß Charlotte ihre Heirat mit Joseph bis nach seinem 25. Geburtstag verschoben habe, um allen Gerüchten vorzubeugen, daß Joseph nur heiratete, um sich der Millionen zu bemächtigen, die ihm als ältestem der drei Brüder zufielen. Es gab alle möglichen Geschichten über ihre Eltern, die Rosalie, fern in der Schweiz, nie gehört hatte, bis sie mit Trevor verlobt war.

Die Trunksucht ihres Vaters zum Beispiel, die Rosalie immer für eine geheime Familienschande gehalten hatte, war eine öffentliche Angelegenheit. Er hatte sich in letzter Zeit etwas zurückgehalten, was Charlotte dem Langsamertreten im mittleren Alter zuschrieb und Trevor der bevorstehenden Großvaterfreude zugutehielt. Nur Rosalie war nervös. Sie glaubte, daß ihr Vater heimlich schwer trank. Er war Anfang Dezember zwei Wochen in Paris gewesen, angeblich auf einer Geschäftsreise, aber Rosalie vermutete, der wahre Grund war, daß er sich einmal ohne Charlottes mißbilligende Blicke so richtig auf altmodische Art austoben wollte.

»Das ist immer noch mehr Geld, als ein Mensch im Lauf seines Lebens ausgeben kann«, sagte Rosalie mit einem Blick auf den separaten Becher mit Eierflip, der vor Hinzufügen des Rums für sie beiseite gestellt worden war. Es war ihr erst in den letzten Monaten wirklich klargeworden, wieviel Geld sie hatte, als Charlotte mit ihr zu Antiquitätenhändlern und in Möbelgeschäfte gegangen war in der Hoffnung, daß Rosalie ihre Wohnung vor der Geburt des Babys fertig bekäme. Rosalie mochte nicht glauben, daß ein kleiner Stuhl 3 000 Dollar kosten konnte. Charlotte schüttelte nur den Kopf und ersuchte ihre Tochter zum wiederholten Male, im Beisein von Verkäufern nicht über Preise zu diskutieren, und erklärte, warum die Möbel gerade dieses Herstellers so teuer waren.

Am Ende sah Rosalies Wohnung der ihrer Mutter auffallend ähnlich — dieselben zierlichen dunklen Möbel, mit Samt- und Dekostoffen bezogen, auf verblichenen gemusterten Teppichen. Es war, als wäre nur die Farbzusammenstellung, Charlottes Pfirsich- und Grüntöne, durch die faden Rosa- und Goldschattierungen ersetzt worden, die Trevor bevorzugte. Rosalie hatte nur ein einziges Zimmer ganz selbständig eingerichtet. Trevor nannte es ihren Salon, aber sie nannte es in Gedanken lieber ihr Büro, obgleich sie nicht die leiseste Ahnung hatte, was sie dort tun wollte zwischen den impressionistischen Gemälden und den französischen Landhausmöbeln, die sie romantisch fand, die ihre Mutter jedoch für etwas gewöhnlich hielt, nur für einen Raum geeignet, den niemand außer Rosalie selbst zu sehen bekam.

»Und was sagt Dr. Alsop?« fragte Charlotte. Dr. Alsop war der Seniorpartner von Rosalies Frauenarzt und hatte Charlotte bei ihrer unter Narkose stattfindenden schweren Entbindung beigestanden.

»Ich sehe ihn kaum«, sagte Rosalie. »Aber Dr. Larkin meint, es ist alles in bester Ordnung. Wir haben ihn überredet, daß Trevor bei der Geburt dabeisein kann.«

»Ein widerwärtiger Gedanke«, sagte Charlotte. »Modern, aber widerwärtig. Es ist mir unverständlich, wie du wünschen kannst, daß dein Mann dich in so einem Zustand sieht.«

»Trevor möchte dabeisein. Ich finde das schön. Ich hab ein bißchen Angst vor der Entbindung, aber es wird nicht so schlimm sein, wenn er dabei ist, hoffe ich.«

»Herzchen, du solltest dir das wirklich noch mal überlegen. Du bekommst eine Spritze, die macht, daß du dich hundertprozentig wohl fühlst, und hinterher kannst du dich an nichts erinnern. Ich hätte es nicht anders haben wollen. Ich weiß nicht, was du und Trevor beweisen wollt.«

»Es ist besser für das Baby, Mutter.« Rosalies Stimme wurde zaghaft wie immer, wenn sie Charlotte widersprach. »Trevor kann es dir besser erklären«, sagte sie, als die Männer zu ihnen ins Eßzimmer kamen.

»Was kann ich erklären?« fragte Trevor. Er legte seinen Arm um die Taille seiner Frau.

»Ach, nichts«, erwiderte Charlotte. Sie fand, eine Geburt sei das am allerwenigsten geeignete Gesprächsthema zwischen einer ehemaligen Debütantin in den Wechseljahren und ihrem gutaussehenden Schwiegersohn.

»Ich habe euch etwas mitzuteilen«, sagte Joseph, während er Charlotte und Trevor Eierflip servierte. »Es ist ein Weihnachtsgeschenk für uns alle. Bevor die Gäste kommen.«

»Liebling«, sagte Charlotte, »hoffentlich hast du's nicht wieder übertrieben.«

»Und ob, und ob. Ich werde euch einen Hinweis geben«, sagte er, und dann stand er stumm da, starrte in seinen Becher und versuchte sich einen Hinweis auszudenken. »Hast du an den Rum gedacht, Liebling? Das riecht ja bloß wie Vanilleeis.«

»Ja, Liebling, es ist jede Menge Rum drin«, sagte Charlotte.

»Hast du etwas aus Frankreich mitgebracht?« fragte Trevor.

»Ja. Das ist mein erster Hinweis.«

»Ein Gemälde?« fragte Rosalie. »Es ist ein Gemälde.«

»Nein, kein Gemälde.«

»Ist es größer als ein Kühlschrank?« fragte Trevor.

»Allerdings«, sagte Joseph, »es ist sehr groß.«

»Wie groß genau?« wollte Charlotte wissen. »Mißt man es in Zentimetern, Metern oder — meine Güte, du mißt es doch nicht in Morgen, oder?«

»Man mißt es in Stockmaß«, sagte Joseph.

»Ein Pferd!« rief Rosalie. »Eine Stute?« riet sie. Blue Smoke war für seine Zuchtstuten berühmt. Jahr für Jahr brachten sie Fohlen mit edlen Pedigrees zur Welt, die auf Auktionen ansehnliche Preise erzielten.

»Keine Stute. Ich habe Agamemnon gekauft«, sagte Joseph, wobei er seine Frau verkniffen anlächelte.

Rosalie hielt den Atem an und griff nach dem Arm ihres Mannes. Es war einfach unglaublich. Seit diesem Herbst war Agamemnon der berühmteste oder vielmehr berüchtigtste Hengst von ganz Frankreich. Seine Eigentümer, deren Vermögen hauptsächlich von den im Familienbesitz befindlichen Weinbergen stammte, hatten ihn zum schnellsten Pferd des Jahrzehnts lanciert. Ehe er sein erstes Rennen lief, ja noch vor seinem ersten öffentlichen Training, flüsterten Kenner seinen Namen als eindeutigen Erben von Northern Dancer, dem erfolgreichsten und wertvollsten Hengst aller Zeiten. Seine Abstammung war erstklassig. Schon als ungeübter Zweijähriger hatte er eine tadellose Galoppade.

Seine Besitzer hatten ihn in der Nähe ihres Gutes gehalten und seine unangekündigten Trainingszeiten auf die frühen Morgenstunden gelegt, wobei nur Trainer, Besitzer, Pfleger und einige Stallburschen zusahen, die allesamt verpflichtet waren, die Zeiten, zu denen das Pferd lief, geheimzuhalten. Die Besitzer wiesen mehrere lukrative Angebote zum Erwerb von Anteilen an dem

Pferd zurück, darunter auch das eines griechischen Großreeders, der angeblich fünf Millionen Dollar in bar, stilgerecht in Vuittongepäck verstaut, mitgebracht hatte.

Schließlich kündigten Agamemnons Besitzer an, er werde sein Renndebüt im härtesten Rennen Europas geben, dem Arc de Triomphe. Das war ein unerhörtes, ja törichtes, jedoch dermaßen selbstherrliches und dramatisches Unterfangen, daß im Oktober die Rennwelt mit dem sicheren Gefühl nach Paris strömte, man werde einem historischen Ereignis beiwohnen.

Und so geschah es. Agamemnon hatte einen guten Start, wurde aber dann verhalten geritten, um seine Energien für die letzte schwierige und strapaziöse Strecke aufzusparen. Die Menge, darunter viele, die hoch auf ihn gesetzt hatten in der Hoffnung, ihren Enkelkindern erzählen zu können, daß sie beim Rennen des Jahrhunderts einen Wettschein eingelöst hatten, stieß laute Beifallsrufe aus, als er sich anschickte, den Anschluß zur Spitze herzustellen. Und dann gab Agamemnon einfach auf, trotz der heftigen Peitschenhiebe seines Reiters, und die Hochrufe der Menge verwandelten sich zuerst in wütendes Grölen und dann in wildes Gelächter. Das Rennen des Jahrhunderts hatte sich als Witz des Jahrhunderts erwiesen. Agamemnon ging als letzter ins Ziel, und seine Besitzer verfrachteten ihn mitten in der Nacht auf ihr Gut zurück, um den demütigenden Befragungen durch die Presse zu entgehen.

Am nächsten Tag wurde bekanntgegeben, daß Agamemnon eine schwere Verletzung erlitten habe und als Zuchthengst aufgestellt werde. Er war immerhin ein Sohn von Northern Dancer und deswegen ungeachtet seiner Rennleistungen sehr wertvoll. Die Besitzer erwogen nunmehr, Anteile an dem Pferd zu verkaufen, aber es kam zu keinem Abschluß. Die Besitzer widmeten sich wieder den familieneigenen Weinbergen, die, wie man sagte, in besserem Zustand seien denn je.

Rosalie fühlte, wie ihre Knie nachgaben, und Trevor half ihr auf einen Stuhl. Es war mehr als unglaublich, es war skandalös. Agamemnon war als Rennpferd wertlos, und seine Abstammung war der des Bestands von Blue Smoke so ähnlich, daß Rosalie höchstens drei, vier Stuten einfielen, die sie von ihm decken lassen konnten.

»Wieviel hast du bezahlt?« fragte Charlotte, ihren Ehering befingernd. »Viel kann es nicht gewesen sein, unter diesen Umständen.«

Rosalie überschlug rasch im Kopf, was Agamemnon wert sein konnte. 300 000 Dollar, allerhöchstens 350 000. Es würde einen Haufen Arbeit machen, dafür zu sorgen, daß er die richtigen Stuten deckte, andere Züchter zu überreden, es mit diesem unerprobten Hengst zu versuchen. Die besten Stuten würden immer noch zu Northern Dancer oder zu seinem sieghaften Sohn Nijinsky gebracht werden. Ein Hengst war nur so gut wie die Stuten, die er deckte, das war Rosalie schon in zartem Alter von ihrem Vater beigebracht worden, und er hatte ihr eingeschärft, das nie zu vergessen. Dennoch, wenn sie dieses Frühjahr ein paar anständige Stuten für Agamemnon bekommen könnten und wenn brauchbare Fohlen dabei herauskämen, die auf Auktionen gute Preise erzielten, dann könnten die 30 000 Dollar gut angelegt sein.

»Vier Millionen Dollar«, sagte Joseph, und Rosalie sah das Gesicht ihrer Mutter bleich und starr werden. »Alle Papiere sind unterschrieben, das Geld wurde gestern abend telegrafisch überwiesen.«

»Der gesamte Betrag?« fragte Trevor. Vielleicht hatte Joseph Ratenzahlung vereinbart. Der Goodwood Trust war gegen Kapitalentnahmen abgesichert. Falls Joseph wirklich vier Millionen Dollar nach Frankreich überwiesen hatte, könnten er und Charlotte nicht einmal ihre Stromrechnungen bezahlen, bevor am 1. Juli der nächste Jahresscheck eintraf. »Ich verstehe nicht ganz«, sagte Trevor. Er befürchtete das Schlimmste.

»Ich verstehe vollkommen«, sagte Charlotte. »Du warst betrunken. Vier Millionen Dollar, das ist praktisch jeder Cent, den wir zur Verfügung haben.«

»Sei kein Spielverderber, mein Herz«, sagte Joseph. Er bekam Schweißausbrüche. Die Sache lief absolut nicht, wie er es sich vorgestellt hatte. »Wir können ein paar Monate bescheiden leben, es ist ja nur bis nächsten Juli. Trevor kann uns mit Bargeld aushelfen, wenn nötig«, sagte er, an seinen Schwiegersohn gewandt.

»Selbstverständlich können wir aushelfen«, sagte Rosalie. »Aber vier Millionen Dollar. Das ist so viel Geld, alles auf einmal.«

»Wer nicht wagt, gewinnt nicht«, sagte Joseph. »Heißt das Sprichwort nicht so?«

»Ein Narr und sein Geld«, sagte Charlotte. »So heißt das Sprichwort. Wer weiß sonst noch davon?«

»Bald wird es alle Welt wissen«, sagte Trevor.

»Die Leute werden uns auslachen«, sagte Charlotte. »Du mieser dreckiger Säufer. Du hast alles für ein Pferd verpulvert, das nicht laufen kann. Aber ich laß dir das nicht durchgehen. Ich mach dem morgen ein Ende. Ich laß mich nicht von den Leuten auslachen. Ich laß meine Familie nicht auslachen.« Sie drehte sich um und ging hinaus.

»Meine liebende, hilfreiche Gefährtin«, sagte Joseph, sich den Schweiß von der Stirn wischend. »Rosie, Liebes, du weißt doch, daß es richtig war, was ich getan habe?« Es war mehr eine Beschwörung als eine Frage.

»Es ist bloß im Moment sehr viel Geld«, sagte sie.

»Hm, aber du wirst sehen«, entgegnete Joseph. »Alle werden es sehen. Wenn Agamemnons Fohlen zu laufen beginnen, werden es alle sehen. Die Geschichte wird mir recht geben. Laßt die Leute jetzt ruhig lachen, in ein paar Jahren werden sie vor unserer Tür Schlange stehen.«

Es läutete leise, als hätte Joseph just in diesem Moment um himmlischen Beistand gebeten zum Beweis, daß er richtig gehandelt hatte. Bei der Ungeheuerlichkeit seiner Torheit hätte er auch nichts Geringeres gebrauchen können.

»Ich sehe nach, wer es ist«, sagte Trevor. Er fragte sich, wie sie das erlesene Heiligabendmahl durchstehen sollten, das Charlotte angerichtet hatte. Rosalie blieb mit ihrem Vater allein. Er setzte sich neben sie und nahm ihre Hände.

»Rosie, Liebes, ich weiß, auf dich kann ich mich verlassen«, sagte er mit vom Alkohol schwerer Stimme. In all den Monaten ihrer Schwangerschaft war Rosalie nie übel geworden, doch jetzt war ihr, als würde es warm und stickig im Zimmer, und ihr drehte sich der Magen um. Er riecht wie ein Säufer, sagte sie bei sich, und die Haut im Nacken fiel faltig über seinen Hemdkragen. In den letzten wenigen Minuten schien er eine Grenze überschritten zu haben, die Grenze zwischen mittlerem Alter und Greisentum. Rosalie konnte ihn kaum verstehen. Sie hielt ihn an den Schultern und merkte, daß er zu schluchzen anfing.

»Du hast das Richtige gemacht«, flüsterte sie ihm ins Ohr.

»Deine Mutter haßt mich dafür. Sie hat mich immer gehaßt.«

»O nein, sie liebt dich sehr. Wir alle lieben dich. Du mußt dich jetzt zusammennehmen. Wir haben Gäste im Salon.« Rosalie strich ihm übers Haar, und zwischen ihren Fingern blieben silberne Strähnen hängen.

»Wir können es schaffen, du und ich«, sagte Joseph.

»Die Leute werden es nie wieder sagen, wenn du mir hilfst.«

»Was, Vater?« Rosalie lehnte ihren Kopf an seine Schulter.

»Was in den Zeitungen stand. In England. Man hat es mir heute morgen am Telefon vorgelesen. Arme Charlotte. Sie haßt es, wenn man so über sie redet.«

»Was stand in den Zeitungen?«

Er murmelte etwas, das sie nicht verstand, und dann schien er eingeschlafen zu sein. Sie rüttelte ihn sanft, und er rührte sich und lächelte ihr ins Gesicht, das einfältige vertrauensvolle Lächeln eines kleinen Kindes oder Tieres, das nicht ahnt, daß man es gleich schlagen wird, und sie sah das von seinen Zähnen schwindende Zahnfleisch und die Altersflecken auf seiner Haut.

»*Blue Joke Farm*«, sagte er, »Blaue Scherz Farm«, und er wurde in ihren Armen ohnmächtig, seine Brust schlug auf der Tischkante auf, die bestickte Leinendecke wurde fleckig von seinem Schweiß, und der Geruch seiner Trunkenheit erfüllte Rosalie mit Angst und Übelkeit, anders als alles, was man ihr vorausgesagt hatte, anders als alles, worüber sie gelesen hatte, Angst und Übelkeit, für die es kein Heilmittel gab.

12

Katie Lee packte die Koffer aus, die sie von ihrem Weihnachtsbesuch in Lexington mitgebracht hatte, während Rosalie vor den Bücherregalen des Schlafzimmers auf- und abschritt und die Hände jedesmal, wenn sie in ihrer Geschichte zu einer besonders dramatischen Stelle kam, zu kleinen Fäusten ballte. Katie Lee warf ihre schmutzigen Kleidungsstücke auf zwei Haufen: einen kleinen, der von der chinesischen Wäscherei einen Häuserblock weiter auf der Second Avenue, und einen größeren, der von der Reinigung um die Ecke abgeholt werden sollte. Ihre nichtgetragenen Sachen räumte sie wieder in die zwei Schlafzimmerschränke, in die Schubladen der Kommode, die zu ihrem antiken geschnitzten Himmelbett paßte. Fast alles, was sie mitgebracht hatte, war während ihres einwöchigen Aufenthalts über die Feiertage zu Hause nicht benutzt worden; wie üblich hatte Katie Lee viermal mehr eingepackt, als sie brauchte.

»Meine Mutter hat also Weihnachten die Anwälte angerufen, kannst du dir so was vorstellen, sie wollte nicht eine Sekunde verschwenden. Als sie Davis anrief — sie hat ihn tatsächlich bei seiner *Mutter* in Greenwich angerufen — war er gerade dabei, den Truthahn zu tranchieren, und er ließ natürlich alles stehen und liegen und kam in die Stadt, um sich mit Mutter zu treffen. Weihnachten, Katie Lee, während wir Geschenke auspackten und uns die Bäuche vollschlugen, hängt sie am Telefon und macht Pläne — meine Güte, das hast du alles für eine Woche eingepackt?« fragte Rosalie, auf den Kleiderhaufen auf Katie Lees Bett zeigend. Ein rotseidenes getupftes Kleid, die Ärmel mit Seidenpapier ausgestopft, das an die Kissen gelehnt war, sah aus, als könnte es zurückwinken.

»Aber nein«, sagte Katie Lee. Sie hob eine Samthose auf, von der sie wußte, daß Rosalie sie noch nie gesehen hatte. »Ich hatte die ganzen Sachen in Lexington gelagert und dachte, dies ist eine gute Gelegenheit, ein paar davon mit herzubringen. Aber wo soll ich bloß hin damit, ich habe keinen Platz. Ich habe schon daran gedacht, noch einen Wäscheschrank zu kaufen, aber für den habe ich genausowenig Platz.«

»Du könntest die Sachen, die du zur Zeit nicht

trägst, in ein Lager geben. Da sind sie voll versichert«, schlug Rosalie vor.

»Gute Idee.« Katie Lee mochte Rosalie nicht sagen, daß sie die Hälfte ihrer Kleider bereits ausgelagert hatte. Die Mieterin nebenan wollte ihr Studio aufgeben; Katie Lee hatte erwogen, die Wohnung zu mieten, für fast 600 Dollar im Monat, bloß um Platz für ihre vielen Kleider zu haben.

»Was ist das genau, was sie von dir unterschreiben haben wollen, Herzchen?« fragte Katie Lee.

»Offenbar gibt es im Trust eine Bestimmung im Fall von Geschäftsunfähigkeit. Alles, was meinem Vater untersteht, wird aufgeteilt, die Leute handeln aber in seinem Namen. Meine Mutter erhält die Kontrolle über das Jahreseinkommen und trifft die täglich anfallenden Entscheidungen über die Wohnungen, die Häuser und dergleichen. Trevor wollen sie zum Vertreter meines Vaters bei Vorstandssitzungen über langfristige Planungen und Investitionen ernennen. Das hat wenigstens einen Sinn — Trevor versteht sehr viel von diesen Dingen, ich weiß, daß er es gut machen wird.« Rosalie trank den Tee, den Katie Lee ihr vorgesetzt hatte; er war kalt geworden, und einzelne hellbraune Blätter hatten sich auf dem Tassenboden abgesetzt.

»Dann sind da die Stiftungen für gute Zwecke, mit denen sich meine Onkel immer befaßt haben, so werden sie vermutlich eine von ihren Frauen ernennen, womit wir alle einverstanden sind. Mein Vater wird eine Art Vergütung erhalten, die im ersten Jahr zur Begleichung der Kosten in dieser — Farm — dienen wird.«

»Ich kann mir nicht recht vorstellen, daß er Mais pflanzen und Kühe melken wird«, sagte Katie Lee.

»Er wird in New Hampshire vitaminhaltige Obstsäfte trinken und geheimnisvolle Mordgeschichten lesen. Man hat mir gesagt, sie haben ein ausgezeichnetes Therapieprogramm, kaum jemand, der herauskommt, fängt wieder an zu trinken, aber ich glaube, eigentlich geht es nur darum, das peinliche Familienmitglied von der neugierigen Öffentlichkeit abzuschirmen. Sie haben nicht mal Telefon auf den Zimmern. Es ist schrecklich.«

»Und was sagt der Anwalt deines Vaters?« Katie Lee drückte eine Abendjacke aus blauem Samt an ihr Gesicht und atmete ein. Obwohl vollkommen sauber, roch sie nach Zigarettenrauch und kam auf den Haufen für die Reinigung. »Es wird doch nicht etwa eine Gerichtsverhandlung oder so was geben?«

»O nein, das würde Trevor nie zulassen. Das ist ja das Merkwürdige: Davis ist der Anwalt meines Vaters. Er vertritt die Van Schotts seit Jahren. Oh, das ist ein tolles Blau, wie nennt sich das? Zu dunkel für Königsblau, nicht? Meiner Mutter ist es irgendwie gelungen, alle auf ihre Seite zu ziehen, und mein Vater ist nicht in der Verfassung, sich zu wehren oder sich einen guten Anwalt zu suchen. Ich denke, ich könnte einen Anwalt für ihn finden. Vielleicht weiß Miranda einen.« Rosalie hob die Jacke vom Fußboden auf und strich den Flor glatt, immer in eine Richtung.

»Kobalt oder Ultramarin, die Farbe hat einen bestimmten Namen, aber ich habe ihn vergessen. Du brauchst dich nicht um einen Anwalt zu bemühen.« Obwohl Rosalie ganz saubere Hände hatte und die Jacke für die Reinigung bestimmt war, sah Katie Lee es nicht gern, daß ihre Freundin sich so intim mit ihrem Kleidungsstück befaßte. Sie mußte sich zurückhalten, um Rosalie die Jacke nicht aus der Hand zu reißen. »Wenn Davis die Papiere vorbereitet, hat dein Vater keine Chance.«

»Es gibt eine Menge gute Anwälte, Katie Lee«, hielt Rosalie ihr entgegen.

»Betrachte es mal von Davis' Standpunkt«, gab Katie

Lee zu bedenken. »Dein Vater war jahrelang sein Klient. Das Van-Schott-Konto bedeutet für seine Kanzlei ein Schweinegeld. Deine Mutter ruft ihn an, umreißt die Situation, sagt ihm, was sie tun will, flicht vermutlich ein paar Schauergeschichten über das frühere Benehmen deines Vaters ein, bloß um Davis mitzuteilen, über was für Munition sie verfügt.« Katie Lee sah zu, wie Rosalie die Plüschfasern des Stoffes gegen den Flor strich.

»Nehmen wir mal an«, fuhr sie fort, »Davis hört das alles und glaubt immer noch an eine Chance, daß Charlotte es nicht schafft. Wenn er deinem Vater beisteht, wird sie sich vermutlich nicht durchsetzen können. Er hat seine Pflicht getan, indem er die unschätzbaren Van-Schott-Erben vor Intriganten und habgierigen Ehefrauen schützte.« Sie sah zu, wie Rosalie den Flor wieder zu einer Richtung hin glattstrich. Es war ihr zuwider, wenn andere Leute ihre Kleider anfaßten. Sie ließ sich nie von Bobby ausziehen. Sie verzog sich jedesmal ins Badezimmer, nahm sich Zeit, ihre Sachen aufzuhängen und zusammenzulegen, bevor sie in einem der drei bodenlangen Morgenmäntel, die sie innen an der Badezimmertür hängen hatte, wieder erschien.

»Aber so läuft es natürlich nicht«, sagte Katie Lee. Sie schritt auf und ab wie ein ungeduldiger Professor bei einer Vorlesung vor Erstsemestern. »Nehmen wir also an, Davis hört das alles und erkennt, daß Charlotte eine Riesensache in petto hat und es nur eine Frage der Zeit ist, bis Joseph abgeschoben wird, um in den Hügeln von New Hampshire trocken zu werden. Davis ist Geschäftsmann. Er will eure Familie als Klienten behalten. Also stellt er sich auf Charlottes Seite und überredet deine Onkel vermutlich, sich auch auf ihre Seite zu stellen. Natürlich zum Wohl der Familie. Die übliche Rede, ›wir wollen Publizität vermeiden‹, durchsetzt mit ›die Familie muß zusammenhalten‹ und ›zum Wohle des Namens Van Schott‹. Dein Vater hat keine Chance.«

»Von dieser Seite habe ich es nicht betrachtet«, sagte Rosalie.

Natürlich nicht, dachte Katie Lee bei sich, du brauchtest in deinem ganzen Leben nie über irgend etwas nachzudenken.

»Und was springt für dich bei alledem heraus?« fragte sie.

»Wenn ich alles unterschreibe, haben sie mir die Kontrolle über das Gestüt angeboten.«

»Wie großzügig von ihnen, dir die Bereinigung des Schlamassels mit Agamemnon zu überlassen.«

»Trevor meint sowieso, es sei zuviel für mich mit dem Baby und allem. Ich hätte keine Zeit dafür.«

»So machen es die Männer immer«, sagte Katie Lee.

»Was?«

»Sie finden immer einen Weg, den Frauen ihre Macht wegzunehmen und sie zu überzeugen, daß es nur zu ihrem Besten ist.«

»Trevor ist nicht so, Katie Lee.«

»Natürlich nicht. Hör zu, ich bin in etwa einer Stunde mit einem Architekten im Hotel verabredet. Willst du nicht mitkommen, und wir gehen hinterher zusammen essen?«

»Gern«, sagte Rosalie. »Entschuldige, daß ich soviel quatsche. Ich will alles über dieses glanzvolle neue Hotel hören, das ihr baut.« Sie stand auf und warf die Jakke auf den Boden.

»Mitternachtsblau«, sagte Katie Lee.

»Wie bitte?«

»Mitternachtsblau, so heißt diese Farbe.«

»Obwohl um Mitternacht der Himmel fast schwarz ist«, sagte Rosalie. »Gibt es auch eine Farbe namens Mitternachtsschwarz?«

»Nein, bloß schlicht und einfach schwarz«, sagte Katie Lee, während sie den letzten der drei Riegel an ihrer Wohnungstür zurückschob.

Rosalie zog den Riemen des Schutzhelms fest, den Katie Lee ihr für die Besichtigung geliehen hatte, eine saubere weiße Plastikbedeckung, die sich auffallend von den abgenutzten, schmutzigen Helmen der Bauarbeiter unterschied und Rosalie als Freundin der Hopewells kennzeichnete. Sie kam sich unbeholfen vor in der Menge muskulöser, schlampig gekleideter Männer, die ihre Gespräche mitten im Satz abgebrochen hatten, als sie Katie Lee kommen sahen.

»Das hier wird der große Ballsaal«, sagte Katie Lee und wies, mit dem Arm gestikulierend, auf den riesigen freien Raum ringsum. »Der zukünftige Schauplatz der glanzvollsten Feste in New York. Wir können ihn für kleinere Veranstaltungen unterteilen, und die Ränge lassen sich als provisorische Büroräume verwenden.«

In den letzten Jahren hatte Rosalie Katie Lee immer wieder von ihrer Karriere reden hören, aber sie hatte sie noch nie wirklich bei der Arbeit gesehen. Rosalie vermutete, daß Henry Hopewell seiner Tochter die Aufsicht über die Gestaltung des ersten Hopewell-Luxushotels hier in New York übertragen hatte, um sie für ihr Versagen in Cambridge zu bestrafen, aber Katie Lee würde sich niemals eine Bestrafung oder ein Versagen eingestehen. Das New Yorker Projekt war ihre Belohnung dafür, daß sie so viel Interesse und Unternehmungsgeist in die Firma der Familie investierte; das Projekt in Cambridge war eigentlich nicht gescheitert, man war lediglich zur richtigen Zeit am falschen Ort gewesen. Katie Lee besaß ihr Grundstück in Cambridge noch, und irgendwann würde sich die Situation dort ändern. Ein neuer Bürgermeister oder ein Steuerdefizit, das durch gewerbliche Einkünfte ausgeglichen werden mußte. Obgleich Katie Lee sehr viel Geld verloren hatte und von der Presse gedemütigt worden war, schien es Rosalie, daß es Katie Lee nicht möglich war, eine Niederlage einzugestehen. Sie gab die Hoffnung auf Sieg nie auf, und wo Hoffnung war, da war auch Stolz.

Diesen Stolz erlebte Rosalie nun quasi zum allerersten Mal, als Katie Lee eingehend erklärte, wo sie die Kristallüster hinhängen würde, die sie eigens in Irland bestellt hatte, und wie die Speisen in einem hermetisch verschlossenen, fiberglasisolierten, elektronisch betriebenen unbemannten Aufzug aus den Küchen im Tiefgeschoß heraufbefördert würden, und warum ein bestimmtes an den Wänden befestigtes synthetisches Material die optimale Akustik für die kleinen Blasorchester lieferte, die für Wohltätigkeitsveranstaltungen engagiert wurden.

»Hast du was dagegen, wenn ich mich mal eine Minute hinsetze?« fragte Rosalie, obwohl nirgends ein Stuhl zu sehen war. Katie Lee breitete eine Schutzplane über einen Farbkanister und bedeutete Rosalie, Platz zu nehmen.

»Bist du müde?«, fragte sie. »Wir können ein andermal weitermachen.«

»Ach was«, sagte Rosalie. »Bloß meine Füße protestieren.«

»Weißt du, die ersten Feste sind die wichtigsten, weil sie den Ruf des Hotels begründen. Die allererste Party, die Eröffnungsfeier, die setzt den Maßstab. Wenn wir eine von den traditionellen profilierten Stiftungen gewinnen können, bei uns ein Wohltätigkeitsfest zu veranstalten, bekommen wir die Publizität, die man nicht kaufen kann, und dann ziehen alle anderen mit. Publizität ist sehr wichtig. Wir müssen das richtige Hotel werden —«

»— für die richtige Sorte Leute«, endete Rosalie statt ihrer. »Du solltest dich mit meiner Mutter darüber beraten.«

Katie Lee blinzelte und ließ ein zentimeterbreites Lächeln aufblitzen. »Hab ich schon getan, Schätzchen. Ich dachte, du hättest nichts dagegen.«

»Aber nein, natürlich nicht. Sie war bestimmt geschmeichelt.«

Die Frau ist außerstande, geschmeichelt zu sein, dachte Katie Lee, denn selbst das übertriebenste Lob könnte nicht an Charlottes eigene Ansicht von ihrer ungeheuren Bedeutung für das New Yorker Gesellschaftsleben heranreichen. »Sie hat ein paar ausgezeichnete Vorschläge gemacht«, sagte Katie Lee. »Und für die nächste Woche habe ich fünf Einladungen zu Wohltätigkeitsessen.«

»Es sind sicher alles immens wichtige Angelegenheiten«, sagte Rosalie. Sie war überzeugt, daß Katie Lee jede einzelne Einladung angenommen hatte.

»Ich glaube, ich stehe unterdessen auf jeder Liste in New York«, erwiderte Katie Lee. »Aber das ist alles im Etat inbegriffen.«

»Ihr habt einen Etat für Partys?« fragte Rosalie.

»Na klar, Herzchen. Ich vertrete jetzt die Interessen der Familie hier in New York, und ich muß es auf eine ganz besondere Art tun. Hast du letzte Woche in den Klatschblättern über mich gelesen?«

»Ich komm in letzter Zeit kaum noch zum Zeitunglesen«, sagte Rosalie. Sie fragte sich, ob Katie Lee wohl eine Werbeagentur beauftragt hatte, ihren Namen in den Blättern unterzubringen, die über Zweite bei Schönheitswettbewerben, Gewichtsheber und alternde Fernsehdarsteller berichteten, denselben Blättern, bei denen wohletablierte Familien alle Anstrengungen unternahmen, damit man sie heraushielt.

»Ich schick dir den Zeitungsausschnitt«, gurrte Katie Lee. »Es ging darum, daß sie in der Reinigung meine Sachen versehentlich mit Mimi Taylors vertauscht haben — wir haben genau dasselbe Chanelkostüm, bloß meins ist eine Nummer kleiner — und da dachte ich, ich hätte so viel abgenommen, und sie dachte, sie wäre über Nacht auseinandergegangen. Sie hatte sich wahrhaftig schon für eine Abmagerungskur angemeldet, ehe sich alles aufklärte.«

Vielleicht hat Katie Lee doch keinen Werbeagenten, hoffte Rosalie. Die Geschichte konnte von Mimi Taylor (ihr Mann gedachte für den Kongreß zu kandidieren), von den Leuten der Abmagerungsklinik oder gar von der Reinigung in Umlauf gesetzt worden sein. Sogar Werbeagenten haben heute Werbeagenten, hatte ein Freund von Trevor vorige Woche beim Essen gescherzt.

»Gehen wir uns jetzt einen typischen Raum ansehen«, sagte Katie Lee, und sie fuhr mit Rosalie in den zwanzigsten Stock, wo der Blick nach Osten die Brooklyn Bridge und nach Westen den Central Park umschloß. Als Katie Lee Millionensummen herunterrasselte und von Fünfjahresbelegungsplänen sprach, hatte Rosalie das Gefühl, sie schrumpfe wie Alice im Wunderland und das Baby in ihr werde so klein wie eine Gartenblume, so gering waren ihre Bestrebungen im Vergleich zu denen ihrer Freundin.

Was veranlaßt manche Menschen, hinauszuziehen und die Welt zu erobern, fragte sich Rosalie, und was veranlaßt uns übrige, uns an den Kamin zu setzen, zufrieden Babysachen zu stricken und Petitpoint-Kissen zu sticken. Wenn sie nach dem Abendessen mit Trevor zusammensaß, einen ihrer Lieblingsromane von Dikkens aufgeschlagen auf dem Schoß, empfand sie die Gründung einer Familie als die glücklichste, erfüllendste Aufgabe überhaupt. Als sie aber jetzt auf dem Waschbetonboden stand, die Dächer von New York in Augenhöhe, zweifelte sie, ob das wirklich genug war. Es schien keiner ihrer Freundinnen, keiner anderen Frau ihres Alters zu genügen.

»Ich bin total besessen«, sagte Katie Lee. »Ich quatsche dir Löcher in den Bauch, wenn du mich läßt. Wir sind gar nicht zu Ende gekommen, ich meine, was gedenkst du wegen deines Vaters zu unternehmen?«

»Ach, es ist zu schön hier, um daran zu denken«, entgegnete Rosalie. »Ich verschiebe das Nachdenken auf morgen.«

»Aber ich bitte dich, das ist mir der unliebste Spruch auf der ganzen Welt«, sagte Katie Lee. »Ich versichere dir, im richtigen Leben hat Scarlett O'Hara so was nie getan, sonst hätte sie nicht so reich und von allen Männern umschwärmt werden können.«

Rosalie lächelte. Das war typisch für Katie Lee, zu denken, daß Scarlett O'Hara im richtigen Leben existiert hatte.

»Du wirst Blue Smoke übernehmen«, fuhr Katie Lee fort, »das ist mir vollkommen klar. Weil du es nämlich besser als jeder andere schaffst, es wieder auf die Beine zu bringen. Sogar besser als Trevor, wenn du mir die kleine Blasphemie gestattest.«

»Es ist so viel Arbeit«, widersprach Rosalie. »Und vielleicht ist es gar nicht zu retten.«

»Es gibt kein unrettbares Projekt, meine Liebe«, sagte Katie Lee. »Wenn ihr diese vielen unglaublichen Superstuten rumstehen habt, wie kann es da unrettbar sein?«

»Weil keine den richtigen Pedigree hat, um von Agamemnon gedeckt zu werden. Wenn es so wäre, könnten wir Agamemnon einfach auf dem Gestüt behalten, unsere eigenen Stuten von ihm decken lassen und die

Nachkommen verkaufen oder für Rennen trainieren. Aber Agamemnon ist mit unseren meisten Stuten zu nahe verwandt. Wir können ihm höchstens zwei oder drei Stuten zuführen, und ein Hengst in seinem Alter kann höchstens fünfzigmal im Jahr decken. Für dieses Jahr ist es sowieso zu spät, der Deckeinsatz beginnt nächsten Monat und dauert den ganzen Juni. Alles ist schon vorausgeplant. Manche Stuten sind auf Jahre hinaus bei den Hengsten angemeldet.«

»Ist das wahr?« Katie Lees Augen weiteten sich. »Und auf wie viele Jahre?«

»Das kommt drauf an. Manchmal treffen die Leute so komplizierte Abmachungen. Sie kommen zum Beispiel überein, eine Stute zwei Jahre hintereinander einem bestimmten Hengst zuzuführen, und im einen Jahr bekommen die Eigentümer der Stute das Fohlen und im nächsten die Eigentümer des Hengstes. Wir machen das allerdings nicht oft so, wir sehen lieber, was sich von Jahr zu Jahr ergibt und halten uns alle Möglichkeiten offen. Falls ein Hengst plötzlich heißbegehrt wird, zum Beispiel.«

»Dann sind eure Stuten für dieses Jahr angemeldet, aber danach sind sie frei?«

»Größtenteils«, erwiderte Rosalie.

»Na, damit liegt doch die Lösung deiner Probleme auf der Hand.«

»So?« fragte Rosalie.

»Na ja, ich hab keine blasse Ahnung von Pferden, aber mir scheint, du könntest ein paar Riesengeschäfte machen, wenn du all die sagenhaften Stuten rumsitzen hast.«

»Stuten sitzen nicht.«

»Ist doch egal. Hör zu. Was wäre, wenn du die Dienste eurer allerbesten Stute drei Jahre hintereinander denen anbieten würdest, die sie haben wollen?«

»Das geht nicht. Der Wert einer Stute hängt von der Güte ihrer Fohlen ab, die wiederum von dem Hengst abhängt, von dem sie gedeckt wird.«

»Ach *bitte,* versuch doch mal wenigstens ein bißchen aufgeschlossener zu sein. Bloß weil man es seit x-Jahren so macht, heißt das noch lange nicht, daß man nicht ein, zwei Dinge ändern kann. Oder drei. Oder vier. Jetzt nimm bloß mal eine Minute lang an, du versprichst eure beste Stute irgendwem für die nächsten drei Jahre — 1978, 1979 und 1980. Welche Gegenleistung kannst du dafür verlangen?«

Rosalie kicherte. »Die vertragliche Zusicherung der ersten Hengstfohlen. Einfach alles, was ich will. Ich würde den ganzen Bestand an Stuten verpachten.«

»Könntest du auch als Gegenleistung für die drei Jahre, nur für eine einzige klitzekleine Saison, bloß für 1978, die Stute von jemand anders verlangen? Und sie von Agamemnon decken lassen?«

»Vermutlich.«

»Da hast du deine Lösung. Agamemnon geht 1978 zu den besten Stuten, und wenn er halb so gut ist, wie dein Vater dachte, wird er eine großartige Nachkommenschaft zeugen, und damit wäre sein Ruf gefestigt.«

»Aber so funktioniert das nicht, Katie Lee. Wenn Agamemnon 1978 deckt, werden die Fohlen 1979 geboren, 1980 als Jährlinge verkauft — vermutlich nicht für einen guten Preis, im Hinblick auf seinen Ruf —, und nicht vor 1981 oder 1982 an Rennen teilnehmen. In der Zwischenzeit bekommen wir kaum unsere Futterkosten rein, weil alle unsere Stuten für drei Jahre hintereinander vergeben sind.«

»Sei doch nicht immer so vorsichtig, das ist ja unglaublich fade. Wenn du die Jährlinge auf der Auktion nicht verkaufen kannst, behältst du sie und schickst sie ins Rennen. Bloß weil euer Gestüt bisher kaum an Rennen teilgenommen hat, heißt das noch lange nicht, daß du nicht jetzt damit anfangen kannst. Such dir einen unternehmungslustigen jungen Trainer, das kann doch nicht schwer sein. Auch wenn du ein paar Jahre keinen großen Haufen Geld verdienst, ist es das Wagnis nicht trotzdem wert? Es sei denn natürlich — nein, das sag ich nicht.«

»Was?«

»Es sei denn, du stimmst dem zu, was alle über deinen Vater sagen. Daß Agamemnon als Zuchthengst wertlos ist. Dann wäre es kein Wagnis, es wäre Selbstmord. Wenn du aber seiner Meinung bist, ist es kein so großes Risiko, überhaupt kein großes Risiko.«

»Ich weiß es zu schätzen, daß du mir zu helfen versuchst«, seufzte Rosalie, »aber es macht mich schon müde, wenn ich bloß daran denke. Man wäre wirklich voll ausgelastet damit — es hieße, nach Kentucky gehen, auf alte Gewohnheiten verzichten, endlose Tage am Telefon, stundenlang im Büro Pedigrees studieren. Ich muß an mein Baby denken.«

Katie Lee drehte Rosalie den Rücken zu und sah auf den Central Park hinaus. »Aber natürlich, meine Liebe. Verzeih mir. Natürlich ist dein Baby im Moment das Wichtigste. Du mußt deine ganze Zeit deinem Kind widmen, wenn es anständig aufwachsen soll. Vierundzwanzig Stunden am Tag. Dreihundertfünfundsechzig Tage im Jahr. Mindestens die ersten fünf Jahre.«

Rosalie schloß die Augen. So wie Katie Lee es sagte, hörte es sich an wie eine Gefängnisstrafe. Hiermit verurteilen wir Sie, Rosalie Van Schott, zur Strafe dafür, daß Sie so altmodisch sind und Ihren Mann zu sehr lieben, zu fünf Jahren Schwerstarbeit und Hausarrest in Ihrer neu eingerichteten Wohnung. Mit zwei freien Wochenenden pro Jahr für gute Führung. Straferlaß hängt davon ab, ob Sie einen erstklassigen Kindergarten in Gehweite Ihrer Wohnung finden.

Katie Lee drehte sich zu Rosalie um und verschränkte die Arme. »Du sollst wissen, wie ich mich für dich freue. Ich bin fast neidisch. Wenn ich dich so sehe, möchte ich am liebsten nächste Woche heiraten und selbst Kinder kriegen. Obwohl ich nicht weiß, wie ich die Zeit dafür finden soll.«

»Ach, die Zeit findest du schon. Die Zeit findet dich.«

»Wer weiß wann, bei der vielen Arbeit.«

»Du könntest dir eine Hilfe nehmen«, schlug Rosalie vor. »Du kannst dir eine wirklich perfekte Hilfe leisten. Die jungen Engländerinnen sind ausgezeichnete Kindermädchen und schrecklich anhänglich. Es heißt ja auch, es kommt nicht auf die Quantität der Zeit an, sondern auf die Qualität der Zeit, die man mit seinem Kind verbringt. Und Kinder können spüren, wann du glücklich und wann du unglücklich bist. Du wärst so frustriert, wenn du nur mit einem Baby zu Hause wärst – Windeln wechseln, Baby füttern, es schreien hören. Am Anfang schlafen sie so viel, da merken sie kaum, ob du da bist oder nicht. Du wärst frustriert und unglücklich, und dein Baby würde es zu spüren bekommen. Das wäre nicht gesund.«

»Das glaubst du doch selbst nicht«, sagte Katie Lee. Sie stieß mit ihrem Ziegenfellschuh gegen ein Holzbrett.

»Es ist einfach nicht das Richtige für mich«, sagte Rosalie. Das war auch wieder so eine Phrase, die sie von ihrem Mann übernommen hatte. »Das ist einfach nicht das Richtige für uns«, das sagte Trevor immer, er sagte es von allem, vom Zusammenleben vor der Ehe bis zum Kauf von Tiefkühlkost. Trevor sagte, die wahre Bedeutung des Geldes sei, daß man sich damit Freiheit und Entscheidung kaufen konnte, aber Rosalie schien es, daß man, je reicher man war, desto mehr Regeln befolgen mußte, und daß sie um so weniger Gelegenheit hatte zu tun, was sie eigentlich wollte.

»Also, dies ist jedenfalls ein typisches Zimmer für typische Leute«, sagte Katie Lee. »Magst du ganz nach oben? Die Aussicht vom Penthouse sehen?«

»Liebend gern.«

»Mir nach.« Katie Lee hielt Rosalie eine Tür auf und schob einen Seilstrang, der von der Decke herabhing, zur Seite.

»Neunundvierzigster, bitte«, sagte sie zu dem Fahrstuhlführer, der eilfertig nickte und auf den mit 50 bezeichneten Knopf drückte. Rosalie sah Katie Lee fragend an. »Offiziell gibt es kein dreizehntes Stockwerk«, erklärte Katie Lee, »weil Hotelgäste so abergläubisch sind. Deshalb geben wir dem eigentlichen dreizehnten Stock die Nummer vierzehn, dem vierzehnten die Nummer fünfzehn und so weiter.«

»Aber könnten sie sich das nicht ausrechnen und ein Zimmer im sogenannten vierzehnten Stock ablehnen?« fragte Rosalie. Ihr Magen verkrampfte sich, als sie aufwärts sausten.

»Das vierzehnte Stockwerk besteht ausschließlich aus langfristig an auswärtige Firmen vermieteten Suiten«, erläuterte Katie Lee. »Die Leute, mit denen wir die Mieten aushandeln, werden so gut wie nie hier wohnen, die Räume sind für Geschäftsbesucher und Tagungen — da können die Leute kaum befürchten, mitten in der Nacht von den Dämonen der Toten heimgesucht zu werden.«

Sie traten aus dem Lift auf einen mit Hobelspänen besäten Betonboden.

»Du kannst dir gar nicht vorstellen, wie phantastisch die Aussicht von hier ist«, sagte Katie Lee und führte Rosalie durch ein Spalier von schwarzen und roten

Elektrokabeln in einen weitläufigen Raum voll schmaler Kupferrohre.

Einen Moment lang war sich Rosalie, als sie in der Mitte des Raumes stand, nicht sicher, ob sie auf Wände oder Fenster blickte: Der Mittagshimmel war wolkenlos, und sie waren so hoch oben, daß, sah man nach Norden und Osten, kein einziges Gebäude ins Blickfeld hinaufreichte. Sie ging zu einem Fenster und hatte Angst, sich direkt davor zu stellen, trotz allem, was Katie Lee ihr über die Stärke des Glases gesagt hatte.

Rosalie schlenderte herum, blickte hinunter über den Fluß und auf die Lagerhäuser von Queens und Brooklyn und hinaus auf den Park, der stellenweise noch mit dem Schnee von letzter Woche bedeckt war. Etwas an dem Umstand, daß sie sich so hoch oben befand, etwas an dieser lichten Höhe erfüllte sie mit einem Gefühl der Macht. Von hier aus konnte man die Menschen auf den Gehsteigen nicht sehen und den Verkehr auf den Straßen nicht hören. Die ganze Hetze und der Lärm und die Kompliziertheiten des Lebens in New York, alles, was aus einer schlichten Erledigung wie dem Kauf eines Geburtstagsgeschenkes oder dem Besorgen einer neuen Pflanze aus dem Gewächshaus eine Angelegenheit machte, die einen ganzen Nachmittag verschlingen konnte, so daß man am Ende von der Anstrengung, die das Verlassen der Wohnung bedeutete, erschöpft und matt war, dies alles glitt fort.

Katie Lee hatte recht: Sie, Rosalie, war die einzige, die Blue Smoke retten konnte, und sie hatte gar keine andere Wahl. Es war ihre Pflicht, ihr Bestes zu geben, um die Anstrengungen von Generationen vor ihr fortzusetzen, damit Blue Smoke für kommende Generationen erhalten blieb und gedieh. Sie würde nicht zulassen, daß dies alles mit ihr zu Ende ging. Sie würde nicht bei ihrem Kind sitzen, Schachteln mit alten Rennprogrammen durchsehen und den Glanz von etwas schildern, das vergangen war, und erklären, wie es durch Trunksucht ein Ende fand.

Katie Lee hatte den Aufzug kommen lassen und winkte Rosalie in den staubigen Flur zurück.

»Was möchtest du zum Mittagessen?« fragte Katie Lee. »Um die Ecke gibt es ein neues Fischrestaurant, die machen den absolut göttlichsten Krabbensalat.«

Rosalie kicherte und hielt sich, als sie über ein Kupferrohr stieg, an Katie Lees Hand fest, um nicht das Gleichgewicht zu verlieren. »Du sagst das, als würden dort Engel in der Küche arbeiten.«

»Wenn ich hier raufkomme, krieg ich immer Hunger«, erwiderte Katie Lee. »Das ist wirklich verrückt. Hast du keinen Hunger?«

»Wir sind beide hungrig.« Rosalie klopfte sich auf den Bauch. »Ich bin seit Jahren nicht so hungrig gewesen.«

13

Chris sah auf die Uhr: noch fünf Minuten Tretmühle, dann konnte sie Schluß machen. Sie würde vor der Mittagsstoßzeit geduscht, angezogen und aus dem Club sein. Ihren nächsten Termin hatte sie erst um vier — somit blieben ihr vier Stunden Zeit totzuschlagen, um in der Stadt einzukaufen oder sich eine neue Fotoausstellung anzusehen. Es war ein ungewöhnlich warmer Tag für Anfang Februar, eine Witterung, die im April oder Mai unbemerkt geblieben wäre, die aber jetzt, nach einem entsetzlich kalten Winter, die ganze Stadt, trunken von der Verheißung des nahenden Frühlings, hinaus auf die Gehsteige lockte.

Was sie auch tat, Chris wollte ihre Wohnung meiden, wo Miranda, uneingeladen und unwillkommen, sich im November eingenistet hatte und seither fast ununterbrochen aufhielt. Sie war eines Abends einfach erschienen, mit einem Koffer voll Kleider und einem Rucksack voll Arbeit, und hatte ihre einmalige, überraschende Mission verkündet: Chris das Leben zu retten.

»Ich werde mich nicht zurücklehnen und zusehen, wie du dir das antust«, hatte Miranda gesagt, als sie ihre Stiefel von sich trat und ihren Mantel im Garderobenschrank aufhängte.

Chris zündete sich eine Zigarette an und warf die Beine über die Rückenlehne des Sofas. »Und was bitte tue ich mir an? Außer das Leben genießen und massenhaft Geld verdienen?«

Miranda setzte sich Chris gegenüber und schob sich die dichten Haare aus dem Gesicht. »Ich weiß alles über Drogen. Ich weiß, daß du zu dämlich oder zu stolz bist, um dir die Hilfe zu verschaffen, die du brauchst.«

»Miranda, ich bin nicht rauschgiftsüchtig, falls du das meinst. Ich nehm das Zeug zum Spaß, und ich tue nichts, was meine Arbeit behindert. Ich arbeite wirklich hart für mein Geld, und wenn ich ein bißchen davon für mich ausgeben will, sehe ich nicht, was dich das angeht.«

Miranda zog den Reißverschluß ihres Koffers auf und nahm einen Sterilisator für ihre Kontaktlinsen, eine große braune Flasche Antischuppen-Shampoo und ein halbes Dutzend Tonbandkassetten heraus. »Mit anderen Worten, du hast dich vollkommen unter Kontrolle. Du kannst jederzeit aufhören, wann immer du willst.«

»Genau. Anders als ein gewisser Jemand, mit dem du befreundet warst.« Chris warf einen Blick auf die Kassetten: The Who, einiges von den Zeppelins. David

Bowie, The Kinks. Nichts, was in den letzten drei Jahren produziert worden war. O Gott, hoffentlich muß ich mir den Mist nicht anhören, dachte Chris. Miranda muß einsamer sein, als mir bewußt war. Vielleicht macht das erste Studienjahr auf der Rechtsakademie die Leute wirklich so verrückt, wie sie immer sagen. »Wie lange gedenkst du zu bleiben?« fragte sie.

»Bis du von der schiefen Bahn runter bist.« Miranda lehnte sich zurück. »Ich kann auf der Couch schlafen.«

»Sie ist nicht ausziehbar«, entgegnete Chris.

»Ich kann auf dem Fußboden schlafen.«

Chris stand auf und verschränkte die Arme. »Ich halte das nicht für eine gute Idee, Miranda. Ich hatte seit Jahren keine Mitbewohnerin und habe mich daran gewöhnt, allein zu sein und zu kommen und zu gehen, wann es mir paßt.«

»Du bist immer gekommen und gegangen, wann es dir paßte.«

Und du hast es immer geschafft, mir zu verstehen zu geben, wie sehr dir das gegen den Strich ging, dachte Chris. Das Telefon läutete, und Miranda erstarrte. Chris wartete, bis sich der Anrufbeantworter einschaltete, und lauschte dann der Stimme ihrer Mutter, die gedämpft aus dem Nebenzimmer kam.

»Ich habe daran gedacht, mir auch so ein Gerät anzuschaffen«, sagte Miranda. Sie nahm eine Kontaktlinse heraus und ließ sie in die Plastikdöschen fallen.

»Wir unterhalten uns morgen früh. Ich bin fix und fertig, und ich hab morgen wichtige Aufnahmen. Bettwäsche ist im Flurschrank. Mach's dir bequem«, sagte Chris und ging schlafen.

Miranda packte ihre Sachen aus und reihte ihre Kleidungsstücke in ordentlichen Stapeln an einer Wand auf. Sie räumte ihre Bücher ins Regal und schenkte sich ein Bier ein. Sie wartete, bis sie unter der Schlafzimmertür das Licht ausgehen sah, bis sie sicher war, daß Chris eingeschlafen war, dann machte sie sich ans Werk.

Die Augen noch voll Schlafsand, im Mund noch den Geschmack von Brandy und Zigaretten, fuhr Chris im Bett hoch. Jemand war in der Nacht in ihrem Schlafzimmer gewesen. Die Vase mit Narzissen auf der Kommode war etwas nach vorne gerückt worden, und die Tür des Kleiderschrankes stand einen Spalt offen. Nach einem Augenblick panischen Schreckens fiel es ihr ein: Miranda. Miranda war hier.

Noch halb schlafend, während ihr die helle Morgensonne in die Augen stach, putzte sie sich die Zähne mit der Spezialpaste, von der behauptet wurde, daß sie die unansehnlichen Flecken, die sich vom häufigen Kaffee- und Tabakgenuß bildeten, verhindere, und dann öffnete sie das Arzneischränkchen, um die Zahnseide herauszuholen, die ihr angeblich ihr unschätzbares Lächeln bis ins hohe Alter bewahrte.

Sie langte hinauf und fühlte die scharfe Spitze des Rasiermessers. Unglaublich, Miranda hat alles umgeräumt, sagte Chris bei sich, und dann ging ihr schlagartig auf: Das Schränkchen war fast leer. Das Rasiermesser war, wo vorher die Zahnseide war, und die Zahnseide war auf dem Bord, wo die Vitamintabletten waren, und die Vitamintabletten waren, wo, wo *wo waren sie?* Wo waren das Valium und das mit Kodein angereicherte Tylenol und die Abmagerungspillen und die Aufputschpillen, die sie in einem mit Tetracyclin bezeichneten Fläschchen aufbewahrte, und die dicken dunkelgrünen Beruhigungspillen, die sie noch nicht hatte ausprobieren können: jemand hatte ihr eine Handvoll als kleines Geschenk mitgebracht, und sie hatte sie in Toilettenpapier gewickelt hinter einem Reservestück Augenmake-up-Entfernungsseife verwahrt.

Sie kramte in dem Abfallkorb aus Weidengeflecht und holte eine Handvoll leerer Plastikfläschchen hervor. *Dieses Miststück, sie fliegt noch vor dem Frühstück raus,* dachte sie. Sie stürzte ins Wohnzimmer und boxte Miranda in die Schulter.

»Raus!« bellte sie. »Zieh dich an und mach, daß du rauskommst.«

Miranda drehte sich um und lächelte sie verschlafen an. »Wie spät ist es?« fragte sie. »Ich hab heute erst um elf Vorlesung.« Sie zog sich die Steppdecke über den Kopf. »Noch fünf Minuten, dann steh ich auf.«

Chris stürmte ins Schlafzimmer, riß Schubladen und Türen auf und knallte sie wieder zu. Erst als sie ein paar weiße Frotteesocken aus einer Kommodenschublade genommen und auseinandergerollt hatte, ging ihr auf, daß sie das vertraute Klappern von Plastik auf Holz nicht gehört hatte. Sie zog die Schublade wieder auf und langte hinter ein paar ungetragene marineblaue Wollsocken. *Miranda hat* meinen *Vorrat geklaut.* Sie raste zum Kleiderschrank und griff in die tiefen Taschen einer alten Cordjacke: leer. Sie öffnete die Schmuckschatulle, die Katie Lee ihr von einer Europareise mitgebracht hatte, und warf in ihrer Hast die Narzissen um: alles futsch! Ihr ganzes Kokain war weg. Zweitausend Dollar wert.

Miranda ist übergeschnappt, dachte sie. Sie würde Bobby anrufen und ihm erklären müssen, was passiert war, und zusehen, daß er kommen und Miranda hier rausholen konnte. Sie wählte seine Nummer in Cambridge, aber es war besetzt. Sie wartete ein paar Minuten und versuchte es noch einmal: immer noch besetzt. Sie hörte die Wohnungstür zuschlagen und ging nachsehen. Die Steppdecke lag ordentlich zusammengefaltet an einem Ende der Couch, in der Küche lief frischer Kaffee durch, und an der Stereoanlage klebte ein Zettel:

Bin für ein paar Minuten weggegangen, um Lebensmittel und Frühstück und Zeitungen einzukaufen und mir an der Ecke Nachschlüssel machen zu lassen. Bin gleich zurück. M.

Chris war plötzlich müde, so müde, als hätte sie seit Tagen nicht geschlafen. Sie brauchte Energie, um sich mit Miranda auseinanderzusetzen, wenn sie zurückkam, aber Chris hatte jetzt nur den einen Wunsch, wieder ins Bett zu gehen und sich die Decke über den Kopf zu ziehen.

Sie wühlte im Küchenabfalleimer und fischte den Stummel eines Joints heraus, gut einen Zentimeter Kolumbianischen, den sie vor zwei Tagen nicht des Aufbewahrens für wert befunden hatte. Sie zündete ihn an und inhalierte pausenlos, bis sie die Glut an den Fingern spürte.

Ob noch jemand wußte, daß Miranda hier war? Hatte Miranda über sie gesprochen mit — Katie Lee? Rosalie? Ihren Freunden auf der Rechtsakademie? Wer sorgte sich sonst noch um sie? Warum konnten die Leute sie nicht einfach in Ruhe lassen? Vielleicht hatten sie sich alle auf einer Art Gipfeltreffen versammelt und Miranda mit der Durchführung des Plans, dieses Wahnsinnsplans, beauftragt.

Es ging nicht nur um die Drogen, die Drogen waren nur ein Vorwand. Miranda bespitzelte sie. Miranda konnte sehr gefährlich sein. Chris rollte sich mitten auf dem Fußboden zusammen und zog die Steppdecke von der Couch. Man mußte sehr behutsam mit Miranda umgehen. Miranda hatte sich mit den anderen verbündet. Sie haben es seit Wochen geplant. Vermutlich erstattete Miranda ihnen in diesem Augenblick von dem Münzfernsprecher vor der Schlosserei aus Bericht.

Chris mußte so tun, als ob sie mitmachte. Es hatte keinen Sinn, einen Streit vom Zaun zu brechen: Sie war unterlegen und überlistet. Sie konnte ein paar Wochen sauber bleiben – sie mußte es eigentlich gar nicht. Miranda würde ihr schließlich nicht auf Schritt und Tritt folgen, sobald sie das Haus verließ.

Miranda kam mit einer Tüte Gebäck von einer neuen französischen Bäckerei zurück.

»Das erste Gebot lautet«, sagte sie, »du sollst täglich frühstücken. Riech mal, herrlich, gerade eine Stunde aus dem Ofen.« Sie hielt Chris die Tüte unter die Nase.

Chris würgte. Es war widerlich, die viele Schokolade und Butter, Mirandas kleine dicke Hand mit der fettigen Ecke des Wachspapiers, diese fette Person, die sich über sie beugte und ihr ins Gesicht grinste.

»Ich hab keinen Hunger«, sagte Chris. »Vielleicht später.«

»Ich komme um vor Hunger.« Miranda langte in die Tüte und zog ein mit Mandeln und Puderzucker überzogenes Gebäckstück hervor. »Bist du wirklich nicht hungrig?« fragte sie.

Sie könnten mir was ins Essen tun, dachte Chris. Von jetzt an nur Leitungswasser trinken. Nur Konserven essen. Miranda sieht gar nicht wie eine Spionin aus, jedenfalls nicht wie die Spioninnen im Film, aber deswegen haben sie sie wahrscheinlich ausgesucht. Sie dachten nicht, daß ich dahinterkomme. Sie haben unterschätzt, wie schlau ich bin. Wie ungeheuer schlau ich bin. Sie fing an zu kichern, und Miranda lachte mit ihr.

»Ich bin froh, daß du es mit Humor nimmst«, sagte Miranda. Sie wischte sich die Krümel von ihrem Pullover. »Bobby hatte Angst, du würdest nicht mitmachen.«

»Bobby? Wann hast du mit Bobby gesprochen?« fragte Chris.

»Ich spreche andauernd mit Bobby. Er ist mein Cousin, erinnerst du dich?«

»Stimmt. Dein Cousin. Deines Vaters Bruders erst-
geborener Sohn.«

»Genau der.«

»Genau der«, wiederholte Chris. Also steckte Bobby
dahinter. Dann hatte Miranda die Drogen nicht in der
Toilette heruntergespült, wie Chris anfangs dachte, sie
hatte vermutlich vorhin alles Bobby übergeben. Sie war
von Spionen und Dieben umringt. Und es gab niemanden in New York, der herkommen konnte, um sie zu
retten. Sie saß in der Falle, und wie. Spione und Diebe,
Diebe und Spione.

Bis Weihnachten war Chris' Organismus fast gereinigt,
und Miranda fuhr unbesorgt übers Wochenende zu ihrer Familie. Sie war Chris fast überallhin gefolgt, sie
hatte ihre schweren juristischen Bücher mit zu den Aufnahmen geschleppt, hatte am Rand des Schwimmbek-
kens sitzend Fallrecht memoriert, während Chris ihre
täglichen Bahnen schwamm; sie hatte sich auf Partys an
die Wand gedrückt, während Chris in der Menge rotierte. Chris zählte die Tage bis zu ihrer Abreise.

Obgleich ihre anfänglichen Wahnvorstellungen nachgelassen hatten und Chris, drogenfrei, glücklicher und
tatkräftiger war als seit Jahren, konnte sie das instinkti-
ve Gefühl nicht abschütteln, daß Miranda tieferliegende
Motive hatte und sie bespitzelte. Es hatte etwas Beruhi-
gendes, dieses mütterliche Wesen im Haus zu haben,
diese warme, rundliche Person, die in ihrer bislang unbenutzten Küche köstliche gesunde Salate zubereitete
und mit Vitaminen angereicherte Obstshakes mixte.
Das Komische daran war, daß Miranda bei ihrer gemeinsamen Kost abzunehmen schien. Sie war tatsächlich auf dem besten Wege, ansehnlich mollig zu werden.
Es wäre schade, sie jetzt rauszuwerfen, dachte Chris,
wo sie solche Fortschritte macht.

Und so erklärte sie ihren Freunden Mirandas Anwesenheit: »Sie hat eine schlimme Zeit hinter sich, ihr Freund hat sich umgebracht, und sie hat fünfzig Kilo zugenommen«, flüsterte Chris und nickte zu Miranda am anderen Ende des Zimmers hinüber. »Deshalb hab ich sie eingeladen, zu mir zu ziehen, bis sie wieder auf dem Damm ist. Sie hat vorigen Monat zwanzig Pfund abgenommen und wird ein hervorragendes Juraexamen machen.« Du bist der reinste Engel, hieß es dann, so großzügig, so besorgt, so gut. »Dazu sind Freunde da«, meinte Chris achselzuckend. »Sie würde für mich dasselbe tun.«

Ihren 22. Geburtstag verbrachte sie auf einer Silvesterparty, und in der Woche darauf verfiel sie im Schlußverkauf auf der Fifth Avenue einem Kaufrausch. Es war ihr nicht klargeworden, wieviel Geld sie für Drogen ausgegeben hatte, bis sie ihr Girokonto von Woche zu Woche dicker werden sah. In einem Anfall von Großmut schickte sie per Post 5 000 Dollar an ihre Mutter, die sie fast ein Jahr nicht gesehen hatte. *Du weißt, daß ich hier oben unglaublich viel zu tun habe, aber ich wollte Dir eine Kleinigkeit schicken, nachdem jetzt alles so gut läuft. Kauf Dir was Besonderes und stifte etwas für den Collegefonds.* Eigentlich ist es keine kindliche Großmut, dachte Chris beim Schreiben, es ist eher — es war, als ob sie etwas kaufte, aber sie wußte nicht, was. Das Geld würde bewirken, daß ihre Mutter in New Jersey außer Sicht blieb. Das Geld würde dafür sorgen, daß ihre Mutter schwieg und sich aus ihrem Leben heraushielt. Sie wußte, daß ihre Mutter an Chris' Erfolg teilhaben wollte, den Gloria vermutlich als gemeinsamen Erfolg verbuchte, doch Geld war das einzige, was Chris mit ihr teilen mochte.

Und es war zudem eine Investition in die Zukunft, denn Chris' Karriere ging steil nach oben, fort von den

Titelseiten der Illustrierten in die Fernsehwerbung, und die öffentlichen Auftritte brachten sie unweigerlich in die Klatschspalten und lieferten sie der Neugier der Presse aus. Eines Tages würde sie sehr berühmt sein, und sie wollte ganz, ganz sichergehen, daß Gloria den Mund hielt.

Gerüchte über ein ehemaliges Drogenproblem, damit würde ihr Werbeagent fertig werden. So etwas wie Persönlicher-Triumph-über-schwere-Zeiten hatte noch keiner Karriere geschadet. Aber die Tochter von Sonny Kidwell zu sein, das war etwas anderes. Jeden Tag, wenn sie in den Spiegel sah und das Ebenbild ihres Vaters erblickte, wurde sie an das Geheimnis erinnert, das, würde es entdeckt, das ganze Kartenhaus zum Einstürzen bringen könnte.

Sie war nicht so naiv, sie wußte, daß die Leute es schließlich herausbekommen würden. Aber bis zu diesem Tag wollte sie es so weit bringen, wie sie konnte, und so reich werden, wie sie konnte. Sie würde einen Riesenhaufen Geld zinsbringend auf dem Sparkonto haben und eine ansehnliche Mappe voll erstklassiger Wertpapiere und einen Haufen teuren Schmuck in einem Banksafe.

Obwohl sich in ihrer Wohnung nicht ein einziger Hinweis befand, der sie verraten könnte, machte Mirandas Anwesenheit sie nervös. Da war etwas, das sie sich nicht recht erklären konnte — wie Miranda ihre Telefongespräche zu belauschen schien, wie sie zuweilen Chris' Post an sich nahm (»ich kam gerade nach Hause, als sie gebracht wurde«). Aber sie würde sie ja bald los sein. Miranda hatte noch mehr abgenommen und flirtete sogar wundersamerweise mit einem Kommilitonen namens Jason — wie hieß er weiter? Chris lächelte vor sich hin. Genau, was der Doktor verschrieben hat.

Chris schüttelte die vom Duschen noch feuchten Haare in der kraftlosen Februarsonne. Sie wollte gerade ein Modegeschäft betreten, als sie eine bekannte Stimme ihren Namen rufen hörte.

»Miss Dunne, reizend wie immer.« Es war Alex.

»Feucht, aber reizend.«

Chris sprang hin und umarmte ihn. »Alex, du Dummkopf. Wie geht's dir?«

»Bitte sei etwas zurückhaltender in der Öffentlichkeit, du schamloses Frauenzimmer. Du scheinst dich ja fast zu freuen, mich zu sehen.«

»Warum auch nicht?« fragte sie. Nach den langweiligen Stunden mit Miranda konnte Chris eine unterhaltsame Abwechslung gebrauchen. Sie fand es lächerlich, daß er dachte, sie wäre ihm nach so langer Zeit noch böse. »Hast du was Schreckliches angestellt, wovon ich nichts weiß?«

»Sicher, ich bin nach Hollywood gezogen, wo ich die Berühmtheiten und Möchtegernberühmtheiten manage. Das ist ziemlich schrecklich.«

»Aber extrem einträglich?« fragte Chris und nahm seinen Arm.

»In Kalifornien verschenken die Leute ihr Geld. Sie flehen dich an, sie fallen vor dir auf die Knie und bitten dich, sie von all dem vulgären Geld zu befreien, das sie herumliegen haben. Es scheint mir das mindeste, was ich tun kann.«

»Der wohltätige Alex.«

»Wie immer«, entgegnete er. Er hatte sich kaum verändert. Auf dem College hatte er auf frühreife Art bewandert und erfahren, dekadent und weltgewandt gewirkt; jetzt wirkte er jungenhaft, ja schalkhaft, ein fröhlicher Geist, wie üblich in Samt und Tweed gekleidet.

»So wohltätig, daß ich dich zum Mittagessen einlade. Als Buße für meine früheren Sünden, worin sie auch bestanden haben mögen, ich kann mich kaum erinnern.«

»Prima, wenn das so ist, sollte es schon ein unglaublich teures Lokal sein.« Chris lachte.

»Irgendwas Französisches mit immens langen Pausen zwischen den Gängen? Hat dir so etwas vorgeschwebt?«

»Hört sich gut an.«

Nach Suppe und Endiviensalat und einigen Gläsern Sekt erkundigte sich Alex nach ihrem Privatleben.

»Da gibt es eigentlich nichts zu erzählen«, sagte Chris. »Miranda hängt seit Monaten bei mir herum — sie zieht nächste Woche aus, ich kann's kaum erwarten — und das hat, hm, Lustbarkeiten bei mir zu Hause so gut wie unmöglich gemacht.«

»Es fällt mir schwer, das zu glauben, mein Liebling.«

»Es stimmt aber. Ich lebe praktisch wie eine Nonne.«

Er schüttelte den Kopf. »Eine tragische Vergeudung unserer kostbarsten Naturschätze.«

Sie schmunzelte. »Und du? Bist du immer noch mit Bruno zusammen?«

»Meine Güte, Bruno. Mein geliebter Bruno. Ich habe ihm noch nicht gestattet, nach Hollywood zu kommen, und er schickt mir wehleidige Telegramme aus London, aber er kann ein unwillkommener Störenfried sein, wie du ja weißt — verzeih, wenn ich das sage —, und ich möchte ihn lieber nicht da haben, ehe ich nicht fester Fuß gefaßt habe. Ehrlich, wir waren in einen ziemlich tristen Trott geraten.«

»Erzähl«, sagte Chris. Er war ein bißchen betrunken, und ein anständiger Mensch hätte diese Gelegenheit, in seinem Privatleben herumzustochern, nicht ausgenutzt. Aber an diesem Tisch sitzen keine anständigen Menschen, dachte Chris.

»Er wurde eifersüchtig, als ich anfing, mich mit

Frauen abzugeben, dabei bin ich kaum je mit ihnen ins Bett gegangen, aber es gehört zum Geschäft, daß man sich mit diesen umwerfend schönen Frauen sehen läßt.«

»Hast du's schwer!«

Alex schüttelte den Kopf. »Ich wußte, du würdest mich verstehen, Liebling. Bruno hatte unwahrscheinliche Tobsuchtsanfälle. Und als ich dann zu Hause blieb, war es kaum ein Vergnügen mit ihm. Wir haben uns schmutzige Videofilme und dergleichen angesehen. Aber erzähl wieder von dir. Willst du immer noch Schauspielerin werden?«

»Ach, ich weiß nicht, ich habe nicht mehr wie früher das Gefühl, daß ich alles kann, was ich mir vornehme. Ich bin eine ziemlich miese Schauspielerin, um die Wahrheit zu sagen.«

»Versprich mir, daß du das nie wieder sagst.«

»Was? ›Um die Wahrheit zu sagen?‹«

»Daß du eine miese Schauspielerin bist. Darauf kommt es gar nicht so an. Im Fernsehen ist jede Form von Intelligenz oder schauspielerischem Talent eher eine Behinderung. Womit ich bei meinem niedrigen Hintergedanken wäre.«

»Ich höre.«

»Komm nach Kalifornien! Laß mich dich präsentieren. Laß mich einen Star aus dir machen.«

»Das Lied hab ich schon mal gehört«, sagte Chris.

»Und ich hab's schon mal gesungen, ich weiß. Du warst diejenige, die aus unserer Vereinbarung ausgeschieden ist, nicht ich. Ich mach dir keinen Vorwurf, ich versteh es vollkommen, mein Liebling.«

»Und was meinst du nun genau?«

»Um ein Star zu sein, brauchst du alle möglichen Leute, die für dich arbeiten. Einen Agenten zum Beispiel, der dir Aufträge besorgt. Einen Rechtsanwalt, der

die Verträge aushandelt. Einen Berater, der dein Geld
anlegt. Einen Werbeagenten. Einen Psychiater.«

»Und du als Manager bist alles in einem?«

»Guter Gott, nein. Ich bin nichts davon. Diese Leute
machen die ganze Arbeit und geben dir sehr gute Rat-
schläge, und dann komme ich und berate dich in bezug
auf ihren Rat.«

»Vielen Dank, aber ich denke, das ist nichts für
mich«, sagte sie, als er die Rechnung bestellte. »Ich bin
ganz zufrieden, wo ich bin.«

»Davon glaub ich dir kein Wort«, sagte Alex und
half ihr in den Mantel. Er reichte ihr seine Karte. »Falls
du's dir anders überlegst«, lächelte er und gab ihr einen
Kuß. »Wir bleiben in Verbindung.«

Sie steckte die Karte in ihre Gesäßtasche. »Danke für
das Essen«, sagte sie und winkte ihm zum Abschied.

»Du rufst mich an«, sagte er und ging leicht schwan-
kend davon. Es klang wie ein Befehl. Natürlich würde
sie ihn anrufen. Sie hatte ihm nicht erzählt, daß auch sie
seinen Lebensweg verfolgt und gehört hatte, wie gut es
ihm in Kalifornien ging, und daß sie sich überlegt hatte,
wie sie mit ihm in Verbindung treten könnte, ohne daß
es aussah, als käme *sie* zu *ihm*.

Natürlich würde sie ihn anrufen.

14

Rosalie beugte sich zu Philipp hinüber, der rechts von
ihr saß, und tippte sanft an seine Manschette.

»Es war so lieb von Grace, mir das Rezept ihrer
Mutter für den Apfelkuchen zu geben. Trevor
schwärmt seit Jahren davon. Versprich mir, daß du ihm
nichts von dem Rezept verrätst. Der Nachtisch soll eine

Überraschung sein. Ich habe ihm gesagt, es gibt selbstgemachtes Eis.«

»Versprochen. Ich wußte gar nicht, daß ihr einen Eisbereiter habt.«

»Wir haben ja auch keinen.« Rosalie behielt Rachels Freund Gregory im Auge, der sich vor dem Essen drei Drinks genehmigt hatte und jetzt am andern Ende der langen Tafel mit lauter Stimme einen zweideutigen Witz erzählte. Katie Lee, die rechts von Gregory saß, gab Rosalie mit einem Augenzwinkern zu verstehen: keine Angst, auf den passe ich schon auf.

Philipp lachte. Er war erstaunt, wie gut Rosalie die Rolle der umsichtigen Gastgeberin erfüllte; sie war so schüchtern und unsicher gewesen, als er sie in der Woche, bevor Trevor ihr den Heiratsantrag machte, kennenlernte. Und nun saß sie hier am unteren Ende einer erlesen gedeckten Tafel für vierzehn Personen, die sie, weil Valentinstag war, in Rot und Rosa dekoriert hatte. Trevor hatte Philipp anvertraut, daß Rosalie nicht recht wußte, ob sie bei all den juristischen Schwierigkeiten, die sie mit ihrem Vater hatten, überhaupt eine Einladung geben sollten, aber er, Trevor, habe sie überzeugt, daß es gerade in Zeiten, wenn eine Familie unter Beschuß stand, besonders wichtig war, Haltung zu zeigen und sein Haus für Freunde zu öffnen.

Die Geschenke für die Gäste waren ein voller Erfolg — sogar Sylvie, die in bezug auf gastgeberische Qualitäten einen extremen Konkurrenzkampf führte und nie großes Vergnügen an den Menüs oder Dekorationen ihrer Freundinnen zeigte, hatte vor Entzücken gegurrt, als sie das mit ihrem Monogramm bestickte Spitzentaschentuch auspackte.

»Ich glaube, das heißt, es gefällt ihr«, sagte Maria, die links von Trevor saß — ihr Mann Simon saß links von Rosalie. »Oh, seht mal«, rief sie aus, als Gregory eine rote Seidenfliege aus dem rotweißgestreiften Seidenpapier nahm und in die Höhe hielt.

»Eine tolle Idee«, sagte Simon, dann senkte er die Stimme ein wenig. »Wie ich höre, hat Hailey dir für die nächste Saison zwei seiner besten Stuten für Agamemnon versprochen.«

»Oregano und Lady Washtub«, erwiderte Rosalie.

»Wenn das kein gelungener Coup ist!«

»Sie haben sich seit Jahren eine Saison mit French Fire gewünscht. Sie hatten fünf Anteile an Silver Anger, es ist ein kluger Schachzug von ihnen«, sagte sie. »Es ist erst der Anfang. Mit Agamemnon, meine ich.«

»Ich wünsch dir viel Glück«, sagte Simon.

»Danke. Ich kann's brauchen.«

Miranda saß zwischen zwei »zusätzlich« eingeladenen Herren aus Trevors Firma. Rosalie hatte sie noch nie so aufgekratzt gesehen. Ob das mit diesem Jason Field zusammenhing, den sie auf der Rechtsakademie kennengelernt hatte? Miranda hatte sich standhaft geweigert, ihn mitzubringen, auf daß Rosalie ihn hätte begutachten können.

Miranda war es, die sie überredet hatte, Schuyler heute abend einzuladen, und es zeigte sich, daß es richtig gewesen war. Rosalie hatte Schuyler vor ein paar Wochen zufällig auf der Straße getroffen, und sie hatten in einem Schnellimbiß zusammen zu Mittag gegessen. Letztes Jahr wäre ich auf die andere Straßenseite gegangen, wenn ich ihn gesehen hätte, hatte sie damals gedacht, und nun sitze ich hier. Schwangerschaft war eine Art Schutzschild gegen frühere Liebhaber; wenn man das Kind eines anderen in sich trug, wäre es ein Akt der Untreue zuzugeben, daß man immer noch gekränkt war.

Sie hatte ihn zuerst nicht erkannt. Seit sie sichtlich hochschwanger war, war sie es gewöhnt, daß Fremde sich erboten, ihr ein Taxi zu rufen, ihre Pakete zu tragen, ja sogar Schirme zu halten, so daß sie, als er zu ihr trat und fragte, ob er ihr irgendwie behilflich sein könne, sich umdrehte und ihm ein mechanisches Lächeln schenkte.

»Nein, danke, die Sachen sind nicht so schwer, wie sie aussehen«, sagte sie, und dann sah sie, daß es Schuyler war, und die Lebensmitteltüten entglitten ihr und fielen auf den Gehsteig. Da stand sie, die Arme schlaff an den Seiten, während er die Plastiktüten voll Diätorangenlimonade, Fruchtkaubonbons mit Himbeergeschmack und einem halben Dutzend Schokoriegeln aufsammelte. Eine Packung Zitroneneis war gegen einen Hydranten gerutscht.

»Sie liefern es auf Wunsch ins Haus«, sagte Schuyler, als er sich grinsend aufrichtete, die Tüten in der linken Hand.

Sie wurde rot; sie hatte vorgehabt, nach Hause zu gehen und alles zu erledigen, bevor Trevor um sechs aus dem Büro kam. Ich war hungrig, wollte sie sagen, aber das gehörte zu den Dingen, die man, wie ihre Mutter ihr beigebracht hatte, niemals sagen durfte — *ich bin hungrig, ich will, ich brauche, eine Dame verlangt nie etwas, würde Charlotte sagen, eine Dame klagt nie* — und so stand Rosalie einfach da und wußte nicht, was sie als nächstes tun sollte. Wie lange war es her, wie viele Jahre und Monate, seit sie und Schuyler, nun ja, höflich miteinander umgingen, so dachte sie heute darüber. *Eine Dame ist stets anmutig, eine Dame ist stets höflich, eine Dame ist stets auf das Wohl ihrer Gäste bedacht.* Rosalie streckte die rechte Hand aus und lächelte.

»Schuyler, wie schön, dich wiederzusehen«, sagte sie. War gar nicht so schwer, dachte sie. Es war nicht schwer, es zu sagen, weil es stimmte: Sie freute sich, ihn zu sehen.

Er nahm ihre Hand und hielt sie fest. »Du siehst fabelhaft aus. Ich höre, du bist mit jemandem verheiratet, der fast so wunderbar ist wie du. Ich gratuliere euch beiden.«

»Danke«, sagte sie. Sie zog ihre Hand zurück und klopfte sich auf den Bauch. »Ich bekomme ein Baby«, fuhr sie fort. Ihr fiel sonst nichts ein, was sie sagen könnte. »Ich habe geheiratet, und jetzt bekomme ich ein Baby.« Ihre Knie wurden schwach.

»Ich glaube, das ist heutzutage so üblich«, erwiderte Schuyler. Er warf einen Blick in die Einkaufstüten. »Hast du schon gegessen?«

Sie nickte. »Heute schon zweimal.«

»Aller guter Dinge sind drei. Ich wollte mir gerade da drüben einen Hamburger holen. Hast du Zeit? Ich spendiere dir einen Milchshake.« Er nahm ihren Arm und führte sie um die Ecke in eine Imbißstube, die in der Flaute am frühen Nachmittag zwischen Mittagszeit und Schulschluß fast leer war. Sie konnte sich kaum zwischen Tisch und Bank in der Nische zwängen, die er ausgesucht hatte.

»Ich bin jetzt so dick«, sagte sie. »Es ist altmodisch, weißt du, alle anderen Mütter achten auf ihr Gewicht und machen eine Spezialgymnastik.«

»Du siehst wirklich prima aus«, sagte er.

»Hm«, sagte sie. Sie lauschte auf das Surren des altmodischen Metallmixers, in dem der Milchshake zubereitet wurde. Sie hatte gewußt, daß sie sich eines Tages in die Arme laufen würden — irgendwann traf man alle, die in New York lebten —, aber so hatte sie es sich ganz und gar nicht vorgestellt. Sie hatte gedacht, Schuyler würde verlegen, zerknirscht, schuldbewußt, abbittend sein und sie gefaßt, zurückhaltend, kühl, distanziert. Natürlich liebte sie ihn nicht mehr, aber als sie ihn nun ihr gegenüber an die rote Kunststoffpolsterung gelehnt in der Nische des Restaurants sitzen sah, war sie plötzlich stolz auf sich, daß sie ihn einmal so sehr geliebt und er sie so heftig wiedergeliebt hatte. Sie fing an zu weinen, was sie den Hormonen und ihrer Erschöpfung und Aufgedunsenheit anlastete, sie haßte an der Schwangerschaft, daß sie immerzu so rührselig wurde.

Er griff über den Tisch nach ihren Händen. »Was fehlt dir?« fragte er.

»Nichts«, flüsterte sie. »Ich weiß nicht. Es liegt nicht an dir. Es überkommt mich einfach ab und zu. Noch zwölf Wochen, und dann bin ich wieder ein normaler Mensch, das hat man mir jedenfalls versprochen.«

»Willst du, daß ich gehe?« sagte er, den Kopf abwendend.

»O nein, bitte nicht. Es ist gleich vorbei.« Wenn er ginge, würde sie endgültig zusammenbrechen. Das hatte er immer am besten gekonnt, sich ihrer annehmen. »Erzähl einfach was. Mir geht's gleich wieder gut.«

»Schön. Was soll ich erzählen?«

»Was du so gemacht hast.«

»Also gut, mal sehen. Nach dem College hatte ich eine Stelle —«

»Warte, halt«, sagte sie. »Miranda erzählt mir alle Neuigkeiten von dir. Und umgekehrt, nehme ich an. Eine Zusammenfassung, meine ich. Ich weiß nicht, was ich meine. Ich quassele, Verzeihung. Sprich einfach drauflos.« Es war sicherer so.

»Rosalie«, sagte er, die Fingerspitzen aneinanderlegend, »wir müssen miteinander reden, wir hätten es schon vor langer Zeit tun müssen, wir müssen es irgendwann hinter uns bringen, jetzt ist vielleicht nicht der richtige Zeitpunkt, aber irgendwann müssen wir darüber reden.«

Sie starrte ihn an. Er war immer noch der bestaussehende Mann, den sie je erblickt hatte. Er war immer noch so stark, so gewandt, alles, was sie so an ihm geliebt hatte. Nichts an ihm hatte sich verändert. Er war nie ein guter Plauderer gewesen, und er würde jetzt bestimmt nicht damit anfangen. Was immer sie sich vorstellte, worüber sie reden würden — seine Arbeit, ihre Wohnung, seine Wohnung, ihre Ehe, ihre gemeinsamen Freunde — ihr wurde klar, daß eine belanglose Unterhaltung mit Schuyler Smith einfach nicht möglich war. Man konnte ganz still sein; es hätte ihm nichts ausgemacht, wenn sie einfach schweigend zusammen in der Nische gesessen hätten. Oder man konnte über etwas sprechen, worauf es wirklich ankam. Aber dazwischen gab es nichts. Sie schloß die Augen und tat einen riesigen Sprung über all das Geplauder, den Klatsch, die Anekdoten hinweg, die übliche höfliche Konversation ehemaliger Liebender, wenn der eine von beiden, der den andern verließ, nun verheiratet ist und der andere, der verlassen wurde, nicht.

»Ich habe dich eine Zeitlang richtig gehaßt«, sagte Rosalie. Und mit einemmal fühlte sie sich besser, stärker. Das Schlimmste war überstanden.

»Das war dein gutes Recht. Ich habe mich lange, lange Zeit geschämt.«

»Ich mich auch!« rief sie aus, beinahe mädchenhaft, als hätten sie soeben entdeckt, daß sie beide denselben alten Lieblingsfilm hatten. »Meinetwegen, meine ich, nicht deinetwegen. Ich weiß nicht. Es war so einfach, dich und Chris zu hassen. Das Gefühl, so unglaublich tragisch *gekränkt* worden zu sein. Es gibt ein moralisches Credo, das jedem anhaftet, der gekränkt wurde. Gut sein durch Unterlassung, gut sein nur als Kontrast zum Bösesein eines anderen. Oh, Verzeihung, ich meinte eigentlich nicht *böse*, es ist bloß —«

»Ist schon gut«, sagte Schuyler. »Die Welt könnte mehr davon gebrauchen, finde ich. Mehr Menschen, die an Recht und Unrecht, an Gut und Böse glauben.«

Rosalie schüttelte den Kopf. »Ich wollte damit sagen, die Welt ist viel komplizierter, als ich damals dachte. Ich weiß, das klingt banal, aber wir sind alle nur Menschen. Man lernt es, glaube ich, in der Ehe, daß niemand vollkommen ist. Obwohl Trevor erschreckend nahe daran ist. Die Menschen machen Fehler, ich mache Fehler, alle machen Fehler, und jeder muß, jeder muß —« sie brach ab und starrte ihn an.

»Jeder muß was?« fragte er.

Sie blickte zur Decke.

»Nicht jeder«, sagte sie. »Ich. Ich muß.«

»Du mußt was?«

»Schuyler«, sagte sie, und als sie merkte, daß sie sich immer noch an den Händen hielten, drückte sie seine leicht. »Schuyler, ich verzeihe dir.«

Er fuhr zurück, als hätte sie ihn geschlagen. »Es gab eine Zeit, da wünschte ich mir mehr als alles andere, dich das sagen zu hören. Jetzt, da du es gesagt hast, fühle ich mich beschissen.«

»Da ist noch mehr. Du mußt mir verzeihen, ich brauche das.«

»Wofür?« fragte er. Er nahm sich eine Zigarette.

»Für eine Menge Dinge. Bitte nicht —«, sagte sie und wedelte mit der Hand in der Luft.

»Was?«

»Verlange nicht, daß ich sie aufzähle. Und bitte nicht rauchen.«

Er lächelte. »Du hast nichts Unrechtes getan«, sagte er und blies das angezündete Streichholz aus.

»O doch, und ich muß es dich sagen hören. Weil ich möchte, daß wir Freunde sind, und das können wir nicht, ehe wir nicht alles Unerledigte aus dem Weg geräumt haben. Wenn du möchtest.«

»Ich möchte es. Daß wir Freunde sind.«

»Du mußt Trevor kennenlernen. Kommst du mal auf

einen Drink vorbei? Du wirst ihn bestimmt mögen.« Ihre Milchshakes waren gekommen. Schuyler schob die Papierumhüllung seines Trinkhalms nach unten und blies ins andere Ende; das Papier flog über Rosalies Kopf in die Nische hinter ihnen. Rosalie kicherte.

»Das hört sich sehr erwachsen an«, sagte Schuyler. Er dachte, daß auch er in den Jahren, seit sie ihn verließ, Zeit gehabt hätte zu heiraten, einen Hausstand zu gründen, ein Kind zu haben. Kaum einer von seinen Bekannten in seinem Alter hatte es getan. »Ich glaube, das läßt sich machen.«

Rosalie beugte sich vor und trank ihren Milchshake, wobei ihr eine rötliche Haarwelle über die Augen fiel. Für Schuyler sah sie aus wie einst: der Kopf eines jungen Mädchens, der auf dem Körper einer verheirateten Frau saß.

»Du bist der einzige ehemalige Liebhaber, den ich habe«, sagte Rosalie und blinzelte ihm zu. »Deshalb mußt du dich von deiner besten Seite zeigen, wenn du uns besuchen kommst. Ich habe einige frühere Freundinnen von Trevor kennengelernt, sie sind alle blond und 1,80 groß; sie schießen, reiten und schwimmen, und eine hat sogar bei der Olympiade eine Medaille gewonnen. Im Bogenschießen glaube ich, genau weiß ich's nicht mehr.«

»Es war bestimmt bloß Bronze«, sagte Schuyler lachend.

»Also, ich paßte überhaupt nicht dazu, also sei bitte so charmant, wie du kannst, damit Trevor nicht dahinterkommt, wie leicht es eigentlich war, mich zu heiraten.« Wieder kicherte sie. Wie alt sie auch wird, dachte Schuyler, dieses Schulmädchenkichern wird sie immer behalten.

»Du, es tut mir so leid, was ich über deinen Vater gehört habe. Wie geht es ihm?«

»Nicht besonders. Er lebt auf so einer Art Farm.

Trinken tut er nicht mehr, Gott sei Dank. Er liest immer noch täglich die Rennberichte und zieht immer noch täglich Anzug und Schlips an, bloß um mit den anderen — Patienten — in die Cafeteria zu gehen.«

»Ich habe von Agamemnon gehört. Es muß schwer gewesen sein für deine Mutter.«

»Allerdings. Aber für nächstes Jahr haben wir einige fabelhafte Stuten in Aussicht. Wart's nur ab, was 1980 bei den Jährlingsverkäufen passiert«, sagte sie. Bis dahin waren es noch zweieinhalb Jahre. Wer weiß, wie Josephs Befinden dann sein würde. Sie unterhielten sich über Pferde und über Schuylers Arbeit bei der Zeitung, und dann war es dunkel, und Rosalie sagte, sie müsse schleunigst nach Hause. Er begleitete sie bis zur Ecke.

»Auf Wiedersehen«, sagte sie. »Ich ruf dich ganz bald an, und du mußt versprechen zu kommen.«

»Mach ich«, sagte er. »Und ich verzeihe dir.«

Sie hob fragend die Augenbrauen.

»Daß du mir das Herz gebrochen hast.« Er reichte ihr die Tüten.

»Es ist so lange her«, sagte sie.

»Wir waren noch Kinder«, erwiderte er. »So etwas passiert allen.«

Sie schüttelte den Kopf. »Nein, nicht so, wie es bei uns war. Es war etwas Besonderes. Das können wir nicht leugnen.«

»Hm.« Er holte tief Atem und stieß ihn aus in die kalte Winterluft.

»Und jetzt können wir besondere Freunde sein.« Sie stellte sich auf die Zehenspitzen und gab ihm einen Kuß auf die Wange.

»Das schon.« Er schob die Hände in die Taschen. Er verabschiedete sich, drehte sich um und ging, hinein in den Wind, der mächtig vom Park herüberblies. Sie sah, wie er im Gehen ein Streichholzbriefchen in der hohlen

Hand hielt, um sich die Zigarette anzuzünden, auf die er den ganzen Nachmittag gewartet hatte. Und nun, als es zu spät war, es zu sagen, wurde ihr klar, was sie seit langem empfunden hatte und was ihr nicht bewußt gewesen war, bis sie ihn jetzt in Richtung Stadt gehen sah: Sie hatte ihn vermißt. Sie hatte ihren besten Freund sehr vermißt.

Einige Tage später kam er und lernte Trevor bei einigen Drinks kennen, und Rosalie staunte, wie gut die beiden Männer sich verstanden. Alles drehte sich um Angeln, Jagd und Sport. Die zwei hatten beschlossen, aus Gründen, die nichts mit Rosalie zu tun hatten, Freunde zu werden.

Und als Miranda vorschlug, Schuyler am Valentinstag zum Essen einzuladen, hatte Trevor ihrem Vorschlag begeistert zugestimmt.

»Es hätte schlimmer sein können«, sagte Trevor soeben, seine rote Fliege zurechtrückend. »Sie hätte uns allen limonengrüne Freizeitanzüge schenken können. Oder Designer-Jeans.«

Schuyler band seine Fliege um und bat Katie Lee, die rechts von ihm saß, den Sitz zu begutachten.

»Du siehst aus wie der perfekte Südstaatengentleman«, sagte Katie Lee und trank einen Schluck Champagner. Es galt als leicht vulgär, Champagner zum Essen zu servieren, aber sie nahm an, den Goodwoods ließ man alles durchgehen, was sie wollten, bloß weil sie waren, wer sie eben waren. »Du siehst blendend aus.«

Sie hatte vergessen, wie ungeheuer gut dieser Junge aussah. Sie wußte, daß er keine feste Freundin hatte, und da sie nun ständig in New York lebte, wäre es ganz nett, jemanden wie Schuyler zu haben, der sie auf diese endlosen halb geschäftlichen, halb gesellschaftlichen Veranstaltungen begleitete und der die richtigen Verbindungen hatte, um sie auf interessante Partys mitzunehmen und sie überall vorzustellen, jemand, der Bobby ein bißchen eifersüchtig machte und, wenn sie richtig vermutete, wenig bis keine sexuellen Ansprüche stellte. Katie Lee erkannte, daß Schuyler auf sexuelle Ausschweifungen verzichtete: Sie merkte es an der Art, wie er sich automatisch abwandte, wenn eine Frau ihm nur ein bißchen zu nahetrat.

Miranda, die an der gegenüberliegenden Seite des Tisches zwischen den zwei langweiligsten Männern von New York saß, wie sie soeben festgestellt hatte, fragte sich, wie die makellos gepflegte Katie Lee wohl aussähe, wenn man eine Sauciere über ihre makellose Frisur kippte. Wenn sie nicht aufhört, mit Schuyler zu flirten, werde ich es bald genug wissen, sagte sie sich. Verdammt, er ist *meinetwegen* eingeladen, und ich bereue, daß ich Rosalie dazu überredet habe.

Aus Gründen, die sie nicht einmal Rosalie anvertrauen konnte, wußte Miranda, wie empfindlich Schuyler augenblicklich auf Frauen reagierte. Sie wußte es, weil sie seit Wochen, nein Monaten in Chris' Wohnung seine Briefe abfing und die Nachrichten abhörte, die er auf Chris' Anrufbeantworter hinterließ. Nur ein einziges Mal hatte er angerufen, während Miranda in der Wohnung war. Sie schlich zum Anrufbeantworter, stellte ihn laut und hielt den Atem an, als Schuyler sprach. Obwohl sie die Gebrauchsanweisung gelesen hatte und wußte, daß der Anrufer einen unmöglich hören konnte, wenn der Anrufbeantworter eingeschaltet war, hatte sie Angst und verhielt sich verstohlen und leise. Beim Geräusch seiner Stimme war sie in Schweiß ausgebrochen, und als er auflegte, war ihr sehr übel.

Sie hatte seine Briefe, ein halbes Dutzend, in einem Schlafsack in ihrer Wohnung versteckt. Es war die reinste Tortur, sie zu lesen; Schuyler war überzeugt, daß er Chris liebte, die, das wußte Miranda, sich nicht die

Bohne aus ihm machte. Miranda tat nur, was für die beiden das beste war.

Nach einer Weile hörten die Briefe und Anrufe auf (wenige Tage bevor sie Chris mitteilte, es werde nun Zeit für sie auszuziehen), und Miranda wußte, was das bedeutete: Schuyler hatte aufgegeben, wenn auch nur vorübergehend, und versuchte, mit seinem Leben ins reine zu kommen. Sie wußte, daß er keine Freundin gefunden hatte – sie rief immer noch bei ihm an und hängte ein, sobald er sich meldete, und ging gelegentlich an seiner Wohnung vorbei – aber das war nur eine Frage der Zeit. Hätte sie doch nur früher mit ihrer Diät angefangen, hätte sie doch nur schneller abnehmen können. Und nun war er hier und machte sich vor aller Welt zum Narren wegen Katie Lee. *Katie Lee.*

»Und woher kennen Sie Trevor und Rosalie?« fragte der Mann zu ihrer Rechten.

»Mein Vater ist der Hausmeister dieser Gebäude«, fauchte Miranda. Sie sah, wie der Mann die Augenbrauen überrascht hob und dann verwirrt senkte. »Meine Mutter wäscht für Charlotte.«

Trevor erhob sich und brachte alle zum Schweigen, indem er mit einem Dessertlöffel an sein Glas klopfte. »Ich möchte, daß ihr mit mir anstoßt«, begann er. »Alle bis auf meine liebe Frau, die keinen Alkohol trinken darf.« Er blickte über vier kleine Arrangements aus Rosen und Federnelken die lange Tafel entlang zu Rosalie, die nichts mehr haßte, als im Mittelpunkt der Aufmerksamkeit zu stehen.

»Auf die neue Herrin des Gestüts Blue Smoke«, sagte er, und Gregory stand auf und rief: »Zum Wohl!«, und dann stand Schuyler auf, und alle übrigen folgten, beifällig murmelnd.

Rosalie hob ihr Glas mit reinem Quellwasser.

»Auf unsere Freunde«, sagte sie, und alle stießen mit

ihren Gläsern an; der Klang von Kristall an Kristall hörte sich an wie die leisen Töne, die einen neuen musikalischen Satz einleiten, den ruhigen Mittelteil einer Symphonie, den Teil, den Rosalie immer am liebsten mochte.

15

»*Du brauchst einen* festen Freund.« Alex rieb Chris' Schultern mit Sonnenschutzmittel ein. »Ich laß dir morgen als erstes einen Karton hiervon schicken. Obwohl es viel besser für dich wäre, wenn du die Sonne ganz meiden würdest.«

»Kann ich nicht.« Chris schenkte sich noch einen Eistee aus dem Krug ein, den Alex ans Schwimmbekken gebracht hatte.

»Ihr Strandhasen werdet nie erwachsen.« Alex seufzte. Er reichte ihr eine Tube Sonnencreme und sah zu, wie sie noch eine Schicht auf ihre Beine auftrug. »Das ist nichts, worauf man stolz sein kann, mußt du wissen.«

»Von dem Zeug rieche ich wie eine einzige große Pina Colada«, sagte sie. »Regelrecht beschissen.«

»Bitte sprich nicht so mit mir.« Er zog einen Minzzweig aus seinem Tee und nahm ihn zwischen die Zähne. »Du bist erst ein paar Wochen hier, und schon hörst du dich an wie das hiesige Gesocks.«

»Wir finden unser Niveau, wohin wir auch gehen«, erwiderte sie. Es machte Spaß, Alex zu ärgern, oder vielmehr: Er schien es zu genießen, wenn sie ihn ärgerte, es gab ihm Anlaß, sie zu schelten, sich väterlich zu geben, sich wieder einmal als der erfahrene Mann von Welt zu erweisen, der ihr zeigen konnte, wo es langging.

Sie wußten beide, daß diese Reise, die Alex ungeachtet des Protests ihrer New Yorker Agenten arrangiert hatte, die reine Verführung war. Er machte sie mit dem guten Leben hier an der Westküste bekannt, indem er sie mit auf Partys nahm und einigen Leuten vorstellte, die sie wiederum anderen vorstellen konnten, die sie zum Film bringen könnten.

»Und ich brauche keinen festen Freund«, sagte sie. Sie lehnte sich im Liegestuhl zurück und schloß die Augen. »Feste Freunde sind totale Langweiler. Und wie du dich vielleicht erinnerst, ich kann sie nicht besonders gut halten.«

»Aber Süße, du brauchst unbedingt einen. Wir sind hier nicht in New York, wo hübsche Mädchen auf mehr Partys eingeladen werden, als sie verkraften können. In Kalifornien gibt es massenhaft hübsche Mädchen. Wir müssen dich mit einem interessanten Typen zusammenbringen. Es muß einer sein, der dir ein bißchen Presse verschafft, der dich überallhin mitnimmt, et cetera, et cetera.«

»Ich laß mich lieber von dir mitnehmen.« Chris schlug die Augen auf und sah ihm direkt ins Gesicht. »Ehrlich. Das hat mir schon immer Spaß gemacht.«

Alex wandte den Blick ab; es mißfiel ihm, wenn jemand vor Sonnenuntergang freundlich und aufrichtig war, bevor der Alkohol ihn soweit gelöst hatte, daß er sich die Herzlichkeit und Zuneigung einer alten Freundin gefallen lassen konnte.

»Ich bin entzückt. Wie wäre es mit Robbie Kent? Seine Scheidung wird in ein paar Wochen durch sein, und seine neue Serie wird ein Riesenhit, und ich weiß, daß er dich ausgesprochen süß findet.«

»Du hast versucht mich zu verkuppeln. Das ist unfair.«

»Ich?« Alex breitete alle zehn Finger über seine unbehaarte Brust. »Ich war bloß zum Mittagessen da, und da war zufällig eine alte Nummer von *Elle* mit dieser Safaridoppelseite von dir aufgeschlagen, und ich habe einfach erwähnt, daß ich dich kenne, und was kann ich dafür, daß er sich daraufhin sein Baumwollhemd vollgesabbert hat. Du könntest es schlechter treffen.«

»Keine Schauspieler«, sagte Chris. »Das sind alles Idioten.«

»Aha.«

»Und überhaupt keine Filmleute. Die sind alle widerlich, Anwesende eingeschlossen.«

»Vielen Dank, Liebling. Seit wann bist du so kritisch?«

»Wir reden hier von festen Freunden.« Der Reisewecker summte. Chris stellte ihn mit ihrer großen Zehe ab.

»Wie wär's mit einem Schriftsteller? Was ist mit diesem Knaben von Harvard — wie hieß er noch? Der dein liebender Sklave sein wollte? Mit seiner Karriere geht es steil bergauf, seit er freiberuflich arbeitet. Sie machen einen Film aus seinem Artikel über olympische Schwimmer. Er hat vorigen Monat hier mit einem Drehbuch die Runde gemacht.«

»Du wirst dich doch an seinen Namen erinnern.«

»In meinem Alter fang ich an, alles zu verwechseln.«

»Du?« Chris rutschte auf dem Liegestuhl hin und her. »Schuyler Smith.«

»Aha.«

»Aha. Er und Katie Lee sind seit Monaten ein Herz und eine Seele.«

»So was hat dich früher nie abgehalten.«

Chris stützte sich auf einen Ellenbogen. »Das ist unfair, Alex. Außerdem ist er Schnee von gestern. Langweilig, sterbenslangweilig.« Sie lehnte sich wieder zurück und schloß die Augen; es war leichter so, das wußte sie aus Erfahrung. Alex schaffte es immer noch, sie selbst bei den harmlosesten Lügen zu ertappen.

»Wie du meinst«, erwiderte er. »Dann such dir selbst einen aus.«

»Wen ich will?«

»Wen du willst. Ausgenommen die königliche Familie. Ich kann nichts Unmögliches bewirken. Komm schon. Chris findet den Traummann. Es muß doch einen geben, der deiner ständigen Beachtung wert ist.«

Keiner würde mich wollen, dachte sie, denn jetzt, einen Monat vor ihrem 23. Geburtstag, wurde ihr klar, daß es auch 1977 noch so etwas wie einen Ruf gab, und Chris, die nie viel von Diskretion gehalten hatte, hatte einen Ruf, der ängstliche Gastgeberinnen veranlaßte, sie bei Tisch möglichst weit von ihren Ehemännern und Verehrern zu setzen.

Vielleicht hatte Alex recht: So wie er Chris als Bemäntelung für seine Abenteuer mit schönen Jünglingen brauchte, so brauchte sie eine Art Deckmantel, einen, den sie als den Mann in ihrem Leben vorweisen konnte, der sie vor dem Klatsch schützte, der ihrer Karriere schaden könnte. Sie hatte Alex nicht erzählt, daß sie letztes Jahr zu Probeaufnahmen für eine Rolle in einem Fernsehfilm hiergewesen und von der eifersüchtigen dritten Frau des Produzenten abgelehnt worden war, deren beste Freundin und Joggingpartnerin sich bereit erklärt hatte, den Titelsong zu singen, wenn eine andere als Chris die Hauptrolle bekäme. Der Produzent besetzte die Rolle mit einer jungen Unbekannten, und Chris' Agent hielt ihr einen Vortrag, daß es für sie nun an der Zeit sei, sich in der Öffentlichkeit anständig zu benehmen.

Trotzdem, ein fester Freund, so was Lästiges. Einer, der damit rechnete, daß man für ihn da war. Der meinte, er hätte das Recht zu erfahren, was sie tat, wohin sie ging, was sie dachte und fühlte, 24 Stunden am Tag. Als wäre sie sein Privateigentum. Das war das Letzte.

Als der Wecker eine halbe Stunde später wieder summte, bestand Alex darauf, daß sie aus der Sonne gingen und sich etwas zum Mittagessen besorgten. Der Tagesrhythmus änderte sich nie hier in Kalifornien: Es gab keine Trennung zwischen Werktagen und Wochenenden; die Leute waren immer gleich betont lässig gekleidet, ob sie zu Hause blieben oder auf eine Party gingen, mit alten Freunden zum Mittagessen verabredet waren oder mit einem neuen Geschäftsfreund dinierten. Chris hatte Mühe, abends einzuschlafen, und zu anderen Zeiten, am späten Vormittag, oder wenn sie nachmittags in der Stadt einkaufte, fühlte sie sich plötzlich matt und reif für ein Schläfchen. Ihr Stoffwechsel war nicht in Ordnung. Die Farben hier waren zu hell und zu strahlend, und die Helligkeit tat ihren Augen weh. Sie wäre am liebsten in einen Kellernachtclub gegangen, in dunklen Strümpfen, und hätte Bourbon trinkend den schwarzen Jungen zugesehen, die unter den ultravioletten Neonröhren miteinander tanzten.

»Laß uns ein bißchen rumfahren.« Sie klimperte mit den Schlüsseln ihres gemieteten 65er Mustang. »Ich brauch Rindfleisch. Sofort. Cheeseburger. Jetzt gleich.«

Sie fuhren los, und Chris hielt nach einer Ewigkeit vor einem gedrungenen einstöckigen Gebäude, dessen Rauhputz im leuchtenden Gelb eines Fruchtgummi-Einwickelpapiers gestrichen war, und bestellte vier Cheeseburger, einen für Alex, drei für sich. Sie war wie ein mürrisches Kind, vorübergehend aufgeheitert von einem vor Erschöpfung nachsichtigen Vater. Alex bezahlte das Essen, er behauptete, ihr würde später schlecht davon; er kaufte ihr den rosa Stoff-Flamingo, der ihr, wie sie schwor, Glück bringen und den sie, davon war Alex überzeugt, zurücklassen würde, wenn sie nach New York zurückkehrte.

»Nach Hause bitte«, sagte Alex. Die Rückfahrt

schien nur halb so lang wie die Hinfahrt, und sie diskutierten wie träge Philosophen der Landstraße über die wechselnden Aspekte von Zeit und Entfernung. Warum die Rückfahrt immer kürzer schien als die Hinfahrt. Warum es beim Gehen umgekehrt war: Der Rückweg war endlos, jeder Schritt eine Qual.

Chris setzte Alex vor seiner Einfahrt ab.

»Ich bin immer noch so unruhig«, sagte sie. Sie warf ihm den Flamingo in die Arme. »Bis nachher.«

»Kann ich zum Abendessen mit dir rechnen?« fragte Alex.

»Ich werd's versuchen«, rief Chris zurück, als sie anfuhr. Sie mußte eine Zeitlang allein sein, um über dieses Problem mit dem festen Freund nachzudenken. Es war eigentlich mehr eine geschäftliche als eine emotionale Angelegenheit, und sie überlegte, was Katie Lee in ihrer Situation tun würde.

Wie war die Methode, die Katie Lee ihr letzten Monat erläutert hatte? *Laterales Denken als Methode zur Problemlösung.* Wenn jemand einem ein Problem präsentierte, war es manchmal das beste, dem Problem nicht frontal zu Leibe zu rücken, sondern es seitwärts anzugehen, einen kleinen Schritt zur Seite zu tun, das Problem neu zu definieren, so daß es sich als etwas darstellte, das leichter zu lösen war.

Wie war das Beispiel, das Katie Lee ihr genannt hatte? Um für eine bestimmte Art von Steuerermäßigung in Frage zu kommen, mußte das Hotel in New York bis Ende dieses Jahres eröffnet werden. Das Problem war, daß das Hotel nicht vor März 1978 zur Aufnahme von Gästen bereit sein würde. Alle *dachten,* das Problem würde den Bau vorantreiben, damit die Zimmer fertig würden, und die Arbeiter würden Überstunden machen, um in den Gästezimmern Wände zu gipsen, Teppichböden zu legen und Badezimmereinrichtungen zu installieren. Katie Lee definierte ihr Problem neu, indem sie genauestens untersuchte, was »Eröffnungsdatum« eigentlich bedeutete, und kam zu dem Schluß, wenn sie am letzten Tag des Jahres eine Silvesterparty für die Bauarbeiter gab und sie in den unfertigen Zimmern übernachten ließ, damit keiner betrunken nach Hause fahren mußte, wäre ihr Hotel damit offiziell 1977 eröffnet. Katie Lee käme in den Genuß der Steuerermäßigung, die Überstunden machenden Bauarbeiter hätten ein rauschendes Wochenende, und die Presse würde fabelhaft sein. Laterales Denken.

Was ist nun genau mein Problem? fragte sich Chris, als sie ziellos die Küste entlangfuhr. Ich habe mit zu vielen Männern geschlafen oder mit den falschen, und das hat sich herumgesprochen, deshalb muß ich mir einen offiziellen festen Freund zulegen, der diese Gerüchte zum Verstummen bringt und die Ängste eifersüchtiger Frauen beschwichtigt.

Aber mit Männern schlafen ist nicht das eigentliche Problem, dachte sie, als sie bei Gelb links abbog und durch die verschlafene Vorstadt fuhr. Mit Männern schlafen, *die hinterher darüber reden*, das ist das Dumme, und sie merkte, wie sie den kleinen Schritt zur Seite tat: Wenn ich an einen gerate, der keine Filmleute kennt, der nicht mal weiß, wer ich bin, dann verschwindet das Problem, einen festen Freund zu finden, von selbst.

Sie gratulierte sich zu ihrer vernünftigen Analyse ihres Dilemmas und rief sich in Erinnerung, daß in Krisenzeiten ein kühler Kopf und logisches Denken die besten Freunde eines Mädchens sind. Chris sah, daß sie fast kein Benzin mehr hatte. Sie hielt an der nächsten Tankstelle, und dort stand, ein Päckchen Winston in den Ärmel seines karierten Baumwollhemdes geschoben, einen ölverschmierten blauen Lappen aus der Gesäßtasche hängen lassend, der absolut hinreißendste Mann, den sie je gesehen hatte.

Als der Tankstellenpächter aus der Glaskabine trat und fragte, ob er einen Blick auf den Motor werfen solle, stieg Chris aus und sagte, er solle sich nur Zeit lassen.

Der Junge mit dem karierten Hemd schob die dunkle Pilotenbrille in die Brusttasche, als Chris vorüberging.

»Normal?« fragte er.

Chris nickte. Er hatte erstaunlich dunkelbraune Augen. Seine sandfarbenen Haare — als Kind war er vermutlich blond gewesen — waren so fein und glatt wie Babyhaar und hingen ihm ohne ordentlichen Schnitt um die Ohren und in den Nacken. Diese Art von Nicht-Stil brachte Chris immer mit Leuten in Verbindung, die sich nur einmal im Jahr die Haare schneiden ließen. Im Oktober würde er sie zum Pferdeschwanz zusammenbinden, und im kommenden Juni kämen sie wieder herunter.

Zwei seiner Schneidezähne waren etwas heller als seine eigenen. Sie verschwanden, als er Chris flüchtig anlächelte. Er hatte diesen vorspringenden Kiefer, den Filmschauspieler seit Jahrzehnten vortäuschten, wenn sie rauhe Kerle spielten. Ein Zahnarzt hätte von einer Bißanomalie gesprochen, aber für Chris war es schlicht und einfach sexy, diese herausfordernde Unbekümmertheit, dieses durch und durch männliche Gebaren. Die harte Miene war irreführend, denn bei näherem Hinsehen war sein Gesicht durchaus zart, wie auch die für einen Automechaniker erstaunlich sauberen und gepflegten Hände. Er hatte ungefähr Chris' Größe, war schlaksig und schlank und hatte einen von Natur aus anmutigen und athletischen Körper, dessen Erhaltung in wenigen Jahren — sie schätzte ihn Ende Zwanzig — Diät und Gymnastik erfordern würde.

Er besaß diese androgyne Schönheit, für die alle Zwölfjährigen schwärmen, ehe Fernsehen und Modefotografie sowie die grausame Entdeckung der klaffenden Lücke zwischen dem, was sie begehren, und dem, was sie bekommen können, ihnen klarmachen, daß von ihnen erwartet wird, dieser Schwärmerei zu entwachsen.

Was Chris nie getan hatte, weil sie es nie brauchte. Sie holte sich eine Cola aus dem Getränkeautomaten und sah den zwei über den Motor gebeugten Männern zu. Der Pächter fragte sie irgend etwas Technisches, das den Vergaser betraf, und sie gestand, daß sie absolut nichts von Autos verstand, daß sie diesen Wagen nur gemietet habe, solange sie in der Stadt sei. Die zwei Männer wechselten bedeutungsvolle Blicke. Chris behagte es nicht, mit einem Auto um männliche Aufmerksamkeit konkurrieren zu müssen. Der Typ in dem karierten Hemd schien sie kaum zu beachten.

»Ich würde gern mal sehen, wie er läuft«, sagte er und schloß die Motorhaube mit der linken Hand. Der Betrag auf der Anzeige machte genau zehn Dollar aus. »Ich habe mir gerade so einen gekauft, er ist in ziemlich schlechtem Zustand, und ich überlege noch, was ich damit anfangen soll.«

»Ich denke, das läßt sich machen.« Chris fingerte einen Zehner aus ihrer Tasche.

»Wie wär's mit sieben Uhr«, sagte er und winkte ab, als sie ihm das Geld geben wollte. Auf der anderen Seite der Zapfsäule war ein Plymouth Kombi vorgefahren. »Wir könnten eine Spritztour machen.«

»Ich denke, das geht in Ordnung«, sagte Chris.

Er lachte sie an, das Feixen eines Mannes, der gewohnt ist, genau das zu bekommen, was er will, und fragte sie nach ihrem Namen.

»Deirdre«, sagte sie.

»Tom Roberts«, sagte er und gab ihr die Hand.

»Deirdre Davis«, sagte sie.

»Also, dann um sieben«, sagte er.

Als sie sich zum Gehen wandte, stolperte sie über ein Schlauchstück, und er fing sie auf, indem er mit beiden Händen ihre Taille umfaßte. Sie spürte seinen Atem in ihrem Nacken. Er hielt sie etwas länger als nötig fest, gerade ein paar Sekunden länger, als sie brauchte, um ihr Gleichgewicht wiederzufinden, und in diesem Moment fühlte sie, wie etwas in ihrem Innern Funken schlug.

»Obacht, Deirdre«, flüsterte er ihr ins Ohr. Die rechte Hand sanft in ihrem Kreuz, führte er sie zum Wagen und hielt ihr mit der linken die Tür auf.

Sie ließ den Motor an, und als sie losfuhr, rechnete sie sich rasch im Kopf aus, daß sie zwei Stunden hatte, um zu Alex zu fahren, zu duschen, sich umzuziehen und zu der Tankstelle zurückzukehren. Sie könnte es schaffen, wenn der Stoßverkehr nicht zu schlimm war. Rechts von ihr hupte ein Wagen, und sie merkte, daß sie eine rote Ampel übersehen hatte.

Der Bursche würde ihr zu schaffen machen, aber Chris konnte sich nicht recht darüber klarwerden, worin das Unangenehme bestand. Er war nicht gefährlich oder beängstigend, das hatte sie gleich erkannt an der Art, wie er mit dem Tankstellenpächter herumalberte, während sie die Kabel des Motors kontrollierten. Und er würde bestimmt nicht aggressiv sein, sie merkte ihm an, er war es gewöhnt, daß die Frauen ihm zuliefen, er hatte sie zuerst kaum beachtet, aber als sie mit ihm sprach, sah er ihr ununterbrochen in die Augen — und sie hatte wirklich als erste wegsehen müssen!

Das Schlimme war: Zum erstenmal seit langer Zeit interessierte sich Chris für einen Mann, von dem sie nicht wußte, wie sie ihn beherrschen sollte. Jeder Flirt war anders, aber in einem waren alle Flirts gleich gewesen: Ob sie nun umworben, geneckt, verführt oder umschmeichelt wurde, bis jetzt war immer sie es gewesen, die das Manöver steuerte. Sie wußte nicht, wie es passiert war, aber in dem kurzen Augenblick, als Tom Roberts seine Finger um ihre Taille spreizte und ihr seine Daumen in den Rücken drückte, hatten sich die Positionen verschoben. Mit einemmal war er die Herausforderung, das Mysterium, derjenige, der die erste Geige spielte.

Das wirklich schlimme war: Es gefiel Chris. Sie war überzeugt, wenn ein Arzt ihr jetzt sofort eine Blutprobe entnähme, würde er eine seltene, womöglich gar namenlose chemische Substanz finden, die in ihren Adern pulsierte, etwas, das Tom Roberts in ihr ausgelöst hatte, etwas, das sie dazu bringen würde, alles zu tun, was er wollte.

Verdammt, was soll's, sagte sich Chris, als sie in Alex' Einfahrt einbog. Sie mochte machtlos sein, sie mochte unsicher sein, sie mochte verwirrt und nervös und noch einiges sein, was sie in Gegenwart von Männern lieber nicht wäre. Aber eines war sie nicht: ängstlich.

»Er fährt sich großartig«, sagte Tom. Er ging mit 50 Stundenkilometern aus der Kurve und brachte den Wagen auf 130.

Chris nickte und reichte ihm die Bierdose, die sie zwischen den Knien gehalten hatte. Das Bier war inzwischen fast so warm geworden wie der Wind, der vom Meer her wehte. Es war kurz nach Sonnenuntergang, und Chris hatte keine Ahnung, wo sie waren.

»So, Deirdre«, sagte er. »Und was tust du in Los Angeles?«

»Nicht viel«, erwiderte sie. »Ich bin einfach hergekommen, und ich wohne bei Freunden, während ich überlege, was ich anfangen soll.«

Es war beinahe die Wahrheit. Er hatte ihr nicht allzu viele Fragen gestellt, was sie als Aufforderung verstand, ihm denselben Gefallen zu tun. So viel hatte sie herausgefunden: Er war irgendwo südlich von hier am Strand aufgewachsen und lebte jetzt bei seiner Schwester in Venice. Sie war Krankenschwester, und sein Schwager hatte nach der Entlassung aus der Armee einen Surfshop aufgemacht. Sie hatten drei Kinder, die Tom zum Wahnsinn trieben, aber es war immerhin eine Bleibe. Er war nicht fest bei der Tankstelle angestellt, der Pächter war ein alter Schulfreund von ihm, und manchmal half Tom aus, wenn einer von den Angestellten nicht erschien, was offenbar ziemlich häufig vorkam. Sie kauften zusammen alte Autos, richteten sie her und verkauften sie mit beträchtlichem Gewinn.

Chris glaubte nicht, daß er die Wahrheit sagte, oder vielmehr, sie hatte das Gefühl, daß Tom etwas verheimlichte, ein altes Drogenproblem oder eine schiefgegangene Ehe, irgend etwas, das er ihr nicht anvertrauen mochte. Er stellte sie auf die Probe, das spürte sie; er warf ihr gelegentlich einen Blick zu, wenn er besonders riskant fuhr, und wartete, daß sie ihm ihre Angst zeigte, daß sie ihn bäte, langsamer zu fahren.

Aber je mehr er riskierte, desto ruhiger wurde sie. Es konnte jetzt alles mögliche passieren: Ein Lastwagen könnte überraschend hinter einer Biegung auftauchen, ein Kind könnte auf einem Fahrrad über die Straße kurven, eine Ölpfütze könnte den Wagen ins Schleudern bringen, so daß sie über den Rand einer Klippe stürzten. Chris lehnte sich einfach zurück und öffnete noch eine Dose Bier. Schlimme Dinge stießen nur ängstlichen Leuten zu, das war das Gesetz der Straße, das Schicksal beschützte die, die sich ihm anvertrauten.

Als sie schneller und schneller fuhren, war ihr, als ob sie eine Schranke durchbrächen und in einen neuen

Raum vorstießen. Sie waren einfach ein Mann und eine Frau, die sehr, sehr schnell in einem Auto fuhren. Alles andere an der Schnellstraße verwischte: eine Gruppe dunkelgrüner Bäume, das grelle blaue Licht eines Drive-in-Restaurants, eine überdimensionale Reklametafel, auf welcher Tom, hätten sie die Geschwindigkeitsbegrenzung eingehalten, ein sechs Meter großes Konterfei von Chris gesehen hätte, die auf einem Samtsofa liegend eine dunkelbraune Zigarette rauchte. Als Tom in eine Privatstraße einbog und an einem Durchfahrt-Verboten-Schild vorbei in den Wald, um ein großes dunkles Haus herum und auf eine Lichtung mit Blick auf eine Schlucht fuhr, stellte sie keine Fragen.

»Die sind nie zu Hause«, sagte er. Er stellte den Motor ab und langte herüber, um Chris die Tür zu öffnen. »Ein Freund von mir pflegt ihren Garten. Filmleute.«

Chris stieg aus dem Wagen und streckte die Beine. Irgendwo in der Nähe war eine Party im Gange, sie hörte das Kreischen einer Frau, die in ein Schwimmbecken geschubst wurde, und aus einem Lautsprecher tönten die Rolling Stones.

Tom setzte sich ins Gras und hielt Chris ein Bier hin. Sie hockte sich neben ihn und nahm einen Schluck. Als »Wild Horses« gespielt wurde, legte er sich zurück und mimte mit einem imaginären Instrument eine vollkommen synchrone Gitarrenbegleitung, das Gesicht angespannt vor Konzentration. Chris schmunzelte und legte sich neben ihn.

Tom schob einen Arm unter ihre Schultern. Er trug jetzt schwarze Jeans und Cowboystiefel. Sie atmete ein und lächelte: Er war also nach Hause gegangen und hatte geduscht, bevor sie ihn abholte. Sie rieb ihre Nase in dem Winkel, wo sein Kiefer aufhörte und sein Ohr anfing.

Er hatte das Gummi von ihrem langen Zopf entfernt

und fuhr nun langsam mit den Fingern durch ihr Haar, flocht es auf, zog es ihr über Schulter und Brust. Die Schallplatte wurde umgedreht, eine andere begann und endete, und sie lagen immer noch da, vollkommen still, keiner gewillt, den ersten Schritt zu tun.

Ich bin bloß ein Mädchen, das er an der Tankstelle aufgegabelt hat, sagte sich Chris, er hat keine Ahnung, wer ich bin. Sie hatte sich sorgsam gekleidet, sie hatte nichts an, das verriet, wieviel Geld sie hatte oder daß sie aus New York war. Sie trug ein blauweiß gestreiftes T-Shirt über einem Rock aus demselben Stoff, dessen lose Falten von einem billigen Elastikgürtel zusammengehalten wurden. Es war eigentlich gar nicht schwer, so auszusehen wie die Sorte Mädchen, die man an Tankstellen aufgabelte. Es war so ziemlich das, wozu sie erzogen worden war.

Er richtete sich ein wenig auf, um einen Schluck Bier zu trinken, und als er sich wieder hinlegte, schob er seine Hand ein kleines bißchen tiefer, und sie fühlte seine kühle Berührung auf ihrer Haut an der schmalen Stelle, wo ihr das T-Shirt über die Taille gerutscht war. Er fuhr träge mit dem Daumen hin und her, es war wie das halbherzige Streicheln, das einer Katze zuteil wurde, die auf dem Schoß ihres Besitzers zusammengekuschelt schlief.

Chris wartete, daß seine Hand höher glitt. Er ließ sie warten. Sie dachte daran, tiefer zu rutschen, bloß ein paar Millimeter, doch dann besann sie sich: Begierde war nicht, was er erwartete, jetzt noch nicht. Er dachte daran, sie zu küssen, doch dann besann er sich: Diesmal wollte er es nicht überstürzen. Diesmal hatten sie die ganze Nacht.

Als seine Hand sich auf ihre Brust legte, hörte sie sich seufzen, und ihn hörte sie in seiner Kehle einen Laut zwischen einem Wiehern und einem Stöhnen ausstoßen. Er täuschte immer noch Geistesabwesenheit vor, seine Finger bewegten sich, nichts versprechend, in gleichmäßigem Rhythmus auf ihr, aber an seinem tieferen Atem, an der Art, wie seine Brust sich schwerer gegen ihren Kopf hob, erkannte sie, daß schon alles entschieden war, daß es vermutlich schon entschieden war, als er sie zum erstenmal gesehen hatte. Er legte seine Lippen seitlich an ihren Mund, eine winzige Andeutung von einem Kuß, und so blieben sie noch eine Weile liegen. Es war eine vollkommene Tortur, und es war die vollkommene Glückseligkeit.

Als er sie küßte, heftig, seine Zunge überall auf einmal, hielt sie ihre Hände still an der Seite. Ihr fiel absolut nichts zu tun ein, außer vollkommen still zu liegen und sich küssen zu lassen. Sie legte ihm eine Hand um die Schulter, aber er nahm ihre Hand und drückte sie hinter ihrem Kopf auf die Erde. Es war, als wolle er sie nichts tun lassen, das ihn noch mehr erregte, nichts, das sie schneller dorthin brachte, worauf sie zusteuerten. Auch das war ein Gesetz der Straße: Der Höhepunkt der Reise war nicht das Ziel, sondern die Straße selbst. Chris verschränkte ihre Finger mit seinen. Dieser Kuß würde wenigstens eine Million Jahre dauern, so lange, bis alles, was sie kannte, verblaßte und verschwand, so lange, daß, wenn er aufhörte, alles auf der Welt verändert sein würde. War es möglich, daß ein Kuß das alles bewirkte? fragte sie sich. Würde sie es ergründen?

Als er einen Finger in ihre angehobene bloße Kniekehle legte, fühlte sie etwas in ihrem Innern schmelzen. Sie fühlte etwas, das sie gewöhnlich bei Männern nicht fühlte, es sei denn, sie waren schon viel weiter, es sei denn, sie waren fast *da*, es war verrückt, daß er sie mit der flüchtigen Berührung eines Fingers an ihrem Knie mehr fühlen lassen konnte, als sie je gefühlt hatte. Sie dachte nicht, was er wohl denken mochte, sie tat nichts

Besonderes, um Freude zu geben, und sie tat nichts Besonderes, um Freude zu empfangen — sie *war* einfach, und er *war* einfach, und sie *waren* einfach, es genügte ihnen, einfach hier zusammenzusein.

Als sie sich gegenseitig auszogen und die Kleider wie Bettlaken auf Gras und Tannennadeln ausbreiteten, lächelten sie sich lange an, und sie strich ihm mit der Hand über den Mund. Er nahm ihre Hand zwischen die Zähne und beknabberte sie eine Minute, und dann legten sie sich wieder hin, vollkommen still, das Verlangen ausdehnend, nur ihre Zehen berührten sich. Es würde ganz einfach sein. Sie konnte sich nicht besinnen, wie man es anders machte.

Als er mit den Fingern außen an ihr auf und ab fuhr und sie ihn leicht an ihre Hüfte gedrückt fühlte, küßten sie sich wieder. Ihr zweiter Kuß. Seine Lippen und seine Zunge flatterten überall, waren aber bei aller Akrobatik schlaff-weich. Er schob einen Finger in sie hinein, sie aber nahm ihn beim Handgelenk und zog ihn fort: Sie war bereit, und sie wollte, daß das erste, was sie in sich fühlte, sein Schwanz sei, sie wollte diesen ersten Kitzel des Eindringens, das Zusammenziehen und Sichdehnen um ihn herum, um *ihn*, nicht seine Finger oder seine Zunge, sondern *ihn*, nur ihn, ihn allein.

Als er in sie eindrang, eine Hand immer noch über ihren Köpfen mit ihrer verschränkt, während er sie mit der anderen von hinten umfaßte und anhob, hörte sie den ersten Laut der Lust von ihm, ein einziges »Oh«. Es ging so langsam, so langsam, sie fühlte, wie sie kam, und er flüsterte ihr ins Ohr: »Natürlich«, als hätte sie ihm etwas zu erzählen versucht, was er längst wußte.

Als er weitermachte, nur ein klein wenig schneller, hob sie endlich die Arme und umfing ihn. Er gab sich endlich hin, gab die Kraft zurück, die er von ihr genommen hatte, vergaß jede Beherrschung, vergaß, daß so etwas wie Beherrschung existierte. Es geschah nichts Phantastisches, es war ganz einfach, so einfach, wie es nur sein konnte, jedesmal zog er sich fast ganz aus ihr heraus, jedesmal drang er, so tief er konnte, in sie ein. Sie hatte vergessen, wie berauschend es war, sich im Freien zu lieben, mit der harten Erde unter sich und dem weiten Nachthimmel über sich, mit nichts um sich herum, keine Gegenstände, die einen daran erinnerten, wer man war oder wer er nicht war. Der Wind blies kühl gegen ihre nackten, von seinem Schweiß gestreiften Schenkel.

Als er kam, flüsterte er wieder: »Natürlich.« Dann stützte er sich auf die Ellbogen, und sie sahen sich an. Hinter ihm sah sie die Baumwipfel, und eine einzelne Wolke zog vor den Sternen vorbei. Sie sah allmählich ein klein wenig von der Härte in seine Augen zurückkehren, und dann lächelte er, um ihr zu zeigen, daß er sich wieder unter Kontrolle hatte.

Es machte nichts. Sie hatte die Prüfung bestanden. Sie zogen sich schweigend an, und sie fuhr ihn zurück zu der Tankstelle, wo er seinen Wagen hatte stehen lassen. Es gab nichts zu sagen. Er wußte, sie würde wiederkommen, und sie wußte, er würde sich freuen, sie wiederzusehen. Es bestand kein Zweifel. Sie gehörten zusammen.

»Du siehst aus wie die Katze, die den Kanarienvogel gefressen hat. Oder war es umgekehrt?« sagte Alex, während er die Kruste von seinem Toast entfernte.

»So?« Chris trank ihre zweite Tasse Kaffee. Sie hatte nichts von dem Frühstück essen können, das er ihr gemacht hatte. Sie hatte nur vier Stunden geschlafen. Immer, wenn sie an Tom Roberts dachte, tat ihr Magen einen kleinen Hüpfer, als wollte er einen Purzelbaum hinauf an ihr Herz schlagen.

»Du glühst sichtlich nach«, sagte Alex. »Irgendwann mußt du schließlich was essen.«

»Ich weiß.« Sie fühlte sich sagenhaft gut. Die Welt war herrlich. Sie war das seligste Mädchen im Universum. Sie konnte alles tun, was sie sich in den Kopf setzte. Sie würde ein großer, großer Star werden.

»Woran denkst du?« fragte Alex.

Ach, das Übliche, sagte sie zu sich selbst. Was ich anziehe, wenn ich für meinen ersten Oscar nominiert bin. Wie ich mich verhalte, wenn Johnny Carson mir in seiner Talkshow peinliche Fragen stellt. Welchen Illustrierten ich gestatte, mich zu interviewen. Ob ich eine Privatsekretärin einstellen muß.

»Ich überlege mir ein Geschenk für Rosalies Baby«, sagte sie.

»Wie alt ist das kleine Ungeheuer?«

»Fünf Monate, und er ist kein Ungeheuer. Als ich ihn im Dezember sah, war er der reinste Engel.«

Alex seufzte. »Natürlich, etwas anderes könnte Rosalie nicht hervorbringen.«

»Du hast ja eine schöne Laune«, sagte Chris. Sie fuhr mit der Zunge über die Innenseite ihrer Unterlippe. Es war noch da.

»Was erwartest du denn?« sagte Alex. Er nahm die Butter aus der Sonne, damit sie nicht weich wurde. »Du bleibst die ganze Nacht weg und machst Gott weiß was mit Gott weiß wem . . .«

»Eifersüchtig?«

»Beleidige mich nicht. Du kommst im Morgengrauen nach Hause und strahlst wie ein Honigkuchenpferd, und dann besitzt du die Unverfrorenheit, nicht mit den delikaten Einzelheiten rauszurücken. Das ist nicht nett von dir.«

Chris zuckte die Achseln. »Ich hab einen Typen kennengelernt. Nichts Weltbewegendes.«

»Jemand, den ich kenne?«

»Nein.«

»Jemand, den ich gern kennen würde?«

»Nein.«

»Jemand, von dem ich schon mal gehört habe?«

»Nein.«

»Da bin ich aber erleichtert. Aber Geheimnistuerei paßt nicht zu dir, Liebling.«

Chris sah Alex an. Kalifornien bekam ihm. Seine Haare, jetzt mit rötlichen Strähnen und grauen Sprenkeln, fielen ihm in Locken fast bis auf die Schultern, und er hatte etwas von seiner dekadenten Blässe verloren. Er hatte angefangen, ein wenig Sport zu treiben — war das tatsächlich Trizeps, was sie da sah? — und wirkte trotz seines bissigen Geredes gelöster.

Vielleicht war Kalifornien genau das, was sie brauchte. Der Karrieresprung war längst überfällig. Ein Stückchen weiter die Straße hinauf war ein Haus zu vermieten. Sie könnte ihre Wohnung in New York auf alle Fälle behalten; sie könnte ein paarmal im Monat zu Fototerminen hinfliegen. Was hielt sie eigentlich in New York? Rosalie, Miranda, Katie Lee, Schuyler: Diese Gesellschaft ließ sie nur zu gerne hinter sich. Es war Zeit, einen Schritt weiter zu gehen.

»Das Haus, das zu vermieten ist«, sagte Chris, »weißt du, ob es noch zu haben ist? Ist es sehr teuer?«

»Nicht übertrieben«, erwiderte Alex. »Ich erkundige mich für dich, wenn du willst. Aber sie wollen nur langfristig vermieten. Du mußt einen Mietvertrag für mindestens zwei Jahre unterschreiben.«

»Das läßt sich machen«, sagte Chris.

»Und meine Verträge laufen über drei Jahre. Für den Anfang.«

»Das läßt sich auch machen«, sagte Chris.

»Und das mit dem festen Freund ist mein voller

Ernst. Ich hoffe nicht, daß ich das schriftlich festhalten muß.«

»Wie du willst.« Chris schob ihren Stuhl zurück und streckte die Arme über den Kopf.

»Ende der Woche habe ich alles unterschriftsreif«, sagte Alex, und sie ging über die Terrasse ins Haus. Auf der Türschwelle drehte sie sich um, als hätte sie etwas vergessen.

»Eins noch«, sagte sie. »Der Wagen. Ich hab mich irgendwie dran gewöhnt. Meinst du, man könnte sie überreden, ihn zu verkaufen?«

»Wenn der Preis stimmt, schon«, sagte Alex und räumte das Geschirr zusammen.

»Könntest du das für mich erledigen?«

»Ich erledige alles.« Alex balancierte zwei Kaffeetassen auf Chris' unbenutztem Teller. »Es ist ein herrliches Stück Blech. Ein sagenhafter Motor.«

»Es ist bloß ein Auto«, entgegnete Chris. Sie schob eine Hand in ihre Tasche. Durch das dünne Baumwollfutter ihrer Jeans fühlte sie an ihrem Bein die gezackte Kante der Autoschlüssel, die sie an die vergangene Nacht erinnerten.

16

Sie hatte von Anfang an genau gewußt, was er brauchte. Er dachte wohl, er sei im Begriff, sich zu verlieben. Katie Lee fand es amüsant, daß Schuyler Smith sich einbildete, in sie verliebt zu sein. Er hatte die drei Worte nicht ausgesprochen, doch manchmal, in der knisternden Pause eines Ferngesprächs, oder wenn sie zu einer langsamen, sentimentalen Melodie tanzten, oder nachdem sie zusammen geschlafen hatten, fühlte sie, daß er es dachte, daß er kurz davor war, es zu sagen, daß er sich fragte, was sie tun, wie sie reagieren würde, wenn er es sagte. Ich liebe dich.

Und jedesmal war er klug genug zu schweigen, und dann mochte sie ihn am liebsten, in diesem Augenblick größter Erleichterung, wenn sie in seinen Armen ruhte, in dem sicheren Wissen, daß sein Drang vorüber war und der Abend keinen unangenehmen Verlauf nehmen würde. Sie wollte nicht über ihre Gefühle sprechen müssen. Die gingen ihn, wenn man es recht bedachte, nichts an. Sie schlief mit ihm. Das mußte genügen.

Sie hatte gleich bei ihrer ersten Verabredung genau gewußt, was er wollte. Es hatte nichts mit ihr zu tun, ja, es hatte nichts mit Frauen zu tun, aber das hätte Schuyler nie geglaubt.

Anfang März, wenige Wochen nach Rosalies Valentinstagsparty, hatte Schuyler Katie Lee angerufen und zur Eröffnung einer Fotoausstellung eingeladen. Es waren überwiegend Bilder von Baustellen, aus ungewöhnlichen Blickwinkeln aufgenommen, so daß die Träger, Balken und Rohre zu nahezu unidentifizierbaren Elementen einer abstrakten Komposition wurden. Schuyler meinte, die Ausstellung würde Katie Lee gefallen und hinterher könnten sie zusammen essen gehen und sich erzählen, was sie in der letzten Zeit gemacht hatten.

In einem gemütlichen kleinen Restaurant schilderte Schuyler ihr seine diversen Projekte. Er war von der Zeitung weggegangen, um freiberuflich zu arbeiten, und aus einem seiner Artikel entstand eine Comeback-Produktion für einen Filmschauspieler, der öffentlich ein schweres Drogenproblem bekämpft hatte. Mit dem Filmgeld hatte Schuyler seine Reisen nach Mittelamerika finanziert, und soeben hatte er einen Artikel über eine besonders brutale Guerillabande beendet, deren hochmodernes Waffenarsenal mit den Tourneegewinnen einer alternden kalifornischen Synthesizerband finanziert worden war. Zur Zeit war er mit den Voruntersuchungen für eine Artikelserie über das organisierte Verbrechen beschäftigt, »eine alte Geschichte«, sagte er, »aber sie wird immer besser«.

»Aber hast du denn keine Angst?« fragte Katie Lee.

Schuyler krempelte seinen Hemdsärmel hoch und zeigte ihr eine große runde Narbe. »Diese Kugel wurde mit deinen Steuergeldern bezahlt. Ja, ich habe manchmal große Angst, und jeder, der behauptet, er habe keine Angst, ist ein Lügner.«

Katie Lee umkreiste mit dem Zeigefinger seine Narbe, sah ihm in die Augen und seufzte. »Tapferkeit ist die Eigenschaft, die ich bei Männern am meisten bewundere. Ich weiß, das klingt schrecklich altmodisch.«

»Vielleicht bist du einfach ein Mädchen von der altmodischen Sorte.« Er rollte seinen Ärmel herunter und knöpfte die Manschette zu.

»Stimmt.« Sie blinzelte ihm zu. Sie wußte, wovor er derzeit die meiste Angst hatte: vor Frauen. Sie erkannte die Zeichen. Sie erkannte es an seinem etwas vernachlässigten Äußeren, um sich für Frauen weniger interessant zu machen; an den Themen, über die er schrieb, die ihn in so ungemein männliche Welten führten, an der Art, wie er es zu genießen schien, der Gefahr zu trotzen — zuerst in Mittelamerika, jetzt bei den Verbrecherbanden — als wolle er beweisen, daß er ein Mann war.

Was er, das wußte Katie Lee, nur an einem Ort beweisen konnte: in einem Schlafzimmer. Und sie wollte dafür sorgen, daß es ihres war. Seit sie in New York war, hatte sie eine Menge Männer seines Schlags kennengelernt, Männer, die zu viele schlechte Erfahrungen mit emanzipierten, fordernden Frauen gemacht hatten,

Männer, die behaupteten, daß Frauen sie verwirrten, während sie nur über sich selbst verwirrt waren.

Obwohl sie sich ganz als Daddys Kind sah, dankte sie nun, als sie Schuyler gegenübersaß und der Kellner die Rechnung brachte, ihrem Schicksal für etwas, das ihre Mutter ihr beigebracht hatte: wie man einem Mann das Gefühl gab, der einzige Mann im Raum, in der Stadt, in der ganzen weiten Welt zu sein, der heute abend für sie existierte. Obwohl sie in diesem Restaurant ein Gästekonto hatte, machte Katie Lee nicht das allgemein übliche halbherzige Angebot, die Hälfte der Rechnung zu begleichen. Sie ließ sich von Schuyler den Stuhl zurückziehen und in ihren schwarzen Gabardine-Blazer helfen, und sie legte ihre Hand auf seinen Arm, als sie das Restaurant verließen.

Auf einmal schien sie nichts selbständig tun zu können: eine Tür öffnen, eine Straße überqueren, ein Taxi rufen.

Das Taxi hielt vor dem mit einem Baldachin überdachten Eingang von Katie Lees Gebäude, das von zwei uniformierten Portiers bewacht wurde.

»Soll ich dich hineinbegleiten?« fragte Schuyler.

»O ja, bitte.« Sie wartete, während er um den Wagen herumging, die Tür auf ihrer Seite öffnete und ihr auf den Bordstein half. Als sie den Aufzug verließen und in ihren Flur traten, stolperte sie und fiel gegen ihn. Er fing sie auf, und sie legte einen Arm um seine Taille.

»Neue Schuhe«, erklärte sie. Sie hob ein Bein an und deutete auf ihren Fuß, wobei sie geschickt auf ihre neuen hochhackigen roten Lacklederschuhe, die feste Rundung ihrer Wade und, als ihr seitlich geschlitzter Rock das Bein freigab, auf das Aufblitzen eines Schenkels in glatten dunklen Strümpfen hinwies.

»Die sind hübsch«, sagte er. »Sie erinnern mich an

die rubinroten Schuhe in ›Der Zauberer von Oz‹. Vielleicht haben sie magische Kräfte.«

Katie Lee trat in ihre Wohnung und knipste eine Tischlampe an. Schuyler folgte ihr und lehnte sich an eine Wand. Katie Lee wußte, er erwartete, daß sie ihm etwas zu trinken anbot, sie aber hielt die Tür auf und sagte: »Danke, daß du mich nach Hause gebracht hast.« Sie würde nichts tun, um ihn wissen zu lassen, daß sie wünschte, daß er einen Schritt tat. Auf diese Weise gedachte Katie Lee Hopewell Schuyler Smith zu verführen: indem sie sich in das zerbrechlichste, passivste, unkritischste weibliche Wesen verwandelte, das man sich vorstellen konnte. Sie glaubte nicht, daß sie das sehr lange durchhalten würde, aber sie würde doch wohl auch nicht sehr lange brauchen, um zu bekommen, was sie wollte. Sie wollte ihn verführen, indem sie ihn überzeugte, daß er *sie* verführte. Nach etlichen Wochen mit nahezu unschuldigen Abendessen (Küsse auf die Wange wurden zu flüchtigen Lippenberührungen) und Party- und Tanzabenden (die Küsse wurden heftiger, es geschah auf ihrer Türschwelle oder auf ihrer Wohnzimmercouch, bevor sie seufzend zurückwich und flüsterte, er sei ihr etwas zu schnell), ließ sie sich endlich eines Samstag abends von ihm über ihren hochflorigen Schlafzimmerteppich tragen und gestattete ihm, mit ihr zu schlafen.

Sie hatte ganz ruhig dagelegen, als er zuerst sie und dann sich auszog. Er war ein routinierter Liebhaber, aber es fehlte das Element, das sie beim Sex mit Bobby Vincent immer am meisten erregt hatte, das Gerangel um Macht und Überlegenheit. Einmal hatte sie sich ein ganzes Wochenende darin geübt, ihr Kommen vorzutäuschen (sie hatte mit den Fingern masturbiert und dann die exakte Folge der gesteuerten Muskelkontraktionen praktiziert, die am besten einen Orgasmus nachahmten; manchmal, wenn sie monatelang keinen Sex hatte, hielt sie ihre Muskeln durch Übung in Form, während sie am Schreibtisch saß und telefonierte), und in dieser Nacht täuschte sie es dreimal vor.

In den ersten Wochen versicherte sie ihm wieder und wieder, daß er der beste Liebhaber sei, den sie je hatte. Daß er der beste Schriftsteller sei, den sie je gelesen habe, daß er der klügste Mann sei, den sie je kennengelernt habe. Daß er alles tun könne, was er wolle, einfach alles, wenn er es sich nur vornähme.

Bis zum November hatte sich eine wohltuende Routine eingespielt: Die Wochenenden verbrachten sie in Katie Lees Wohnung, und werktags übernachtete sie ein-, zweimal bei ihm. Sie schliefen in einer, vielleicht zwei von diesen Nächten zusammen, aber heute sollte es keine solche Nacht werden. Das hatte Katie Lee bereits beschlossen, obwohl es noch nicht zehn Uhr war und sie vermutlich gegen Mitternacht zu Hause sein würden.

Katie Lee schminkte sich die Lippen und legte der Toilettenfrau einen Dollar hin. Ringsum schwärmten Frauen in pailletten- und perlenbesetzten Abendkleidern von dem russischen Tänzer, der soeben sein Debüt in Amerika gegeben hatte, und versicherten sich gegenseitig, sie sähen einfach großartig aus. Diese Damen, die sich in der Pause gegenseitig begutachteten, Mäzeninnen von Ballett, Oper und Museen, hatten Katie Lee in ihren Kreis aufgenommen. Die Hopewells hatten begonnen, erhebliche Geldsummen für die richtigen Zwecke zu spenden, und Charlotte Van Schott hatte bei einem halben Dutzend intimer Mittagessen in einem East-Side-Restaurant, wo man drei Wochen im voraus reservieren mußte, für Katie Lee gebürgt.

Katie Lee lächelte den Frauen zu, die sie zu dieser Sondervorstellung für wohltätige Zwecke eingeladen hatten, und betrachtete sich in dem mannshohen Spiegel. Sie machte sich keine Illusionen: In wenigen Monaten würde sie 24 Jahre alt, und sie nahm an, sie hatte noch zwei, vielleicht drei Jahre, bevor der Alterungsprozeß sichtbar wurde. Sie hatte sich die langen Haare bereits schulterlang schneiden und zu Wellen legen lassen, die ihr Gesicht umrahmten. Irgendwann mußten das alle tun, um den Haaren Halt zu geben. Katie Lee war aufgefallen, wie viele Frauen sich in den Monaten vor und nach ihrem 30. Geburtstag von ihren Friseuren grundlegend verwandeln ließen. Besser, es jetzt hinter sich bringen, hatte sie sich gedacht, um die erste von ihren Freundinnen zu sein, die sich von dem mädchenhaften Collegehaarschnitt trennte. Sie drehte sich vor dem Spiegel zur Seite. Übermorgen war sie mit Bobby zum Mittagessen verabredet. Sie hatte alles genau geplant. Diesmal würde sie bekommen, was sie wollte.

Im Foyer stand Schuyler mit ihrem Drink in der Hand an einen samtenen Sessel gelehnt. Es war ungerecht, er würde immer großartig aussehen, dachte Katie Lee seufzend, sein Haar würde immer dicht, sein Körper immer fest und schlank sein.

»Hier drin ist der reinste Zoo«, sagte sie und nahm ihm ihren Bourbon ab.

»Trink aus, es geht gleich weiter«, sagte Schuyler. Sie stand mit dem Rücken zur Menge und leerte schnell ihr Glas.

»So ein durstiges Mädchen.« Er nahm ihren Arm und führte sie durch den Mittelgang zu ihren Plätzen in der zehnten Reihe. Die Lichter gingen aus, der Vorhang öffnete sich, eine Flöte trillerte zu Violinen, und eine Reihe Tänzer sprang zur Bühnenmitte.

Ich hasse Ballett, und ich hasse Tänzer, sagte Katie Lee bei sich. Sie sind so widerwärtig dünn, beweglich und *dämlich,* wie könnte es anders sein, bei den winzigen Köpfen auf den dürren Hälsen? Diese Männer, die taten, als seien sie kultivierte Kunstkenner. Sie war überzeugt, daß sie sich alle in erotischen Phantasien über Frauen ergingen, die nackt waren bis auf rosa Tüll-Tutus und rosa Ballettschuhe mit rosafarbenen um die Knöchel gebundenen Satinbändern, Frauen, die ihre Beine in unmöglichen Positionen verrenkten und nie sprachen.

Vielleicht sollte sie öfter in die Oper gehen. Dort waren Bühnenbilder und Kostüme viel besser, und die Frauen waren meist übergewichtig und sahen aus, als sei ihr Augen-Make-up mit Kinderfilzstiften aufgetragen, der Lidstrich reichte fast bis an die Ohren. Schuyler haßte die Oper, aber im Augenblick würde er so gut wie alles tun, worum Katie Lee ihn bat. Einfach alles.

»Wie spät ist es?« fragte Katie Lee, als sie in seiner Wohnung anlangten, obgleich der Digitalwecker von dort, wo sie stand, leicht zu sehen war.

»Kurz vor zwölf.« Schuyler löste seine Krawatte.

»Mir kommt's später vor«, sagte sie. Sie zog sich aus, hängte ihr Abendkleid auf die rechte Seite seines Schlafzimmerschranks, legte ihre Unterwäsche und Strümpfe sorgfältig zusammen, ging ins Bett und zog sich die Decke an die Schultern, während Schuyler sich im Badezimmer wusch und die Zähne putzte. Sie las die Frühausgabe der Zeitung von morgen, tat ganz vertieft hinter ihrer bernsteingefaßten Lehrerinnenbrille, während er sich auszog und neben ihr ins Bett stieg. Als er das Licht ausknipste, nahm sie ihre Brille ab und kuschelte sich in seine Armbeuge.

»Ich wünschte, ich müßte nicht weg«, sagte sie, obwohl die Aussicht, Bobby zu sehen, sie dermaßen erregte, daß sie sich fast schon beim Sex wähnte.

»Dann laß es«, sagte Schuyler. Er spielte mit ihren Haaren.

»Ich muß hin. In der Bank in Chicago haben gerade drastische personelle Veränderungen stattgefunden, ich muß mich sehen lassen und die neuen Jungs streicheln. Absolut langweilig und absolut notwendig.«

»Miranda erzählte mir, Bobby sei diese Woche in Chicago«, sagte er. In einem Augenblick nachdenklicher Stille versuchte er, aus ihrer Reaktion abzulesen, ob sie das schon gewußt hatte, und sie versuchte zu ergründen, wann er Miranda gesehen oder gesprochen hatte.

»Gott, ich habe Miranda ewig nicht gesehen«, sagte sie. »Wie geht es ihr?«

»Sie ist richtig schlank geworden und hat einen sehr gut aussehenden Freund.«

»Wo hast du sie gesehen?«

»Im Getränkeladen. Sie haben Sekt gekauft, aber sie wollten mir nicht sagen, was sie feiern.«

»Na, hoffentlich klappt's mit den beiden.« Katie Lee meinte es beinahe ernst. Sie wußte, daß Miranda immer noch wahnsinnig in Schuyler verliebt war, und sie würde ihn bald bekommen können, doch vorerst wollte Katie Lee Miranda aus dem Weg haben. »Sie hat es wirklich verdient, sie hat es in den letzten Jahren so schwergehabt.« Sie überlegte, was sie sonst noch Nettes sagen könnte, um Schuyler abzulenken, damit er nicht wieder auf Bobby zu sprechen käme.

»Wirst du Bobby in Chicago sehen?« fragte er. Es machte sie jedesmal nervös, wie er so aus heiterem Himmel direkte Fragen stellte.

»Höchstens, wenn er als Page im Lakeshore Hopewell Hotel arbeitet.«

»Ich würde gerne Verbindung mit ihm aufnehmen«, sagte Schuyler. Er rutschte hin und her.

»Wozu?«

»Wegen des Artikels, an dem ich arbeite. Allgemeine Hintergrundinformationen, nichts Weltbewegendes. Er könnte mir vielleicht weiterhelfen.«

»Wobei?« fragte Katie Lee, dabei wußte sie genau, hinter was Schuyler her war. Als er sie vorige Woche ein paar Stunden in seiner Wohnung allein ließ, während er mit seinem Cousin Teddy einen heben ging, hatte sie seine Notizen für den Artikel über das organisierte Verbrechen durchgesehen. Er kam nicht weiter, er konnte die wahren Besitzverhältnisse etlicher Scheinfirmen nicht aufklären, und der Name Vincent war auf mehreren Rechtsdokumenten und Anmeldeformularen aufgetaucht. Schuyler glaubte, daß Bobby, obgleich nirgends persönlich beteiligt, seinen Vater oder seinen Onkel telefonisch bewegen könnte, Schuyler ein Interview mit Leuten zu verschaffen, die ihm wiederum Interviews mit Leuten verschafften, die ihm vielleicht einige interessante Dinge erzählen könnten. Katie Lee glaubte etwas anderes: daß Bobby als rechtmäßiger Erbe der Familiengesellschaften bis zum Hals in den Geldwaschaktionen steckte, denen Schuyler auf der Spur war.

Tatsächlich war es Bobby gewesen, der sie den diversen Konzessionären vorstellte, die sich zu lächerlich ungünstigen Bedingungen bereit erklärten, in ihrem Chicagoer Hotel bestimmte Geldoperationen zu tätigen. Katie Lee hatte die Verträge für den Blumen- und Andenkenladen im Foyer, für das angrenzende mehrstöckige Parkhaus und den Schönheitssalon im Untergeschoß unterzeichnet, ohne Fragen zu stellen. Es war unwahrscheinlich, daß diese Konzessionen genügend legitime Umsätze brachten, um die hohe Miete, die Katie Lee verlangte, zu rechtfertigen, aber sie wußte, warum diese scheinbar unabhängigen Firmen den Vertrag wollten: Sie konnten ihre Bücher frisieren und das Geld aus illegalen Unternehmungen über ihre Hotelgeschäfte in eben jene Bank schleusen, mit der sie am nächsten Tag ein Treffen hatte. Die internationale Steuerfahndung konnte unmöglich erfahren, daß nur fünfzig Wagen an dem Abend geparkt hatten, an dem die Liste achtzig verzeichnete, oder daß an einem Tag nur fünf Frauen zur Maniküre und Gesichtsbehandlung gekommen waren, als die Bücher zwanzig aufführten.

Schuyler war gefährlich nahe daran, mehr zu entdekken, als Katie Lee lieb war. Es war an der Zeit, dieses Gespräch zu beenden, und sie begann, sich mit der Nase an seinem Nacken zu reiben. Sie küßten sich eine Weile träge, und als seine Küsse tiefer und tiefer glitten, über ihre Brüste hinunter bis auf ihren Bauch, fühlte sie seinen vertrauten gierigen Griff. Ihm etwas vorzumachen, wenn er, von seiner eigenen Erregung hingerissen, in ihr war, ging ja noch an, aber etwas anderes war es, wenn er, mit offenen Augen und klarem Kopf zwischen ihren Beinen, ihre Verstellung entdecken konnte. Sie zog ihn hoch und umarmte ihn.

»Ich hab meine Tage«, sagte sie, obwohl ihre Periode erst in drei Tagen fällig war.

»Ist mir egal«, sagte er.

»Mir ist einfach nicht danach«, sagte sie und umarmte ihn fester. »Ich werde dich vermissen. Und wie«, murmelte sie, den Mund an seinem Hals. Sie fühlte das Auf und Ab seines Schluckens an ihren Lippen, als er sie an sich drückte. Er war im Begriff, es zu sagen. Gleich würde er es sagen. Sie legte ihm zwei Finger auf die Lippen, richtete sich aus der Umarmung auf, und sie starrten sich mit weit offenen Augen an.

»Katie Lee«, sagte er in ihre Hand hinein, »wenn du aus Chicago zurück bist, müssen wir miteinander reden.«

»Worüber?« Sie drehte sich um, kuschelte sich mit

dem Rücken an ihn und zog seine freie Hand auf ihre Brust.

»Über das hier. Über uns. Darüber, wo das hinführt.«

»Mir gefällt, was wir haben.« Sie sprach absichtlich undeutlich, wie man es kurz vorm Einschlafen tut.

Er küßte ihren Nacken. »Mir auch. Aber nichts bleibt immer gleich. Das ist wie ein physikalisches Gesetz. Es gibt keinen Stillstand. Entweder man geht vorwärts, oder man fällt zurück.«

»Ich habe Physik immer gehaßt.«

So endet es jedesmal, dachte er, mit ihrer unausgesprochenen Mitteilung: Komm mir nicht zu nahe, frag nicht zuviel, sag mir nicht, daß du mich liebst. Anfangs dachte er, es sei einfach eine Furcht in ihr, eine Unsicherheit, ein Problem, bei dessen Verarbeitung er ihr helfen könne. Aber allmählich wurde ihm klar, daß es ein Teil dessen war, was ihn zu ihr hingezogen hatte, daß sie ihm gewissermaßen die unausgesprochene emotionale Sicherheit bot, die sie von ihm nie über das Maß hinaus, welches er zu bieten hatte, verlangte. Es war, was er in der Zeit, als er sich für einen totalen Versager hielt, gewollt, was er gebraucht hatte: eine Frau, die keine Forderungen stellte.

Aber jetzt lagen die Dinge anders. Er merkte, daß sie einschlief. Er lag noch hellwach neben ihr. Er war jetzt 25 Jahre alt; in diesem Alter hatte sein Vater schon eine Frau und einen vierjährigen Sohn gehabt. Katie Lee hatte ihn etwas gelehrt, und dafür liebte er sie auf eine eigentümliche Art. Sie hatte ihn gelehrt, was eine Partnerschaft zweier Menschen wert war, die aneinander glaubten und sich gegenseitig bei der Verwirklichung ihrer Träume halfen. Die vielen Stunden, die sie damit verbrachten, ihre Transaktionen und seine Artikel zu analysieren; Schuyler beriet Katie Lee, wenn sie von den Enttäuschungen bei einem besonders schwierigen Unternehmen sprach, und Katie Lee las seine ersten Entwürfe, wobei ihr die Brille auf die Nase rutschte; sie schnitt Grimassen, wenn seine Ausführungen unklar wurden, und äußerte laut ihr Entzücken über jede gelungene Formulierung.

Doch er wußte, daß sie ihn trotz aller Unterstützung und allem Zuspruch für seine Arbeit nicht heiraten würde. Er war nicht annähernd reich genug. Er kam aus einer »guten«, aber nicht mächtigen Familie. Er war bloß ein Schriftsteller. Sie hatte ihn aufgerichtet, als es ihm mies ging, und dafür würde er ihr ewig dankbar sein. Als der Morgen anbrach und das erste Sonnenlicht ein Gittermuster auf die Bettwäsche malte, konnte er sich erstmals ihre Trennung vorstellen: freundschaftlich, erwachsen, tränenlos, Mittagessen in einem sonnenhellen Restaurant, ein Händedruck und eine Umarmung auf dem Gehweg, zwei Taxis, die in entgegengesetzter Richtung davonfuhren.

Erwachsen, das war das richtige Wort, reif und weltgewandt und ohne falsche Illusionen oder romantische Hoffnungen über die Geschäfte, die Männer und Frauen miteinander machten. Alles, was ihn und Katie Lee verband, und nichts, was er je für sich erträumt hatte.

Unter der rosafarbenen Leinentischdecke tippte Katie Lee mit der Spitze ihres marineblauen Ziegenlederschuhs gegen ihren Aktenkoffer. Er war noch da. Ihr war, als hätte sie eine Zeitbombe unter dem Tisch. Hörte sie etwas ticken? Natürlich nicht; sowohl sie als auch Bobby trugen Uhren, die lauter Negatives wertvoll machten: geräuschlos, gesichtslos, flach bis fast zur Unsichtbarkeit. Sie fragte sich, ob ihm aufgefallen war, daß sie die Herren- und Damenausführungen der gleichen goldenen Schweizer Armbanduhr trugen. Das mußte etwas zu bedeuten haben, wenngleich sie in Herzensangelegenheiten selten über Vorzeichen und Schicksalsfügungen nachdachte.

»Dein Freund bringt uns alle in Schwierigkeiten«, sagte Bobby, während er sein Steak schnitt. »Es wundert mich, daß du ihn nicht längst gewarnt hast.«

Katie Lee lehnte sich zurück und verschränkte die Arme. »Was Menschenkenntnis betrifft, bist du manchmal erstaunlich dämlich. Wenn ich ihm sagte, daß er sich auf gefährlichem Terrain bewegt, würde er die Story mit doppeltem Eifer verfolgen. Außerdem hat er mir kaum etwas darüber erzählt.«

»Und er wird nie mißtrauisch, wenn du ihn losschickst, um ausgefallene Eissorten oder sonstwas zu besorgen, damit du allein in seiner Wohnung sein kannst?«

»Er ist unwahrscheinlich vorsichtig. Er verschließt seinen Aktenschrank und klebt den Schlüssel ins Innenfutter eines alten Koffers im untersten Fach seines Kleiderschranks, der ebenfalls abgeschlossen ist. Der Kofferschlüssel ist mit Klebeband am oberen Teil des Backofens befestigt. Und er legt immer eine Kleinigkeit unter das Klebeband, ein Haar etwa, oder einmal ein Reiskorn, um feststellen zu können, ob jemand an seinen Sachen war.«

»Und wie hast du dieses ausgeklügelte Sicherheitssystem überlistet?«

Katie Lee lächelte. »Beleidige mich nicht. Es war ganz einfach. Jedenfalls denkt er, ich wüßte nichts, und er hat keine Ahnung, daß wir zusammen essen.«

»Du bist das Letzte. Oder das Beste, ich weiß es nicht.« Er schnitt wieder in sein Steak, traf auf den Knochen, legte das Messer beiseite und schob den Teller weg. »Mußt du wirklich heute abend zurückfliegen?«

»Ja. Wie gesagt, mit dieser Sache ist nicht zu spaßen.«

Bobby lehnte sich zurück und nahm dieselbe Pose ein wie sie. Er versuchte zu berechnen, ob vor ihrem für abends gebuchten Rückflug genügend Zeit blieb, sie mit in sein Hotelzimmer zu nehmen. Er versuchte zu ergründen, was ihn über Jahre hinweg immer wieder zu ihr hinzog – wenn er es herausbekäme, würde er vielleicht immun dagegen.

Natürlich, sie sah phantastisch aus, sie gehörte zu den wenigen Frauen, die er kannte, die an genau den richtigen Stellen fünf, sechs Kilo zunahmen. Etwas an ihrer stets perfekten Aufmachung – die makellos manikürten und lackierten Nägel, die perfekt geschnittenen Haare, das immer frische Make-up – flößte ihm den Wunsch ein, Schicht um Schicht abzuziehen, bis er die Stelle fände, die nicht vollkommen, nicht korrekt, deren Hübschheit nicht geplant war: die Stelle, die menschlich war.

Es gab vieles an Katie Lee, das nicht liebenswert war, er leierte bei sich die Liste herunter: Sie war kühl, berechnend, manipulierend, habgierig, ehrgeizig, hinterlistig, und ewig so weiter. Aber wie konnte er diese Eigenschaften an ihr, an irgendwem hassen? Wenn er das täte, müßte er sie auch an sich selbst hassen.

Sie war nicht mal besonders gut im Bett, mußte er sich eingestehen. Sicher, sie hatte einen herrlichen Körper, phantastische Brüste, eine sagenhafte Taille, Hüften, an denen man sich festhalten konnte, und ja, sie machte genau die richtigen Bewegungen, wenngleich sie sie irgendwie wie ein Arbeiter ausführte, als wollte sie sagen: »Das ist mein Job, und ich erledige ihn mit Stolz und Begeisterung.« Er hatte bessere gehabt, viel bessere, und trotzdem begehrte er Katie Lee nach wie vor. Denn wenn mit Katie Lee alles vorbei war und er im

Bett lag und zusah, wie sie duschte, sich anzog, ihr Make-up erneuerte und ihren teuren Schmuck wieder anlegte, dann wußte er, es war etwas geschehen, das mehr als körperlich war: Katie Lee, das stärkste, klügste, gerissenste Mädchen, das er kannte, die Frau, die ihm selbst am ähnlichsten war, gab ihm das Gefühl, etwas bezwungen zu haben. Ihm war, als hätte er eine Schlacht oder einen Preis gewonnen. Es hatte nichts mit Vergnügen und alles mit Macht zu tun. Wie Rauschgift, insbesondere die Sorte, die er in letzter Zeit häufig nahm. Kokain und Katie Lee: Diese zwei machten, daß er sich gut fühlte.

»Es ist schrecklich lange her«, sagte Bobby. Sie spielte die Unnahbare, und er wußte, daß sie wußte, daß er es wußte. Sex mit Katie Lee war wie Poker: Das Spiel selbst war nichts; was ihn am Tisch hielt, waren die Strategie und die Taktik, das Bluffen und Wetten und selektive Vorzeigen der Karten. Sie hatte heute ein gutes Blatt in der Hand, einen Flush, ein Blatt, auf das man lange wartet.

»Neun Monate, zwei Wochen und drei Tage«, sagte sie. »Du fehlst mir irgendwie.«

»Irgendwie?«

Sie seufzte. »Na ja, Schuyler ist wunderbar und alles, aber es ist eben nicht dasselbe. Es ist nicht das, was ich wirklich will.«

»Und was ist das? Was willst du wirklich?«

»Ich denke, das weißt du«, sagte sie. Sie hatte soeben die Pik Zehn abgelegt. Blieben noch vier Karten.

»Man kann nicht alles haben im Leben«, sagte Bobby.

»Das glaube ich nicht«, sagte sie. Pik Bube. »Hör mal, Schuyler hat das mit der Scheinfirma rausgekriegt, die dein Vater in Delaware gegründet hat. Er fährt nächste Woche hin.«

»Mit wem trifft er sich?«

Katie Lee stützte die Ellbogen auf den Tisch und legt das Kinn in die Hände. »Was steht hier eigentlich auf dem Spiel? Für dich, meine ich.«

»Beantworte mir meine Frage. Mit wem trifft er sich?«

»Beantworte mir meine zuerst. Was steht hier auf dem Spiel?«

»Nichts von Bedeutung«, sagte Bobby. »Ich würde nur gern eine kleine Peinlichkeit vermeiden, vor allem in einem Wahljahr, wenn alle anfangen, sich aufzuführen wie Tugendbolde. Er ist verdammt lästig, das ist alles.«

Katie Lee sagte nichts.

»Er kann keinen richtigen Ärger machen. Ich würde bloß dumm dastehen, weil er angeblich ein alter Freund von mir aus Harvard ist. Normalerweise würde es mir nichts ausmachen.«

Katie Lee sagte immer noch nichts.

»Und weißt du, wenn dieser Artikel erscheint, müssen wir Schuyler irgendwie in Mißkredit bringen, was mir zuwider ist, weil Miranda einen Anfall kriegt, und natürlich auch deinetwegen.«

»Natürlich«, sagte Katie Lee. »Du hast meine Frage noch nicht beantwortet.«

»Du meine auch nicht.«

»Du zuerst.«

»Ich hab's dir doch schon gesagt. Diese Art von Presse ist einfach peinlich.«

»Scheiße.«

»Das ist alles.«

»Scheiße«, wiederholte sie und sah auf die Uhr. »Ich muß los.«

»Okay, okay. Alles.«

»Was?« fragte sie.

»Alles. Alles steht auf dem Spiel. Dinge, die ich dir nicht erzählen kann. Dinge, über die ich nicht sprechen darf.« Bobby lief rot an. »Ich weiß nicht, wie er all die Leute rumkriegt, mit ihm zu reden. Ich weiß nicht mal, mit wem er redet. Wenn ich es wüßte, würde ich was unternehmen. Ich würde mir die Leute vorknöpfen.«

»Was meinst du mit ›vorknöpfen‹?«

Bobby lachte. »Es ist nicht so unheimlich, wie es sich anhört. Es geht bloß um Geld. Die Menschen werden schrecklich schweigsam, wenn du ihnen anbietest, ihnen bei der Begleichung der College-Rechnungen für ihre Kinder oder bei der Zahlung ihrer Alimente auszuhelfen. Dafür werden sie ganz schön vergeßlich.«

»Schuyler war so lieb zu mir.« Katie Lee schlug die Augen nieder. »Und er ist so aufgeregt wegen dieser Story. Es wäre treulos von mir, findest du nicht, wenn ich dir seine Quellen nennen würde.«

Also kannte sie seine Quellen. Pik Königin. Bobby griff über den Tisch nach ihrer Hand. »Was willst du, Katie Lee?«

»Du weißt, was ich will.«

»Sag es.«

»Dich. Ich will dich, Bobby. Ich hab dich immer gewollt.«

»Aber du hast mich doch.«

»Nein. Nicht so, wie ich es mir wünsche.«

»Und das wäre?«

»Partner. Auf der ganzen Linie, nicht nur geschäftlich. Siehst du nicht, wie großartig das sein könnte? Wir wären unbesiegbar, wir zwei zusammen.« Sie ließ seine Hand los und hielt ihre in die Höhe, die linke, spreizte die Finger und wackelte dann langsam mit dem Ringfinger hin und her. »Partner«, sagte sie.

»Möchtest du mich heiraten?« fragte er.

»Ist das ein Antrag?«

»Herrje, Katie Lee, ich kann dich nicht heiraten.«

»Aber du kannst mich bumsen und mich benutzen und mich bitten, diesen Mann zu hintergehen, der mich zufällig liebt. Der mich auf der Stelle heiraten würde, wenn ich wollte. Vielleicht sollte ich Schuyler heiraten. Wenn die Story erschienen und der Film abgedreht ist, wird er sehr begehrt sein. Und du wirst — was wirst du sein, Bobby, wenn die Story erschienen ist?« Pik König. Pik As. Royal Flush.

»Schau, Katie Lee, es ist vertrackt. Ich kann nicht einfach hingehen und heiraten, wen ich will. Erstens einmal, weil du nicht katholisch bist.«

Katie Lee verdrehte die Augen und stand auf. »Du bist ein Dummkopf. Nein, bleib hier, ich möchte dich so in Erinnerung behalten. Eines Tages wirst du erkennen, was wir zusammen hätten haben können, eines Tages, wenn es zu spät ist.« Sie nahm ihren Aktenkoffer und strich sich die Haare aus dem Gesicht. »Ich habe zu viele Jahre mit dir verschwendet, Bobby«, sagte sie und ging hinaus. Am Aufzug zählte sie bis zehn: So lange würde er brauchen, um die Rechnung zu bezahlen und ihr in den Flur zu folgen.

»Warte.« Er trat hinter sie, legte ihr die Hände auf die Schultern und drehte sie herum. Sie hielt sich ihren Aktenkoffer wie ein Schild vor die Brust.

»Warte«, wiederholte er. Er meinte, Tränen in ihren Augen zu sehen. Hier war sie, die stärkste, klügste Frau, die er kannte, und begehrte ihn. Sie konnte jeden haben, den sie wollte, alles, was sie wollte — und was sie wollte, war er. Sie hatte ihm ein Angebot gemacht: Sie konnte sein schlimmster Feind oder seine beste Freundin sein, und er wußte, dazwischen gab es nichts.

So sah die Frau aus, die er sich immer als seine Ehefrau vorgestellt hatte: die hübsche, mittlere Tochter aus einer ähnlichen Familie wie seine, eine Frau, die ihm ein schönes Heim führen, ihm Kinder gebären und klaglos zurückstehen würde, wenn er arbeitete, auf Reisen war, Affären hatte — es war die übliche Abmachung, von seiner Seite sehr attraktiv. Eine Frau wie seine Mutter, seine Tanten, seine Schwestern, seine Cousinen, eine, die sich anpaßte.

Und hier war Katie Lee. Plötzlich sah er sie in einem weißen Brautkleid vor sich, einem Gebilde mit vielen Metern Spitze, einer langen Schleppe, weißer Satin zu einem herzförmigen Ausschnitt gerafft. Alles an ihr war golden: der goldene Schmuck, die goldenen Sprenkel in ihren Augen, ihre Haare, ihre gleichmäßig golden getönte Haut. Er stellte sie sich in seinem Bett vor, ihrem gemeinsamen Bett: jede Nacht für den Rest seines Lebens dieser zugleich herrliche und furchtbare Kampf. Er fühlte sich schwach werden. Er war erschöpft. Er wünschte sich das eine, was ihn wieder stärken würde. Sie wußte, was es war. Sie würde es immer wissen.

Der Aufzug kam, er war leer. Katie Lee protestierte nicht, als Bobby sie hineinschob, mit zu seiner Etage hinaufnahm und in sein Zimmer zog.

»Heirate mich«, sagte er. Er drückte sie an eine Wand und hielt ihren Kopf mit beiden Händen.

»Wann?« Sie stellte ihren Aktenkoffer ab.

»Wann du willst.« Er zog ihr die Jacke aus und warf sie auf einen Stuhl.

»Wir sagen es Thanksgiving unseren Eltern.« Sie trat ihre Schuhe von sich. Er machte den Reißverschluß ihres Rockes auf und zog mit einer einzigen Bewegung Rock, Unterrock, Strumpfhose und Schlüpfer auf den Fußboden.

»Ich möchte, daß wir Weihnachten zusammen sind«, sagte sie. Er vergrub sein Gesicht in ihren Haaren und küßte ihr wie wild den Hals ab. »Wir heiraten im Juni in Kentucky. Miranda wird meine Brautjungfer, und ich finde, Charles sollte Trauzeuge sein.«

»Wie du willst«, sagte Bobby. Er hob sie auf die mit Leder bezogene Schreibtischplatte. Er fegte einen Briefbeschwerer und einen Stapel Schnellhefter auf den Fußboden. Auf dem Schreibtisch war es hart und unbequem. Katie Lee lehnte den Kopf auf einen Haufen Computerausdrucke. Sie spürte etwas unter sich, es tat weh, sie wölbte den Rücken und fand einen Taschenrechner. Bobby hatte Jackett und Hose ausgezogen und stand vor der Schreibtischkante. Er zog Katie Lee an sich, klemmte ihre Beine um seine Mitte, dann drang er in sie ein und kam fast sofort. Sie richtete sich auf die Ellbogen auf, wobei sie einen Bleistiftständer umwarf, und schenkte Bobby ein wildes Lächeln.

Er lächelte zurück, ein Lächeln ohne Wärme oder Zuneigung, und trug sie zum Bett hinüber. Er knöpfte ihre Bluse und hakte ihren BH auf und warf beides auf einen Haufen zu seinem Hemd und seinen Socken, dann fing er wieder an. Er kaute auf seiner Unterlippe und hatte die Stirn in Falten gelegt. Katie Lee konnte es nicht leiden, wenn sie es zweimal machten, weil es beim zweitenmal immer so lange dauerte, und sie merkte, daß sie sich trocken anfühlte, so war es immer bei ihr kurz vor der Periode. Sie wälzte sich von rechts nach links, kniff ihn, so fest sie konnte, tat alles, um ihn zur Eile anzutreiben, aber als sie schließlich so tat, als ob sie käme, schien er es kaum zu merken, er gab ihr nicht das übliche Küßchen auf den Mund, er stieß einfach weiter zu. Seit ihrem allerersten Mal war er sich nicht so riesengroß, so hart vorgekommen. Er drückte mit einem Finger — sie brauchte eine Sekunde, bis ihr klar wurde, was er da machte, niemand hatte sie bislang hier berührt, nicht einmal ihr Arzt, es fühlte sich nicht gut an und nicht schlecht, es fühlte sich bloß komisch an. Er steckte seinen Finger hinein und krümmte ihn und bewegte ihn zuerst sanft, dann heftiger hin und her — es ist absolut widerwärtig, dachte sie, es ist das Widerwärtigste, was einer überhaupt tun kann. Er atmete schwer in ihr Ohr. Sie starrte zur Decke. Vielleicht sollte sie es schön finden, dachte sie, andere Mädchen fanden es vielleicht schön, vielleicht wollte er ihr etwas Besonderes bieten, jetzt, da sie verlobt waren.

Ihr war zum Kichern, und ihr war ein wenig übel, vor allem aber wollte sie, daß er aufhörte. Sie entzog sich ihm, und er öffnete die Augen und starrte sie an, seinen Finger hatte er noch in ihr, seine Miene zeigte Ärger und Verwunderung. Sie hatte nicht gemeint, daß alles aufhören sollte, sie hatte nur eine Unterbrechung gebraucht, eine Verschnaufpause, und sie schenkte ihm ein Lächeln und machte die Beine breit und versuchte ihn mit einer Hand wieder auf sich zu ziehen. Er lehnte achselzuckend ab. Sein Gesicht war knallrot. Sein Brustkasten hob und senkte sich. Plötzlich wälzte er sie herum, zog ihre Beine auseinander und nahm sie von hinten. Katie Lee stöhnte vor Schmerzen, und jedes Stöhnen schien ihn mehr zu erregen, bis sie schließlich einen Schrei ausstieß — durch das Kopfkissen gedämpft — und er wieder kam.

Er ließ sich gegen sie fallen, und sie schwiegen, sein Gewicht erdrückte sie fast. Sie hätte sich gern im Badezimmer eingeschlossen und eine lange heiße Dusche genommen. Sie wäre gern unter die Bettdecke gekrochen und ganz klein geworden, etwas, das gar nicht existierte. Er hatte sie bestraft, er hatte sie *geschändet,* mit einem Streich hatte er die unausgesprochene Übereinkunft zwischen einem Mann und einer Frau geschändet. Sie zog sich ein Kissen an die Brust und kuschelte sich hinein. Sie stopfte sich einen Zipfel des Kissenbezugs in den Mund, sie wollte verdammt sein, wenn sie ihn hören ließ, daß sie weinte.

Bobby hörte nichts. Sein Atem ging tief und gleichmäßig. Die zukünftige Mrs. Robert Vincent drehte sich zu dem Mann ihrer Träume um und fand ihn fest schlafend.

17

Rosalie hängte den Hörer ein und drehte sich zu ihrem Mann um.

»Zuerst die gute Nachricht«, sagte sie und legte ihr blaßgelbes Strickzeug beiseite. »Katie Lee heiratet.«

»Und die schlechte Nachricht?« Trevor setzte die Hornbrille ab, die er neuerdings abends trug, nur zum Lesen, aber bald würde er sie wohl ständig tragen müssen, seine Sehkraft verschlechterte sich rapide.

»Sie heiratet Bobby Vincent.« Rosalie stand auf und strich ihren grausamtenen Trägerrock glatt. »Ich hatte keine Ahnung, daß sie überhaupt noch Kontakt hatten.«

Wieder klingelte das Telefon. Rosalie erstarrte, und Trevor nahm ab.

»Miranda«, sagte er und reichte ihr den Hörer.

»Hallo«, sagte Rosalie. »Ja. Nein, keine Spur. Nein danke, das ist lieb von dir, aber wir haben Thanksgiving schon was vor. Ja sicher, ist doch klar. Ich weiß nicht, wo Schuyler ist. Vielleicht ist er gar nicht in der Stadt. Oh. Vielleicht geht er nicht ans Telefon, unter diesen Umständen. Ich weiß nicht, Miranda, ich bin genauso überrascht wie du.«

Trevor verschränkte die Arme und legte die Stirn in Falten. Er konnte ungesittetes Benehmen nicht ausstehen, und was er von Rosalies Telefongespräch mitbekam, sagte ihm, daß da allerhand ungesittetes Benehmen im Spiel war. Katie Lee hatte sich mit Bobby Vincent verlobt, während sie offiziell noch mit Schuyler Smith zusammen war; nach all ihren Anstrengungen in den letzten Jahren, dachte Trevor, zeigt sie jetzt ihr wahres Gesicht. Eine gute Heirat war wie ein guter Geschäftsabschluß, man mußte es sorgsam und bedacht angehen, das Für und Wider abwägen, auf den Rat derer hören, die älter und erfahrener waren. Nicht umsonst nannte man die Heirat einen Gesellschaftsvertrag. Katie Lee beging einen Fehler, nicht im Hinblick darauf, *wen*, sondern darauf, *wie* sie heiratete.

Trevor seufzte, als Rosalie zu Miranda sagte, es sei ihre Pflicht als Katie Lees Freundin, Katie Lee Unterstützung zu gewähren, falls die Familie Vincent diese Heirat so sehr mißbilligte, wie Miranda voraussagte. Auch Miranda war im Begriff, sich ungesittet zu benehmen. Teils lag es daran, daß sie dick war (obwohl Miranda jetzt ziemlich schlank war; aber wer einmal Übergewicht hatte, blieb für Trevor, egal, wie schlank man wurde, bis in alle Ewigkeit ein dicker Mensch, der sich gerade in einer schlimmen Phase befand), dicke Menschen neigten dazu, die Kontrolle zu verlieren. Wenn man nicht einmal etwas so Einfaches wie das Essen, das man sich in den Mund schob, kontrollieren konnte, wie konnte man dann seine Gefühle, sein Leben kontrollieren? Aus dem, was Rosalie zu Miranda sagte, konnte er entnehmen, daß Miranda fast hysterisch vor Schadenfreude war. Vielleicht lag es daran, daß Mirandas Familie ihr solche Schwierigkeiten machte, weil sie mit einem Juden ging, und sie nun erleichtert war, weil ein Teil des Zornes sich zur Abwechslung gegen ihren Cousin richtete. Vielleicht lag es daran, daß Miranda Schuylers und Katie Lees Zusammensein nie gepaßt hatte — selbst Trevor hatte während der zahlreichen Abendessen mit Rosalie und Miranda erkennen können, daß Miranda sich mehr als schicklich für Schuylers Liebesleben interessierte.

Es freute Trevor, daß so viele Frauen an Schuyler Smith zu zerbrechen schienen, den er seit einigen Monaten zu seinen besten Freunden zählte. Er dachte, es sei einfach das harmlose Vergnügen aus zweiter Hand, das Ehemänner empfanden, wenn sie ihre unverheirateten Freunde die Herzen der Frauen erobern sahen, mit denen zu flirten ihnen selbst nun versagt war. Es gab Trevor das Gefühl, zu einem verschworenen Kreis außergewöhnlicher Leute zu gehören.

Hätte er sich selbst eingehender analysiert — mit anderen Worten, wäre er ein ganz anderer Mensch gewesen —, so hätte er bald erkannt, je begehrenswerter Schuyler erschien, um so begehrenswerter erschien Rosalie, was wiederum ihn selbst begehrenswert machte. Hier war ein Mann, der anscheinend jede haben konnte, die er wollte, jede außer Rosalie, die einzige Frau, die ihn verlassen hatte (vor ihrer Heirat hatte Rosalie Trevor eine bereinigte Fassung ihres Bruches mit Schuyler gegeben), die Frau, die sich Trevor als Partner fürs Leben, als Vater ihrer Kinder erkor.

Trevors persönliche Legende beruhte darauf, daß Rosalie die einzige Frau sei, die Schuyler jemals abgewiesen hatte, und in dem Moment, als sie sich von Miranda verabschiedete, konstruierte er eine denkbare Szenenfolge, die zu Katie Lees Verlobung mit Bobby Vincent geführt hatte. Er tat so etwas selten — gewöhnlich nahm er an, die Menschen handelten aus genau den Gründen, aus denen zu handeln sie behaupteten, selten versuchte er, die verborgenen Schichten aus Gefühl und Motivation aufzudecken —, und als er seine Theorien nun seiner Frau unterbreitete, hielt er sich viel

auf seine Einfühlsamkeit und Klugheit in Herzensangelegenheiten zugute.

»Sie wollte vermutlich, daß Schuyler sie heiratete,
und als ihr klar wurde, daß er es nie tun würde, kann
man es ihr da verdenken, daß sie den erstbesten nahm,
der daherkam?« meinte er und schenkte sich eine
Orangenlimonade ein. »Warum die Kuh kaufen, wenn
man soviel Milch umsonst haben kann, wie man will?«

»Katie Lee ist keine Kuh.« Rosalie nahm ihr Strickzeug zur Hand und warf es dann beiseite.

»Du weißt, was ich meine. Wenn Schuyler Katie Lee
hätte heiraten wollen, hätte er kein Verhältnis mit ihr
angefangen. Sie leben praktisch zusammen.«

»Schuyler ist nicht so.«

»Alle Männer sind so«, erwiderte Trevor und meinte,
alle Männer, die ich mag, sind wie ich. Ohne mit einem
der direkt Beteiligten gesprochen zu haben, war er so
gut wie überzeugt, die Situation vollkommen zu verstehen. Es war das beste für Schuyler, es war genau, was
Schuyler sich gewünscht hatte, daß Katie Lee davonlief
und den Sohn eines Gangsters heiratete. Vielleicht hatte
Schuyler es sogar so geplant, um zu verhindern, daß
Katie Lee untröstlich herumlief und in der Stadt Ge-
meinheiten über ihn verbreitete und die Sympathien auf
ihre Seite zog. Trevor wußte, Rosalie würde darauf be-
stehen, mit Katie Lee befreundet zu bleiben, und er
seufzte enttäuscht in sich hinein. Ihm gefiel die altmodische Art des Parteiergreifens, wenn die Gesellschaft die
Reihen schloß und den Übeltäter ausstieß.

»Bobby und sie mögen sich seit langem«, sagte Rosalie, »und wenn sie füreinander bestimmt sind, und davon bin ich überzeugt, dann freue ich mich für sie. Es
kommt bloß so plötzlich. Sie kam gestern abend von einer Geschäftsreise nach Hause, und heute morgen hat
sie Schuyler mitgeteilt, daß sie mit einem anderen ver-

lobt ist, und Donnerstag will sie nach New Jersey, damit sie es seiner Familie beim Thanksgiving-Essen sagen können, du meine Güte.«

»Es ist besser so«, sagte Trevor. »Katie Lee und Schuyler waren nicht füreinander bestimmt.«

Wohl wahr, dachte Rosalie, und plötzlich fragte sie sich zum erstenmal seit langer Zeit, was Chris so treiben mochte. Chris hatte etliche reizende Babysachen aus Kalifornien geschickt. Rosalie hatte ihr einen Dankesbrief geschrieben, aber jetzt hatte sie Lust, Chris anzurufen und ihr die Neuigkeit zu erzählen.

Rosalie ging ins Kinderzimmer, um nach Trevor Van Schott Goodwood zu sehen, der im zarten Alter von sechs Monaten seinen Kosenamen »Scotty« natürlich noch nicht aussprechen konnte.

»Mein süßer Junge«, flüsterte Rosalie. Sie stützte sich mit den Ellbogen auf das Gitter des Bettchens. In dem handgeschnitzten Eichenbettchen hatten schon drei Generationen von Goodwoods gelegen. Trevor fand es lächerlich, die vielen Bücher, die Rosalie las, all die Regeln und Richtlinien, die Gesundheits- und Sicherheitstips, die sie sich bei Lektüre und Fernsehen und ihren Freundinnen holte. Fast zwanzig kleine Goodwoods hatten in dem Bettchen geschlafen, und keiner hatte eine solche Dummheit begangen, sich an dem Gitter zu erwürgen. Es war dasselbe mit dem Fenstergitter, das Rosalie hatte anbringen lassen und das den Blick über den Central Park verdarb, wenn man sich hinsetzte. Nur Kinder in Armenvierteln taten so etwas — Mittel und Wege finden, zu ersticken, sich aus Fenstern im zehnten Stockwerk stürzen, sich selbst in Brand stecken mit Streichholzbriefchen, auf denen für billige Rechtsanwälte geworben wurde und für Briefmarkensammlungen aus Ländern, die keine Vertreter zu den Vereinigten Nationen schickten. Trevor glaubte, die beste Methode, Scotty aufzuziehen, sei es, ihn weitgehend sich selbst zu überlassen und zuzusehen, wie die Erbanlagen, unterstützt von einigen sorgfältig ausgesuchten Kindermädchen, den Jungen zu einer jüngeren Ausgabe von sich selbst heranwachsen ließen.

Rosalie aber steckte voller Ideen. Sie las Scotty aus einem alten Buch Kinderreime, die Geschichte eines kleinen Entchens, das nicht schwimmen lernen konnte, und Homer auf altgriechisch vor. Sie erzählte Scotty von den sich färbenden Blättern im Park, von Agamemnons Abstammung, sie sprach zu ihm davon, was sie zum Essen bei Charlotte anziehen sollte, und jetzt, über sein Bettchen gebeugt, von Katie Lee und Schuyler. »Der Onkel, der dir das Bärchen, das Bärchen da drüben geschenkt hat«, sang sie nach einer eben erfundenen Melodie. Als Trevor auf Zehenspitzen hereinkam und ihr seine Hände auf die Schultern legte, richtete sie sich steif auf.

»Du weckst ihn auf«, sagte sie, obwohl Trevor kein Wort gesprochen hatte. Es schien Trevor nicht aufgefallen zu sein, wie sie ihn manchmal anfuhr, oder vielleicht war es ihm aufgefallen, und er sagte nichts. Ein paarmal, als er von der Arbeit nach Hause gekommen war und ihr zur Hand gehen wollte, wäre sie ihm fast ins Gesicht gesprungen. Einerseits war sie, erledigt von einem Tag allein mit Scotty (egal, wieviel Hilfe man hatte, es machte einen einfach fertig, mit einem Baby im Haus zu sein, immer lauschen, wachsam sein, sich auf das Baby konzentrieren zu müssen) froh, Trevor zu sehen, dankbar für ihre Entlastung. Jetzt bist du an der Reihe, hätte sie einmal beinahe gesagt, meine Schicht ist um. Andererseits jedoch grollte sie ihm von dem Augenblick an, als er zur Tür hereinkam, und dieser anderen Seite von ihr war es verhaßt, seine dämlichen Fragen nach Füttern und Windeln zu beantworten, und du liebe Güte, einmal hatte er doch tatsächlich gefragt, wie er sein eigenes Kind halten sollte. Wenn du das nicht weißt, gib dir keine Mühe, dachte sie, laß uns in Ruhe. Denn so sehr sie Trevor einst zu lieben geglaubt hatte (so sehr, dachte sie einst, wie nur ein Mensch einen anderen Menschen zu lieben imstande ist), ihr Kind, ihrer beider Kind liebte sie noch viel mehr.

Es war die größte Liebesaffäre ihres Lebens, wenn nicht gar aller Zeiten. Trevor war zur Nummer Zwei degradiert. Geht es allen so? fragte sie sich, während sie als stumme Abbitte für ihr Benehmen die Hand ihres Mannes nahm, geben alle nur vor, daß Kinder eine Ehe nicht grundlegend und unwiderruflich verändern? Warum verstand Trevor sie nicht? Warum verstand er überhaupt nichts?

Als das Telefon wieder klingelte, ging Trevor hinaus, um abzunehmen. Der hellblaue Teddybär, den Schuyler Scotty geschenkt hatte, lehnte an einem Stoffkaninchen, das Katie Lee geschickt hatte. Rosalie nahm den Bär und drückte ihn an ihre Brust.

»Es ist Schuyler«, sagte Trevor an der Tür. »Möchtest du ihn sprechen?«

»Ja, natürlich.« Rosalie setzte den Bären ans Fußende des Gitterbettchens neben einen anderen Stoffbären (Scotty hatte mindestens zwei Dutzend bekommen), den aus weißem Plüsch, den Chris aus Kalifornien geschickt hatte.

Schuyler besaß anscheinend nur große Steingutbecher, die Trevor nicht leiden konnte (er hatte Rosalie gebeten, alle Becher, die sie zur Hochzeit geschenkt bekamen, zurückzugeben, und sie hatte sie gehorsam gegen Serviettenringe und Kerzenhalter umgetauscht), und als sie nun den Teebeutel aus dem dampfenden Wasser nahm, wußte Rosalie nicht recht, wohin damit.

Der Teebeutel baumelte zwischen ihnen in der Luft, aber Schuyler nahm es nicht wahr, er hatte überhaupt nicht viel wahrgenommen, seit Rosalie vor zwei Stunden, dick eingemummelt gegen die Novemberkälte, gekommen war. Er hatte sich nicht einmal angeboten, ihren Mantel aufzuhängen, er fing einfach sofort an zu reden und gab sein Gespräch mit Katie Lee fast Wort für Wort wieder. Er stellte Rosalie Fragen über Bobby und Katie Lee, wartete aber nie eine Antwort ab.

Rosalie ließ den Teebeutel in einen Aschenbecher fallen. »Ehrlich, ich hatte keine Ahnung, Schuyler«, sagte sie. »Es ist für alle ein riesiger Schock.«

Er lehnte sich zurück und zündete sich eine neue Zigarette an, während Rosalie sich im Zimmer umsah. Diese Wohnung sah fast genauso aus wie sein Zimmer im College: dieselben hellgestrichenen Fußböden, hie und da von einem Webteppich bedeckt, einige zweckmäßige Möbelstücke aus Eiche, deren Schlichtheit über ihren Wert als Antiquitäten hinwegtäuschte, dieselben Fotografien in schmucklosen Alurahmen — allerdings waren es jetzt mehr, stellte Rosalie fest. Die Schlafzimmertür war angelehnt, und sie erspähte einen Zipfel der vertrauten gestreiften Decke.

Rosalie trank ihren Tee. Schuyler hatte sie am Telefon gebeten, sofort zu kommen, doch als sie ankam, war er längst nicht so erregt, wie sie erwartet hatte. Seine Stimme war ruhig, seine Haltung gefaßt. Er trug nicht die Miene eines jungen Mannes zur Schau, dem man das Herz gebrochen hatte, eher die eines Preisboxers, der einen außergewöhnlich harten Hieb einstecken mußte: überwältigt, angeschlagen, aber weder überrascht noch wütend, denn der Hieb war ein fairer Bestandteil des Spiels, das er freiwillig mitmachte.

»Irgendwie habe ich immer damit gerechnet, daß so etwas passiert«, sagte Schuyler und drückte seine Zigarette aus. »Nicht unbedingt dies, nicht ausgerechnet Bobby, aber daß sie einfach gehen würde. Oder ich, ich weiß nicht. Sie war in vieler Hinsicht phantastisch, aber sie war kein Mensch, auf den man sich voll und ganz verlassen konnte.«

Rosalie wandte den Blick ab. »Hast du sie geliebt?« fragte sie.

»Manchmal dachte ich es«, sagte er. »Nein, das ist nicht ganz richtig. Manchmal dachte ich, ich könnte mich in die Person verlieben, die sie hätte sein können, wenn sie wollte.«

»Das ist etwas anderes«, sagte Rosalie.

»Katie Lee hat gesagt«, fuhr Schuyler fort, »sie hätte das Gefühl, ich erwartete immer von ihr, daß sie jemand anderes sei, als sie ist. Sie sagt, Bobby liebt sie, so wie sie ist. Was immer das sein mag.« Schuyler seufzte. »Sag mal«, fuhr er fort, »kannst du mir einen Gefallen tun? Die Wohnung ist noch voll von ihren Sachen. Ich möchte alles raus haben.«

Rosalie stand auf und begann zu packen. Sie sah die Schränke und Schubladen durch und stapelte Katie Lees Sachen zusammengefaltet auf der Wohnzimmercouch. Sie ging mit einer braunen Tragetasche ins Badezimmer und packte halb verbrauchte Flaschen mit französischen Shampoos und Cremespülungen, eine leuchtendgrüne Zahnbürste, eine Haarbürste aus Wildschweinborsten hinein. Katie Lees Sachen waren leicht zu erkennen, denn ihr Geschmack hatte sich seit dem ersten Collegejahr nicht geändert. Die teuren Seifen und Lotions hatten damals unpassend gewirkt, als mehrere Mädchen sich ein Badezimmer teilten und die anderen ihren Kram in billigen Discountläden einkauften, doch unterdessen hatten die übrigen Katie Lee eingeholt.

»Ich glaube, ich hab alles«, sagte sie eine Stunde später. »Ich schicke morgen früh jemanden vorbei, um alles abzuholen. Kannst du noch so lange warten?«

»Ja, sicher, danke«, sagte Schuyler. »Bitte richte Trevor aus, es tut mir leid, daß ich dich so lange von ihm ferngehalten habe.«

»Ach, das macht Trevor nichts aus. Er hat gesagt, er möchte, daß du am Samstag mit ihm reiten gehst. Philipp hält Pferde auf Long Island. Und anschließend, denke ich, werdet ihr alle drüben bleiben und euch schrecklich besaufen. Grace kommt solange zu mir — ihre Fußböden werden erneuert, und sie müssen über Nacht außer Haus sein.«

»Hört sich prima an.«

»Für mich hört es sich gräßlich an«, sagte Rosalie, »aber was weiß ich? Trevor plant bereits, dich mit seinen sämtlichen alten Freundinnen zusammenzubringen.«

Schuyler lachte. »Hat eine nicht eine Medaille bei der Olympiade gewonnen?«

»Im Brustschwimmen«, sagte Rosalie kichernd. »Trevor hat es mir jahrelang nicht gesagt, weil er *dieses Wort* nicht aussprechen mochte. Aber jetzt muß ich gehen. Du hältst dich wirklich gut, dafür — dafür, daß —«

»Daß man mir soeben das Herz gebrochen hat?«

»Das hab ich nicht gesagt.«

»Nun, es ist nicht gebrochen.«

»Um so besser«, sagte sie. »Weißt du, an wen ich heute abend gedacht habe?« fragte sie, während sie ihren Mantel zuknöpfte. »An Chris. Stehst du mit ihr in Verbindung?«

Schuyler schloß die Tür wieder, die er ihr aufgehalten hatte.

»Nein.«

»Sie hat mir reizende Babysachen geschickt. Ich dachte nur so. Sie ist oft in New York, weißt du, und ich dachte, sie hätte dich vielleicht angerufen. Sie hat mich mal nach deiner Nummer gefragt.« Rosalie merkte, daß sie zu plappern anfing, und wußte, sie würde nicht aufhören können. »Ich hab einfach den ganzen Tag an sie gedacht, ich weiß nicht, warum.«

Schuyler sagte nichts, denn Rosalie hatte soeben genau das ausgesprochen, was ihm im Kopf herumging: *Ich hab den ganzen Tag an sie gedacht, ich weiß nicht warum* — nur daß ihm allmählich klar wurde, warum. So wie man, wenn man etwa durch eine Grippe geschwächt ist, plötzlich jedes andere Leiden doppelt scharf empfindet, einen schlimmen Rücken oder ein steifes Knie, Kopfschmerzen, einen lästigen Weisheitszahn, so hatte Katie Lees Fortgang bei Schuyler alte Wunden aufgerissen. Er wußte, er würde binnen einer Woche von Katie Lee kuriert sein. Er hatte es Rosalie nicht sagen wollen, aber er stellte bereits eine Liste von Frauen auf, die sich freuen würden, im Hinblick auf Silvester von ihm zu hören. So wie man beim Fieber, das die Grippe begleitet, sicher absehen kann, daß es vergehen wird, so dachte Schuyler über diesen Bruch. Er mußte einfach abwarten und ein paar Tage Urlaub machen.

Aber dieser andere Schmerz, der würde niemals vergehen. War es Chris, fragte er sich, liebte er Chris immer noch, oder trauerte er bloß dem nach, was sie alle einmal gewesen waren, jung, romantisch, voll von unmöglichen Ideen über die Liebe? Das redete er sich seit langem ein: daß es nicht Chris' Verlust sei, der ihn so traurig machte, sondern der Verlust eines Teils von ihm selbst, des Teils, von dem jeder lassen mußte, wenn er älter wurde.

Nur, als er jetzt Rosalie aus dem Rückfenster des Taxis winken sah und zurückwinkte, da wußte er, daß nichts verloren war, es war nur verlegt oder übersehen oder vergessen worden. Es ist noch da, sagte er sich, als er am Aufzug vorüberging und die fünf Treppen zu seiner Wohnung, immer zwei Stufen auf einmal, hinauflief. Und ich bin noch hier, dachte er, als er zum Telefon griff, eine Nummer wählte und es fünfzehnmal läuten ließ, bis das Mädchen vom Nachtdienst abnahm.

»Ich hätte gern eine Reservierung zweiter Klasse für eine Person von La Guardia nach Los Angeles«, sagte er.

»Gern«, sagte sie, fragte ihn nach dem Abreisedatum, fragte ihn nach seiner bevorzugten Zahlungsweise, bat ihn zu warten, während sie nachsah, welche Flüge in Frage kamen. Und er wartete und wartete noch etwas länger, bis sie wieder an den Apparat kam und fragte, einfacher Flug oder hin und zurück?

18

»*Eine reiche Freundin*, das ist genau das Richtige für mich«, sagte Jason und drehte das Radio in dem Mercedes von Mirandas Vater auf. Jason hatte Miranda erzählt, daß die Jugendlichen in seiner Nachbarschaft nicht autofahren konnten. Die meisten Familien hatten nicht einmal ein Auto, und Jason hatte erst vor zwei Jahren fahren gelernt. Miranda klammerte sich an einer Seite des Sitzes fest, als Jason etwas zu schnell in die Kurve ging.

»Ich kann mir gut vorstellen, wie du als Schülerin mit diesem Wagen zum Country Club gefahren bist«, fuhr Jason fort.

»Mein Vater hat den Wagen erst voriges Jahr gekauft«, sagte Miranda. »Früher hatten wir immer große amerikanische Schlitten.« Bei den Vincents hatte sich einiges geändert, während sie zur Schule ging. Sie hatten ihre Cadillacs und Oldsmobiles verkauft und sich teure ausländische Wagen angeschafft. Die reichgeschnitzten Möbel waren teils durch schlichtere, dunklere Hölzer ersetzt, die Fenster mit Chintzvorhängen, die Stühle mit Petitpoint-Kissen versehen worden. Es war, als sei die ganze Familie mit Miranda und Bobby in Harvard gewesen und begleitete nun Bobbys und Mirandas jüngere Geschwister dorthin. Miranda hatte ihrem Vater das Abschlußzeugnis ausgehändigt, und er nahm es wortlos entgegen, als sei es sein rechtmäßiges Eigentum (er hatte ihr das Studium bezahlt, insofern hatte er recht, fand Miranda), ließ es rahmen und hängte es in seinem Büro auf.

Als sie zu dem Supermarkt kamen, der von 7 bis 23 Uhr geöffnet hatte, suchte Miranda die Sachen zusammen, nach denen man sie geschickt hatte (drei Eistüten, eine Packung Tampons für eine Cousine, Diätlimonade, Mayonnaise), und Jason belud den Kassentisch mit süßem und salzigem Knabberzeug, das die Leute vielleicht später wollten, wie er sagte. Miranda bezahlte alles mit dem neuen Fünfzigdollarschein, den ihr Onkel ihr gegeben hatte.

Im Wagen drehte Miranda die Heizung auf. Sie haßte diese traditionellen Essen, für die das Sommerhaus außerhalb der Saison, an Thanksgiving, Weihnachten und Ostern bezogen wurde, das große alte Haus war schlecht isoliert, und die Heizung rumorte und zischte die ganze Nacht. Zu Hause hatte sie ihr eigenes Badezimmer, hier mußte sie eins mit ihren Brüdern teilen. Wenigstens, dachte sie, ließen sie Jason im selben Flügel des Hauses wohnen wie sie, in einer schmalen Schlafkammer, die ursprünglich fürs Personal gedacht war, aber vielleicht war es ja nur deshalb, weil sie das sonnigere, größere Gästezimmer in letzter Minute benötigten, als Bobby verkündete, er werde Katie Lee mitbringen.

Als sie zurückkamen, waren fast alle schlafen gegangen. Miranda packte die Lebensmittel aus, während Jason ihnen Drinks machte, um sie mit nach oben zu nehmen.

»Für mich bloß Wasser«, sagte sie. Sie schlug sich auf die Hüften. »Morgen nehme ich bestimmt fünf Pfund zu.«

»Die Jeans steht dir prima«, sagte er, als er hinter ihr die Treppe hinaufging. Sein Kopf war ungefähr auf gleicher Höhe wie ihre Taille.

»Danke. Als ich sie kaufte, hab ich sie kaum zugekriegt. Jetzt ist sie schon fast zu weit.« Noch zehn Pfund, und sie wäre bei ihrem Idealgewicht angelangt, das sie seit ihrem 17. Lebensjahr nicht mehr hatte. Jason bezeichnete sich als »Fettallergiker«, und nachdem sie ihn im Januar auf einer Party kennengelernt hatte, begann sie ernsthaft zu fasten. Ihr allmählicher, nichtsdestoweniger dramatischer Gewichtsverlust im letzten Jahr war mit der Vertiefung ihrer Beziehung einhergegangen, und Miranda glaubte nun, wenn sie diesen wunderbaren Meilenstein, ihr Idealgewicht, erreichte, würde auch zwischen ihnen beiden eine Wende eintreten. Jason würde ihr natürlich nie einen Heiratsantrag machen, weil er nicht an die Institution der Ehe glaubte, trotzdem sehnte sie sich nach irgendeiner Erklärung, etwas in der Art wie: Ich glaube nicht an die Ehe, aber wenn ich dran glaubte, würde ich dich heiraten.

Sie waren vom Anfangsstadium, öfter als einmal pro Nacht miteinander zu schlafen, durch das Stadium einmal pro Nacht und gelegentlich am Morgen, sodann durch das Stadium einmal pro Nacht *oder* einmal am

Morgen, bis dahin gelangt, wo sie jetzt waren: einmal pro Nacht, es sei denn, sie waren lange aus gewesen oder beide waren betrunken, oder einer war krank, oder es war schrecklich heiß draußen, oder einer war eingeschlafen, während der andere fernsah. Er war ganz anders als Peter, der sich immer einen neuen Anfang (laß uns einfach eine Stunde küssen und sehen, wer zuerst aufgibt), neue Orte (was hältst du davon, du hast es bestimmt noch nie auf einem Boot gemacht) und neue Zeiten (keiner merkt, wenn wir zu spät zu dem Empfang kommen) ausdachte, aber wie verschieden sie auch begannen, es endete immer gleich: Peter war erschöpft und abwesend, und Miranda war hellwach und fragte sich, was er wohl von ihr hielt.

Mit Jason fing es immer gleich an, aber es endete jedesmal anders: mit Alberei (er kitzelte sie auf dem Küchenfußboden) oder Zärtlichkeit (er hatte sie über und über mit süßer, alkoholversetzter Sahne beschüttet und schleckte sie auf wie eine Katze; er massierte Miranda hinterher und fragte sie nach ihrer Kindheit).

Sie zogen sich bis auf die Unterwäsche aus, und Miranda kuschelte sich in seinen Arm und wartete, daß seine Hand sich auf ihre Brust legte. Sie hörten sich im Radiowecker ein Potpourri alter Stücke von den Beatles an, und hin und wieder küßte er sie auf den Kopf. Langsam schob er seine Hand über ihre Brustwarze und rieb sie durch den glatten glänzenden Stoff, zögernd wie ein Teenager, der damit rechnet, eins auf die Finger zu bekommen.

»Hab ich dir schon gesagt, daß du sagenhafte Titten hast?« fragte er.

»So?« gab sie zurück, obwohl er es ihr schon unzählige Male gesagt hatte. »Was ist daran so sagenhaft?«

»Diese Stelle hier.« Er fuhr mit dem Finger seitlich an ihrem Brustansatz entlang. »Die ist das beste an Bikinis und Trägertops.« Er hakte ihren BH auf und legte ihn auf das Laken. »Sie macht starke Männer schwach.«

»Das muß ich mir merken«, sagte sie, während er sie immer weiter streichelte.

»Und diese Stelle hier«, sagte er, indem er eine Brust von unten umgriff und leicht drückte, »läßt sich nicht künstlich mit Silikon verdoppeln. Entschuldige, wenn ich ausfallend werde.« Er streichelte sie mit der flachen Hand, dann spreizte er die Finger wie ein Pianist, der einen breiten, schwierigen Akkord greift, und schnippte mit kleinem Finger und Daumen beide Brustwarzen auf einmal.

»Und wie die schmecken«, sagte er. Er nahm eine steife Brustwarze in den Mund, bis Miranda hinunterlangte und ihn umfaßte, er war schon hart, und sie griff ihn fester, bis er soweit war wie sie, bis er die Grenze von Verlangen zu Begierde überschritt.

Erst dann hob er den Kopf, atmete tief ein wie ein Schwimmer, der zum Luftholen auftaucht, und küßte sie zum erstenmal, fuhr mit der freien Hand ihren Bauch entlang nach unten, um festzustellen, ob sie feucht war, um aus ihrer Erregung und Bewegung zu erraten, was sie wollte, seine Hand oder seinen Mund, sein Gewicht auf sich zu spüren oder an den Schultern hochgehoben und auf ihn hinaufgezogen zu werden, damit er sie im Mondlicht, das durch die vorhanglosen Fenster im Haus ihrer Eltern drang, sich winden, ihre Brüste über im hüpfen sehen konnte, während beide mit den Händen einander weiter betasteten, wo und wann immer es ging; sie hatte die Augen geschlossen, aber seine waren offen und betrachteten sie, bis er, in dem Bett, in dem sie schon als Kind geschlafen hatte, als erster kam, und dann bewegte seine Hand sich schneller, er wünschte, daß sie käme, solange sie ihn noch fest in sich spürte, bevor er erschlaffte. Sie bewegte sich jetzt etwas anders, denn sie bewegte sich nur noch für sich selbst. Sie bemühte sich um ihr eigenes Vergnügen, das hatte er ihr beibringen müssen, und er sah, wie sie kam, er sah sie die Lippen schürzen und den Hals zurückbiegen und den Kiefer zusammenpressen, und dann zog er sie wieder zu sich herunter.

Sie blieben eine Weile still liegen, hörten die Nachrichten, und Miranda informierte ihn über frühere Abenteuer und Geldverlegenheiten der diversen Verwandten (insgesamt vierzig), die morgen zum Essen erwartet wurden. Ihre Stimmen wurden leiser, die Pausen zwischen den Sätzen länger, bis sie schließlich beide einschliefen.

Als Miranda am Morgen aufwachte, sah sie Jason aus dem Fenster in den Blumengarten ihrer Mutter pinkeln und hörte Katie Lee in der Einfahrt Bobby fragen, ob sie nicht zu früh gekommen seien.

»Geh vom Fenster weg! Wenn Katie Lee dich sieht!« zischte Miranda.

»Ich glaube, sie hat so 'n Ding schon mal gesehen«, sagte er. Er hielt seinen Penis in der Hand und grinste, als Miranda ausholte und ihm seine Unterhose mitten auf den Brustkasten warf. Er kniete sich auf die Bettkante und federte auf den Knien auf und ab. »Du warst süß heute nacht«, sagte er.

»Du auch.« Er war es immer noch. Seine dichten, glatten, vom Schlaf zerdrückten fast schwarzen Haare standen ihm vom Kopf ab und gaben die hohe Stirn frei, die mit der Zeit noch höher werden würde. Seine Brauen, dicht und gerade über den runden braunen Augen, verliehen ihm sogar jetzt, da er noch gar nicht richtig wach war, einen überlegenen Ausdruck. Er wirkte eher wie ein rebellischer Ganove in einem englischen

Billigfilm als wie ein netter jüdischer Junge, und er unterstrich diesen Eindruck absichtlich durch einen leicht schlurfenden Gang und indem er sich vor dem Schlafengehen rasierte, so daß er tagsüber einen verwegenen Stoppelbart trug. Sie hatten beide ihren Spaß daran, daß alle immer sagten, Jason sehe italienisch und Miranda jüdisch aus.

Jason beugte die Arme und stieß einen kurzen Dschungelschrei aus. »Tarzan hungrig. Tarzan Frühstück«, sagte er.

Miranda hielt den Kopf schräg und zog sich die Bettdecke über die Brüste. Das hatte sie noch nicht von ihm gelernt, bei Tageslicht ungeniert nackt zu sein. So was lernten die Jungen in Umkleideräumen, dachte sie, und Jason hatte sich offensichtlich viel in Umkleideräumen aufgehalten. Vor ihm war sie nur mit mageren Jungen gegangen, die das Geld sanft gemacht hatte, aber Jason war von jahrelangem Softballspielen, Laufen, Gewichtheben und von Sommerjobs auf dem Bau und in Gärtnereien fest und muskulös. Er sah fabelhaft aus in T-Shirts und Bluejeans, wirkte aber unbehaglich und gezwungen in Anzügen, die er, wie er schwor, ohnehin nie würde tragen müssen, außer zu Beerdigungen. Er wollte nämlich Rechtsberater werden, und da würde er ohne weiteres die von ihm bevorzugten alten Tweed- und Cordsakkos tragen können.

Es klopfte, dann war Katie Lees Bühnengeflüster an der Tür zu hören. »Bist du salonfähig, Süße?« fragte sie. »Hast du den großen Gorilla bei dir?«

Miranda stand auf, zog ihren Morgenrock an und warf Jason seine Jeans zu.

»Wir sind halbwegs salonfähig, falls dir das genügt.« Sie öffnete Katie Lee die Tür.

Katie Lee spähte herein und schenkte Jason ein Lächeln. »Süßer, zieh dein Hemd an, ja, danke, und dann kann Miranda mich über alle aufklären, bevor sie aufwachen.« Sie durchquerte das Zimmer und machte Anstalten, sich aufs Bett zu setzen, besann sich dann aber anders, fegte ein feuchtes Handtuch von einem Stuhl und nahm darauf Platz. »Ich bin fix und fertig, dein Cousin fährt wie ein Vollidiot.« Sie nahm den Whisky, den Jason abends zuvor mit hochgebracht hatte und der nun wäßrig und warm war, schnupperte daran und trank ihn in drei Schlucken aus.

»Muß ich mich vor dem Frühstück umziehen?« fragte sie. Sie trug einen Schottenrock, einen gelben Shetlandpullover und hochhackige braune Lederstiefel.

»Hier geht es ganz zwanglos zu«, sagte Miranda. »Du kannst dir Jeans borgen, wenn du willst.«

»Ich hab selbst welche dabei«, sagte Katie Lee. »Wie zwanglos ist zwanglos?«

»Zieh einfach was Bequemes an«, sagte Jason. »Miranda holt ihr Diadem auch erst nach Sonnenuntergang heraus.«

»Sehr komisch«, sagte Katie Lee. »Ich möchte mich anpassen, wenn ich kann. Das verstehst du wohl nicht.«

»Kaum.« Er hob das Handtuch vom Fußboden auf und hängte es sich über den Kopf. »So, ich geh jetzt zu meiner Morgenandacht und dann unter die Dusche«, sagte er, und Miranda lachte.

»Du weißt, daß ich es nicht so gemeint habe«, sagte Katie Lee, als er draußen war.

»Nicht aufregen, Katie Lee. Denk dran, wir sind auf deiner Seite.«

»Im Gegensatz zu wem?«

»Niemand. Hör mal, ich bin eben erst aufgewacht und hab noch keinen Kaffee getrunken. Laß uns runtergehen und frühstücken.«

»Einen Moment noch«, sagte Katie Lee. »Ich möchte erst wissen, ob ich mich hier in die Höhle des Löwen begebe. Bobby sagt, seine Mutter war nicht begeistert, als er ihr sagte, daß er mich mitbringen würde. Du kannst dir denken, was sie erst sagen wird, wenn er ihr eröffnet, daß wir heiraten werden.«

»Sie wird gar nichts sagen. Das mußt du dir als allererstes merken: Bei den Vincents haben die Frauen keine Meinung zu haben. Seinen Vater, und womöglich auch meinen, mußt du umschwänzeln.«

»Du hast dir schon welche von Jasons weniger feinen Ausdrücken angewöhnt.«

»Hör zu, flirte einfach mit ihnen und versuche, möglichst wenig zu sagen, dann werden die Männer dich schon mögen. Mach meiner Mutter Komplimente über das Haus und hilf in der Küche, dann wird es schon gutgehen«, riet Miranda, obwohl sie wußte, daß es mit Katie Lee und den Vincents nie gutgehen würde. »Sprich nicht über Politik und vor allem nicht über Geld.«

Katie Lee hob die Augenbrauen. Sie war nicht sicher, welche Themen noch übrig waren.

»Und flipp ja nicht aus, wenn sie anfangen, italienisch zu sprechen.«

»Sie werden doch nicht etwa über mich sprechen, oder?«

»Natürlich nicht«, sagte Miranda, wohl wissend, daß Katie Lee die italienischen Ausdrücke für Hexe, Verführen und Hure nicht kannte. »Sag mal, möchtest du ein Valium oder so was?«

»Nein, ich möchte nur, daß alle mich mögen. Ich habe eine fürchterliche Woche hinter mir, mit Schuyler und allem.«

»Ach ja?«

»Er nimmt es sehr schwer. Er ist tatsächlich auf die Knie gefallen und hat mich angefleht, ihn nicht zu verlassen. Mitten in der Nacht hat er Rosalie angerufen und ihr gesagt, wenn sie nicht sofort käme, würde er sich was antun. Sie mußte seine Hand halten, und sie sagt, er hat geweint wie ein Baby, und sie hat alle meine Sachen aus seiner Wohnung geholt, weil sie fürchtete, er würde etwas Verrücktes tun, was Gewaltsames. Trevor will nicht mal mit ihm reden, weil er sich so schlecht benommen hat. Armer Junge. Er hat mich wirklich geliebt.«

»Er wird drüber wegkommen«, sagte Miranda. »Er ist ein großer Junge.«

»Ach, ich weiß nicht.« Katie Lee fuhr sich mit der Hand durchs Haar. »Ich glaube, ich habe ihm das Herz gebrochen. Es war schlimmer als nach Rosalie.«

»Ach ja?«

»Er war schrecklich, er hat mitten in unserem großen Streit was ganz Gemeines über dich gesagt, als ich ihm das mit Bobby erzählte.«

»Und was hat er gesagt?« Miranda wandte sich ab und machte das Bett.

»Oh, er hat gesagt, du hast mich wieder mit Bobby zusammengebracht, weil du wolltest, daß mit mir und Schuyler Schluß ist, weil du Schuyler für dich haben wolltest. Stell dir das bloß mal vor! So was Lächerliches! Er denkt, du bist an allem schuld.« Sie ließ ihre Hand in einer weitausladenden Geste durch das Zimmer schweifen, in dem Miranda und Jason ein heilloses Durcheinander angerichtet hatten. Sie hob ein Paar Socken vom Fußboden auf. »Er wollte dich doch wahrhaftig anrufen. Er hätte dich bestimmt angebrüllt, aber er mußte mir versprechen, dich erst anzurufen, wenn er sich beruhigt hat.«

Miranda setzte sich aufs Bett und zog die Knie an die Brust. »Wo ist dein Ring?« fragte sie.

»Ach, der wird erst nächste Woche fertig. Ein Riesenklunker, Bobby wollte es so.«

Jason kam tropfnaß, ein frisches Handtuch um die Hüften geschlungen, zurück. »Ich würde dich ja bitten zu bleiben und mir beim Anziehen zuzusehen«, sagte er, »aber ich möchte nicht, daß du an deinem großen Tag allzu erregt bist.«

Katie Lee stand auf und rümpfte die Nase. »Sehr witzig. Miranda, ich versteh nicht, wie du es mit ihm aushältst.« Dann ging sie hinaus.

»Jason, das war gemein, sie ist wirklich nervös. Jetzt zieh dich an und komm mit nach unten. Sonst verpaßt du noch das Feuerwerk, wenn Bobby ihnen die Neuigkeit verkündet.«

»Sie mögen mich«, sagte Katie Lee, als sie mit Bobby von einem Spaziergang zum Teich zurückkam. »Das merke ich deutlich.« Sie hielt sich die Hände an die Nase. »Igitt, die stinken. Nicht zu fassen, daß ich das ganze Geschirr gespült habe.«

»Ich denke, du hattest Handschuhe an.« Bobby legte ihr seinen Arm um die Taille.

»Die Handschuhe riechen am schlimmsten. Und ich kann es nicht fassen, was ich alles gegessen habe. Du hättest mich warnen müssen, daß jeder ein anderes Gericht mitbringt. Ich mußte von allem essen, damit niemand beleidigt war. Jason hat mich dauernd angelächelt. Ich finde, er ist nicht der Richtige für Miranda, was meinst du? Sie hat diese selbstzerstörerische Neigung, mit Männern zu gehen, die sie herumschubsen, findest du nicht?«

»Jason ist in Ordnung«, sagte Bobby. »Er tut Miranda gut. Schon allein, weil sie soviel abgenommen hat.«

»Hoffentlich heiraten sie nicht. Meinst du, sie haben es vor?«

»Nein. Dafür ist Jason zu schlau.«

Katie Lee blieb stehen und drohte ihm lehrerinnenhaft mit dem Finger. »Aber Bobby, was willst du damit sagen? Du heiratest mich, und du weißt, das wird das verdammt Schlauste sein, was du je getan hast.«

»Vermutlich.« Er schenkte ihr ein Lächeln, bei dem eine Menge Zähne zum Vorschein kamen. Der Abend war eine totale Katastrophe gewesen, obwohl er nicht sagen konnte, ob Katie Lee nicht hatte mithalten können, weil sie nicht Italienisch sprach, oder ob sie es bloß vorgetäuscht hatte. Jason und Miranda hatten es noch verschlimmert, indem sie beinahe jedesmal, wenn Katie Lee etwas falsch machte, kicherten und Blicke wechselten. »Komm«, sagte er. Er zog sie wieder an sich und trat die abgestorbenen Blätter in die Luft, »gehen wir zurück. Es wird kalt.«

Sie lehnte ihren Kopf an seine Schulter. »Ich möchte so sehr, daß sie mich mögen, Bobby, Liebster«, sagte sie. »Ich werde dich so glücklich machen, sie werden es sehen, sie werden sehen, daß ich das Beste bin, was dir je passiert ist.«

Sie schauderte, und er nahm seinen dicken Wollschal ab und schlang ihn ihr um den Hals. Seine Familie hatte sich benommen wie der engstirnige Bauernclan, der sie ja auch waren, fand er; sie hatten die Reihen gegen eine Außenseiterin geschlossen und Katie Lee verurteilt, bevor sie überhaupt Gelegenheit hatten, sie kennenzulernen. Es hätte genügen müssen, daß er sie von seiner Wahl verständigt und ihnen gesagt hatte, er werde Katie Lee heiraten, aber nein, sie meinten immer zu wissen, was für jeden in der Familie das beste sei. Sein Vater hatte mit ihm einen ausgiebigen Spaziergang zum Teich gemacht und ihm erklärt, Katie Lee sei nicht die richtige Frau für den Mann, zu dem Bobby heranreifen werde, wie er es von ihm erwartete. Erwarten: Das konnte sein Vater am besten; Bobby sagen, was er von ihm erwartete, ohne ihm je das Gefühl zu geben, daß er imstande sei, es zu tun. Sein Vater erwartete alles und machte, daß Bobby sich wie eine absolute Null vorkam.

Katie Lee war die einzige, die ihn wirklich verstand. Als sie ihm auf der Fahrt hierher einen Vortrag hielt, daß jemand, so schlau und begabt wie er, mit so vielen Möglichkeiten, fast eine moralische Verpflichtung habe, der Öffentlichkeit zu dienen, etwas Großes aus seinem Leben zu machen, seinen Fähigkeiten und seinem Erbe gerecht zu werden, fand er es zunächst lächerlich. Stell dir bloß mal vor, hatte sie gesagt, wenn Franklin Roosevelt beschlossen hätte, es mache viel mehr Spaß, zu Hause zu sitzen, sein Geld zu zählen und Feste zu veranstalten, wie stünde Amerika heute da – Leute wie du müssen in die Welt hinausgehen und ihr Bestes geben. Er fand ihre Pläne (er könne für ein öffentliches Amt kandidieren, er habe die entsprechenden Verbindungen, er habe das Geld) zugleich albern und anregend. Sie glaubte wirklich, daß er es schaffen könnte, und wenn er mit ihr zusammen war, glaubte er es auch. Er liebte diese Frau: die Frau, die den Mann liebte, der er, wie er wußte, eines Tages sein könnte.

Er blieb stehen, wandte sich vom Haus ab, faßte sie an den Schultern und drückte sie an sich. »Weißt du eigentlich, wie sehr ich dich liebe?« fragte er.

»Hm, manchmal habe ich so meine Zweifel. Manchmal möchte eine Frau das gern hören.«

»Ich liebe dich«, sagte er. »Ich liebe dich, Katie Lee. Ich werde dich immer lieben.«

»Versprichst du es?« Eine Träne quoll hervor und lief ihr über die Wange. *Senator und Mrs. Robert Vincent,* dachte sie, *ich weiß, ich kann es schaffen.* Sie fing sich sogleich auf und dachte: *Ich weiß, wir können es schaffen.*

»Ich verspreche es.«

»O Bobby, ich liebe dich auch. Ich liebe dich so sehr.

Ich habe dich immer geliebt.« Sie sank in seine Arme, und er hielt sie eine Weile und sah über ihren Kopf hinweg zu dem sternenlosen Himmel hinauf, dem der hinter den Wolken verborgene Vollmond ein stumpfgraues Leuchten verlieh.

19

» *Welche Nachricht willst* du zuerst, die gute oder die schöne?« Alex drückte den Knopf seiner elektronischen Fernsprechanlage, der seiner Sekretärin zu verstehen gab, daß sie nur die allerdringendsten Anrufe durchstellen solle.

Chris legte die Füße auf seinen Schreibtisch. »Ich glaube, Felicia kann mich nicht leiden. Sie bietet mir nie was zu trinken an, nicht mal einen Kaffee.«

»Felicia hat Anweisung, hübschen jungen Klientinnen keine Genußmittel und alkoholischen Getränke anzubieten. Und sie ist zufällig die fixeste Schreibkraft an der Westküste.«

»Als ob du je Briefe schreibst! Soviel ich weiß, erledigst du alles per Telefon. Dabei dachte ich, du würdest mein Manager und Brieffreund sein.«

»Liebling, kein Flirt am frühen Morgen, ich bekomme Kopfschmerzen davon«, sagte Alex. »Sag mir lieber, daß dir gefällt, was ich aus meinem Büro gemacht habe.«

»Mir gefällt, was du aus deinem Büro gemacht hast.« Sie sah sich um. Es sah aus wie eine Harvard-Bibliothek, einschließlich der roten Ledersessel und der Aschenbecherständer aus Messing. »He, weißt du was? Es gefällt mir wirklich.«

»Danke.«

»Ich denke, ich werde mein Schlafzimmer so einrichten. Dann such ich mir einen verschrobenen Professor, und wir lesen uns bei Kerzenschein gegenseitig vor. Also, Alex, ich höre, zuerst die gute Nachricht — oder nein, warte, ich nehme die schöne, ich bin ein tapferes Mädchen, ich kann's ertragen.«

»Fein. Der Mustang gehört dir. Nach 1200 Kilometer ist ein Ölwechsel fällig.«

»Phantastisch! Ich liebe dich — habe ich dir das in letzter Zeit mal gesagt? Ehrlich, ich liebe dich.«

Chris richtete sich auf und faltete die Hände über dem Kopf.

»Und *ich* liebe *dich*, mein Liebling.«

»Wir sind ja so ein glückliches Paar.«

»Wie wahr.«

»Okay, und jetzt die gute Nachricht.«

»Ich habe ihn gefunden«, sagte Alex und zog einen Schnellhefter aus der zweiten linken Schublade.

»Wen?«

»Die Lösung deiner Probleme, oder solltest du das vergessen haben? Er ist vollkommen. Gutaussehend, erfolgreich, noch keine Dreißig und braucht Publizität genau wie du, jedenfalls sagt das sein Agent.«

»Oh. Mein fester Freund.«

»Er heißt Tory Robinson und ist ein Rockstar.«

»Tory Robinson, Tory Robinson«, sagte sie. »Ich hab eine Platte von ihm zu Hause, *Das Rote Album*, ich hab sie ein paarmal gehört, sie ist ganz gut. So, und wie nett ist der Knabe?« Auf dem Plattencover war er mit Sonnenbrille abgebildet.

»Weiß ich nicht. Ich weiß bloß, daß er Unmengen Platten verkauft, aber die letzte ging nicht so gut wie gehofft, und wenn die nächste es nicht in die Top ten schafft, gerät seine Karriere in ernsthafte Schwierigkeiten. Er liebt hübsche Mädchen — ein bißchen mehr, als

ihm guttut — voriges Jahr gab es mal eine Vaterschafts-
klage, vollkommen unbegründet, davon bin ich überzeugt, aber sein Agent möchte eine feste Freundin ins
Spiel bringen, wenigstens für die Öffentlichkeit. Du
kannst etwa einmal die Woche mit ihm auf eine Party
gehen, und wir arrangieren vor Weihnachten ein paar
Gelegenheiten für ›ungestellte‹ Fotos.«

»Bravo. Ich komm mir vor wie eine verschenkte weiße Sklavin. Vermutlich hast du ihm erzählt, ich bin gut
im Bumsen.«

»Bitte, du kannst mich ruhig ein bißchen loben. Er
weiß überhaupt nichts von dir. Wir müssen nichts weiter tun, als dich morgen abend nach dem Konzert hinter die Bühne bringen. Du wirst ihm vorgestellt, und
dann kannst du loslegen. Du bist ein sehr charmantes
Mädchen. Ich bin sicher, du weißt, was du zu tun hast.
Kauf dir was Glitzerndes.«

»Also, muß ich mit ihm bumsen?«

»Nicht, wenn du nicht willst.«

»Ich werde mit ihm bumsen müssen, nicht? Herrgott,
so ein Mist!«

»Chris, Liebling, ich glaube, die Hälfte der halb-
wüchsigen Mädchen in diesem Land würde für so eine
Gelegenheit ihre Mutter verkaufen.« Das Telefon
summte, Alex hob ab. »Hallo, ja, Moment«, und er behielt den Hörer in der Hand. »Ich will dich nicht aufhalten«, sagte er zu Chris. »Sei heute abend um sieben
fertig. Robinsons Agent heißt Bill Forbes, er holt dich
ab.«

Felicia erschien in der Tür und sagte zu Chris, als
Alex zum Abschied winkte und sich wieder seinem Telefongespräch zuwandte: »Mr. Child sagt, Sie sollen das
hier immer im Auto bei sich haben.«

Chris öffnete den Umschlag, den Felicia ihr gegeben
hatte. Er enthielt die Versicherungspolice für den Mu-

stang. Der Wagen lief schon seit vier Wochen auf ihren Namen, einen Tag nachdem sie Alex gebeten hatte, ihn zu kaufen.

Chris lenkte den Mustang die Küste entlang, das Radio voll aufgedreht. Er gehörte ihr, endlich. Alex hatte ihn ihr gekauft, oder vielmehr, er hatte sie damit gekauft; doch so oder so, mit durchgedrücktem Gaspedal fuhr sie ihn mit der unbeschreiblichen Freude einer Frau, die zum erstenmal, und in vergleichsweise fortgeschrittenem Alter, einen eigenen Wagen besitzt.

Mittags aß sie an einem Hähnchenstand an der Straße, dann kehrte sie um. Auf dem Heimweg hielt sie bei der Tankstelle, aber der Pächter sagte ihr, Tom habe diese Woche freigenommen.

Obgleich sie bei ihren Treffen — im letzten Monat drei- bis viermal die Woche — nie ein Wiedersehen verabredeten und obwohl sie nie über die Zukunft sprachen, war sie verärgert, daß er eine Woche lang weg war, ohne ihr Bescheid zu sagen, und dann ärgerte sie sich über sich selbst, weil sie so verärgert war, denn es bedeutete, daß sie langsam von ihm abhängig wurde.

Er wird eine Droge für mich, dachte sie, meine Liebesdroge. Und es stimmte: In den letzten Wochen war sie zu der Tankstelle gefahren wie auf der Suche nach einem Fix. Tom reagierte immer gleich, er warf seinen schmutzigen Lappen auf einen Haufen in der Werkstatt, kam herüber und lehnte sich ins Fenster des Mustang, sagte dem Pächter, er möge auf sie aufpassen, während er sich waschen ging, damit sie nicht in Bedrängnis geriete. Manchmal, wenn die Besitzer nicht da waren, fuhren sie hinter das Haus an der Schlucht. Nachts fuhren sie manchmal an den Strand. Einmal hatten sie es auf dem Baseballfeld einer Schule gemacht, ein andermal direkt an der Tankstelle auf dem

Rücksitz eines 72er Cadillac, der zur Überholung und zur Montage neuer Radkappen abgegeben worden war.

Zu Hause angekommen, schwamm sie ihre täglichen Bahnen, dann ließ sie ihren nassen Badeanzug in der Tür fallen, breitete auf dem Wohnzimmerboden ein Handtuch aus, legte Robinsons Platte auf und begann mit ihrem täglichen Gymnastik-Pensum, das Alex' Trainer speziell für sie entwickelt hatte.

Obwohl sie die Melodien auswendig kannte, hatte sie nie eigentlich auf die Texte der Lieder geachtet; sie drehten sich vorwiegend um Mädchen und gelegentlich um ein Auto, einen toten besten Freund, eine Heimatstadt oder ein aktuelles Ereignis, die üblichen Rock-and-Roll-Themen. Aber als sie jetzt hinhörte, glaubte sie etwas anderes zu vernehmen, etwas, auf das sie im Literaturunterricht zu achten gelernt hatte — Symbole und Aufbau, Poesie und Kunst. Ja, überdeckt vom Dröhnen des Basses, dem Wimmern einer elektrischen Gitarre, da war es. Verdammt. Der Knabe war ein Könner. O ja, von Frauen verstand er eine Menge.

Chris stand auf und wiegte sich in der Taille hin und her. Was ist er sonst noch, fragte sie sich. Wie ein braves Schulmädchen glaubte sie, ein Schreiber offenbare sich durch seinen Text, und wenn sie lange genug hinhöre, sei sie imstande, diesen Mann zu ergründen, und wisse, was sie zu erwarten und wie sie sich am Abend zu verhalten habe. Sie drehte die Platte um, stellte die Wiedergabe auf »Repeat« und ging in den Lotussitz. Beim erstenmal bekam sie kaum alle Texte mit. Nach dem dritten Mal hatte sie sich alle Worte gemerkt und begann, zwischen den einzelnen Liedern Verbindungen zu sehen, und sie glaubte zu erspüren, was in Tory Robinson vorging. Nach dem sechsten Mal zweifelte sie, ob in der modernen Welt Liebe zwischen Männern und Frauen möglich sei, ob es etwas wie Liebe gebe, wofür es sich lohne zu warten und durch die Welt zu reisen, wie Tory Robinson anzunehmen schien. Mitten beim siebten Anhören läutete es an der Tür. Chris stand auf, wickelte das Handtuch um sich und öffnete.

Es war Schuyler Smith.

»Hallo«, sagte er. »Ich war zufällig hier in der Nähe auf der Suche nach einem guten mexikanischen Restaurant.«

Sie sah auf ihre bloßen Füße hinunter. Sie hielt das Handtuch eng an sich, mit verschränkten Armen und geballten Fäusten, so wie ein unsicherer Fahrer in einer dunklen, regnerischen Nacht das Lenkrad umklammert. Sie hatte das Gefühl, wenn ihre Konzentration nachließe, würde das Handtuch mit ihr fallen und sie stünde nackt da, feucht vom Turnen und nach Chlor riechend.

»Schuyler, komm rein«, sagte sie und überlegte dabei, ob sie ohne Make-up älter oder jünger aussah, als er erwartet hatte. Was hatte er erwartet? »Wie hast du mich gefunden?« fragte sie.

Den Chlorgeruch vom Schwimmbecken einatmend, folgte Schuyler ihr ins Wohnzimmer und verschränkte die Arme, so daß sie sich wie zwei Soldaten gegenüberstanden, wie zwei Krieger vor der Schlacht, oder wie zwei Palastwächter, die den königlichen Schatz bewachen.

»Rosalie hat mir deine Adresse gegeben«, sagte er. Er fand, daß sie ganz anders aussah als auf den Fotografien. Er hatte vergessen, wie das Spiel von Sonnenlicht auf heller Haut und hellen Haaren war, das die Kamera nicht einfangen konnte, er hatte sich gezwungen, es zu vergessen. Er hatte die Bilder gesehen, alles Wimperntusche und Konturenstifte, Hintergrundbeleuchtung und kunstvolle Positur, und er hatte allmählich geglaubt, die Bilder seien das Mädchen. »Komme ich ungelegen?« fragte er und beobachtete im Heben und Senken des Handtuchs den Rhythmus ihres Atems.

»Nein, setz dich, ich hab bloß eben meine Übungen gemacht«, sagte sie. »Wie spät ist es?«

»Sechs.«

»O je, um sieben kommt mich jemand abholen, bis dahin muß ich fertig angezogen sein und alles.«

Schuyler stand an einem breiten Panoramafenster. Die Sonne warf einen langen Schatten auf den Teppich. »Ich komme ungelegen. Ich hätte vorher anrufen sollen. Ich ruf dich morgen an.«

»Nein, warte.« Chris stellte die Musik leiser. »So. Und was führt dich nach Los Angeles?«

»Du.« Er trug ein reinweißes Oberhemd. Er hatte die hellgelbe Krawatte gelockert und ein leichtes graues Sakko über die linke Schulter geworfen. Seine Hose war bequem geschnitten, und die schmalen Aufschläge fielen auf ungeputzte braune Stiefel. Seine Haare kamen ihr länger vor. Er lächelte.

Chris lächelte.

»Im Ernst«, sagte er, und sie hörte zu lachen auf und sah ihm zum erstenmal in die zusammengekniffenen grauen Augen. Und in diesem Moment brach alles wieder über sie herein, alles, was sie in jener einen Nacht vor langer Zeit empfunden hatte. Es war ein Band, das niemals reißen konnte, nicht durch die große Entfernung, nicht durch all die Jahre, sie würden immer verbunden bleiben, sie würde jedesmal, wenn sie so dicht bei ihm stand, das Gefühl haben, daß sie etwas Gemeinsames hatten, nicht gefühlsmäßig oder intellektuell oder sexuell, sondern etwas, so tief und unveränderlich wie ihre Seelen. Wenn ich einatme, atmet er ein, dachte sie, als sie ihn ansah, und sie war überzeugt, daß es auch dann so war, wenn sie durch einen ganzen Kontinent voneinander getrennt wären. Wenn ich ausatme, atmet er aus.

»Hör zu«, sagte sie, »ich muß heute abend auf dieses

Dingsda, aber es dürfte gegen Mitternacht aus sein. Ich würde absagen, wenn ich könnte, aber das geht nicht. Ich kann es nicht erklären, es ist zu dumm. Wie wär's, wenn du hier auf mich wartest?«

»Wie wär's, wenn ich in mein Hotel zurückginge, und du rufst mich morgen an?«

»Nein, bitte. Ich bin gegen Mitternacht zurück, genau wie Aschenputtel. Bitte«, sagte sie, und er nickte, und sie ging die fünf Stufen zu der Ebene hinauf, wo sich ihr Schlafzimmer und ihr Badezimmer und ein Wandschrank voll Kleider befanden. Sie wählte ein blumiges Parfüm und bestäubte sich mit dem passenden Körperpuder. Sie schminkte sich sorgfältig, dabei zitterte ihre Hand so sehr, daß sie kaum den kobaltblauen Lidstrich auf ihrem unteren Lid ziehen konnte. Sie zog ein hautenges silbernes, im Rücken geknöpftes Kleid über, das beim Schließen ohne die Hilfe einer Garderobiere yogaartige Verrenkungen erforderte. Und beim Aufknöpfen? dachte Chris, und sie stellte sich vor, wie sie am späteren Abend den Kopf auf die Brust senkte und die Haare im Nacken hochhielt, während jemand langsam ein winziges Knöpfchen nach dem anderen aus der silbernen Schlinge löste, während jemand langsam das Parfüm einatmete, das sie sich in die Achselhöhlen getupft hatte. Jemand. Der Puder glitzerte silbern wie das Kleid. Sie wollte dafür sorgen, daß sie zwischen all dem Glanz und Aufsehen der Backstage-Szene bemerkt wurde. Sie schlüpfte in die flachen silberen Ballerinas, drehte sich vor dem mannshohen Spiegel, trat die Schuhe von sich und zog hochhackige Silbersandalen mit schmalen Riemen an, die übers Kreuz um die Knöchel zugemacht wurden. Sie nahm an, Tory Robinson sei etwa so groß wie sie. Schuyler Smith war es nicht.

Sie stieg die Stufen hinunter und fand Bill Forbes vor, der sich etwas zu trinken einschenkte und Schuyler erläuterte, was er schlicht und einfach als »das Geschäft« bezeichnete.

»Die Zukunft liegt im Absatz, das wollen die Jugendlichen, man knöpft ihnen zehn Dollar für eine Konzertkarte ab, und sie geben zwanzig Dollar für T-Shirts, Anstecker und Poster aus«, sagte er. »He, Chris, du siehst phantastisch aus.« Entweder war das seine saloppe Art, oder er wollte Schuyler nicht merken lassen, daß sie sich noch nie gesehen hatten. Wie dem auch sei, Chris machte einen Knicks und winkte Schuyler zu.

»Mitternacht«, sagte sie, und er stand auf und erwiderte ihren Knicks mit einer Verbeugung.

»Ich warte hier«, sagte er, und er sah aus dem Fenster, wie Chris zu einer großen blauen Limousine geführt und in Richtung Stadt gefahren wurde.

Chris hatte sich auf ihren ersten Backstage-Paß gefreut, aber als sie nun mit Bill Forbes, etlichen Leuten von Plattenfirmen, der zweiten Frau des Drummers mitsamt ihrer Tochter aus erster Ehe, der Freundin des Lead-Gitarristen, dem Plattenproduzenten sowie dessen Freund irgendwo hinter der Bühne in einem überklimatisierten Raum saß, wo der Ton von der Bühne übertragen wurde und das Bild, verzerrt und voll Störungen, auf einen einzigen langen Winkel der Kamera beschränkt war, die Robinson, wenn er über die Bühne hüpfte, mal folgte und mal nicht, war sie etwas enttäuscht, aber zu höflich, um es zu sagen.

»Möchtest du was trinken?« fragte Bill Forbes Chris. »Möchtest du rausgehen und einen Blick auf die Bühne werfen?«

»Klar«, sagte sie, und er führte sie auf ein kleines Podium hinter dem Drummer, von wo sie Tory Robinson in seiner engen schwarzen Jeans und dem schweißgetränkten gestreiften T-Shirt nur von hinten sehen und, weil die Scheinwerfer die Bühne so grell beleuchteten, das Publikum nur ahnen konnte. Die Leute applaudierten wie wild, nicht nur am Ende der Lieder, sondern auch nach den Instrumentalsoli oder bei der Einleitung bekannter Stücke. Chris versuchte sich vorzustellen, wie es sein mochte, wenn all diese Leute für einen schrien und klatschten und tanzten. Es war sicher leichter, vermutete sie, wenn man sie nicht einzeln sehen konnte.

»Das nennt man Singen«, sagte Bill Forbes. »Komm mit nach hinten, wir haben ein fürstliches Mahl aufgetischt, ich bin halbverhungert.« Er ging mit ihr durch die Halle, wo die Leute Lachs auf dünne Cracker luden und sorgsam geputztes rohes Gemüse in eine hellgrüne Soße tunkten. Die Menge tobte lauter, und es kam Bewegung in die Halle.

»Noch zwei Zugaben, dann ist Schluß«, sagte Bill Forbes mit einem Blick auf seine Uhr. »Spätestens um elf ist es zu Ende. Ich muß mich mit den Leuten vom Rundfunk treffen. Dann wollen wir von dir und Tory ein Foto machen. Komm mit, du kannst in seiner Garderobe warten«, sagte er, bevor sie das schmale Streifchen Gurke verzehren konnte, das sie in der Hand hielt.

»Bin in zwei Sekunden wieder da«, sagte Bill Forbes, und mit einer Handbewegung zur Bar: »Bedien dich.«

Sie sah sich in der Garderobe um; sie enthielt mehrere Klappstühle, ein schmales Bett, einen tragbaren Kassettenrecorder, einen Schaukelstuhl, einen Stapel dicke, frische weiße Handtücher und einen Matchsack, in dem vermutlich Robinsons Anziehsachen steckten. Es war ein Geruch im Raum, der ihr bekannt vorkam, sie konnte ihn nicht identifizieren, aber er war ausgesprochen männlich. Im Bad Rasierzeug und ein halbgerauchtes Päckchen ausländische Zigaretten. Auf dem

Fußboden neben dem Bett eine Biographie von Mark Twain. Sie hob das Buch auf; die Ecken waren etwa alle 20 Seiten umgeknickt — er hatte in Etappen gelesen.

»Daß du mir ja meine Seite nicht verschlägst«, sagte jemand, und sie drehte sich um.

Da stand er. Seine Haare waren naß und lagen flach im Nacken an. Ein kleiner goldener Ohrring fing das Licht ein. Er atmete schwer. Die Schnalle seines schwarzen Ledergürtels war mit Metallnieten umrandet. Durch die vom Schweiß durchsichtig gewordenen weißen Streifen seines T-Shirts konnte sie seine Brust sich heben und senken sehen.

Sein Blick musterte sie in einem Zug, hinunter bis zu ihren Füßen in den Sandalen und wieder hinauf bis zu ihren geweiteten Augen. Er lächelte, betrachtete das Dutzend schmale, klimpernde Silberreifen, die locker an ihren Handgelenken baumelten, die Lapislazuliperlen um ihren Hals, die ihre Augen leuchtender erscheinen ließen, die großen silbernen Ohrclips, die von einem blauen Satinband gehaltenen Haare.

»Tory Robinson«, sagte er und gab ihr die Hand.

»Chris Dunne«, sagte sie. Seine Hand war warm, verschwitzt, und er ließ ihre nicht los. Jetzt erkannte sie den Geruch. Es war der Geruch einer Tankstelle.

»Du kannst Tom zu mir sagen.« Er zog sie an sich und küßte sie auf die Stelle im Nacken, wo sie so gerne geküßt wurde, wie er bei ihrem zweiten Zusammensein herausgefunden hatte. Sie schob die Hände in die Gesäßtaschen seiner Jeans. »Und du kannst Deirdre zu mir sagen. Oder Chris.«

Als er aufwachte, graute schon der Morgen, und er war allein. Er streckte die Beine aus und schob sich die Haare aus der Stirn. Der Cordsamt von Chris' Couch hatte auf einer Seite seines Gesichts und auf der Innenseite seiner Hände, die im Schlaf das Kissen eng umklammert hielten, Sträflingsstreifen hinterlassen.

Schuyler stand auf, faltete Sakko und Krawatte in seinen Rucksack und verließ das Haus, ohne sich zu vergewissern, ob die Tür hinter ihm ins Schloß fiel. Er ging ungefähr anderthalb Kilometer, bis er richtig wach und die Sonne ganz aufgegangen war, bis er an eine Telefonzelle kam, von wo er ein Taxi bestellen konnte, das ihn abholte und zum Flughafen brachte.

Das Mädchen am Reservierungsschalter runzelte die Stirn, als sie seinen Namen auf den Monitor des Computers holte.

»Hin- und Rückflug sieben Tage im voraus gebucht kommt viel billiger«, sagte sie und nahm seine Kreditkarte entgegen. »Ich sag Ihnen das bloß fürs nächste Mal.«

»Es wird kein nächstes Mal geben«, sagte Schuyler.

»So kommt es am teuersten«, sagte sie und händigte ihm sein Ticket nach New York aus.

Als sie nach der Vorstellung zusammen über die vertrauten Straßen zu dem Haus über der Schlucht fuhren, hatten Chris und Tory schweigend dagesessen. Keiner wollte zuerst die Fragen stellen, die nun, nachdem ihre Anonymität aufgehoben war, gestellt werden mußten. Er kannte jetzt ihren Namen, er wußte, was sie tat, wo sie herkam und was sein Manager ihm sonst noch bei der kurzen Instruktion, die er ihm vermutlich vor der Vorstellung gab, über sie gesagt hatte. Und sie kannte seinen Namen und wußte plötzlich so viel mehr über ihn, und sie fühlte dieses ganze Wissen als eine Last, die alles, was sie sich in den letzten Wochen geschaffen hatten, erdrücken könnte.

Es war, als führen sie über eine lange, niedrige Hängebrücke, eine Brücke, welche die schweren Räder der

Laster und des Stoßverkehrs trug und die von zahllosen miteinander verflochtenen Kabeln gehalten wurde. Und mit jeder Kleinigkeit, die Chris über ihn erfuhr, fühlte sie, wie der dünne Draht eines Kabels durchscheuerte und riß. Sein Name war Tory Robinson — krach. Er hatte die Lieder geschrieben, die sie unterdessen fast auswendig kannte — krach. Seine Freunde, seine Band, sein alter Thunderbird, seine Fans, sein Geld, ihr Geld — krach, krach, krach. Als er auf der Lichtung parkte, mußte sie sich zurückhalten, um nicht zu sagen, warte, das haben wir nicht mehr nötig, ich habe ein schönes, sauberes, gemütliches Haus mit einem breiten Bett und weicher Baumwollwäsche, und wir müssen uns hinterher keine Schnipsel von vertrockneten Blättern und abgebrochenen Grashalmen aus Haaren und Kleidern klauben.

Aber sie sagte nichts, als er die Scheinwerfer ausmachte und den Motor abstellte. Vielleicht wollte er es so, daß sie weitermachten wie bisher. Sie stieg aus dem Wagen und löste die Schnallen ihrer Sandalen; die Erde fühlte sich durch ihre dünnen Netzstrümpfe feucht und kratzig an. Vielleicht wollte auch sie es so, weil das, was sie hatten, die öffentlichen gemeinsamen Mahlzeiten in eleganten Restaurants nicht überstehen würde, die Termine für die sorgsam arrangierten »ungestellten« Fotos, die Alex schon Wochen im voraus reserviert hatte, die Partys, auf denen, je etablierter man als Paar war, um so mehr mit einem geflirtet und versucht wurde, einen zu verführen, sei es oben in einem unbenutzten Gästezimmer oder unten auf einem Billardtisch oder im klimatisierten Weinkeller des Gastgebers.

Chris verschränkte die Arme, als er hinter sie trat und ihr die Hände auf die Schultern legte. Heute abend fanden zum erstenmal keine Partys statt, und Chris stellte sich in den stillen dunklen Häusern ringsum ein

Ehepaar vor, das, einer die Füße im Schoß des anderen, zusammen auf einer Couch saß und las, Eltern, die ihre Kinder ins Bett brachten, einen Mann, der seiner grippekranken Frau Aspirin und einen Becher Kakao brachte, eine verkaterte Frau, die mit einer kalten Kompresse auf den Augen einschlief. Etwas senkte sich ringsum auf sie beide herab. Es war wie in den Filmkomödien der vierziger Jahre, wo der Butler in Wirklichkeit ein verkleideter Eisenbahnbaron ist und die Zofe sich als die lange vermißte Tochter eines europäischen Königshauses entpuppt. Chris dachte, die Filme mußten immer nach der Szene enden, wo alle erfuhren, wer alle in Wirklichkeit waren, weil niemand sich vorstellen konnte, was möglicherweise danach passieren könnte. Sie wünschte, es wäre gestern.

»Bist du nervös?« fragte er.

»Nein«, sagte sie wie ein kleines Kind, das ängstlich an einem grimmigen Hund vorbeigeht und fürchtet, es könnte sich mit einer kleinen Geste, einem Geruch oder einem Geräusch in einer Tonhöhe, die nur Tiere vernehmen können, verraten.

»Solltest du aber«, sagte er. Er hob sie auf und trug sie zum Rand der Lichtung. Einen schrecklichen Augenblick lang dachte Chris, er würde sie einfach auf die Felsen hinunterwerfen. »Solltest du wirklich«, sagte er, und dann kehrte er um und trug sie am Wagen vorbei über einen Lehmpfad zur Rückseite des Hauses.

»Auf dem Sims über der Lampe ist ein Schlüssel«, sagte er, und sie langte hinauf, spürte, daß an dem rauhen Schiefer ein Fingernagel splitterte, fand den Schlüssel und schloß die Hintertür auf. Er trug sie durch die dunkle Küche, dann eine Treppe hinauf und ließ sie sanft auf ein ungemachtes Bett fallen. Außer dem Bett enthielt das Zimmer sehr wenig: eine kleine Kommode, deren untere Schublade offenstand und ein Durcheinander von Unterwäsche, Sweatshirts und Socken preisgab; einen Klapptisch mit Kunststoffplatte, auf dem sich Schulhefte stapelten, einen tragbaren Kassettenrecorder, eine Lampe aus einer mit buntem Sand gefüllten Chiantiflasche, ein gerahmtes Foto von einem Picknick am Straßenrand, das an der abblätternden geblümten Tapete hing, einen Haufen gebrauchter Handtücher, einen Papierkorb, der von leeren Bierflaschen und alten Zeitungen überquoll.

»Wer wohnt hier?« fragte sie, als er zu ihr ins Bett kam.

Er fuhr mit einem Finger über ihr Schlüsselbein. »Braucht eine neue Tapete, findest du nicht?« fragte er. »Und ein paar Lampen.«

»Wer wohnt hier?« wiederholte sie, als er ihre Ohrclips aufmachte und auf den Fußboden warf.

Er lehnte sich an ein Kissen und verschränkte die Arme hinter dem Kopf. »Und Vorhänge. Mit Vorhängen sieht es gleich ganz anders aus.«

Sie drehte sich um, setzte sich auf seinen Bauch und stemmte die Hände in die Hüften. Er umfaßte sie und begann ihr Kleid von unten nach oben aufzuknöpfen.

»Wer wohnt hier?« fragte sie.

Er zog sie an den Schultern herunter und küßte sie auf den Kopf.

»Wir«, sagte er, »du und ich.«

Um eine neue Flasche Sekt aus dem Kühlschrank zu holen. Um ein Bad zu nehmen, sich die Zähne zu putzen, schnell mit einem Kamm durch ihre Haare zu fahren. Um die Kassette zu wechseln. Um Alex von dem schwarzen Telefon in der Küche aus anzurufen, bloß um ihm zu sagen, keine Sorge, alles in Ordnung. Um dem Lieferanten einen Zwanzigdollarschein zu geben (für Pizza, was Chinesisches und wieder Pizza). Abgesehen davon hatte es in den ersten Tagen sehr wenig Gründe gegeben, das Bett zu verlassen.

Wie ein im Regen am Schwimmbecken zurückgelassener Roman, aufgeschlagen und nicht ausgelesen, war ihr Schuyler zu spät eingefallen. Chris rief bei sich zu Hause an und hörte ihre eigene Stimme zu sich sagen, sie möge sich selbst eine Nachricht in beliebiger Länge hinterlassen.

»Es ist Sonntag nachmittag, halb drei, und ich bin in einem Zustand vollkommener Glückseligkeit«, sagte sie, während sie zum wolkenlosen Himmel hinaussah, und legte auf. Schuyler war plötzlich aus dem Nichts aufgetaucht und war ebenso schnell wieder ins Nichts verschwunden. Ich habe etwas gefunden, von dem ich nie dachte, daß es das gibt, hätte sie ihm gerne gesagt, und wenn einer für mich geschaffen wurde, dann wurde auch eine für dich geschaffen. Sie ist irgendwo da draußen, Schuyler, ich versprech dir, sie ist irgendwo da draußen, halt nur die Augen offen, du wirst sie finden.

Chris holte noch ein Bier aus dem Kühlschrank und ging wieder ins Schlafzimmer, wo Tory in ein riesiges Kissen geschmiegt schlief. Sie setzte sich im Schneidersitz auf den Tisch und beobachtete ihn beim Schlafen. Man weiß nicht, wie hungrig man ist, bis man sich an den Tisch setzt und das Essen riecht, das vor einen hingestellt wird; man weiß nicht, wie durstig man ist, bis man das Glas Wasser an die Lippen hebt; man kann nicht ermessen, wie durchfroren und müde man war, bis zu dem Moment, da man ins warme Haus tritt, die steifen Stiefel auszieht und den Schnee aus den Haaren schüttelt. Sie hatte nicht gewußt, was sie gesucht hatte, bis sie es fand. Ihre Wartezeit war vorüber.

20

Die Päckchen, die Rosalie jeden Monat schickte, waren das letzte Verbindungsglied zu seinem früheren Leben. Schuyler fuhr nur ein-, zweimal die Woche in die Stadt, um in dem kleinen Postamt aus roten Ziegeln seine Post abzuholen; traf aber ein Paket von Rosalie ein, dann rief ihn der Beamte immer um die Mittagszeit an und teilte ihm mit, daß etwas aus New York gekommen sei.

Zu seinem ersten Weihnachtsfest hier, kurz nachdem er wieder nach Montana gezogen war, schickte sie ihm ein Bild von Scotty auf einem Schaukelpferd, Fotos von Katie Lees Hochzeit und eine Flasche Cognac aus einer Kiste, die Trevor und Philipp fünf Jahre lang aufgehoben hatten.

Kurz nach dem Valentinstag schickte sie ihm Schnappschüsse von Agamemnons ersten vier Fohlen und schrieb dazu, daß sie ihn diese Saison an einige wirklich sagenhafte Stuten verpflichtet hätten und die nächstjährigen Fohlen, wenn sie alle anständig aussähen, auf der Versteigerung gute Preise erzielen sollten. Sie sei wieder schwanger. Miranda setze ihr Jurastudium in Florida fort und werde in Miami mit Jason zusammenziehen, der dort in einer humanitären Institution als Anwalt arbeite, und Rosalie wolle sie besuchen, bevor sie zu dick würde. Trevor schickte eine Flasche Champagner und eine Liste halbwegs anständiger kalifornischer Weine mit, die Schuyler sicher in der nächsten großen Stadt auftreiben könne. Die nächste große Stadt war drei Autostunden entfernt.

Im Juni dankte sie ihm für die Fotos von seiner Ranch, die sehe prächtig aus, aber ob es nicht einsam sei, nur mit ein paar Pferden und den vielen Kühen und etlichen Hunden, aber sicher müsse es schön sein, sich

Hunde halten zu können, nach all den Jahren in New York. Sie schickte ihm einen Artikel, der berichtete, daß das Hopewell-Haus in New York alle Erwartungen überträfe, Katie Lees inklusive. Miranda lasse herzlich grüßen, sie lebe mit Jason in einer Wohnung, die Rosalie ausgesprochen scheußlich fand, aber sie wirkten sehr glücklich, auch wenn von Heirat nicht die Rede sei.

Im September schrieb Rosalie, daß das seit einer Woche überfällige Baby sich offenbar seinen Teil denke über das, was es zu sehen bekäme und er (sie war überzeugt, daß es wieder ein Junge würde) nicht beabsichtige, den Mutterleib zu verlassen, um auf die große schlimme Welt zu kommen. Ob Schuyler von Miranda gehört habe? Sie habe dreimal nach seiner Adresse gefragt. Rosalie meinte, mit Jason werde es Probleme geben. Eigentlich gehe es sie ja nichts an, aber eine Anwaltskanzlei habe Miranda nach ihrem Examen im kommenden Frühjahr eine phantastische Stelle mit einem absolut wahnsinnigen Gehalt angeboten, wer hätte das gedacht, und Jason verbringe seine Zeit mit der gräßlichen Aufgabe, auf Sozialhilfe angewiesene Mütter, die ihre Freunde erstachen, und Drogenhändler, die kein Englisch konnten, zu verteidigen; sicher, politische Überzeugungen seien wichtig, aber, wie Trevor betone, dies sei nicht das, was die Gründerväter im Sinn hatten, als sie die Verfassung schrieben, und außerdem verdiene Jason überhaupt kein Geld, er lasse sich von Miranda aushalten, ob Schuyler nun meine, daß sie, Rosalie, schrecklich altmodisch sei? Nun, eigentlich gehe es sie ja nichts an. Miranda sagte, sie sei glücklich, und sie sei immer noch schlank, deshalb sei Rosalie der Meinung, sie könnten ihr ruhig glauben. Trevor werde etwas besonders Gutes schicken, wenn das Baby da sei.

Im Oktober schickte Trevor eine Kiste Scotch, genau das Richtige für einen Winter in Montana, meinte er.

Er versprach, Rosalie werde schreiben, sobald sie dazu käme, die Geburt sei schwierig gewesen, Charlie wog gut acht Pfund, ein echter Goodwood, und im Gegensatz zu Scotty einer, der zu krakeelen verstand. Ob Schuyler die Papiere verkauft habe, wie Trevor letzten Winter empfahl, denn jetzt sei ein günstiger Zeitpunkt, sie abzustoßen. Rosalie habe ihn gebeten, Schuyler den beigelegten Ausschnitt über ihre ehemalige Mitbewohnerin zu schicken, die wohl gerade eine Schauspielkarriere oder so was starte. Gottlob sei sie nicht zur Hochzeit eingeladen gewesen.

Trevor sei Chris zwar nie begegnet, aber er wisse schon, sie gehöre zu den Mädchen, die gerne Szenen machten, natürlich bekomme Schuyler die New Yorker Skandalblätter nicht zu Gesicht, aber nun, da dieser Robinson auf Tournee sei, wundere es ihn, daß Rosalie mit so einer Person befreundet sein konnte. *Frauen,* schrieb Trevor, *sie fliegen in den Weltraum davon, wenn sie keinen anständigen Mann haben, der sie an sich bindet. Apropos, Du solltest langsam mal an Heirat und Vaterschaft denken. Man wird schließlich nicht jünger, und es gibt bestimmt ein nettes altmodisches Mädchen in Deiner Nachbarschaft, das auf so einen rauhen Burschen wie Dich reinfällt.*

Ich hoffe, dies erreicht dich vor 1979, schrieb Rosalie zu Weihnachten. Sie schickte ihm wieder ein Familienbild, diesmal einschließlich Charlotte in leuchtendem Rot und einem gebrechlichen, in die linke Ecke der Kamera lächelnden Joseph. Und hier ist ein Exemplar von Torys neuestem Album, Trevor läßt es mich nicht spielen, macht nichts, für mich ist es ohnehin bloß Krach, ich kann von den Texten kein Wort verstehen. Chris solle die weibliche Hauptrolle im neuen James-Bond-Film spielen und werde für ein Poster in einem Bikini posieren, der kleiner sei als Charlies Windeln. Trevor schickte zwei Flaschen russischen Wodka ohne Etiketten, seltene Ware, die heutzutage geschmuggelt werden müsse und mit nichts weiter als einem einzigen Eiswürfel aus reinem destilliertem Wasser versetzt werden dürfe.

An einem späten Freitagnachmittag Ende März fuhr Schuyler in die Stadt, um Getränke, neue Angeln für seine Hintertür, Rasiercreme und die letzte Postsendung aus New York zu holen.

Er warf seine Einkäufe auf den Rücksitz und las im verblassenden Licht Rosalies Brief.

Das ist er, schrieb sie zu einem verschwommenen Polaroid-Foto des Hengstfohlens von Agamemnon und Chronic Joy, der, den wir behalten und im Rennen laufen lassen werden. Sie wollten ihn Orestes nennen, falls der Jockey-Club zustimme. Es sei lieb von Schuyler, Trevor zu sich einzuladen, er habe kaum mehr ein Gewehr angefaßt, seit Charlie geboren war, aber der Markt spiele verrückt, deshalb müßten sie erst mal abwarten. Katie Lee und Bobby seien gestern abend zum Essen dagewesen, Katie Lee habe ganz angewidert dreingeschaut, als sie Rosalie beim Windelnwechseln zusah, sie wolle bestimmt keine Kinder, aber Bobby sei ja so ein großes Baby, vielleicht genüge ihr das. Rosalie gedenke, Ende des Monats Miranda zu besuchen und sich ein paar Rennen mit Dreijährigen anzusehen. Trevor ist immer sehr rücksichtsvoll, wenn ich so viel mit Blue Smoke zu tun habe — er nennt mich neuerdings seine »Karrierefrau« und hat seine Sekretärin anrufen und fragen lassen, ob sie mir bei der Vorbereitung meiner »Geschäftsreise« helfen könne! Ich wünschte, mein Vater könnte mitkommen, aber die Reise nach New York an Weihnachten hat ihn sehr mitgenommen, es wird eine Weile dauern, bis er wieder kräftig genug ist, um zu verreisen. Ich schicke Dir eine Postkarte mit rosa

Flamingos, das verspreche ich Dir. Alles Liebe, Rosalie. P. S. Von Trevor kommt eine Extrasendung mit etwas widerwärtigem Bourbonhaftem.

Schuyler betrachtete das Foto von dem Hengstfohlen; ein langbeiniges Ding mit schöngeformtem Kopf; das fuchsrote Fell paßte haargenau zu Rosalies Mähne. Wenn sie Glück hatten, würde er in wenigen Monaten auf der Versteigerung um die 6000 Dollar erzielen; wenn sie noch mehr Glück hatten und ihn behielten, könnte er auf der Rennbahn noch mehr einbringen und sich zudem als wertvoller Zuchthengst erweisen. Oder sie hatten überhaupt kein Glück und endeten wie die meisten Züchter mit einem Tier, das so nutzlos wie schön war.

Er schob das Foto über die Sonnenblende und versuchte zu raten, was für eine Sorte Bourbon Trevor wohl schickte. Für die vielen Briefe, Fotos und alkoholischen Getränke, die er von den Van Schotts erhielt, hatte er sich relativ spärlich revanchiert: ein Babygeschenk für Charlie, zwei Weihnachtsgeschenke für Scotty und eine Handvoll Postkarten, alle mit derselben Touristenansicht von einem winterlichen Sonnenuntergang.

Hier ist es kälter, als es irgendein Mensch verdient, das war ungefähr alles, was auf der ersten Karte stand. Sie haben hier fünf Stücke von Roy Orbison in der Musikbox, was will man mehr? hatte er ein paar Monate später geschrieben, und einige Monate danach: An einem schlechten Tag passiert hier überhaupt nichts, und an einem guten Tag sogar noch weniger. Er hatte sie einmal angerufen, um eine Einladung auszusprechen, von der er wußte, daß sie sie nicht annehmen konnten, und sie riefen ihn einmal leicht beschwipst am Silvesterabend an in der Annahme, er sei allein und erwarte ihren Anruf. Nichts von beidem traf zu. Die Frauen kamen und gingen, so warm und mühelos, wie der Winter hart und mühsam war, sie tranken Trevors alkoholische Getränke aus blauen Keramikkaffeebechern und verlangten von Schuyler nicht mehr, als er zu geben bereit war: ein bequemes Bett, auf dem sich gestreifte Wolldecken stapelten, zärtliche Hände und ein Lächeln, das auch am Morgen danach noch freundlich war.

Gegenüber dem Postamt war die einzige Bar der Stadt. Schuyler nahm auf einem abgeschabten, knarrenden Kunstlederhocker Platz und bestellte einen doppelten Whisky, gerade als die B-Seite von »Pretty Woman« zu spielen begann.

»Smith, alter Knabe, schweren Tag im Büro gehabt?« fragte ein dunkler, bärtiger Mann in einer rotschwarz karierten Jacke zwei Hocker weiter.

Schuyler lächelte, obwohl er Nelsons Scherz schon öfter gehört hatte, genaugenommen fast jeden Freitagnachmittag. Nelson war fast so etwas wie eine Lokalberühmtheit, ein rauhbeiniger Schriftsteller, dessen Kurzgeschichten über Schießeisen, Drogen und Herzensbrecher in New York Preise gewannen und in Los Angeles verfilmt wurden. Er war hierhergezogen, kurz bevor die Grundstückspreise in den siebziger Jahren anzogen — er brüstete sich und verfluchte sich abwechselnd, weil er der alleinige Grund für den Aufschwung war —, und diente als eine Art Mittler zwischen den Alteingesessenen und den später Zugezogenen. Im Osten genoß er den Ruf eines professionellen Tunichtguts, doch Schuyler konnte sich kaum vorstellen, daß Nelson je eine Unart beging, außer daß er sich zuweilen betrank und unanständige Witze erzählte.

Nelson war in dieser Gegend so etwas wie eine kulturelle Institution. Er nahm alle möglichen Leute unter seine Fittiche. Er hatte sich Schuylers sogleich angenommen, als er nach Montana kam. Wenn Schuyler in betrunkenem Zustand lamentierte, wie er die Story des

Jahrhunderts gefunden und verloren hatte, wie er gerade die sicheren Beweise für seine Geschichte über das organisierte Verbrechen untermauern wollte und das Ganze dann ohne ersichtlichen Grund zusammenbrach, hörte Nelson stundenlang zu, bis er ihm schließlich vorschlug, ein Drehbuch daraus zu machen, und sei es nur, um die Geister zu vertreiben. Gesagt, getan, Schuyler gab Nelson das fertige Werk, der es an seinen Agenten weiterreichte, der es für eine geringe Summe an einen unabhängigen Produzenten in Hollywood verkaufte. Das Projekt war, soviel Schuyler wußte, im Sand verlaufen, aber er würde Nelson immer dafür dankbar sein, daß er ihm einen schlimmen Winter überstehen half.

»Ich glaub, ich habe die Frühjahrskrankheit.« Nelson betrachtete stirnrunzelnd seinen linken Handteller, als wolle er sich selbst aus der Hand lesen.

»Ich habe noch nichts von Frühling gemerkt«, sagte Schuyler. Der Frühling hatte in Montana und im ganzen Land vor drei Tagen offiziell Einzug gehalten, aber es lag immer noch Schnee.

»Diese Flecken kommen eindeutig von der Frühjahrskrankheit«, sagte Nelson, »und gegen die Frühjahrskrankheit gibt es bekanntlich nur zwei Mittel.«

»Und die wären?« fragte Schuyler.

»Sie treffen irgendwann morgen nachmittag ein. Hast du Lust, nach dem Abendessen mal vorbeizukommen?«

Nelson verkündete nie frei heraus, daß er eine Party gab. Er sagte den Leuten einfach, sie sollten vorbeikommen, wenn sie nichts Besseres zu tun hätten. »Das eine Heilmittel ist eine Kaufhauserbin aus Atlanta. Das andere ist eine Studentin.«

»Fein, danke«, sagte Schuyler. »Obwohl es mich schon krank macht, wenn ich bloß daran denke.«

»Ich muß mir doch nicht wieder einen Monolog à la

›Vielleicht sollte ich mir eine nette Frau suchen und mich häuslich niederlassen‹ anhören, oder?« blaffte Nelson.

In der Musikbox spielte ein altes Lied von den Eagles. Schuyler drückte mit dem Boden seines fast leeren Glases olympische Ringe auf seine Papierserviette. Er war nach seinem zweiten Doppelten ein bißchen betrunken. Es war ein großartiges Gefühl.

»Hallo«, sagte eine tiefe Frauenstimme.

»Martha!« rief Nelson aus und klopfte auf den leeren Barhocker zwischen ihnen. »Wie ist es dir ergangen?«

»So lala«, sagte sie. Sie hatte Nelson vor drei Stunden zuletzt gesehen. Sie hatte bei ihm eine Hütte und etwas Land gepachtet, wo sie ihren Lebensunterhalt mit der Zucht und Abrichtung von Jagdhunden bestritt. Martha war früher mal Sozialarbeiterin gewesen und wartete bei Nelson das Ende ihres Scheidungsverfahrens ab.

Sie blinzelte Schuyler zu, und er spendierte ihr einen Drink. Marthas Vater war Finne, ihre Mutter eine vollblütige Cheyenne-Indianerin, und Martha war weder hell noch dunkel, sie hatte von Natur aus die Hautfarbe, für die andere sich stundenlang an den Strand legten. Ein dicker Zopf begann braun an der Kopfhaut und endete einen guten halben Meter tiefer mitten auf ihrem Rücken in einer blonden, von der Sonne gesträhnten Locke. Martha hatte lehmfarbene, unergründliche Augen, die Augen eines Pokerspielers — man ahnte nie, was sie dachte. Und man ahnte auch nie, wie, abgesehen von den langen Beinen und den eckigen Schultern, ihr Körper aussah unter den ausgebeulten Männerjeans und den sackartigen Pullovern, die sie trug, es sei denn, einer zog sie aus, wie es Schuyler von Zeit zu Zeit tat, wenn sie beide freundschaftliche Gefühle füreinander hegten.

Heute abend hegte Schuyler plötzlich solche Gefühle. Er stützte das Kinn auf eine Faust. »Nelson hat die Frühjahrskrankheit. Sieht aus wie Fleckfieber«, sagte er. »Könnte ansteckend sein.«

Martha betrachtete Nelsons Hand. »Das ist keine Frühjahrskrankheit.« Sie rümpfte die Nase. »Das sind Stigmata. Vermutlich hysterischen Ursprungs. Kommt in Südamerika andauernd vor.«

»Aber ich bin nicht katholisch«, protestierte Nelson.

»Egal«, sagte Martha. »Untersuch deine Fußgelenke, wenn du nach Hause kommst.«

»Untersuch *du* doch meine Fußgelenke.« Nelson grinste anzüglich. Das Spielchen hatten sie in dieser Bar schon öfter gespielt: Nelson flirtete mit Martha, Martha verdrehte abwehrend die Augen, Schuyler nahm Martha mit nach Hause.

Schuyler kippte den Rest von seinem Scotch hinunter und stand auf. Martha gab Nelson ihre Autoschlüssel. Martha und Schuyler fuhren in Schuylers Lieferwagen nach Hause, und Nelson nahm Marthas Wagen mit auf die Ranch. Sie bestand darauf, diesen Schein zu wahren, sie wollte nicht, daß ihr Wagen die ganze Nacht vor der Bar stand, wo alle ihn sehen konnten und wußten, daß sie mit einem Mann weggegangen war. Es machte nichts, wenn Nelsons Wagen die ganze Nacht, die ganze Woche, den ganzen Monat dort stand; er lieh seinen Wagen allen möglichen Leuten aus, und außerdem war es eines der wenigen Spiele in der Stadt, zu raten, wo und mit wem Nelson schlief, ein Spiel, zu dem Nelson alle ermunterte.

Nelson legte den Kopf schief und breitete die Arme aus wie am Kreuz: »Seid vorsichtig, Kinder«, sagte er.

»Nacht, Paps«, sagte Martha. Schuyler verabschiedete sich stumm.

Es war immer dasselbe mit Martha. Sie küßte nicht

gern. Sie rieb ihre Wange an seiner, murmelte ihm etwas ins Ohr, ließ es langsam angehen, bis das Murmeln anstieg und in ein ständiges Lustgesumm überging und sie ihn auf den Rücken rollte. Er drückte seine Daumen in die tiefe Kuhle, die ihre Hüftknochen bildeten, sie hatte ihre Hände über seinen. Sie behielt die Augen offen und die Socken an. Manchmal strengte sie sich mächtig an, aber meistens beobachtete sie ihn nur lächelnd, dann legte sie ihm einen Finger auf den Mund mit einem Blick, der sagte, daß sie keinen besonderen Gefallen von ihm erwarte. Es gehörte zu der Abmachung, die sie getroffen hatten, die sie jedesmal wieder trafen, die ganze Nacht in einem gemächlichen Austausch von Vergnügungen zu verbringen, die Tage oder Wochen oder Monate zwischen ihren Zusammenkünften nicht zu zählen, Freunde zu bleiben. Sie schliefen ein, und nur ihre Fingerspitzen berührten sich. In der Frühe brachte sie ihm heißen Kaffee, und er fuhr sie vor Tagesanbruch nach Hause, wo die Hunde am Gitterzaun bellend ihr Frühstück verlangten.

Als er zurückkam, machte er sich frischen Kaffee. Auf einem Tischchen am Kamin lag sein großes, in Kalbsleder gebundenes Familienalbum aufgeschlagen, mit dem Gesicht nach unten. Es enthielt mehr als die üblichen gestellten Familienbilder und Urlaubsschnappschüsse. Es reichte Generationen zurück. Es enthielt unter anderem einen vergilbten Zeitungsausschnitt über einen Ururgroßvater, der eine krankheitsresistente Süßkartoffelkreuzung entwickelt hatte, eine Haarlocke seiner Großtante Althea, die behauptete, die erste in Baltimore gewesen zu sein, die eine Bubikopffrisur trug, Geburtsurkunden, eine gepreßte Blume aus einem Brautstrauß, Generationen hatten die Tradition befolgt, bei jedem wichtigen Familienereignis eine Seite hinzuzufügen. Wenn ein Smith heiratete, wurde von seiner

Frau erwartet, daß sie ihm am Abend der Hochzeit eine Seite schenkte, die das Beste von ihrer Familie repräsentierte. Das Buch war auf der Seite mit der Collage aufgeschlagen, die Schuylers Mutter gemacht hatte. Martha mußte sie betrachtet haben, ehe er aufwachte. Die letzte Seite war bei Schuylers Geburt hinzugefügt worden, und die nächste würde wohl kommen, wenn er heiratete.

21

Miranda stellte den Staubsauger ab und hob ein Pennystück aus dem weichen Wollgewebe des grünen Teppichs. Dies war eins der wenigen Dinge, in denen sich diese ansonsten identischen Eigentumswohnungen voneinander unterschieden: die Farbe des Teppichs, der glatten, mit Gipsfaserplatten getäfelten Wände und der schmalen Jalousien an den Fenstern, die verhinderten, daß die grelle Sonne Floridas alles binnen Monaten zu einem hellen Pastellton verbleichen ließ. »Wenn Sie die Jalousien nicht unten lassen«, hatte die Wohnungsvermittlerin gesagt, »verblaßt der Teppich rund um die Möbel, und Sie können nie mehr was umstellen, weil es schwer sein dürfte, die hellen Stellen zu verdecken.« Jason fand es lächerlich, das viele Geld für eine herrliche Sicht auf den Ozean zu bezahlen, die man dann nicht genießen konnte, weil man sich vorsehen mußte, daß Teppiche und Polstermöbel nicht verblaßten. Er hatte recht, wie immer.

Miranda knuffte die auf der Couch aufgereihten Kissen. Das Grün des Teppichs wiederholte sich überall: in den schmalen Streifen der Kissen, im gesprenkelten Tweed der Couch, in den Umrandungen der Teller und Kaffeetassen, in den gerahmten Siebdrucken von Kräutern und Wildblumen, die über dem Küchentisch mit der dicken Holzplatte hingen, in dem abstrakten Wirbelmuster des Plastik-Duschvorhangs und sogar in der Bettwäsche. Miranda ordnete die Kissen in absichtsvoller Zufälligkeit auf der Rückenlehne der Couch an.

Die Eigentumswohnung hatten ihre Eltern ihr geschenkt, als sie auf die hiesige Rechtsakademie wechselte, um in Jasons Nähe zu sein, der eine Stelle in einem Institut für kostenlose Rechtsberatung gefunden hatte, das Leute vertrat, die sich keine teuren Anwälte leisten konnten. Mirandas Vater sagte, er habe die Wohnung als Geldanlage gekauft, aber in Wirklichkeit wollte er sichergehen, daß Miranda nicht in Jasons Wohnung zog. Statt dessen zog Jason zu Miranda, er zahlte aber die extrem niedrige Miete für seine Stadtwohnung weiter. Als Rosalie ihren Besuch ankündigte und fragte, ob Miranda und Jason zusammenwohnten, stritt Miranda es ab und sagte, Jason habe ein eigenes Apartment in der Stadt. Sie erzählte Rosalie nicht, daß Jason nur ein- bis zweimal im Monat in seine Wohnung ging, um die Post oder etwas zum Anziehen zu holen.

Dabei wohnte Rosalie gar nicht bei ihnen; sie bezog in einem Hotel nahe der Rennbahn eine Suite mit dem Blick auf einen Golfplatz, mit einem kleinen Wohnraum und zwei Schlafzimmern für den Fall, daß Trevor mit den Kindern käme, was er nie tat. Während ihrer zweiwöchigen Besuche lud Miranda sie zu einem erlesenen Abendessen bei sich und Jason zu Hause ein, ansonsten gingen Rosalie und Miranda ein paarmal mittags oder abends essen, wobei sie abwechselnd bezahlten, und dann, meistens am letzten Wochenende ihres Besuchs, lud Rosalie Jason und Miranda in das teuerste Fischrestaurant am Wasser ein, wie um sich für die Gastfreundschaft zu revanchieren, die sie nie in Anspruch nahm.

Rosalie war gestern angekommen und wurde in einer Stunde zum Essen erwartet. Miranda genehmigte sich ein kleines Glas Brandy und ließ sich ein Bad ein. Jason würde auf dem Heimweg Blumen kaufen; zu Mirandas großer Verwunderung war es von all ihren Freundinnen ausgerechnet Rosalie, die Jason am liebsten mochte. Die aufrechte, reiche Mrs. Trevor Goodwood, geborene Van Schott, deren Familie ihr Vermögen auf dem Buckel derer gegründet hatte, für deren Verteidigung Jason sich so abrackerte. Doch Jason, der auf Mirandas Familie schimpfte, der Katie Lee bei jeder Gelegenheit quälte, der die Augen verdreht hatte, als er Chris in Fernsehwerbespots für eine Kosmetikserie sah, für deren Labortests kleine, wehrlose Tiere grausam gequält wurden — Jason verehrte Rosalie geradezu, er hielt ihr die Türen auf, erhob sich jedesmal von seinem Stuhl, wenn sie das Zimmer betrat, schenkte ihr mit einer sanften Drehung des Handgelenks Wein nach. Gottlob haßt er nicht *alle* meine Freundinnen, hatte Miranda, als sie die zwei zum erstenmal zusammen beobachtete, mit einer Mischung aus Eifersucht und Erleichterung gedacht.

Donnerstag ließ Miranda eine Vorlesung ausfallen und begleitete Rosalie zu den Rennen. Sie teilten sich einen Tribünenplatz mit Trevors Cousin Taylor, der hergekommen war, um in Palm Beach eine Grundstücksangelegenheit für einen Klienten zu regeln, mit Jacqueline, der Tochter des Klienten, die noch unentschlossen war, ob Taylors Kanzlei die Geschäfte ihrer Familie weiterhin besorgen sollte, und mit zwei Züchtern (der eine aus Texas, der andere aus Atlanta), die erwogen, Anteile an Agamemnon zu erwerben.

Miranda hatte ihre zwei Gin Tonics etwas zu schnell geleert und versuchte jetzt, vor dem vierten Rennen, zu ergründen, ob sie betrunken war. Vermutlich ja: Vom Hin- und Hertippeln zur Koppel in der Mittagssonne, in beigen hochhackigen Sandalen, war sie erschöpft und verschwitzt gewesen; jetzt lachte sie etwas zu laut über Taylors Witze, die vorwiegend an Jacqueline gerichtet waren. Und vermutlich nein: Die anderen auf der Tribüne sprachen wenig zwischen den Rennen, und nachdem sie erkannt hatten, welche Rolle Miranda hier zukam (College-Zimmergenossin, kann kein Pferd vom andern unterscheiden, ist keine von uns, wir werden sie nie wiedersehen), nahmen sie sich die Freiheit, sie zu ignorieren; doch für Miranda war es leichter, ihre Befangenheit dem Alkohol zuzuschreiben statt dem schlechten Benehmen dieser Leute, der guten Freunde ihrer guten Freundin Rosalie. Sie waren ausgesprochen schrecklich, das war Rosalie klar, aber Geschäft war Geschäft. Als ihr Vater damals Agamemnon gekauft hatte und Rosalie die Lage von Blue Smoke durch den Verkauf von Anteilen zu verbessern hoffte, hatten Richard und Robert nicht einmal ihre Anrufe beantwortet. Jetzt, da sich erwies, daß Agamemnon als Zuchthengst alles andere als ein Desaster war — mehrere Prachtstuten waren schon beim ersten Decken von ihm trächtig geworden, und sämtliche Fohlen sahen schon jetzt, in diesem frühen Stadium, herrlich und stark aus, und etliche alteingesessene Züchter in Kentucky, die schon Josephs Vater und Großvater gekannt hatten, rieten Rosalie zur Syndikatsbildung, um ihr Risiko in Grenzen zu halten — jetzt wurde sie neuerdings von Interessenten angerufen, Männern wie Richard und Robert, die hofften, daß Rosalie immer noch ängstlich war und zu niedrig verkaufte. Ihr Geld stammte aus geschäftlichen Transaktionen, von denen Rosalie wenig verstand — aus Manipulationen von Grundstückspreisen in Ländern, von denen sie nicht einmal die Hauptstädte nennen konnte, aus dem Verkauf von Maschinenteilen an Länder der Dritten Welt, die noch unter Kolonialherrschaft standen —, aber es war nichtsdestoweniger Geld; Geld, das Blue Smoke brauchte, um neue Stuten zu erwerben, die Trainingsanlagen zu renovieren und die enormen Versicherungsprämien zu bezahlen, die sich in den letzten Jahren zunächst verdoppelt und dann verdreifacht hatten.

Auf der Koppel drängten sich Freunde von Joseph und Charlotte, die hier die Saison verbrachten. Parker kam hinzu; er arbeitete als Trainer noch für etliche andere Gestüte außer Blue Smoke, dieselben, deren Besitzer nicht zufällig die ersten waren, die sich bereit erklärten, einige von ihren besseren Stuten zu Agamemnon zu schicken, und gab Rosalie ein Küßchen auf die Wange.

»Wie geht es Ihrem Vater? Kommt er auch?« fragte er. Parker hielt die Farce aufrecht, daß Joseph vorübergehend erkrankt und Rosalie lediglich eingesprungen sei, bis er die Führung von Blue Smoke wieder übernehmen könne. Das machte es Parker erträglich, Anweisungen von einer Frau entgegenzunehmen, die nicht einmal halb so alt war wie er.

»Ich glaube kaum«, sagte Rosalie. »Das Reisen strengt ihn an. Aber er verfolgt alles.«

»Immer noch trocken? Kann er denn dort die *Form* beziehen?«

»Wir lassen sie ihm einfliegen.«

»Na«, sagte Parker und lächelte über ihren Kopf hinweg einem anderen Trainer zu, »dann kann es dort ja nicht allzu schlimm sein. Hoffentlich läßt er sich bald mal wieder sehen.«

Wie die meisten, die täglich Bekanntschaft mit der Flasche machen, weigerte sich Parker, die Konsequenzen des Alkoholismus bei seinen ehemaligen Saufkumpanen wahrzunehmen. »Wenn Sie ihn das nächste Mal sehen, sagen Sie ihm, daß Coronet Blue in ein paar Monaten an den Start gehen kann. Sagen Sie ihm, wir beschließen, ob wir das Pferd bei dem kleinen Rennen in Keeneland laufen oder ihm eventuell ein Rennen in New York ausschreiben lassen. Fragen Sie ihn, was er dazu meint.«

»Ja, sicher«, entgegnete Rosalie. So verkehrten sie und Parker geschäftlich miteinander: Parker gab ihr unter dem Deckmantel von Fragen an ihren Vater Informationen, Rosalie machte Vorschläge oder fragte um Rat, als hätte sie eben erst mit ihrem Vater telefoniert.

»Sie können morgen zu den Stallungen kommen«, fuhr Parker fort. »Wir trainieren Northern Dancers Stute. Francisco sagt, er würde sie nicht mal an dem Tag laufen lassen, an dem sie am Toto über 47 bringen würde.«

»Tatsächlich?« Rosalie wußte, daß Parker Francisco Gomez, unterdessen bei Blue Smoke fest angestellt, nur mit den Zweijährigen arbeiten ließ, auf die er ernste Hoffnungen setzte. Die übrigen wurden von Bereitern, die aus Gewichts- oder Altersgründen oder wegen mangelnder Geschicklichkeit ihren Lebensunterhalt nicht als Jockeys bestreiten konnten, geritten, oder von Jockeys, die nicht so erfolgreich waren wie Francisco und hofften, indem sie morgens für Parker ritten, die Pferde im Rennen zu reiten, die für Francisco nicht in Betracht kamen. Rosalie freute sich, daß die Stute sich so gut machte, aber sie ärgerte sich, weil Parker ihr nicht früher gesagt hatte, daß Francisco mit dem Pferd arbeitete. Sie hätte ihm gerne dabei zugesehen. Sie war überzeugt, daß er es Joseph gesagt hätte, wenn Joseph hier wäre.

»Ja, ich würde ausgesprochen gerne vorbeikommen«, sagt Rosalie.

»Gut, kommen Sie gegen sieben. Sie geht gegen

Viertel nach sieben auf die Bahn. Entschuldigen Sie mich«, sagte Parker und nickte einem Jockey in leuchtendrotem Seidendress zu, »ich muß dem Jungen seine Instruktionen geben.«

Der Junge war fast 40, aber Parker und seine Altersgenossen bestanden darauf, ihre Reiter als Jungs zu bezeichnen. Rosalie hielt still, um noch ein Küßchen in Empfang zu nehmen, und sah in ihr Programm.

»Mrs. Goodwood.« Gomez kam heran und gab ihr die Hand.

»Schön, Sie zu sehen.«

»Hallo, Mr. Gomez.« Sie wußte, es hörte sich albern an — alle Welt nannte die Jockeys beim Vornamen, aber Francisco, den sie seit Saratoga nicht mehr gesprochen hatte — wie denn auch, mit dem Baby und allem Drum und Dran —, hatte etwas dermaßen Korrektes an sich, daß sie gar nicht anders konnte, als ihn entsprechend anzureden. »Wie nett, Sie zu sehen. Wie geht's?« fragte sie, und sie wiederholte dasselbe Gespräch wie jedesmal.

Sie erstattete kurz Bericht und sagte, Trevor sei in Soundso (wo auch immer, aber niemals hier, seine Geschäfte erforderten es, obwohl er natürlich lieber hier und sie natürlich lieber dort wäre) und erkundigte sich nach Franciscos Bruder, der irgendwo auf den Florida Keys ein Restaurant leitete und Franciscos einziger Verwandter in diesem Land war. Francisco war kurze Zeit mit der Tochter des Geschäftspartners seines Bruders verlobt gewesen, hatte jedoch die Verlobung gelöst, als sein Bruder entdeckte, daß sein Partner Geld aus der Kasse genommen hatte, um es an die Spieltische in Atlantic City zu tragen.

»Meinem Bruder geht es sehr gut, danke, und er läßt Ihnen ausrichten, Sie möchten sein Restaurant besuchen, wenn Ihr Weg Sie mal in die Nähe führt.«

»Sehr gern, ich gehe sowieso Samstag abend mit Freunden essen und wollte sie schon in dasselbe fade Lokal wie immer einladen, aber sie sind noch nicht lange in Florida, vielleicht würden sie ja gerne — wo liegt es genau?« fragte Rosalie. Jason wäre etwas Abgelegenes bestimmt lieber als das Restaurant, wo sie eigentlich mit ihnen hingehen wollte und wo lauter Männer wie Mirandas Vater und übertrieben angezogene Frauen verkehrten.

»Islamorada«, sagte Francisco. »Es heißt ›Die Schildkröte und der Hase‹. Für die Touristen, die nicht gerne in einem Lokal essen, das einen spanischen Namen hat. Aber sie haben keine Schildkröten oder Hasen auf der Karte. Da kommt mein Pferd. Eine ausgesprochene Schildkröte«, sagte er und blinzelte Rosalie zu.

»Ach ja«, sagte Rosalie. Sein Tonfall verwirrte sie. Er sprach, als vertraue er ihr ein Geheimnis an, eines, das wichtiger und gefährlicher war als die Wahrscheinlichkeit, daß sein Pferd nicht siegen würde, was jedermann mit einem kurzen Blick in die Zeitschrift *Form* hätte voraussagen können. Sie verschränkte die Arme. Obwohl Francisco immer förmlich, ja distanziert war, fand sie, er stünde ein kleines bißchen zu nahe bei ihr. Alle möglichen Geschichten über ihn waren ihr zu Ohren gekommen, es hieß, er sei ein richtiger Casanova, aber sie hatte das meiste davon als Gerücht abgetan, es gab ja immer so viele Gerüchte über die Top-Jockeys, und Francisco hatte sich in letzter Zeit zu einem der allerbesten Jockeys des Landes entwickelt. Sein von den Jahren und der Sonne leicht faltiges Gesicht erschien von Zeit zu Zeit auf den Titelseiten der Illustrierten, teils wegen seiner Reitkünste und teils weil er einfach sagenhaft aussah. Selbst Trevor war aufgefallen (er sagte nicht »sagenhaft«, sondern »fotogen«), mit welcher Anmut und Kraft Francisco sich hielt.

»Kommen Sie morgen zum Training?« fragte er. »Ich nehme mir diese wirklich hervorragende Zweijährige vor.«

»Ja, Parker hat es mir gesagt, die Tochter von Northern Dancer.«

»Nein.« Francisco runzelte die Stirn. »Nicht *das* Pferd.« Er schürzte die Lippen, als er erkannte, daß er einen Fehler gemacht und daß Parker, aus welchem Grund auch immer, Rosalie verschwiegen hatte, daß das beste Zweijährige im Stall kurz nach sechs trainiert würde. »Das andere. Das von Damascus.«

»Ach so, ja, das würde ich auch gern sehen«, sagte Rosalie.

Francisco warf ihr einen Blick zu, den sie interpretierte als: Wenn Sie früh kommen, tun Sie vor Parker, als wäre es reiner Zufall.

Rosalie warf ihm einen Blick zu, von dem sie hoffte, daß er besagte: Natürlich, ich habe verstanden.

Und Francisco nickte, bevor er davonging, denn er verstand viel mehr, als sie beabsichtigt hatte, womöglich mehr, als sie selbst verstand. Aber er beobachtete sie ja auch schon lange Zeit, dieses Mädchen, nun zur Frau geworden, mit den Augen, die genauso grün waren wie seine, und der Haut mit diesem zartgoldenen Schimmer, der vielleicht darauf hindeutete, daß ein kleiner Teil von ihr aus einer Gegend stammte, die er kannte. Obwohl er sehr wenig über Rosalies Herkunft wußte und zwischen ihren seltenen Begegnungen nur flüchtig an sie dachte, glaubte er sie wortlos, instinktiv zu verstehen, so wie er zuweilen ohne einen direkten Hinweis genau voraussagen konnte, wie sich ein Pferd auf der Rennbahn verhalten würde. Er verstand, daß sie sich zu ihm hingezogen fühlte (aber, dachte er, taten das nicht die meisten Frauen?), ohne es selbst zu ahnen, ja, ohne zu ahnen, daß es für eine Frau wie sie überhaupt möglich war, auf diese Weise an einen Mann wie ihn zu denken. Er verstand, woher diese Ahnungslosigkeit rührte: Es gab einen Teil von ihr, der nie angezapft worden war, der vielleicht nie angezapft werden würde, wie ein unterirdischer Fluß, der Hunderte von Jahren still dahineilt, bis jemand auf die Idee kommt, einen Brunnen zu bohren. Und er verstand auch dies: daß der Brunnen an genau der richtigen Stelle und zu genau der richtigen Jahreszeit ausgehoben werden mußte, und daß dann, und nur dann, das kalte, klare Wasser fröhlich an die Oberfläche sprudelte.

Er nahm sie mit einem letzten Blick in sich auf, dann vergaß er sie und ging, um mit dem Besitzer und Trainer seines Pferdes im nächsten Rennen Höflichkeiten auszutauschen. Nachdem die Pferde hinausgeführt worden waren, kehrte Rosalie an ihren Tribünenplatz zurück, wo Taylor Jackie gerade erklärte, nach welchen Bestimmungen in dieser Gegend eine Forderung geltend gemacht werden konnte. Rosalie saß während der nächsten Rennen still da, bis auf dem Innenfeld eine Bewegung entstand, als ein Mann in einem kleinen Ruderboot sein Ruder zu der Flamingokolonie hinschwenkte, die dort lebte.

Die Vögel flatterten in einer Flut von Rosa, Korallenrot und Schwarz auf, und Rosalie erhob sich mit ihnen und griff sich mit beiden Händen an die Brust.

»Machen sie das oft?« fragte Miranda.

»Ja, ich habe es schon hundertmal gesehen. Es kam mir heute bloß anders vor, ich weiß nicht, wieso«, sagte Rosalie und setzte sich wieder hin. Die Vögel ließen sich genau dort nieder, wo sie vorher gewesen waren, wie sie es vorausgewußt hatte. Nur ein einziges Mal wollte sie sehen, wie sie abhoben und davonflogen, über die Rennbahn und die Wipfel der sorgsam gepflegten Palmen und dann über die Stadt hinweg, hinaus übers Meer, oder nach Süden zu den Sumpfgebieten, wo Flamingos in der Wildnis lebten. Aber das würde natürlich nie geschehen, und das war vielleicht auch besser so. Rosalie hatte irgendwo gelesen, daß Tiere, die einmal in der Gefangenschaft gehalten wurden, nicht mehr in der Lage seien, dort zu überleben, wohin sie gehörten.

22

Katie Lee, ihr Vater und der Art-director der Werbeagentur diskutierten schon seit drei Stunden, als hinge das Schicksal der freien westlichen Welt von der Wahl des Farbtons für die neue Hopewell-Werbekampagne ab. Sie hatten sich (nach etwas über einer Stunde) auf eine Metallic-Druckfarbe geeinigt und besprachen jetzt, welches Edelmetall die wachsende Hopewell-Hotelkette am besten repräsentiere.

»Nichts reicht an Gold heran, absolut nichts«, sagte Katie Lee und zeigte mit dem Finger auf ihren Vater wie eine Lehrerin auf einen Vorgesetzten. »Seit Anbeginn der Geschichte hat Gold das Höchste repräsentiert. Genau wie wir das Höchste an Luxus und Service bieten. Das spricht die Leute an.« Sie wies auf die Muster, die immer dieselbe Schöne in diversen Szenen zeigten: beim Befestigen eines Ohrrings vor einem mannshohen Spiegel in einem luxuriösen Hotelzimmer, beim Lösen ihrer Haare und Eintauchen ihres Zehs am Mosaikrand eines großen Swimmingpools. »Und wir könnten Gold nicht für die Beschriftung und Umrandung verwenden, sondern es im Wandschmuck oder in den vergoldeten Spiegelrahmen wieder aufnehmen.«

Henry Hopewell goß sich noch einen Schluck Bourbon ein, von dem er den anderen nichts angeboten hatte, aber seine Sekretärin war in exakt zwanzigminütigen Abständen mit alkoholfreien Getränken erschienen.

»Tja, Gold wäre ideal, Schätzchen, nur«, sagte er, und dann machte er eine lange Pause, trank seinen Whiskey, wohl wissend, daß niemand ihn unterbrechen würde, bis er durch einen Blick oder eine Geste zu verstehen gäbe, daß er bereit sei, sich die Kommentare derer anzuhören, die weniger Erfahrung besaßen als er. Der Art-director hielt seinen Blick auf Henry gerichtet, der aus dem Fenster sah, während Katie Lee Anzeigenmuster betrachtete.

»— nur, alle verwenden Gold. Es wird so häufig eingesetzt, daß es kaum noch auffällt. Wir müssen uns abgrenzen, indem wir eine andere Richtung einschlagen. Also, worin unterscheidet sich ein Hopewell Hotel?« fragte er, doch die anderen hüteten sich, zu antworten.

»Ich will euch etwas sagen«, fuhr er fort. »Der gegenwärtige Trend heißt Nostalgie. Alte Hotels werden aufgekauft und mit Stilmöbeln ausgestattet. Sogar bei Neubauten findet sich diese sentimentale Architektur, die die Gäste an die Vergangenheit erinnern soll, an Zeiten, in denen es luxuriöser und weniger kompliziert zuging. Wir sind die einzigen, die alles modern halten. Mit Unmengen von Glas. Wir verwenden vielleicht ausgefallenen Marmor, legen aber keine Orientteppiche darauf. Tatsache ist, wir machen unser Geschäft überwiegend mit Neureichen, und wir wollen diese Leute nicht in eine Situation bringen, daß jemand in ihr Zimmer kommt und sie über die Stilmöbel ausfragt und wissen will, welches Museum das Original des Kunstwerks besitzt, das wir an die Wand gehängt haben.« Er lehnte sich in seinen hohen Ledersessel zurück. Henry hatte sein Büro voriges Jahr vollkommen neu ausstatten lassen, nachdem ein Bankier ihm eine heikle Frage über einen gelackten chinesischen Wandschirm gestellt hatte.

»Für mich«, fuhr er fort, »entspricht Silber der heutigen Zeit. Es drückt klar aus, wer wir sind: die ersten, die alle Hotels mit Krafttrainingsgeräten und sämtliche Bäder der Luxussuiten mit Whirlpool-Wannen ausstatten. Chrom-Armaturen. Was meinen Sie, Kevin?« wandte er sich an den Art-director.

»Nun ja, Gold und Silber haben beide eindeutige Vor- und Nachteile«, sagte Kevin. Er hatte keine Ahnung, wie das Problem gelöst werden sollte, war sich jedoch darüber im klaren, daß nicht Henry, von dem er in den letzten drei Jahren die Aufträge bekommen hatte, sondern Katie Lee in Zukunft seine Arbeitgeberin sein würde. »Aber eigentlich ist es keine Frage von Gold oder Silber.« Er nickte Katie Lee zu, die diesen Kampf vermutlich verlieren würde. »Sie müssen den Zusammenhang sehen, den gesamten visuellen Komplex. Beispielsweise, verwenden wir mehr Innen- oder Außenaufnahmen? Tag oder Nacht? Und das Wichtigste: Wie soll das Modell aussehen? Blond oder brünett?«

»Blond«, antworteten Henry und Katie Lee wie aus einem Munde, dann sahen sie sich an und lächelten.

»Haben Sie sich schon für ein bestimmtes Modell entschieden?« fragte Kevin.

»Noch nicht«, sagte Katie Lee. »Im Augenblick bringt uns die laufende Anzeige massenhaft Publicity. Wir wollen die Wirkung erst etwas abflauen lassen, bevor wir den nächsten Schritt tun. Allerdings haben uns schon einige Modelle telefonisch verständigt, daß sie nicht verfügbar sind, ob Sie's glauben oder nicht.« Was bedeutete, daß sie sich, wenn der Preis stimmte, gern aus jedem laufenden Vertrag loskaufen lassen würden.

Kevin nickte. Die Hopewells hatten zwar nichts davon verlauten lassen, aber er vermutete, daß sie zusätzlich an Fernsehwerbung dachten, und das bedeutete Riesenaufträge für seine Agentur. Es hieß ferner, daß sie nicht nur ein Top-Modell finden mußten, sondern eines, das sprechen konnte, was das Feld erheblich einengte.

»Gut, wir geben Ihnen nächste Woche Bescheid, wie wir uns entschieden haben«, sagte Henry, der niemals zuließ, daß Entscheidungen in Gegenwart des Beauftragten getroffen wurden.

»Er hat recht, was das Mädchen anbelangt«, sagte Henry, als sie allein waren. »Sie wird die Gesamtwirkung der Kampagne bestimmen. Was machen wir für Fortschritte?«

Katie Lee informierte ihn über den Stand der Dinge. Eine Schauspielerin, die sich zunächst begeistert zeigte, hatte das Angebot anschließend dazu benutzt, eine höhere Gage bei einer Kosmetikfirma herauszuschlagen, deren gegenwärtiges Modell soeben 30 geworden war und nun für eine Serie von Anti-Alterspräparaten eingesetzt werden sollte. Sie hatten ein anderes Modell für vier Wochen zu einem Intensiv-Sprechkurs nach New York geschickt, aber ihr Lehrer hatte schon vorausgesagt, daß man ein Mädchen aus Detroit vertreiben könne, nicht aber umgekehrt. Und dann war da noch Chris, die genau das verkörperte, was Henry vorschwebte, aber Katie Lee hatte mit dem Argument, Chris habe ein zu schlechtes Image, gegen sie gestimmt.

»Ich weiß ja, daß sie die Männer anspricht«, sagte Katie Lee und wies mit dem Finger auf ihren Vater, »aber die Frauen können sich nicht für sie erwärmen. Sie ist einfach nicht wie *wir*.«

»Kann sein, kann sein«, sagte Henry. Während er die Grundstücke in aufstrebenden Stadtvierteln ausgesucht hatte, wo ihre bestgehenden Hotels errichtet worden waren, war es, wie er offen zugab, Katie Lee gewesen, die jene Marketingmethoden und das System der Personalauswahl entwickelte, die ihr Unternehmen so erfolgreich machten. Obwohl ihr New Yorker Hotel sich als Inbegriff städtischer Eleganz anpries, hatte Katie Lee darauf bestanden, daß das an vorderster Front stehende Personal — Empfangschefs, Oberkellner — *keine* New Yorker waren. Ihre Gäste waren vorwiegend auswärtige Geschäftsleute, auf welche eine frische, saubere Erscheinung und ein mittelwestlicher Tonfall oder südlicher Singsang anheimelnd wirkten. In Florida und Los Angeles war es genauso. Zimmermädchen und Gepäckträger durften dunkelhäutig und spanischer Herkunft sein, aber das sichtbare Personal sah samt und sonders aus wie frisch aus einem Kornfeld.

Die Diskotheken und Nightclubs in den Hopewell Hotels prunkten mit sinnlichen Namen und dunklen Eingängen; innen aber warteten sie mit guter Beleuchtung, freundlichem Personal und angenehmer Musik auf. Die Besucher traten mit dem Gefühl ein, etwas Ungewöhnliches, Zauberhaftes, ja Verbotenes zu tun, doch dann wurde sogleich dafür gesorgt, daß sie sich heimisch und willkommen fühlten. Auf diesem Gegensatz beruhte der Erfolg der Hopewells: Das Image war Eleganz, die Wirklichkeit aber war das rosenwangige Mädchen von nebenan.

Und deswegen hielt Henry Chris für die absolut Richtige.

»Die Sache ist die, mein Herz«, sagte Henry, »achtzig Prozent der Reservierungen werden von Männern beziehungsweise ihren Sekretärinnen vorgenommen. Vielleicht werden die Frauen eines Tages unter den Geschäftsleuten gleich stark vertreten sein, doch zur Zeit sind unsere wichtigen Kunden Männer; manche bringen ihre Frauen mit, um mit ihnen auszugehen, einen Einkaufsbummel oder Theaterbesuch zu machen oder was auch immer. Was du sagst, spricht also im Grunde für Chris.«

»Ich halte sie einfach nicht für die Richtige«, sagte Katie Lee.

»Na ja, Liebes, du kennst sie am besten«, sagte Henry. »Was mich zugegeben nachdenklich stimmt, ist ihre Neigung zu — zu auffälligem Benehmen. Wir brauchen eine, die das Hopewell-Image achtet. Die uns nicht blamiert. Wenn ich sicher sein könnte, daß wir Chris unter Kontrolle bekämen, hätte ich die Verträge im Nu fertig.«

»Kontrolle ist nicht das Problem«, entgegnete Katie Lee.

»Ich denke doch. Man muß sie nur richtig behandeln.«

»Oh, das wäre einfach«, sagte Katie Lee.

»Das denkst du.«

»Wirklich, ich bin früher auch mit ihr fertiggeworden. Ich war schließlich ihre Zimmergenossin.«

»Sie ist eine sehr starke Persönlichkeit.«

»Und ich bin stärker.«

»Aber natürlich, Liebes«, sagte Henry, »als ob ich das nicht wüßte.«

Katie Lee dachte nach. Die Werbekampagne sollte im November starten. Jetzt hatten sie Juni. Es war nahezu unmöglich, in der kurzen Zeit das richtige Modell zu finden, den komplizierten Exklusivvertrag auszuhandeln und zu unterzeichnen, sämtliche Arrangements mit Fotografen und Stylisten zu treffen. Es sei denn, sie erklärte sich mit Chris einverstanden. Sie könnte Chris morgen anrufen — so einfach wäre das. Chris würde bestimmt bereit sein, ihre Sommertermine für eine alte Freundin und College-Zimmergenossin zu ändern.

Katie Lee lächelte und schüttelte den Kopf. »Allzuviel Zeit bleibt uns wohl nicht mehr, wie?«

»Nein«, sagte Henry.

»Nun gut, wenn du willst, kann ich Chris ganz unverbindlich fragen, ob sie interessiert wäre. Natürlich ohne Verpflichtung unsererseits, weil ich glaube, daß wir eine bessere finden können. Ich weiß nur nicht, ob uns das in der kurzen Zeit gelingt, die uns noch bleibt. Wir könnten uns Chris als letzte Reserve vorbehalten, bloß für alle Fälle.«

»Hört sich gut an.« Henry schob seinen Schreibtischstuhl zurück.

Katie Lee stand auf und ging zu den Layouts hinüber. »Du hast recht, Daddy, wie immer«, sagte sie, »es geht hier um die Reaktionen der Männer.«

»Nun, die Meinung *dieses* Mannes kennst du«, sagte Henry. Er würde die Rechtsabteilung veranlassen, Katie Lee Ende nächster Woche einen Vertragsentwurf zu schicken, einen Vertrag mit Chris' Namen.

Katie Lee legte ihren Aktenkoffer auf das runde Tischchen in der Cocktail Lounge des Flughafens und machte in dem trüben Licht Notizen über Chris' Vertrag. In der Woche, die sie nach dem Treffen mit ihrem Vater in New York verbracht hatte, war es ihr gelungen, sämtliche wichtigen Vertragspunkte mit Alex auszuhandeln; heute abend wollte sie, falls dieser verfluchte Regen nachließ, nach Kalifornien fliegen, um die wenigen verbliebenen Kleinigkeiten zu klären, die Papiere zu unterzeichnen und der Presse das Ereignis zu verkünden.

Sie warf einen Blick auf den Videomonitor. Ihr Flug war um eine Stunde verschoben worden: Zeit, noch einen Drink zu nehmen. Sie haßte Warten mehr als alles andere auf der Welt. Sie blinzelte, und ihr Flug verzögerte sich um weitere 23 Minuten.

Sie hatte in den letzten Tagen ziemlich viel Zeit mit Warten verbracht. In ihrem Apartmenthaus war ein

Aufzug außer Betrieb, so daß man manchmal geschlagene fünf Minuten in der Halle warten mußte, bis man einen Fahrstuhl erwischte, und dann mußte man sich mit zehn weiteren hektischen Hausbewohnern hineinzwängen und sich lächelnd das Geschwätz über das Wetter anhören, während der Aufzug in fast jedem Stockwerk hielt. Am Donnerstag dieser Woche hatte sie etwas über eine Stunde bei ihrem Frauenarzt Dr. Trout gewartet. Als die Sprechstundenhilfe sie hereinbat, streckte sie, ohne sich für die Wartezeit zu entschuldigen, steif eine Hand nach der Urinprobe aus, die Katie Lee nach Anweisung des Arztes als erstes am Morgen hatte entnehmen müssen. Aus ihrer großen Wildlederumhängetasche holte Katie Lee eine winzige Einkaufstüte, darin war das widerwärtige Schraubglas, das ursprünglich marinierte Artischockenherzen enthalten hatte.

Sie suchte Dr. Trout einmal im Monat auf, seit er sie ein paar Wochen nach ihrer Heirat von der Pille abgesetzt hatte. Er verpaßte ihr ein Pessar und klärte sie darüber auf, daß sie möglicherweise mehrere Monate ihre Periode nicht regelmäßig bekommen werde und vermutlich ein Jahr lang nicht schwanger werden könne. Seitdem hatte sie alle möglichen seltsamen Beschwerden gehabt, und der Arzt hatte den Termin für ihre jährliche gründliche Untersuchung vorverlegt.

Nach der Untersuchung zog sich Dr. Trout in sein Sprechzimmer zurück und ließ Katie Lee Zeit, sich anzuziehen und ihren Lippenstift neu aufzutragen, ehe er ihr das Untersuchungsergebnis mitteilte und den üblichen Vortrag über ihren Puls hielt, der für eine Frau ihres Alters um 20 Schläge zu hoch sei.

»Sagen Sie mir bloß nicht wieder, ich soll Sport treiben«, sagte Katie Lee, als er stirnrunzelnd ihre Tabelle betrachtete. »Ich hab's mit Laufen versucht, es war schrecklich lästig.«

Der Arzt lächelte. »Ein krankes Herz ist auch schrecklich lästig. Hatten Sie Probleme mit Ihrem Pessar?«

»Ja. Es ist widerwärtig.«

»Aber haben Sie das Pessar benutzt?« fragte er.

»Wenn's nötig war. Ziemlich oft. Obwohl es ein schrecklich schmerzhafter Aufwand ist, wo ich doch sowieso nicht schwanger werden kann.«

»Hm«, sagte der Arzt, »Sie sind schwanger. Etwa in der siebten Woche. Es ist zwar nur neunundneunzig Prozent sicher, solange wir die Laborergebnisse nicht haben, aber für mich steht es so gut wie fest.«

Katie Lee sagte zuerst nichts, und dann: »Sie werden sicher verstehen, daß ich nicht so tue, als wäre das eine gute Nachricht, weil es nämlich keine ist.« Sie hatte weniger als eine Minute gebraucht, um den Entschluß zu fassen. Es kam einfach zeitlich ungelegen; sie konnte sich dieses Jahr nicht leisten, die Arbeit auch nur ein paar Monate zu unterbrechen, gerade jetzt, da die Werbekampagne anlief und so viele Hotels im Bau waren. Bobby wünschte sich jede Menge Kinder, und sie stritt deswegen ständig mit ihm; wenn er herausbekäme, daß sie schwanger war, würde er einer Abtreibung niemals zustimmen.

Nun, sie würde es ihm einfach nicht sagen. Trouts Gesicht blieb vollkommen ausdruckslos, als sie ihn um einen Termin für eine ambulante Behandlung am nächsten Donnerstag ersuchte, wenn Bobby geschäftlich in Washington sein würde. Es sei die einfachste Sache der Welt, sagte sie sich. So einfach, wie wenn chirurgische Instrumente die Falten im Gesicht einer alternden Schauspielerin glätteten. Das Wort »unnatürlich« kam Katie Lee nicht in den Sinn; denn dies war für sie ein natürlicher Zustand: daß alles genau so lief, wie sie es plante, daß sie ihr Geschäft und ihren Mann unter Kontrolle hatte, Probleme löste, Hindernisse beseitigte, Zweifel ignorierte, Fehler verdrängte. Als sie die schwere Messingtür aufstieß, ehe der Portier sich von seinem Stuhl auf dem Gehsteig erheben konnte, als sie unter dem dunkelgrünen Baldachin hervortrat und einem Taxi winkte, fühlte sie nur das eine: Sie war stolz auf sich, stolz darauf, daß sie fest auf ihren eigenen zwei Füßen stand. Sie war die einzige, die imstande war, für sich selbst zu sorgen.

Katie Lee hatte ihren zweiten Drink halb ausgetrunken, als auf dem Monitor eine nochmalige Verzögerung um 17 Minuten aufflimmerte; ihr Flug nach Kalifornien, planmäßig um 20 Uhr 45 angesetzt, sollte nun erst ein paar Minuten vor Mitternacht starten. Die Bar füllte sich mit Passagieren, die wegen der verspäteten Ankunft in New York ihre Anschlußflüge verpaßt hatten. Einige würden in Motels in Flughafennähe übernachten. Die Unternehmungslustigeren oder solche, die durch weniger begrenzte Spesenkonten dazu in der Lage waren, würden sich in die Stadt wagen und ihr Pech in eine abenteuerliche Nacht verwandeln.

Katie Lee steckte die Kappe auf ihren pinkfarbenen Markierstift. Sie hatte dicke Linien in die Arbeitskopie von Chris' Vertrag gezeichnet: pink für Veränderungen, auf denen Alex bestand, gelb für Zusätze, die Katie Lees Anwälte verlangten, und grün für Verbesserungen, die die Hopewells möglicherweise Geld kosten würden. Der zehn Seiten umfassende Vertrag war überall pink markiert, gelegentlich unterbrochen von einer kurzen gelben Passage, doch Katie Lee zählte nur drei grüne Abschnitte. In diesen Punkten würde sie nicht einlenken. Sie wollte Alex in allen übrigen unter großem Gezeter nachgeben, in der Hoffnung, er würde, wenn sie ihn neunzig Prozent der Kämpfe siegen ließ, nicht merken, daß es ihr mit diesen drei kleinen Abschnitten gelungen war, den Krieg zu gewinnen.

Katie Lee spürte eine nervöse Unruhe im Magen. Etwas lief schief. Vielleicht würde ihr Flug abermals und dann noch einmal verschoben und schließlich gestrichen, und sie säße um zwei Uhr morgens noch im Flughafen. Vielleicht würde die Maschine in diesem endlosen Regen starten und dann gezwungen sein, in irgendeiner öden Stadt im Mittelwesten zu landen, oder schlimmer noch — Katie Lee malte sich das Allerschlimmste aus und beschloß, bis morgen und auf klareres Wetter zu warten, um nach Kalifornien zu fliegen. Es wird etwas Furchtbares passieren, dachte sie, und obwohl sie wußte, daß ihre Vorahnung vollkommen irrational war, vermutlich die Folge von mütterlichen Hormonen, die durch ihren Blutkreislauf schwirrten, war sie gleichzeitig vollkommen davon überzeugt. Sie packte ihre Sachen zusammen und bestellte telefonisch einen Wagen. Eine halbe Stunde später war sie auf dem Rückweg in die Stadt; durch das rauchige, regenverschmierte Glas sahen die Lichter von Manhattan wie gelber Nebel aus.

Ihre Panik wuchs, je näher sie nach Hause kam. Vielleicht würde der Fahrer — etwas an seiner Art hatte ihr nicht gefallen, als er sie anlächelte und einen Mund voll ungleichmäßiger gelber Zähne entblößte — vielleicht würde er hinter der Brücke falsch abbiegen und in Harlem auf einer abgelegenen, unbeleuchteten Straße halten, wo sie von Gangstern umzingelt würden, die ihre Gesichter an die Scheiben drückten und mit vorgehaltenen Waffen die Herausgabe von Geld und Schmuck verlangten. Nein, er war richtig abgebogen, aber er fuhr zu schnell, früher war ihr nie aufgefallen, wie schmal die Fahrspuren auf dieser Schnellstraße waren, wie gefährlich dicht die Wagen herankamen, und jetzt waren sie gleich bei ihrer Ausfahrt, und er fuhr immer noch auf der äußeren linken Spur. Als sie die Schnellstraße verlassen hatten, beschleunigte er, um bei Gelb links abzubiegen, und Katie Lee klammerte sich an eine Armlehne und trat mit dem Fuß auf eine imaginäre Bremse. Als sie zu Hause ankam (der eine Portier hielt die Tür auf, während sie den Scheck des Fahrers abzeichnete, der andere trug ihr Gepäck in die Halle), war sie schweißnaß, ihr war speiübel, und sie betete, daß sie ihre Wohnung erreichte, ohne Juwelendieben oder Terroristen in die Hände zu fallen.

Doch als sie ihre Wohnungstür aufschloß und einen fremden Trenchcoat über die Armlehne ihres zweisitzigen Chintzsofas geworfen sah und aus dem roten Gästezimmer am anderen Ende des Flurs Gekicher hörte, da wußte sie, daß sich das Schreckliche hier, in ihrem eigenen Heim abspielte. Sie hatten sie nicht gehört, und sie wog blitzschnell die Alternativen ab.

Sie könnte eine Szene machen. Bobby, der vermutlich betrunken war, würde sie vielleicht demütig um Verzeihung bitten, aber er könnte ebensogut ausfallend werden und sie in Gegenwart der Besitzerin des Trenchcoats beschimpfen. Katie Lee hob den Mantel auf: neu, Aquascutum, in einer Tasche steckte ein seidenes Kopftuch von Hermes. Seine Besitzerin könnte ungeniert und nur halbbekleidet aus dem erst vorigen Monat mit rotem Samt und poliertem Mahagoni neu eingerichteten Zimmer kommen, die durchnäßte Katie Lee feixend ausgiebig mustern und später mit ihren Freundinnen oder ihrer Friseuse oder ihrem Seelendoktor kichernd und sarkastisch darüber klatschen.

Katie Lee steckte den Schal in ihre Tasche, verließ leise die Wohnung und rief Bobby aus einer Telefonzelle auf der anderen Straßenseite an, um ihm zu sagen, daß ihr Flug gestrichen worden und sie in etwa einer

Stunde zu Hause sei. Sie machte die Tür der Telefonzelle nur so weit auf, daß das Licht ausging, und wartete dann 20 Minuten, bis die Frau in ihrem Regenmantel, sich eine Zeitung über den Kopf haltend, das Haus verließ und sich zu Fuß in südlicher Richtung aufmachte. Was soll ich tun, was soll ich tun, sagte Katie Lee vor sich hin, während sie an der Glaswand der Telefonzelle lehnte und alle fünf Minuten ihren Puls maß, bis er wieder annähernd normal und die Stunde um war. Und dann kam es ihr: Die Lösung war so einfach, der älteste denkbare Trick überhaupt, eine Frauenlist, seit Jahrhunderten wirksam in den kalten, finsteren Laboratorien gescheiterter Ehen erprobt. Die Portiers grüßten sie mit dem kaum merklichen Nicken, wie man es von Versteigerungsräumen kennt. Im Aufzug zog Katie Lee sich noch einmal mit korallenrotem Stift die Lippen nach und besprühte sich mit ihrem Parfüm.

Bobby erwartete sie: er lag, die Beine über ein Ende des Zweiersofas geworfen, einen Cognacschwenker in der Hand, und las in einer Illustrierten.

»Hallo, Liebling«, sagte er. Er stand auf und gab ihr einen flüchtigen Kuß. Er roch nach Zahnpasta, Rum und Tabak.

»Hallo, Süßer«, erwiderte Katie Lee, auf den Teppich tropfend.

»Du siehst fix und fertig aus. Magst du was trinken?«

»Nein, danke. Ich will mich bloß setzen.«

Bobby hob die Augenbrauen. »Nicht mal einen kleinen Cognac?«

»Nicht mal einen kleinen Cognac«, sagte sie. Sie zog ihre nassen Schuhe aus und warf ihren Mantel und ihr Gepäck an der Tür auf einen Haufen. »Da draußen ging es drunter und drüber. Sie haben vier Stunden gebraucht, bis sie sich entschlossen, den Flug zu streichen. Hunderte von Menschen sind hysterisch geworden, weil sie Verabredungen verpaßten, einen Urlaubstag verloren — ein Mädchen brach in Tränen aus und sagte, sie käme zu spät zu ihrer eigenen Hochzeit.«

»Alex hat vor ein paar Minuten angerufen. Ich soll dir ausrichten, daß jemand am Flughafen wartet, egal wie spät deine Maschine landet.«

»Wie nett von ihm«, sagte Katie Lee. Sie ließ sich auf das Sofa sinken und klopfte auf das Kissen neben sich.

»Ich hab ihm gesagt, ich nehme an, daß du den ersten Flug morgen früh nimmst«, sagte Bobby. Er setzte sich neben sie und kämmte mit den Fingern ihre Haare. »Er sagte, er bestätigt deine Hotelreservierung und trifft sich mit dir zum Mittagessen statt zum Frühstück.«

»Gut«, sagte sie. »Liebling, habe ich dir schon mal gesagt, daß du einen phantastischen Sekretär abgäbst?«

»Ist das ein Stellenangebot?« fragte Bobby.

Katie Lee lächelte und legte den Kopf schief. »Wie steht's mit deiner Kurzschrift?«

»Ziemlich miserabel«, sagte er. »Würdest du dich mit fixer Langschrift begnügen?«

Katie Lee hob ihren Fuß auf seinen Schoß. »Was ich brauche, ist eine richtig gute Fußmassage«, sagte sie. Sie legte den Kopf zurück und schloß die Augen. Während Bobby ihr die Fußsohlen rieb, versuchte sie seine Stimmung zu ergründen: Er war gleichzeitig besorgt (er wollte die Dinge nicht aus dem Gleichgewicht bringen) und gelöst (er ging schon eine Weile fremd, das merkte sie an seiner Ruhe, und er beabsichtigte, noch eine weitere Weile fremdzugehen). Irgendwie hatte sie es die ganze Zeit geahnt. Doch der teure Mantel und Schal irritierten sie — sie hätte lieber einen Plastikregenmantel aus einem Kaufhaus oder einen von diesen Schirmen vorgefunden, die der lokale Fernsehsender jedem schickte, der einen Scheck über 20 Dollar oder mehr spendete; einen Beweis, daß sie mit einer Frau von niederer Herkunft konkurrierte. Morgen wollte sie den Schal McKenzie persönlich übergeben; wenn er in der Stadt mit einer Kreditkarte gekauft worden war, würde McKenzie seine Besitzerin ermitteln können. Es gab jede Menge Möglichkeiten für Katie Lee, mit ihr fertig zu werden, sobald sie wußte, um wen es sich handelte, sobald sie wußte, ob die Frau verheiratet war oder Geld brauchte oder bei jemandem angestellt war, der Katie Lee eine Gefälligkeit schuldete, jemand, der gerade eine geeignete Person für seine Zweigstelle irgendwo in Ohio brauchte.

Bobby zu halten, dürfte einfach sein, dachte sie. Sie drehte ihre Füße nach außen, damit er die Druckstellen auf beiden Seiten ihrer Fersen massieren konnte. Vielleicht bemerkte er, daß ihre Füße von der Sommerhitze leicht geschwollen waren, oder er fragte vielleicht, ob sie aus einem bestimmten Grund nichts trank, warum ihr morgens vom Geruch von gebratenem Speck übel wurde, warum sie einen Termin mit ihren Innenarchitekten vereinbarte, um das rote Zimmer in ein helles, geblümtes mit Laura Ashley Designs verwandeln zu lassen.

Ist es nicht wunderbar, würde sie sagen, ist es nicht das Allerwunderbarste auf der Welt? Sie würde die Arme um ihn schlingen und ein bißchen an seiner Schulter weinen. Ist es nicht das Schönste, was wir je erlebt haben! würde sie sagen, und er müßte natürlich zustimmen.

23

»*Gibt es eigentlich* schicke Umstandskleider?« fragte Chris. Die einzige Person, die sie sich noch schwerer schwanger vorstellen konnte als Katie Lee, war sie selbst.

»Ich werde mir eine Menge Sachen extra anfertigen lassen müssen«, sagte Katie Lee. »Wie schmeckt das Eis?«

»Wie Eis«, sagte Chris und bot Katie Lee einen Löffel voll an.

»Nein, danke.«

»Ich muß schon sagen, du hältst dich wirklich prima. Es muß schwer sein, nicht zu trinken.«

»Eigentlich nicht«, sagte Katie Lee. »Was ist das, Vanille?«

»Kokosnuß.«

»Kokosnuß mag ich nicht.«

»Ab wann wird man's dir ansehen?« fragte Chris.

»In ein paar Monaten. Hat das Kleid gepaßt?«

Chris strich den langen Ärmel des kobaltblauen Wollkleides glatt, das Katie Lee ihr für das Mittagessen, das sie für die Presse gab, bestellt hatte. Mit den gepolsterten Schultern, der eng geschnürten Taille und den Knöpfen aus Rheinkieseln kam sich Chris wie ein Starlet der vierziger Jahre vor.

»Ich mußte es ein bißchen enger machen, aber es ist wirklich schön, danke.«

»Leuchtendes Blau steht dir großartig«, sagte Katie Lee, als Chris den Rest von ihrem Eis löffelte. »Ich hoffe, sie machen deine Layouts in dieser Farbe.«

»Wer ist der Dicke im grauen Anzug?« flüsterte Chris Katie Lee ins Ohr, als der Kellner noch einen Teller mit köstlichen Plätzchen brachte. »Der mir dauernd auf den Busen starrt.«

Katie Lee verdrehte die Augen. »Ein Schnorrer aus der Branche«, sagte sie. Sie lächelte kurz in den Blitz einer Kamera und wandte sich dann wieder Chris zu. »Die wollen immer ein Foto von einem machen, wenn man gerade eine Gabel im Mund hat oder auf einem richtig ekligen Stück Fleisch herumkaut. Die Ankündigung ist ganz gut gelaufen, findest du nicht? Sie schienen wirklich überrascht.«

»Alex und ich können ein Geheimnis bewahren«, sagte Chris, obwohl sie den wahren Grund kannte, weshalb die Presse über ihre feierliche Ernennung zum offiziellen Hopewell-Girl so erstaunt war: Katie Lee hatte über einen für mehrere Zeitungen schreibenden Klatschkolumnisten die exklusive Nachricht durchsickern lassen, daß eine gewisse ehemalige Miss Amerika den Job bekäme. Das Geheimnis aber, das sie just in diesem Augenblick teilten, war dies: Während Katie Lee und Chris auf einem winzigen hölzernen Podest in der Ecke eines der beliebtesten französischen Restaurants von Los Angeles standen und die Presse informierten, hatte Alex einen Klecks geeiste Butter auf Katie Lees Stuhl gelegt. Wenn sie sich nach dem Dessert erhöbe, würde es hinten an ihrem Rock kleben. Bei diesem Gedanken hatte Chris während der ganzen Ankündigung und der nachfolgenden Fragen aus dem Publikum lächeln müssen.

Gegenüber am Tisch blinzelte Alex Chris zu, während er sich bei der Dame zu seiner Rechten, der neuernannten firmeninternen Werbeleiterin, eingehend über ihren Sohn, einen Medizinstudenten, erkundigte. Wie kam Katie Lee nur an diese Leute, fragte er sich, die, einerlei wie erhaben und wichtig ihre Arbeit auch war, alle aus einem schlichteren Ort und einer schlichteren Zeit zu kommen schienen. Diese Frau, eine ehemalige Moderedakteurin bei einer Tageszeitung im Mittelwesten, trug eine Frisur, die Alex seit Jahren nicht mehr gesehen hatte: eine weiche, sich nach hinten verjüngende Innenrolle mit kurzen Ponylöckchen, die ihr in die rosige Stirn fielen. Alex tat sein Bestes, um äußerst charmant zu sein, denn Louise hatte Chris' tägliche Arbeit zu überwachen und dafür geradezustehen, daß

Chris sich bis zum Auslaufen des Vertrags so verhielt, wie es darin festgelegt war, einschließlich der fürchterlichen Moralklausel, die er nicht hatte streichen können. Schau mal, hatte Katie Lee argumentiert, auch wenn wir wissen, daß es nie vorkommt, aber wenn Chris eine wahnsinnige Drogensüchtige wird und den Präsidenten der Vereinigten Staaten zu ermorden versucht und die Firma anderweitig wegen unmoralischen Verhaltens blamiert, möchten wir imstande sein, ihren Vertrag anstandslos zu kündigen. Aber dazu wird es natürlich nicht kommen, hatte Katie Lee gesagt, also, was machst du dir Sorgen? Alex hatte geseufzt. Als Katie Lee sein Büro für kurze Zeit verließ, um zu telefonieren, hatte er ihren Ordner durchgesehen und festgestellt, daß dieser Abschnitt, ebenso wie die anderen zwei Punkte, in denen einzulenken sie sich weigerte, grün markiert war. »Nun gut, du siegst«, hatte er gesagt, »aber du weißt, daß sie diesen Freund hat.« Er nahm an, daß auch Louise von Tory wußte, wenngleich sie aussah wie eine, deren Altersfalten nicht von einem strapaziösen Leben oder von zuviel Sonne kamen, sondern von einer unnachgiebigen, beständigen Mißbilligung, die ihrem Gesicht im Laufe der Jahre ein Dauerrunzeln verliehen hatte.

Chris blinzelte zurück und dachte, wie herrlich Alex flirten konnte, und sie fragte sich, was Louise wohl sagen würde, wenn sie wüßte, daß der Weinkellner, der mit Würde und ausdrucksloser Miene dastand, als Louise ihn über den ausgewählten Rosé befragte, den größten Teil seines letzten freien Tages an Thanksgiving mit Alex in einem Hotel auf einer Insel vor der mexikanischen Küste verbracht hatte. Alex hatte Chris erklärt, Louise werde so eine Art Hausmutter sein, die für Chris die Reisereservierungen besorgte und sie zu den wichtigeren öffentlichen Veranstaltungen begleitete. »Hausmutter« sei das richtige Wort, fand Chris; Louise schien ein Relikt aus der Zeit von Monogrammen, weißen Rollkrageneinsätzen und breiten Manschetten.

Als Katie Lee sich nach dem Mittagessen erhob und sich anschickte, den Art-director zum Abschiedszeremoniell auf die Wange zu küssen, war es Louise, die von ihrem Stuhl aufsprang und Katie Lee etwas ins Ohr flüsterte. Katie Lee kehrte sogleich auf ihren Platz zurück und wartete, während Louise Katie Lees Jacke von der Garderobe holte.

»Und du wirst es nicht weitersagen, nicht?« flüsterte Katie Lee Chris zu.

»Was?«

»Du weißt schon. Was ich dir vorhin erzählt habe. Von dem Baby.«

»Oh. Ich wußte nicht, daß es ein Geheimnis ist.«

»Na ja, eigentlich ist es ja auch keins, Süße, aber wir wollen es erst bekanntgeben, wenn ich im dritten Monat bin. Bloß für den Fall, du weißt schon.«

»Na klar. Aber Miranda hast du es gesagt, oder?«

»Natürlich, Schätzchen, sie gehört doch zur Verwandtschaft.«

»Und wie steht es mit Rosalie und Trevor?«

»Ihnen hab ich's natürlich auch gesagt — Rosalie ist schließlich meine allerbeste Freundin auf der ganzen weiten Welt.«

»Und deiner Familie, stimmt's?«

»Na klar. Du kannst es Tory und Alex sagen, aber sonst keinem, versprichst du's?«

Tory dürfte es kaum interessieren, dachte Chris, und Alex wird sich, genau wie ich, wundern, warum Katie Lee alles daransetzt, damit die ganze Welt erfährt, daß sie ein Baby kriegt.

»Ich muß los«, sagte Katie Lee, »ich hab irrsinnig viel zu tun, bevor ich die Stadt verlasse.« Sie mußte sich zum Beispiel überlegen, wie sie eine äußerst verärgerte

Klatschkolumnistin versöhnte, bevor ihre nächste Kolumne in Druck ging, und zusehen, ob sich die Sache mit der ehemaligen Miss Amerika glätten ließ, die einen Staat vertreten hatte, wo die Hopewells ziemlich viele Geschäfte tätigten. Ehrlich, was ich alles für Chris tue, dachte Katie Lee, hoffentlich weiß sie auch zu schätzen, was für ein Glückspilz sie ist.

»Was bist du für ein Glückspilz!« sagte Tory, als er seine schwarze Lederjacke (eine von fünfen, die er besaß) anzog und eine Handvoll Zwanzig-Dollar-Scheine, einen Bund Autoschlüssel und ein halbvolles Päckchen Zigaretten von seiner Kommode nahm, »daß du mit einem gutaussehenden Playboy wie mir ausgehst.«

»So 'n Scheiß«, sagte Chris. Sie verteilte ihren Lidschatten mit dem rechten Ringfinger. Das blaue Kleid, das Katie Lee ihr geschickt hatte, lag im Badezimmer auf dem Fußboden. Sie hatte die letzte saubere Bluejeans, die sie finden konnte, und ein glattes weißes Männerunterhemd mit aufgekrempelten Ärmeln angezogen.

Tory legte sich aufs Bett und tat, als ob er schnarchte. »Weck mich, wenn du soweit bist, daß wir starten können, Prinzessin.«

»Ich bin soweit, ich bin soweit«, sagte Chris. »Sag, wohin gehen wir noch mal?«

»Wir gehen zu Billy und hören uns ein paar Sachen für sein neues Album an, wovon die Hälfte vom Red Album geklaut und die andere Hälfte totaler Mist ist. Aber es wird wahrscheinlich irrsinnig viel gekauft, meist von Mädchen, die Billy für den schönsten Mann des Universums halten.«

»Was, wie wir wissen, nicht stimmt«, sagte Chris. Sie packte ihn am Ärmelaufschlag und zog ihn vom Bett.

»Es kann nur *einen* schönsten Mann des Universums geben«, lächelte Tory.

»Du bist so bescheiden«, sagte Chris.

»Bescheiden, bescheiden, ich glaube, das Wort kenne ich nicht«, sagte Tory. Er hielt die Tür auf und winkte Chris durch. »Was ist das, ›bescheiden‹, eins von diesen weiblichen Hygieneprodukten? Die sie im Gang im Supermarkt verkaufen, wo ich nie durchkomme, zwischen Luftverbesserern und Geschirrspülmitteln?«

»Du gehst nie zum Supermarkt, basta«, sagte Chris. »Du hast Sklaven, die für dich zum Supermarkt gehen. Der Wagen hört sich komisch an.«

»Chris Dunne, die Mechanikerin«, sagte Tory und schaltete in den vierten Gang. »Was du hörst, ist das Geräusch von einem altmodischen V-8 Motor.«

»Hört sich an, als würde er überanstrengt. Wie heißt Billys Frau noch mal?«

»Billie. Billie Sue ist, glaube ich, ihr richtiger Name.«

»Sehr komisch.«

»Billie Sue, sie hält sich selbst für legendär. Hab ich dir mal erzählt, wie sie sich kennengelernt haben?«

»Kann sein.«

»Billy war auf Tournee, und es lief nicht so gut. Die ersten Vorstellungen waren ausverkauft, dann sprach es sich herum, und sie hatten Mühe, die Säle vollzukriegen. In ein paar Wochen sollten sie nach New York kommen, und die Plattenfirma hatte totale Panik, weil die Presse auf der Lauer lag, eigentlich sollte es seine Comeback-Tournee sein, er hatte schon alle Asse verspielt, es ging um alles oder nichts.«

»Wann war das?« fragte Chris.

»Fünfundsiebzig. Billy dürfte so um die vierundzwanzig gewesen sein. Jedenfalls hatte die Plattenfirma diese Geheimwaffe, diese Frau namens Billie Sue, die irgendwo außerhalb von Oklahoma City wohnt. Sie ist, was weiß ich, was so Leute eben sind — sie arbeitet in einem Klamottenladen oder Kosmetiksalon oder so was

– aber in Wirklichkeit ist sie eine angeheuerte Kanone. Sie holen sie fünf-, sechsmal im Jahr aus der Stadt, wenn eine Tournee in ernste Schwierigkeiten kommt. Ganz professionell. Hat mit den Besten im Geschäft gearbeitet. Wenn nötig, schafft sie die ganze Band. Sie holen sie also, damit sie sich um Billy kümmert.«

»Nein, wie romantisch«, sagte Chris.

»Jedenfalls, der Witz ist, Billy verliebt sich in dieses Mädchen. Er weiß alles über sie, es ist ihm egal, er behält sie ein paar Wochen bei sich, und eines Abends fahren sie nach Tennessee und heiraten. Natürlich müssen sie der Plattenfirma versprechen, es geheimzuhalten, bis die Tournee zu Ende ist, weil Billys Fans ausrasten, wenn sie rauskriegen, daß er verheiratet ist. Sie haben eine riesige Party gegeben, als sie wieder in Kalifornien waren.«

»Du bringst mich ja mit den reizendsten Leuten zusammen.«

»Sie nannten es Billie Sues Rückzugsfete. Sie dauerte fünf Tage. Wir sind da«, sagte Tory und hielt hinter einem alten VW-Bus.

Chris stieg aus und zog ihre Jeans über ihre Stiefel. Billys Haus sah wie eine übergroße Blockhütte aus. Wie viele Nächte hatte sie seine Musik gehört, wie viele Partys hatten damit geendet, daß die Sonne hinter den Fensterläden aufging und jemand den letzten Koks zusammenkratzte, während Billy im Hintergrund spielte, wie oft hatte sie schon an einer Bar sitzend beim Würfeln verloren, während jemand Billy in der Musikbox voll aufdrehte; wie viele Langstreckenfahrten waren geprägt von Billys Sound, der plötzlich im Radio kam, und jemand, den sie auf dem Rücksitz schlafend wähnte, sagte, dreh auf, endlich haben wir den richtigen Sender.

Es war aufregend, hier zu sein. Chris nahm den großen Cognacschwenker, den man ihr anbot, und setzte sich still neben Tory, als Billys Tontechniker das Band abfahren ließ.

»Ist das wieder Curly am Keyboard?« fragte Billys Saxophonist, einer der beiden anwesenden Männer (einschließlich Tory), die keinen Schnurrbart hatten. Billy blickte hoch, als wolle er sich vergewissern, daß Curly nicht oben auf einem Bücherbord hockte, bevor er etwas wenig Schmeichelhaftes äußerte. »Tja, das letzte, was er gemacht hat, bevor er auf Entzug ging.«

»Wie geht's ihm, hat jemand in letzter Zeit was von ihm gehört?« fragte Billie Sue.

»Da ist ja gar kein Reggae dabei, du hast mir mindestens ein Reggae-Stück versprochen«, sagte einer in lila Cowboystiefeln.

»Ich hab gelogen«, sagte Billy.

»Reggae ist Mist«, meinte einer mit ganz kurzen roten Haaren.

»Mir gefällt's«, sagte Billie Sue, und wieder reagierte niemand. »Dir nicht?« fragte sie etwas lauter und sah Chris an.

Chris lächelte Billie Sue an und zuckte die Achseln; sie wollte weder in die Unhöflichkeit der Männer einstimmen, noch hatte sie Lust, sich zu äußern.

Billie Sue lächelte strahlend zurück, es mochte das herzliche Lächeln einer beflissenen Gastgeberin sein oder vielleicht nur der sehnsüchtige Ausdruck der machtlosesten Person im Raum auf der Suche nach einer Verbündeten. Chris sah rasch weg, zuerst auf ihre Stiefel, dann auf Tory, der die Augen geschlossen hatte, dann wieder auf ihre Stiefel.

»Klingt gut, Alter«, sagte Billy nach einem kurzen Gitarrensolo, das Tory eines Abends hingelegt hatte, als sie zufällig Räume an entgegengesetzten Enden desselben Studios gemietet hatten.

Tory öffnete die Augen. »Danke«, sagte er, und dann flüsterte er Chris ins Ohr: »Ich kann durch dein Hemd sehen.«

»Ist noch Eis da?« fragte jemand. Billie Sue stand auf und holte eine Salatschüssel voll gestoßenem Eis und winkte Chris von der Türschwelle her, sie möge ihr in die Küche folgen.

»Was meinst du?« fragte Billie Sue.

»Klingt prima, aber was versteh ich schon davon«, sagte Chris.

»Tja, wir verstehen einen Scheißdreck, wie?« sagte Billie Sue. Ihre matt platinblonden Haare waren an den Seiten mit gelben Plastikklemmen in Form von Dackeln festgesteckt. Sie trug ein knappes gelbes Wildlederjäckchen und enge schwarze Jeans mit knallgelben Socken und hochhackigen schwarzen Lacklederpumps. Ihre tiefe Sonnenbräune wurde durch dick aufgetragenes mattiertes Augen-Make-up und hellgelben Nagellack betont. Sie war absolut großartig und irgendwie abstoßend und wahnsinnig sexy und machte sich über sich selbst lustig, und das alles zur gleichen Zeit. Chris fand sie faszinierend.

»Ich muß dir was zeigen«, sagte Billie Sue und führte Chris in einen Raum, der wie ein Gästezimmer aussah. Billie Sue öffnete einen Schrank und nahm einen Pappkarton heraus. »Wenn ich das Band noch ein einziges Mal höre, werde ich verrückt. Hier. Wie findest du den?«

Billie Sue hielt den weißen Gipsabdruck von einem männlichen Geschlechtsorgan in die Höhe.

»Hm, hübsch«, sagte Chris. »Ich wußte nicht, daß du bildhauerst.«

Billie Sue lachte. »Es ist Billy. Wie er leibt und lebt. Gewaltig, was?«

»Allerdings«, sagte Chris. Sie setzte sich auf einen

weichen samtenen Polsterhocker und nahm einen großen Schluck Cognac.

»Er ist der Allergrößte. Oh, guck mal, hier ist Travis
Jones.« Billie nahm einen etwas kleineren Gipsabdruck
heraus. »Niedlich, was? Er war süß. Warte, ich hab noch
mehr. Gib mir mal einen Schluck. Der hier wirft dich
um«, sagte sie, den Kopf zurückneigend, als betrachte sie
Yoricks Schädel. »Ach, armer Duane, ich kannte ihn«, zi-
tierte sie. »Ich hatte Englisch als Nebenfach.«

»Was war dein Hauptfach?«

»Agrarverwaltung.« Billie Sue lachte. »Mann, o
Mann. Ich denke daran, so was wie 'ne Rockoper zu
schreiben, weißt du, ich kann gut dichten. Hast du je
daran gedacht, was du tun wirst, wenn du hiermit fertig
bist?«

»Fertig womit?«

»Schauspielerei.«

»Nicht richtig«, sagte Chris. Herumsitzen und mein
Geld zählen, dachte sie. »Eins nach dem andern, verstehst du?«

Billie Sue zog vier Gipsschwänze mit Autogrammen
heraus. »Franklin, Kingman, Smith und Burns.«

»Ist das wahr?« Chris fragte sich, welcher zu wem
gehörte. »Darf ich mal sehen?« Und sie nahm jeden
Abdruck in die Hand, drehte und wendete ihn, einen
nach dem andern. Die blaue Tinte der Unterschriften
war mit der Zeit zu Blaßlila verblichen. »Ist ja irre. Wie
viele hast du davon?«

»Ach, ich hatte mal mehr«, sagte Billie Sue, »aber als
ich Billy heiratete, hab ich ein paar verschenkt.«

»Das ist das Verrückteste, was ich je gesehen habe«,
sagte Chris. »Billie Sue, du bist eine ungewöhnliche
Frau.«

»Ach was, alle von uns haben es gemacht. Die
Frauen in Chicago haben damit angefangen. Ehrlich,

alle Welt hat es gemacht. Es war 'ne heiße Sache, bestimmte Jungs zu kriegen.«

»Welche zum Beispiel?«

»Jimi Hendrix«, sagte Billie Sue und verdrehte die Augen. »Er war wie, du weißt schon.«

»Wie denn?«

Billie Sue kicherte. »Der, für den man den meisten Gips brauchte.«

»Wie hast du sie dazu gekriegt?«

»Da war nicht viel dabei. Ich meine, sie dazu zu überreden, da war nicht viel dabei, und den Anfang hinkriegen, da war auch nicht viel dabei, aber du mußtest sie lange genug in Stimmung halten, bis der Gips fest war. Das war die Herausforderung.«

»Das kann ich mir denken.«

Billie Sue lächelte und streckte die Zunge heraus. »Daher habe ich meine Übung, Schätzchen. Ich war die Vaseline-Königin. Hier ist Jimi.«

»Oh. Ich sehe, was du meinst.« Chris trank ihren Cognac aus und stand auf. »Das ist amerikanische Geschichte. Es müßte ein Museum für dieses Zeug geben.«

»Wem sagst du das!« Billie Sue räumte ihre Sammlung weg. »Wir hatten so viel Spaß, bevor alle so alt und langweilig und Grundbesitzer wurden. Na ja, was soll's.« Sie führte Chris leise durch einen Flur, dessen Wände mit gerahmten Fotografien von Billys Auftritten bedeckt waren, zurück ins Wohnzimmer.

Tory zog Chris auf seinen Schoß und zündete einen Joint an. Als er ihn ihr reichte, machte sie ein großes Getue ums Inhalieren, behielt jedoch den Rauch im Mund. Es war ein Spiel, das sie aufführten, wenn sie eine Party verlassen wollten: Tory brachte mörderisches Dope an, das sie nur vorgaben zu rauchen und das alle andern an den Rand des Durchdrehens brachte. Tory und Chris warteten, bis die Leute so ausflippten, daß ihnen alles egal war, und dann schlichen sie hinaus, oft sogar ohne gute Nacht zu sagen. Die meisten der zwanzig hier Anwesenden arbeiteten in Billys Plattenfirma, und Chris vermutete, daß Billy Tory nicht wegen seiner Rat- oder Vorschläge hier haben wollte, sondern bloß, um mit ihm bei denen anzugeben, denen Chris den Spitznamen »die Kerle mit den schwarzen Lederhosen« gegeben hatte.

Billy ließ das Band wieder abfahren, und einer von seiner Plattenfirma stand auf und fing an zu tanzen. »Das muß die erste Single werden«, sagte der Mann.

»Meinst du?« fragte Billy und drehte die Bässe auf. »Hört sich für mich eigentlich nicht nach einem Hit an.«

»Doch, doch, mit ein bißchen mehr Synthesizer, bißchen Gospel-Girl Backup wird es super. Etwas mehr Speed vielleicht.«

»Das dürfte hinhauen«, nickte Billy.

»Oder bring es als Duett«, meinte Billys Produzent. Er trug ein besticktes mexikanisches Hemd und einen breiten Kupferarmreifen zu seiner schwarzen Lederhose. »Vielleicht können wir Ronstadt kriegen?«

»Meinst du?« fragte Billy mit einem Blick auf Tory.

»Warum nicht?« Tory nahm Chris' Ellenbogen und ging mit ihr rückwärts zur Tür. »Scheiß auf Ronstadt, wenn schon, denn schon, leg 'nen Disco-Beat drauf, hol dir Diana Ross und diesen Dead Supreme, und du landest 'nen Riesenhit. Billy, wir müssen gehen.«

»Ja. Ich komm mit raus.« Er legte seinen Arm um Tory, und Chris bildete mit Billie Sue die Nachhut.

»Es ist Mist, das brauchst du mir nicht zu sagen, ich weiß es auch so«, sagte Billy, während er mit der Hand über den gewachsten Kotflügel strich.

»Nein, es ist prima, aber laß es dir nicht von denen

versauen«, sagte Tory. Er zog Billy auf eine Seite und sprach so leise, daß Chris es nicht verstehen konnte.

»Billy kann es sich ganz gut allein versauen«, flüsterte Billie Sue Chris zu, »dazu braucht er keine Hilfe.«

»Es wird ein prima Album«, sagte Chris.

»Du bist süß. Viel süßer als seine letzte Freundin«, sagte Billie Sue.

»O danke, das ist anzunehmen.«

»Wirst du ihn heiraten?«

»Darüber hab ich noch nicht richtig nachgedacht.«

»Das kannst du mir nicht weismachen«, sagte Billie Sue. Sie beugte sich so weit herüber, daß Chris ihre Cognacfahne riechen konnte.

»Hm ja, ich meine, wir haben nicht richtig darüber gesprochen.«

»Tory ist sehr, sehr süß. Billy betet ihn an. Ich bete ihn an, dabei habe ich nicht mal mit ihm geschlafen. Er ist irrsinnig in dich verliebt.« Billie Sue hatte den Ärmel von Chris' Hemdbluse gepackt und drehte ihn zwischen ihren Fingern mit gelblackierten Nägeln.

»Das ist anzunehmen«, sagte Chris.

»Aber was du auch tust, Schätzchen, heirate ihn nicht. Versprichst du es Billie Sue?«

»Himmel, Billie Sue, so ein schwachsinniges Gesprächsthema.«

»Jaja, ich kenn dich«, sagte Billie Sue. Sie nahm im Mondlicht eine Strähne von Chris' Haaren in die Hand. Hier draußen im Dunkeln sah Billie Sues Blond aus der Flasche nicht anders aus als Chris' natürliche Haarfarbe, und ihre feinkörnige Haut wirkte geglättet, so daß, wer sie zum erstenmal sah, sie für hübsch und ungefähr in Chris' Alter halten konnte. »Jaja, ich kenn dich, warst auf dem College, hast eigenes Geld, du bildest dir ein, du bist anders, du denkst, du mußt dich nicht nach den Regeln aller andern richten. Denkst, du lebst ewig, stimmt's? Mußt nicht altern wie wir andern alle? Hältst du dich für so was Besonderes?«

»Laß meine Haare los.«

»Denkst du, er geht nicht fremd, wenn er unterwegs ist? Denkst du, du kannst mit jeder geilen Kleinen zwischen hier und Madison Square mithalten? Du denkst, die Liebe dauert ewig, stimmt's?« Billie Sue ließ Chris' Haare los und hielt sich die Hände vor den Mund. »Ach Schätzchen, tut mir leid, ich bin stinkevoll, ich hab's nicht so gemeint.«

»Hast du doch«, sagte Chris. Billy und Tory kehrten aus der Dunkelheit zurück und lachten über einen Witz, den die Frauen nicht hatten hören können.

»Chris, danke, daß du vorbeigekommen bist«, sagte Billy und hielt ihr die Autotüre auf.

»Gern geschehen.« Chris zog die Tür zu und wandte sich an Tory.

»Verdammt, bring mich schleunigst hier weg«, sagte sie.

»Kann gar nicht schnell genug beschleunigen«, erwiderte Tory und setzte rückwärts auf die Straße, ohne zu schauen, ob ein Auto kam.

In Momenten wie jetzt, wenn sie nur ein Mann und eine Frau waren, die schnell auf einer dunklen leeren Straße fuhren, fühlte Chris, daß sie ganz sie selbst war: nichts mehr und nichts weniger.

Nichts mehr als dies: die Tochter eines Verbrechers, die das Glück hatte, hübsch und klug genug zu sein, um ihre Gaben so einzusetzen, daß sie dafür bekam, was sie haben konnte, was im Augenblick so gut wie alles zu sein schien. Sonny war schön gewesen, und Schönheit war das Geschenk, das er ihr machte. Chris hatte noch andere Vorzüge, aber sie war kein Dummkopf: Ihr Gesicht war es, das sie im Leben weiterbrachte, und es war das Gesicht ihres Vaters.

Chris sprach nie von Sonny, aber sie dachte fast jeden Tag an ihn. Unterdessen hatte sie ein ziemlich genaues Bild davon, wie er gewesen war. Sie glaubte, daß es für die Menschen eine Grenze gab, und hatten sie diese überschritten, konnten sie nicht mehr zurück. Ihr Vater war über diese Grenze gegangen, und als er auf die andere Seite kam, erkannte er, daß es einfach nichts mehr ausmachte, was er tat.

An diese Grenze heranzukommen, so nahe man konnte, ohne sie zu überschreiten: Das war der absolute Nervenkitzel. Wenn es war, als ginge man auf den Rand einer Klippe zu, nur Zentimeter zwischen einem selbst und dem sausenden Sturz: Dann wußte Chris, daß sie lebte. Die meisten Menschen, die sie kannte, verbrachten ihr ganzes Leben damit, ängstlich zurückzuweichen, und sie machte ihnen keinen Vorwurf daraus: warum sich einer Prüfung unterziehen, wenn man weiß, daß man versagt? Aber Chris mußte sich beweisen, daß sie an dieser Grenze entlanggehen konnte. Sie dachte an Sonny und fragte sich, ob sie es im Blut hatte.

Und niemand sonst hatte es verstanden, niemand bis auf Tory. Alle ihre Schulfreundinnen waren immer nur besorgt, daß sie auch ja alles richtig machten, den richtigen Weg einschlugen, sie fürchteten sich davor, gekränkt zu werden, fürchteten sich, andere zu kränken. Wie Rosalie mit ihrem jahrhundertealten christlichen Gewissen, oder Schuyler, der mit achtzehn die Schuld von Generationen reicher Weißer auf seinem armen schmalen Rücken trug. Welch eine Last! Chris hatte nie etwas Derartiges empfunden. Ihre Vorfahren waren wie Dreck behandelt worden, soweit man auch zurückgehen mochte, und sie war niemandem etwas schuldig. Das war ihr und Torys gemeinsamer Schmerz: Nur die Armen können jemals wirklich frei sein.

Und nichts weniger als dies: ein Mädchen, das mit

nichts angefangen hatte und deshalb früh lernte, daß sie nichts zu verlieren hatte. Nichts außer Tory. Sie wußte, daß er sie niemals verlassen würde und daß sie ihn niemals würde verlassen können. Seit sie sich das erste Mal geliebt hatten, lebte einer in des anderen Haut. Schon bevor sie sich schließlich aus dem, was er gelegentlich von seinen Freunden und seiner Familie erzählte, seine traurige Lebensgeschichte zusammenreimte, hatte sie das Gefühl, alles Wichtige von ihm zu wissen. Einiges war allgemein bekannt, etwa wie arg er herumgestoßen worden war, bevor er groß herauskam, Chris hatte erlebt, daß Menschen mit schlechten Erfahrungen sich oft einen Schutzpanzer zulegten, sie waren so voller Angst, wieder verletzt zu werden, daß sie keine Risiken eingingen. Aber Tory war dermaßen herumgestoßen worden, daß es Chris schien, er habe einen höheren Ort erreicht, wo es einfach nichts mehr ausmachte; auch er hatte nichts zu verlieren. Er war immer hundertprozentig für sie da, weil er das Schlimmste im Leben durchgemacht und es überlebt hatte. Er fühlte sich gewissermaßen unbesiegbar, und wenn Chris bei ihm war, fühlte auch sie sich unbesiegbar.

Sie rasten eine Schnellstraße entlang, und Tory sagte, er wolle den Tacho so hoch jagen, wie es ging. Als er auf 130 war, klickte Chris ihren Sicherheitsgurt auf, zog Torys Hosenreißverschluß auf und machte sich ans Werk. Er hielt seinen Fuß fest auf dem Gaspedal, und sie bearbeitete ihn auf alle Arten, die sie kannte, und bemühte sich, ihn just in dem Moment kommen zu lassen, als die Tachonadel den rechten Anschlag erreichte.

Als er gekommen war, behielt sie ihn einfach im Mund und wartete, bis er wieder bereit war. Er knirschte wie feiner Sand oder wie Pulver von gemahlenen

Knochen. Chris merkte, wie sie von der Schnellstraße abbogen und durch die dunklen Straßen der Stadt kurvten. Tory fuhr an den Straßenrand und legte eine langsame Kassette ein, und Chris fing wieder an, sanfter diesmal, es gab keinen Grund zur Eile, und Tory flocht und entflocht langsam ihre Haare.

Als Chris sich aufsetzte, sah sie, daß sie auf einer ausgebrannten Straße in einem Viertel parkten, wo Weiße nie hingehen und selbst die Schwarzen, die dort leben, nach Einbruch der Dunkelheit die Türen abschließen und die Fensterläden herunterlassen. Hier waren sie, halb entkleidet, das Verdeck des Thunderbird offen, während Van Morrison leise aus den Lautsprechern über dem Rücksitz tönte, und sahen zum Vollmond hinauf.

Aber sie war in Sicherheit. Sie war bei Tory.

24

Sie blieb noch lange, nachdem er gegangen war, auf ihrer Seite des Bettes liegen. An manchen Tagen dachte er daran, den Radiowecker neu zu stellen, und sie wachte um sieben Uhr auf, wenn der Rundfunk Verkehrsmeldungen brachte, die aus einem Hubschrauber hoch über der Autobahn gesendet wurden.

Heute morgen hatte Jason, wie meistens, vergessen, den Wecker neu zu stellen, und als Miranda aufwachte, fielen schon schmale Sonnenstreifen auf ihr Bett, und sie mußte in weniger als einer Stunde im Büro sein.

In den nächsten 30 Minuten duschte sie (einschäumen, spülen, keine Zeit für eine Wiederholung), trocknete sich ab und zog ihre vorletzte Garnitur saubere Sachen an (das Baumwollhemd klebte in den Achselhöhlen, die noch feucht waren von Deodorant, das enge Gewirk ihrer Nylonstrümpfe ließ sich unwillig über die nicht wie üblich von Lotion und Puder geglätteten Beine ziehen); sie trug auf, was sie als Minimum von Make-up betrachtete, prüfte, ob sie alles Notwendige in der Tasche hatte (Schlüssel, Führerschein, zehn Dollar, Spray-Cologne, Kreditkarten), und ohne das Bett zu machen und mit dem Geschirr von gestern abend noch im Ausguß, verschloß sie die Tür und versuchte sich zu erinnern, wo sie ihren Wagen geparkt hatte. Zu jedem Haus in ihrem Wohnkomplex gehörte nur jeweils ein Parkplatz, und da Jason stets als erster von der Arbeit nach Hause kam, stand sein verstaubter blauer Volkswagen, wenn Miranda eintraf, schon auf dem ihnen zugeteilten Platz, Nr. 22.

Miranda stand in der leeren Parklücke und suchte, die Augen mit erhobener Hand vor der Sonne abschirmend, die Reihe der auf der anderen Seite einer Betontrennwand geparkten Autos ab, bis sie ihren silbernen Toyota zwischen dem Lieferwagen eines Warenhauses und einem marineblauen Delta mit Connecticut-Kennzeichen eingezwängt fand. Sie lenkte ihren Wagen in den Stoßzeitverkehr und stellte das Radio an. Es brachte Nachrichten über Geiseln im Iran, Gefangene aus Kuba und einen Skandal im Zoo. An jeder roten Ampel kämmte sie ihre feuchten Haare mit den Fingern und steckte sie beim letzten Rotlicht, bevor sie die schräge Auffahrt mit dem Schild NUR FÜR ANLIEGER hinauffuhr, mit ungleichen Haarklemmen fest, die sie aus dem Fach mit dem Kleingeld für die Straßenbenutzungsgebühren fischte. Sie parkte auf ihrem Platz links neben dem dunkelgrünen BMW, der dem Partner gehörte, dessen Name als dritter von sechs auf dem Briefkopf der Firma stand. Der Toyota stöhnte, als sie den Motor abstellte. Sie war den ganzen Weg gefahren, ohne in einen höheren Gang zu schalten.

Als sie zur Arbeit kam, gab es nicht viel zu tun, außer zu warten, geschäftig dreinzuschauen und sich irgendwie die Zeit zu vertreiben. Miranda hatte hier nur wenige Freunde gewonnen und saß allein in ihrem quadratischen Büro; sie öffnete einen Aktenordner und legte ein Lineal an eine willkürlich gewählte Druckzeile, so daß jemand, der hereinschaute, denken würde, sie sei dabei, ein Dokument langsam und besonders sorgfältig zu lesen. Sie überlegte, ob der Anwalt im Zimmer nebenan wirklich, wie man munkelte, an jedem Fuß sechs Zehen hatte, wie ihre Kollegen im Bett sein mochten und mit welchem sie (wenn die ganze Welt durch einen Atomschlag vernichtet würde mit Ausnahme dieses einen Wolkenkratzers aus Beton und Glas) am liebsten schlafen würde.

In den letzten vier Monaten hatte Miranda mit zwei Partnern und einem Anwaltsgehilfen an einer komplizierten Grundstücksangelegenheit gearbeitet. Ein Schiffserbe, der in weniger als zehn Jahren seine Erbschaft zu einem ungeheuren und weitverzweigten Vermögen ausgebaut hatte, darunter Edelmetalle, Grundbesitz in Südamerika und computergestützte Kommunikationssysteme, war kurz vor seinem 40. Geburtstag gestorben und hatte ein Testament hinterlassen, das er vor mehr als einem Jahrzehnt verfaßt hatte, als er nichts weiter besaß als ein paar Aktien an seiner Familiengesellschaft und 20 % Anteile an einem Wohnhaus in Brooklyn Heights. Seine Ex-Frau, drei Kinder, Geschäftspartner und die bei ihm wohnende Verlobte hatten sich jeweils verschiedene Anwälte zur Wahrung ihrer unterschiedlichen Interessen genommen. Seine Kinder hatten Mirandas Kanzlei beauftragt, dafür zu sorgen, daß nichts von dem, was sie als Familienbesitz betrachteten, in fremde Hände fiele. Heute morgen trafen sich die Anwälte aller beteiligten Parteien zum vierten und letzten Mal, bevor ein Gerichtsverfahren angestrengt würde, um zu sehen, ob sie zu einer alle befriedigenden Einigung gelangen könnten. Da man der Freundin geraten hatte, nicht zu ihrem neuen Freund zu ziehen, bevor die Grundstückssache geregelt war, und die Ex-Frau Kapital für ihre Innenausstattungsfirma benötigte und die Geschäftspartner keine Vermögenswerte von einer Firma auf die andere übertragen und keine unprofitablen Spekulationsobjekte veräußern durften, bis ihr Recht dazu gesetzlich festgelegt war, bestand die Wahrscheinlichkeit, daß Mirandas Klienten von allen am meisten befriedigt werden würden. Sie konnten es sich leisten, die Angelegenheit über Jahre hinzuschleppen, die astronomischen Honorare zu bezahlen, die Mirandas Kanzlei verlangte, und wenn nötig eine langwierige Gerichtsverhandlung über sich ergehen zu lassen; ihre Position wurde nur immer stärker, während die Mittel ihrer Gegner schrumpften.

Miranda hoffte, daß der Fall heute abgeschlossen würde. Es war ja nicht so, daß die Erben Gefahr liefen, nicht genug Geld zum Essen zu haben, wie Jason sich ihr gegenüber ausdrückte, und er hatte recht: Sie verbrachte sechzig Wochenstunden damit, die Habgierigen gegen die noch Habgierigeren zu verteidigen.

Sie trank ihre dritte Tasse Kaffee und gab vor, ein hausinternes Merkblatt zu lesen, worin um Mitspieler für das Bowling-Team der Kanzlei geworben wurde, als Thompson hereinkam und unaufgefordert Platz nahm, sein Privileg als aufsteigender Star und ihr unmittelbarer Vorgesetzter in der Grundstücksangelegenheit.

»In etwa einer halben Stunde dürften wir es wissen«, sagte er. Er klopfte mit einer Riesenbüroklammer gegen die Schreibtischkante. Vorige Woche hatte sich Miranda während einer endlosen Personalsitzung vorgestellt, wie er Wendy, ihre Sekretärin, in einem dunklen Hotelzimmer an ein Himmelbett fesselte.

Miranda stellte ihre Kaffeetasse auf einen Stenoblock, den sie als Telefonverzeichnis benutzte. Es wäre unhöflich, weiterzutrinken, ohne Thompson einen Kaffee anzubieten. Aber Wendy (die Miranda mit einem weiteren Anwalt teilte) war nicht an ihrem Schreibtisch, und wenn Miranda sich erbot, den Kaffee selbst zu holen, würde Thompson eine gewaltige Schau daraus machen und ihr sagen, er wünsche genau 2,5 cm halb Milch, halb Sahne und ein drittel Päckchen Süßstoff. Wendy verschwand des öftern über den Flur im Post-, Kopier- oder Textverarbeitungsraum oder in einer der anderen Abteilungen, wo Miranda nie hinging, obgleich die Leute, die dort arbeiteten — alte Hippies, die mit Geschichten von Key West hausieren gingen, Kubaner, die Witze auf spanisch erzählten, Frauen in Mirandas Alter, die immer noch davon sprachen, wie sie in letzter Minute Karten für irgendein heißes Rockkonzert bekommen hatten, sich über die Zutaten zu verschiedenen Rum- oder Tequilamixturen unterhielten und die knallige Mode trugen, für die in *Glamour* geworben wurde —, viel interessanter zu sein schienen als die jungen Anwälte, mit denen Miranda es zu tun hatte. Sie war überzeugt, daß diese Leute ein faszinierendes Geheimleben führten, das sie den Blicken verbargen wie unter einen Hut gesteckte Haare. Sie gab sich stets Mühe, besonders nett zu ihnen zu sein.

Miranda sah Thompson auf ihre Kaffeetasse starren und erkannte, wie unsachlich und weibisch es gewesen war, diese Tassen mit dem Feldblumenmuster zu kaufen.

»Hübsche Tasse«, sagte Thompson, als könnte er ihre Gedanken lesen.

»Danke«, sagte Miranda, »ein Geschenk von meiner Freundin Chris.« Er konnte ihr den Geschmack ihrer Freundinnen nicht zum Vorwurf machen, und sie konnte nicht widerstehen, ihn daran zu erinnern, wer ihre Freundinnen waren.

»Wenn wir heute zum Abschluß kommen«, fuhr er fort, »dürfte es noch etwa zwei Wochen dauern, bis alle Papiere unterschrieben sind. Und dann können Sie endlich ein bißchen Urlaub nehmen, wenn Sie wollen.«

»Das wäre herrlich«, sagte Miranda, aber als Thompson lächelte, hatte sie das Gefühl, daß ihre Arbeitgeber es nicht gern sahen, wenn sie sich überhaupt mal frei nähme, obwohl sie seit ihrem ersten Tag hier in der Kanzlei ohne Pause arbeitete, manchmal auch an gesetzlichen Feiertagen und an Wochenenden. Jason wollte nach Frankreich und Italien (»den Kontinent in Augenschein nehmen«, wie er sich ausdrückte), und vorigen Monat hatte er seinen ersten Reisepaß bekommen und zu Miranda gesagt, er sei es leid zu warten, bis dieser Fall geklärt sei, er ginge allein, wenn sie nicht frei bekäme. Eine leere Drohung, hatte Miranda gedacht; er würde wohl das Geld für Flug und Unterkunft in einfachen Pensionen zusammenkratzen können, aber er brauchte Miranda und ihre Kreditkarten, wenn er in anständigen Restaurants essen und in besseren Hotels absteigen wollte. »Jason und ich dachten an eine kurze Europareise«, sagte sie, und Thompson beschrieb in allen Einzelheiten die Reisen, die er mit seiner Frau, einer Museumsdirektorin, nach London und in die Toscana und in die malerischen französischen Provinzen unternommen hatte. Er sagte, es sei natürlich unmöglich, in zwei Wochen viel zu unternehmen, und sie mußte zustimmen, sie scheute sich zu sagen: *aber mir stehen drei Wochen zu*, worauf Wendy oder sonst jemand von den Angestellten selbstverständlich bestanden hätte.

Miranda nahm an, sie hätte geschmeichelt sein sollen, daß Thompson den Anruf in ihrem Büro entgegennahm. Damit war sie die zweite, die es erfuhr: Der Fall war erledigt, und er hatte ihnen sogar etwas mehr als erwartet eingebracht, weil sie sich einverstanden erklärt hatten, bestimmte Einzelheiten der Abmachung nicht der Presse mitzuteilen.

Thompson stand auf und streckte die Hand aus; Miranda ergriff sie, vielleicht zu fest, dachte sie, vielleicht würde er denken, sie versuche wieder einmal etwas zu beweisen. Er lud sie und alle übrigen (außer dem Anwaltsgehilfen), die an dem Fall gearbeitet hatten, zur Feier des Tages zum Abendessen in ein jüngst in Mode gekommenes italienisches Restaurant ein, aber sie sagte ab, weil sie und Jason Gäste hatten; außerdem nahm sie an, Thompson wolle sie sowieso nicht gern dabeihaben.

Er hob die Augenbrauen. »Nun, falls Sie es sich anders überlegen, wir treffen uns um acht in ›Botticelli's Garden‹«, sagte er und bat sie, ihm bis morgen vormittag Auszüge von bestimmten Verzichtserklärungen und -leistungen auf den Schreibtisch zu legen. Es war eine absolut geistlose Arbeit, die Wendy ebensogut hätte verrichten können.

Und plötzlich wünschte Miranda, sie könnte, nur für einen Tag oder auch nur für ein paar Stunden, mit Wendy tauschen. Miranda könnte in einem hübschen geblümten Kleid, mit hohen Absätzen und dick aufgetragenem Augen-Make-up zur Arbeit kommen und Anrufe entgegennehmen, mit den anderen Sekretärinnen schwätzen und unten in der Kantine ein 58minütiges Mittagessen zu sich nehmen (Tagessuppe, Cheeseburger de luxe, Leitungswasser). Die Jungs im Postraum würden sie beim Kauf eines neuen Wagens beraten. Sie könnte Geburtstagspartys planen und Kindbettbesuche während der Arbeitszeit mit den anderen Sekretärinnen absprechen, und wenn eine von ihnen krank wurde, baten sie sie, die überdimensionale Genesungskarte zu unterschreiben, die sie während der Mittagszeit in der Geschenkboutique in der Eingangshalle gekauft hatten. Montagmorgens tauschten sie Geschichten aus, wie betrunken sie am Wochenende gewesen waren, und freitagnachmittags unterhielten sie sich darüber, was sie zu ihren Verabredungen anziehen würden. Eine empfahl eine bestimmte Marke wasserfeste Wimperntusche, und Miranda revanchierte sich mit dem Namen eines ölfreien Sonnenschutzmittels, das die Poren nicht verstopfte und von dem man keinen Ausschlag im Gesicht bekam. Thompson würde mit ihr flirten, und wenn sie einen Fehler machte, würde er es nicht merken, weil er so wenig von ihr erwartete. Nur daß sie jeden Tag pünktlich kam und in Gegenwart der Seniorpartner nicht Kaugummi kaute und hübsche Kleider trug und über all seine Witze lachte und ihm seinen Kaffee holte und nicht durchdrehte, wenn er sie »sein Mädchen« nannte.

Als Miranda nach Hause kam, war es nach sieben, und sie mußte am anderen Ende des Platzes vor den Abfalltonnen Parken. Sie hielt die Einkaufstüte voll Importbier und Packungen mit weichwerdendem Speiseeis von sich und klingelte, zu erschöpft, um nach dem Schlüssel zu suchen, mit dem Mittelfinger der linken Hand an ihrer Wohnungstür.

Während Jason mit nackten Füßen zu einer alten James-Brown-Platte tappte, spähte er in die Tüte, nickte beifällig und gab Miranda einen Kuß, der nach Knoblauchkäse schmeckte.

»Hmm, Boursin«, sagte Miranda. Sie schlüpfte aus ihren Schuhen, ließ ihre Handtasche neben der Tür fallen und die Lebensmittel in die Küche plumpsen.

»Den haben Gretchen und Felipe mitgebracht«, sagte Jason und deutete mit dem Ellenbogen zum Wohnzimmer. »Ich hab sie in letzter Minute eingeladen.«

Miranda rechnete, während sie das Speiseeis zwischen einen Stapel Eiswürfelschalen und eine tiefgefrorene Pizza schob. Mary, die in demselben Rechtshilfeinstitut arbeitete wie Jason, und ihr Mann Jack, der noch Medizin studierte. Louis, ein Studienfreund von Jason, und seine Freundin Yolanda, die als Maniküre gearbeitet hatte, bis Jason ihr eine Stellung als Rezeptionistin in seinem Büro besorgte. Und nun noch Gretchen, die, soviel Miranda wußte, absolut nichts tat, und Felipe, der bei Mary und Jason arbeitete und mit Gretchen vom Geld von Gretchens Vater lebte, das ihnen die Sekretärin von Gretchens Vater einmal monatlich per Post schickte. Das machte acht Personen zum Essen, dabei hatte sie nur mit sechs gerechnet. Was bedeutete, daß statt sechs Personen je sechs Garnelen nun vier Personen vier und vier Personen fünf Garnelen bekommen würden, es sei denn, alle acht Personen bekämen vier und Miranda bewahrte die übrigen vier für später auf, um sie zu essen, während sie aufräumten, nachdem alle gegangen waren.

»Das ist das Gute an Pasta Linguine, sie läßt sich strecken«, sagte Miranda. »Stell dir vor, wir haben den Fall gewonnen.«

»Wunderbar, gratuliere. Ich nehme an, das heißt, daß du zur Abwechslung mal wie ein normaler Mensch leben kannst«, sagte Jason.

»Es heißt, daß ich Urlaub nehmen kann, das heißt es. Herrgott, ich glaub, ich weiß gar nicht mehr, wie das geht, sich amüsieren.«

»He, Miranda«, rief jemand aus dem Wohnzimmer, »wie alt ist James Brown?«

»Älter als du denkst«, rief sie zurück. »Ich wußte nicht, daß Tommy auch kommt«, flüsterte sie Jason zu.

»Ach ja, ich dachte, ich hätte es dir gesagt. Er hat einen Kerl aus Texas dabei, der bei ihm zu Besuch ist, ein richtiges Arschloch, quatscht dauernd, wie glücklich wir dran sind, weil wir uns nicht mit Mexikanern abgeben müssen. Er sagt, die Mexikaner sind die Schlimmsten. Willst du dir nicht was Bequemeres anziehen?«

»Gute Idee«, sagte Miranda, und sie winkte zur Begrüßung, als sie sich auf Zehenspitzen über Weingläser, Bierflaschen und Aschenbecher ihren Weg durchs Wohnzimmer zum Schlafzimmer bahnte.

»James Brown ist mindestens fünfzig, darauf wette ich fünf Dollar«, sagte Yolanda. Sie warf eine Zigarettenkippe in eine leere Bierflasche. »Miranda, das steht dir gut, wenn du dich so schick anziehst. Mußt du jeden Tag so rumlaufen?«

»Allerdings«, entgegnete Miranda. »Ich bin gleich wieder da, ich zieh mir bloß schnell 'ne Jeans an.« Im Schlafzimmer zählte sie: Vier Personen bekommen drei Garnelen, sechs bekommen vier Garnelen. Sie hörte sie darüber diskutieren, wie alt James Brown war und ob von den Three Stooges noch einer lebte und warum man die Geschwindigkeitsbegrenzung wieder auf das Vor-Ford-Niveau anheben sollte. Mary sagte, es müsse doch sehr kostspielig sein, wenn man jeden Tag ein anderes Kostüm zur Arbeit anziehen müsse, und Jason sagte, er fände, Miranda sehe in ihrer Arbeitskluft zehn Jahre älter aus. Miranda betrachtete sich in dem mannshohen Spiegel. Sie sah müde aus. Ihre Jeans saß knapp, und ihr dünner Baumwollpulli spannte über den Brüsten — sie mußte bei der Arbeit an diesem Fall fünf Pfund zugenommen haben. Sie hatte gar keine Lust, hinauszugehen und mit

Jasons Freunden herumzusitzen und zu saufen, und ihr war erst recht nicht danach, für sie zu kochen. Sie erwog, Pizzas kommen zu lassen, aber Jason würde sagen, die Leute wären beleidigt, wenn sie sich erbot zu bezahlen, und wenn jeder sechs Dollar beisteuerte, hätten einige am Morgen kein Fahrgeld.

Als sie wieder ins Wohnzimmer kam, setzte sie sich im Schneidersitz neben Jason und trank einen Schluck von seinem Bier.

»Miranda, was für einen Wagen fährst du?« wandte sich Felipe an sie.

»Einen Toyota.«

»Scheißkarre. Von dem vielen Geld, das du verdienst, müßtest du dir doch 'nen anständigen fahrbaren Untersatz leisten können.«

»Miranda hat heute einen großen Fall gewonnen«, sagte Jason und hob seine Bierflasche. »Auf meine liebste Kapitalistenstütze.«

»Hört, hört«, sagte Mary, und alle hoben ihre Gläser und Flaschen. »Auf daß die Reichen noch reicher werden.«

»Die Armen werden jedenfalls ärmer«, sagte Yolanda, und dann sagte Louis etwas auf spanisch, und alle lachten außer Miranda, die nur Deutsch, Italienisch, Latein und ein wenig Umgangsfranzösisch konnte.

Sie ging in die Küche und setzte Wasser auf. Sie wünschte, sie hätte ihr Strümpfe ausgezogen, sie juckten unter der engen Jeans, und ihre kleine Zehe bohrte sich durch eine Laufmasche im linken Fuß. Sie hätte gern ihren Sieg gefeiert und bereute nun, daß sie nicht mit den andern ins Restaurant gegangen war. Vielleicht sollte sie Rosalie anrufen und ihr erzählen, daß sie gewonnen hatten — Rosalie würde bestimmt verstehen, was das für sie bedeutete, Rosalie hatte ihr sogar Blumen ins Büro geschickt, um ihr zu gratulieren, als sie die erste Verhandlungsrunde gewonnen hatten. Miranda griff zum Telefon und hatte gerade drei Ziffern gewählt, als sie Jasons Hand auf ihrer Schulter fühlte.

»He«, sagte er, »wen rufst du an?«

»Rosalie. Ich hätte sie vom Büro aus anrufen sollen. Sie bringt mich um, wenn ich bis morgen warte.«

»Komm schon, wir sind alle am Verhungern. Wenn du Rosalie anrufst, telefonierst du mindestens eine Stunde.« Er nahm den Hörer und legte ihn auf die Gabel zurück. »Hast du Salz ins Wasser getan?«

»Ich dachte, du wolltest deine Salzzufuhr einschränken.«

»Mensch, das dauert ja ewig, bis es kocht. Du hättest es wenigstens zudecken können.« Er knallte den Deckel auf den Topf und ging hinaus. Miranda folgte ihm bis zum Türbogen, der die Küche vom Wohnzimmer trennte. Dort blieb sie stehen und sah zu, wie ihre Gäste an der gegenüberliegenden Wand Kopfstand probierten. Auf dem Teppich waren zwei nasse Flecken von verschüttetem Wein (weißem, hoffte sie), und die Rückenlehne der Couch hatte einen Aschestreifen. Sie fand es erstaunlich, daß dies ihre Freunde waren: Vor sechs Monaten hatte sie keinen von ihnen gekannt, und wenn sie morgen alle verschwänden, glaubte sie nicht, daß es ihr auch nur das Geringste ausmachte.

»He Baby, bring mir ein Bier«, sagte Jason, der sich eingehend mit Gretchens Fußgelenken befaßte, mit einer Stimme, die erkennen ließ, daß sie gut beraten sei, wenn sie es ihm ohne Murren brachte.

Miranda holte eine Flasche aus dem Kühlschrank. Jedes Paar hatte anscheinend eine Sechserpackung mitgebracht, obgleich sie leicht mehr tranken als drei Flaschen pro Person. Sie ging mit der Flasche zum Türbogen und hielt sie Jason hin, der Gretchens Füße durch ihre knallig pinkfarbenen Söckchen kitzelte. Gretchen kicherte, und als sie sich wand, rutschte ihr das lose karierte Hemd hoch und entblößte ein Stück von einem Höschen mit Leopardenmuster unter ihrer schwarzen Jeans, einen blaßrosa rundlichen Bauch und gut zwei Zentimeter eines passenden leopardengemusterten BH. Miranda hielt das Bier steif vor sich hin, als posierte sie für eine Statue, eine Statue von einem Soldaten, der seine Fahne in die Schlacht trägt. Als Jason schließlich aufblickte, sah er Miranda stirnrunzelnd an und ließ Gretchens Füße los.

»Hätten Sie vielleicht die Güte«, sagte er mit nachgeahmtem englischen Akzent, »hätten Sie vielleicht die Güte, Madam, mir einen Flaschenöffner zu bringen?«

Mirandas Arm holte aus, und mit in zahllosen Softballspielen trainiertem Überhandwurf flog die Bierflasche durchs Zimmer. Sie landete ohne zu zerbrechen nur Zentimeter von Jasons Kopf entfernt, traf zu seinen Füßen auf, kullerte über den Teppich und blieb wackelnd vor Gretchen liegen, die sich mit einer Hand den Mund zuhielt und anscheinend ein Lachen unterdrückte.

»Hol dir dein Scheißbier selber«, sagte Miranda.

»He, he«, sagte Yolanda und erhob sich auf die Knie, »schwerer Tag im Büro, das kann jedem passieren, laßt uns einfach — « Sie hielt mitten im Satz inne, als Jason die Hand ausstreckte wie ein Dirigent und Schweigen gebot. Alle sahen Jason an, der nichts sagte, und alle sahen Miranda an.

Sie sagte: »Und macht euch euer Scheißessen selber.«

Sie schnappte in der Diele ihre Handtasche und ihre Schuhe, knallte die Tür hinter sich zu und rannte auf Strümpfen zu ihrem Auto. Der Abendwind hatte einen ersten herbstlichen Hauch, eine Kühle, die für Miranda überraschend und wohltuend war und machte, daß sie Heimweh nach dem Norden bekam. Sie setzte sich in ihren Wagen und suchte im Radio, bis sie einen Sender fand, der genau das spielte, was sie hören wollte: etwas Lautes, Aggressives von den Rolling Stones. Im Licht des Armaturenbrettes klaubte sie die kleinen Kieselsteine aus ihrer Strumpfhose und fragte sich, wo sie hin sollte. Sie kannte niemanden gut genug, um unangemeldet hereinzuschneien. Bis sie die nächstgelegene Einkaufsstraße erreichte, würden die Geschäfte gerade schließen. Sie besaß einen Schlüssel für Jasons Wohnung in der Innenstadt, er würde nie auf die Idee kommen, sie dort zu suchen. Wenn er sie suchen käme.

Aber das würde er natürlich nicht tun; sie könnte die ganze Nacht in ihrem Wagen sitzen, nur wenige Meter von ihrer Haustür entfernt, und Jason würde sie nicht holen kommen. Das Abendessen würde ebensogut ohne sie vonstatten gehen, vermutlich fühlten die sich ohne sie sogar wohler. Jeder konnte vier Garnelen haben. Sie konnten Spanisch sprechen, ohne es ihr übersetzen zu müssen. Sie konnten die ganze Nacht aufbleiben und James Brown hören, ohne daß sie sich beschwerte, sie müsse am nächsten Morgen früh aufstehen und ins Büro. Sie würden ein heilloses Durcheinander anrichten, und dann würden alle Jason beim Aufräumen helfen; denn er tat ihnen ein bißchen leid, weil er mit so einer Trantüte wie ihr zusammen war.

Miranda fuhr auf die Schnellstraße. Es war nicht viel Verkehr, und sie hielt sich auf der linken Spur, überholte gemächlich einige Lastwagen und schaltete in einen höheren Gang, als sie sich der Stadt näherte. In »Botticelli's Garden« wurde vermutlich gerade die zweite Runde Getränke serviert. Wenn sie eine grüne Welle erwischte, würde sie dort sein, bevor der erste Gang aufgetragen wurde.

»Oh, ich aber auch«, sagte Miranda, und sie schloß die

Augen, breitete die Arme aus und führte dann langsam die Finger an die Nase. »Sehen Sie? Wenn ich betrunken wäre, könnte ich das nicht.«

»Manche können es *nur*, wenn sie betrunken sind«, sagte Thompson, »so wie manche nur bumsen können, wenn sie betrunken sind.«

»Was?« fragte Miranda. »Was haben Sie gesagt?« Sie war die einzige, die es gehört hatte. Irgendwer war auf der Toilette, und irgendwer war an einen anderen Tisch gegangen, um einen Klienten zu begrüßen, und irgendwer war längst zu seiner Frau nach Hause gegangen. Es hatte sie anscheinend nicht gestört, daß sie zu spät und in Bluejeans erschien; der große runde Tisch faßte sechs Personen so gut wie fünf, und sie sagten, sie seien froh, jemanden zu haben, der ihnen die Speisekarte übersetzen konnte. Alle hatten seltsame Kombinationen bestellt, Gerichte, von denen Mirandas Angehörige angewidert wären, wenn sie davon gehört hätten — Spinatbandnudeln mit Tomaten-Knoblauchsoße übergossen und mit krossem Speck belegt, Kalbfleisch in schwerer Rahmsoße mit Tiefkühlerbsen und Oregano —, und sie waren ganz enttäuscht, als Miranda auf englisch ein schlichtes entbeintes Stück Hühnerfleisch, in Limonenbutter sautiert, bestellte. Aber Miranda hatte Drink für Drink mitgehalten. Sie war mehr als beschwipst, fast schon betrunken, angenehm betäubt, vollkommen in der Lage, nach Hause zu fahren, trotz Thompsons Beharren, sie abzusetzen. Nun, sie wollte nicht in Gegenwart eines Seniorpartners mit ihm darüber streiten. Vielleicht hatte er ihr etwas Wichtiges zu sagen, und sie ging jede Wette ein, daß er beeindruckt sein würde, wenn er sähe, wo sie wohnte, und sie konnte es nicht erwarten, Jasons Gesicht zu sehen, wenn sie aus Thompsons großem deutschen Wagen stieg. Sie könnte morgen früh mit dem Taxi in die Stadt fahren.

Alle sagten sich auf dem Parkplatz gute Nacht, Miranda zog in Andeutung eines Knickses an den Seitennähten ihrer Jeans. Thompsons Wagen roch nach Minze. Obwohl es während der letzten Stunden noch kühler geworden war, öffnete er das Schiebedach.

»Sie sehen fabelhaft aus in Jeans«, sagte Thompson und fummelte an der Anlage. »Mögen Sie Barbra?«

»Klar, wer mag sie nicht?« sagte Miranda und hoffte, daß er nicht Barbra Streisands neueste Versuche in Pop spielte — sie würde sonst das Gesicht verziehen. Der Himmel sah so klein aus durch das Schiebedach. Sie lehnte sich zurück an das glatte Leder und fand dort Thompsons Hand, unmittelbar unter der Kopfstütze.

»Hups«, sagte sie und beugte sich vor, und seine Hand ging mit, umkreiste sachte ihren Hals, zog sie sanft in den Sitz zurück.

»Sie sind ein bißchen betrunken«, sagte er und rieb seinen Daumen an ihrem Hals. »Und sehr nervös.«

»O nein, ich nicht, ich bin nie nervös«, sagte sie. Sie kicherte und schloß die Augen. »Himmel, Thompson, soll das ein Annäherungsversuch sein?«

»Nein.«

»Warum machen Sie mir dann eine Nackenmassage?«

»Wollen Sie, daß ich aufhöre?«

Das wollte sie nicht. Es fühlte sich himmlisch an. »Das halte ich für keine gute Idee«, sagte sie.

»Schön entspannen. Es geschieht nichts, was Sie nicht wollen.«

»Woher wissen Sie, was ich will?« fragte sie. Thompson wußte mehr als sie. Die meiste Zeit haßte sie ihn deswegen.

»Sie sind so schön«, sagte Thompson. »Sagt Ihr Freund Ihnen jemals, wie schön Sie sind?«

»Ja, andauernd«, schwindelte sie. Der hatte vielleicht

eine Masche. Er beugte sich vor und küßte sie, es war ein regelrecht unschuldiger Kuß, seine Lippen waren leicht geöffnet, aber keine Zunge, keine Zähne, ein verträumter Teenagerkuß.

»Das war schön«, sagte sie, und er rutschte von ihr weg, und sie saßen ein paar Minuten still da und hörten sich Evergreens an. »Wenn Sie nach Europa fahren, nenne ich Ihnen ein paar gute kleine Restaurants außerhalb von Paris. Paris wird Ihnen gefallen.«

»Alle lieben Paris«, sagte Miranda, und er küßte sie wieder, heftiger, seine Hand glitt zu ihren Brüsten hinunter. Er küßt phantastisch, dachte Miranda, und dann fragte sie sich, was sie da eigentlich machten. Ich gebe mich in einem Wagen mit einem Mann ab, mit dem ich nicht bumsen will, und es ist das köstlichste Gefühl auf der Welt, sagte sie sich. *Köstlich*, so ein Wort, wie lange ist es her, seit ich einen Mann nur um des Küssens willen geküßt habe, nur weil es so schön ist und nicht bloß als unerläßliches Vorspiel zum Hauptereignis.

»Du hast ja Angst, kleines Mädchen«, sagte Thompson und strich ihr übers Haar.

»Hab ich nicht, und ich bin kein kleines Mädchen, und ich will nicht mit Ihnen bumsen.«

»Davon war auch nicht die Rede«, sagte er und fing wieder an, sie zu küssen, und sie umkreiste seine Zunge mit ihrer, um ihm zu zeigen, daß sie keine Angst hatte, und sie wußte, daß er ihr eben deswegen vorgehalten hatte, Angst zu haben, und sie wußte, daß er nicht mehr von ihr erbitten würde, als sie zu geben bereit war, weil Thompson sich einer Sache niemals aussetzen würde: zurückgewiesen zu werden.

»Wie ist es denn mit deinem Freund?« fragte er.

»Sagen Sie nicht immer ›mein Freund‹, er hat einen Namen.«

»Ja, ich weiß, der einzige Kerl namens Jason, der älter als sechs Jahre ist und keine Schwester namens Jennifer oder Jessica hat. Wie ist es mit ihm?«

»Einfach prima. Einfach unglaublich, wenn Sie's wirklich wissen wollen.«

Thompson lächelte und ließ den Wagen an. Sie fuhren schweigend heim. Er fand eine Parklücke direkt vor ihrer Wohnung und stellte den Motor ab.

»Ich möchte bloß, daß Sie sich eins klarmachen«, sagte er. »Sie sind eine warmherzige, schöne, intelligente, ganz besondere Frau, und wenn er Sie nicht zu schätzen weiß, ist er ein größerer Esel, als ich dachte.« Ich wette, das sagt er zu jeder, dachte sie.

»Sprechen Sie weiter«, sagte sie, und er küßte sie wieder. Er hatte eine Hand unter ihrem Pulli und die andere zwischen ihren Beinen, er drückte sie, versuchte sie zwischen den Schichten von Jeans, Strumpfhose und Unterhöschen zu finden.

»Du bist naß, ich fühl es«, sagte er, und er nahm seine Hand von ihrer Brust, langte vor ihr her und drückte den Hebel, der die Arretierung ihrer Rückenlehne löste.

»Ich kann nicht, Sie wissen doch, ich kann nicht«, sagte sie, griff nach dem Hebel und richtete die Rückenlehne wieder auf. Es war aufregend, die Protestierende zu spielen, sie hatte es weiß Gott nie in dem Alter getan, als es angebracht war, nie bei Peter, sie war so begierig gewesen, ihre Unschuld zu verlieren, daß sie mit dem Erstbesten aufs Ganze gegangen war, der es schaffte, sich zur zweiten Etappe vorzutasten. Sprach man überhaupt noch von Etappen, fragte sie sich, wieviel älter war Thompson als sie, er hatte vermutlich jahrelange Erfahrung in diesen Dingen, Mädchen betrunken machen und sie in schicken Autos befummeln.

»Du willst es doch«, sagte er, und er nahm ihre Hand und legte sie auf seinen Schritt.

Nicht sehr romantisch, dachte sie.

»Ich begehre dich so sehr«, sagte er.

Das war schon besser.

»Du kannst mich nicht einfach so nach Hause schicken«, sagte er.

»Bitte, ich kann nicht«, flüsterte Miranda. Sie war nahe daran zu weinen und fand es unter den gegebenen Umständen gar nicht so dumm.

Er nahm ihre Hand und küßte sie, saugte langsam an jedem Finger, und mit der anderen Hand zog er den Reißverschluß seiner Hose auf, und als ihre Hand über und über naß war, legte er sie auf seinen Schwanz. Boxer Shorts: Das hätte sie nie vermutet.

»Ich bilde mir ein, daß du's bist«, sagte er, als sie ihre Hand um ihn legte und mit festem Daumen und flatternden Fingern versuchte, es so schnell sie konnte hinter sich zu bringen. *Ich bilde mir ein, daß du's nicht bist*, dachte sie, obwohl, wer konnte es sonst sein? Gab es überhaupt einen Mann, den sie wirklich begehrte? War dies der Grund, weshalb sie in ihren Phantasievorstellungen, wenn sie im Büro die Zeit totschlug oder sich bemühte, sich bei Jason mächtig ins Zeug zu legen, oder sich manchmal morgens, wenn er schon zur Arbeit gegangen war, selbst befriedigte, war das der Grund, weshalb sie in ihren Phantasien selbst nie eine Rolle spielte?

Bis auf einmal, dachte sie, und dann, als er kam, Gott, was sagen verheiratete Männer, wenn sie um zwei Uhr morgens auftauchen, ihre teuren Nadelstreifenanzüge voll Soße? Bis auf einmal, vor langer Zeit. Gedanken an alte Phantasien waren wie Erinnerungen an alte Freunde: Sie waren süß und herzerwärmend und unglaublich naiv.

»Du bist so süß«, sagte Thompson, während er seinen Reißverschluß zuzog. »Ich schulde dir Revanche.«

»Na klar«, sagte Miranda und machte ihre Tür auf.

»Warte«, sagte er und zog sie wieder in den Wagen. »Wo bleibt mein Gutenachtkuß?« Sie gab ihm ein Küßchen auf die Wange.

»Du kannst es besser«, sagte er und gab ihr einen richtigen Zungenkuß, und verdammt, sie spürte wieder die Erregung, wie war so etwas möglich, aber es war da. Köstlich. Sie könnte ihn die ganze Nacht küssen.

Sie konnte nicht anders, sie ließ sich gehen. Das war Miranda, im Bett, das Bett hatte eine dicke Steppdecke, sie waren im neusten Hotel im ältesten Teil der Stadt (Houston, Atlanta, San Francisco), er hatte die Vorhänge zugezogen, so daß sie das Wasser nicht sehen konnte, ihre nicht ausgetrunkenen Drinks standen auf der Kommode, er hatte die Heizung aufgedreht, damit sie nicht fror.

Ein Teil von ihr dachte: Sie war so nett gewesen, Thompson direkt vor ihrem Haus einen zu blasen, wo es jeder sehen konnte, sofern jemand wach war, und jetzt war sie an der Reihe, sie küßte ihn einfach immer weiter und konzentrierte sich dabei auf diese Szene in ihrem Kopf und ließ ihn mit seinen Händen machen, was er wollte, alles fühlte sich himmlisch an, sie hob die Hüften an, damit er ihr die Sachen bis zu den Knien herunterziehen konnte, sie spreizte die Knie ein bißchen, noch etwas mehr, jetzt war sie an der Reihe, und sie wollte sich Zeit lassen, weil ihr danach zumute war.

Und ein Teil von ihr dachte dies: Er hatte sie auf die Bettdecke gelegt, er flüsterte ihr all die Dinge ins Ohr, die er mit ihr anstellen würde, manches davon hatte sie noch nie gemacht, und dann kam von irgendwo ein Licht, jemand hatte die Tür geöffnet, wer war das, er war Thompson losgeworden, er löste die Verschlüsse und nahm sie in die Arme, und dann liebten sie sich und es war wunder-, wunderbar.

Miranda öffnete die Augen. Thompson hielt ihr mit einer Hand den Mund zu.

»Himmel, bist du geil«, sagte er. Er zog vorsichtig die Hand zurück. »Ich will nicht, daß die Nachbarschaft aufwacht«, sagte er.

Sie blinzelte und versuchte wieder zu sich zu kommen.

»Danke fürs Mitnehmen«, sagte sie und machte ihre Türe wieder auf.

»Ich glaube nicht, daß du jetzt schon raufwillst«, sagte er und drehte den Rückspiegel so, daß sie sich im Mondlicht darin sehen konnte.

»O Gott«, sagte sie lachend, »ich sehe, was Sie meinen.« Man sah es ihr an, sogar im Dunkeln.

»Darf ich dir eine einzige kurze Frage stellen?« bat er.

»Schießen Sie los«, sagte sie. Er würde sicher etwas Gräßliches fragen, etwa ob sie so was oft machte, ob er sich darauf verlassen könne, daß sie den Mund hielt, wann er sie wiedersehen könne. Er würde alles verderben.

»Wer ist Schuyler?« fragte er.

25

Er war nicht überrascht gewesen, als Miranda anrief. Rosalie hatte ihn vor ein paar Tagen angerufen, um ihn vorzubereiten. Sie hatten ein paar Minuten über ihre Pferde und seine Kühe, seine Freunde und ihre Kinder gesprochen, und dann schilderte sie ihm, was sie höflicherweise als Mirandas Situation bezeichnete. Miranda hatte mit Jason Schluß gemacht. Sie hatte ihm gesagt, sie nehme sich zwei Wochen Urlaub, und wenn sie zurückkomme, wünsche sie in ihrer Wohnung nichts mehr von ihm zu sehen: seine Cordjacken und Khakihosen, seine Platten, die Flasche mit dem dunkelgrünen Antischuppen-Shampoo, die geprägten Streichholzbriefchen aus Restaurants, wo sie zusammen gewesen waren, nichts. Dann hatte Miranda Rosalie angerufen und sie nach dem Hotel gefragt, das Rosalie und Trevor so gut gefiel, als sie das letzte Mal auf den Bermudas gewesen waren (sie hatte gehofft, nach Europa zu gehen, besaß aber nicht die Energie dazu).

»Ich hab's ihr genannt, aber ich weiß nicht«, sagte Rosalie, »ich wußte nicht recht, wie ich ihr sagen sollte, daß es dort um diese Jahreszeit von Neuvermählten wimmelt. Ich glaube, es ist der deprimierendste Ort, wo sie hingehen könnte. Ich hab ihr das Haus in Saratoga angeboten, und sie ist natürlich jederzeit auf dem Gestüt willkommen, aber sie sagte, sie wolle irgendwohin, wo sie noch nie war, irgendwohin, woran sie keine Erinnerungen hat. Ich wußte gar nicht, daß Miranda so theatralisch sein kann. Sag bloß, du rauchst immer noch?« Sie hörte, wie ein Streichholz angerissen wurde.

Schuyler lachte. »Mein einziges Laster. Ehrlich.« Er überlegte, ob er es gleich anbieten oder lieber warten sollte, bis Rosalie darauf zu sprechen kam und ihn bat, Miranda für ein paar Wochen aufzunehmen. Er hatte jede Menge Platz, zuviel Platz, wenn er es recht bedachte, und wie oft hatten Leute aus dem Osten versprochen, ihn zu besuchen? Aber außer Teddy kam fast nie jemand.

»Also, ich dachte mir — sag einfach nein, wenn du willst, vielleicht ist es die schlechteste Idee, die ich je hatte — « begann Rosalie.

»— aber kann Miranda hier wohnen?« beendete er den Satz für sie.

»Ach, vergiß, daß ich davon angefangen habe. Es ist

eine blöde Idee. Ich dachte bloß, weite Flächen, frische Luft, sittsames Leben, du weißt schon.«

Schuyler betrachtete die Dutzende Bierflaschen in einem überdimensionalen Abfallkorb, die Überreste vom gestrigen Abend, als er Besuch hatte. »Wir sind auf sittsames Leben spezialisiert«, sagte er. »Es ist ziemlich öde hier. Die Blätter sind schon gefallen.«

»Warte, ich geb dir Trevor, er will mit dir sprechen.«

»Schuyler?« dröhnte Trevor ins Telefon. »Wie spät ist es bei euch? Ist es schon dunkel?«

»In ein paar Minuten.«

»Ich schick dir einen wirklich sagenhaften Portwein. Das Zeug zieht dir die Schuhe aus. Hat Rosalie dir von Miranda erzählt?«

»Sie will ihr ein Zimmer im Hotel für gebrochene Herzen reservieren.«

»Hast du Jason mal kennengelernt? Der arroganteste Lümmel, dem ich je begegnet bin. Das Klügste, was sie tun konnte. Mach kein Gesicht, Rosalie, du weißt, daß ich recht habe. Kannst du dich mal um das Baby kümmern, Liebling?« sagte Trevor, und dann flüsterte er ins Telefon: »Hör mal, Alter, wenn du Miranda nicht nimmst, quartiert sie sich hier ein und macht uns alle wahnsinnig, und das will ich nicht, aber du weißt ja, wie Rosalie bei aussichtslosen Fällen ist.«

»Aber wenn sie mich wahnsinnig macht, ist es in Ordnung?« fragte Schuyler.

»Ach was, das tut sie nicht, sie ist ein nettes Mädchen, bloß, Rosalie hat so schwer gearbeitet, und trotz Personal können einen die Kinder fertigmachen, und ich will nicht, daß Miranda meine Frau hier die ganze Nacht wachhält und von diesem Esel quatscht, mit dem sie sich gar nicht erst hätte abgeben sollen.«

»Ich kenn Miranda kaum«, sagte Schuyler, und das stimmte: Sie waren nie richtig befreundet gewesen. Sie war für ihn immer Rosalies Zimmergenossin, Katie Lees Kumpel, er hatte sie stets als Anhängsel von jemand anders gesehen.

»Deswegen ist es ja so ideal. Du kannst sie einfach ignorieren. Sie braucht nichts weiter als eine Unterkunft.«

Rosalie griff wieder zum Hörer. »Das Baby läßt grüßen. Das klingt etwa so«, sagte sie und ließ eine Reihe von Glucksern und Seufzern hören. »Laß dich nicht von Trevor herumkommandieren. Er darf ausschließlich mich herumkommandieren – mach kein Gesicht, mein Herz – aber hör zu, Schuyler, vergiß, daß ich davon angefangen habe. Wann kommst du uns besuchen?«

»Vielleicht im Februar«, sagte Schuyler. »Das Drehbuch, das ich mal irgendwem mitgegeben hatte, ist anscheinend aktuell geworden. Sie wollen so viele Außenaufnahmen drehen, wie sie können.«

»Aber das ist ja eine wundervolle Neuigkeit!« sagte Rosalie. »Können wir alle als Komparsen mitmachen?«

»Kannst du wie eine Gangsterbraut aussehen?«

Rosalie kicherte. »Wie sehen die aus?«

»Ich habe nicht die leiseste Ahnung«, sagte Schuyler. »Ich kann mich nicht mal an irgendwelche weiblichen Rollen erinnern.«

Er war ganz baff gewesen, als Nelsons Agent ihn anrief und ihm das Angebot machte: Es seien doch sicher schon genug Filme über die Bande gedreht worden, hatte Schuyler gesagt, und der Agent meinte: »Genau, genau, und eben *weil* es schon so viele gibt, will die Filmgesellschaft noch mehr machen.« Für Schuyler ergab das keinen Sinn. Aber das Geld, das ergab irrsinnig viel Sinn.

Schuyler hörte nur halb zu, als Rosalie ihm von ihren Babys erzählte, womit sie ihre Einjährigen meinte, und daß sie fast alle auf der Auktion verkauft hatten und zum erstenmal seit Jahren in den schwarzen Zahlen waren. »Nach Abzug der Steuern, meint sie«, rief Trevor aus dem Hintergrund. Schuyler wußte nicht, warum er wegen Miranda solche Bedenken hatte. Sie wäre wahrscheinlich ein idealer Hausgast. Nelson nahm fortwährend Leute auf, die nicht wußten, wohin.

»Hör zu«, unterbrach Schuyler sie, »es ist in Ordnung, wenn Miranda hier für 'ne Weile hausen will. Sag ihr, hier ist jede Menge Platz.«

»Oh, du mußt sie nicht nehmen, wirklich nicht.«

»Doch, ich würde sie gerne wiedersehen. Ich glaube, sie wird sich hier wohlfühlen. Weniger Anwälte pro Quadratkilometer als in sonst einem Staat der USA. Kann sie reiten?«

»Nein.«

»Sonst gibt es hier nicht viel zu tun. Bitte sag ihr, wenn es sie nicht langweilt, freue ich mich, sie zu sehen.«

»Ich sag ihr, sie soll dich anrufen. O Schuyler, das ist großartig von dir, wirklich! Ich beneide Miranda, weil sie dich eher besucht als wir. Ich sag ihr, sie muß mir versprechen, eine Menge Bilder zu machen.«

»Hoffentlich magst du Bilder von Kühen.«

»Es gibt bestimmt noch was anderes als Kühe.«

»Bloß mich und die Kühe, Ehrenwort.« Sie sagten sich gute Nacht. Schuyler wanderte durchs Haus und überlegte, welches von den Schlafzimmern Miranda am besten zusagen würde. Er wählte das mit der hellblau geblümten Tapete, das auf den ehemaligen Gemüsegarten seiner Mutter hinausging. Dasjenige, das am weitesten von seinem entfernt war.

Am ersten Abend geschah fast gar nichts. Nach drei Anschlußflügen und einer langen Fahrt in einem Mietwagen kam Miranda spät und erschöpft mitten in einem Sturzregen an und ging gleich zu Bett. Als sie sich gute Nacht wünschten, fragte sich Schuyler insgeheim, in

was sie wohl schlief, vielleicht in einem Flanellnacht-
hemd, oder einem Herrenschlafanzug oder einem alten
Sweatshirt. Er hatte sie vor der Kälte gewarnt.

Am zweiten Abend sahen sie sich auf Video eine
Schwarzkopie des Musicals *Guys and Dolls* an und aßen
warme Käsesandwiches. Miranda hatte tagsüber Charles
Dickens gelesen und sich zwischendurch angezogen hingelegt. Schuyler war in die übernächste Stadt zum nächst-
gelegenen Krankenhaus gefahren, wo sich ein Stalljunge
nach einem Blinddarmdurchbruch erholte. Als Marlon
Brando sang, machte Miranda ein albernes Gesicht, griff
sich mit den Fäusten in die Haare und hielt sie so, daß sie
vom Kopf abstanden. Sie hatte mehr Haare als irgendeine
Frau, die Schuyler je gesehen hatte. Er stellte sie sich auf
einem Kissen liegend vor — lange dunkle, wirr in alle
Richtungen ausgebreitete Locken.

Am dritten Tag regnete es wieder, und sie blieben zu
Hause, tranken Trevors Schnaps, hörten Bänder mit
Merle Haggard und spielten Monopoly mit einem alten
Spiel, das Schuyler auf dem Speicher gefunden hatte.
Die meisten Ereigniskarten fehlten. Miranda erwarb
teure Grundstücke und verbrachte viel Zeit im Gefängnis. Schuyler würfelte hohe Zahlen und erstand bevor-
zugt Bahnhöfe, die Versorgungswerke und die Grundstücke rund um »Frei Parken«. Jedesmal, wenn Miranda auf einem Ereignisfeld landete, preßte sie die Hände
an die Brust, als sei sie erdolcht worden, und ließ den
Kopf auf den Tisch sinken. Als sie es zum zweitenmal
machte, blitzte in Schuyler die Vorstellung auf, sie habe
ihren Kopf in seinen Schoß sinken lassen, sie habe ihm
die Jeans heruntergezogen, und ihre Haare lägen auf
seinen nackten Schenkeln. Dergleichen passierte ihm
immer wieder, wenn auch nicht mehr so oft, als er älter
wurde; er konnte es sich leichter verkneifen als in seiner
Jugendzeit, als er im Geiste nahezu jede schöne Frau

auszog, mit der er in Tuchfühlung kam; manchmal mußte er die Warteschlange vor der Kasse im Haushaltwarengeschäft wechseln oder sich im Zug woanders hinsetzen, weil er fürchtete, der Gegenstand seiner kurzen, unvorhergesehenen Phantasievorstellung könnte seine Gedanken erraten. Als Miranda das sechste Mal auf einem Ereignisfeld landete, war sie bankrott, und Schuyler war noch nie über einen Sieg beim Monopolyspiel so glücklich gewesen.

Erst am vierten Tag erwähnte Miranda Jason, und auch dann nur nebenbei. Schuyler erklärte ihr, daß die sportbegeisterten Leute hier draußen sich am meisten aus Football machten, und er sei unter anderem auch deswegen froh, nach all den Jahren in Boston und New York wieder zu Hause zu sein.

»Darüber hat Jason sich dauernd beklagt, als wir nach Miami zogen«, sagte Miranda, während sie ihre flachen Stiefel zuschnürte. Sie hatte am Morgen verkündet, daß sie mit Kochen dran sei, und nach einer Inspektion von Schuylers Küchenschränken war ihr klar, daß sie eine Menge einkaufen mußte. »Miami ist eine regelrechte Footballstadt, die Leute sehen sich sämtliche College-Spiele an. Ich bin mit Football aufgewachsen, es war für unsere große Familie *das* Ereignis am Wochenende, aber Jason konnte sich nie dafür erwärmen.«

Miranda zog den Reißverschluß ihrer Daunenjacke zu. »Essen um sieben?« fragte sie.

»Abgemacht«, sagte Schuyler. »Soll ich Wein besorgen?«

»Nein, das ist alles meine Sache«, entgegnete Miranda.

»Gibt es gar nichts, was ich tun kann?«

»Verkrümel dich bis sieben«, sagte sie. Zum erstenmal seit langem freute sie sich richtig auf die Zeit, die sie in der Küche verbringen würde. Sie wollte alles genau so machen wie ihre Mutter, von Anfang an. Sie würde Stunden brauchen, um die Kartoffeln zu waschen und zu schälen, die Soße einkochen zu lassen, das Rindfleisch zuzurichten, das Gemüse zu blanchieren und die Orangenschale für die Mousse au chocolat zu reiben.

Sie fuhr kilometerweit von einem Geschäft zum andern und hörte den einzigen Sender, der ohne Störung hereinkam. Eigentlich mochte Miranda keine Country-Musik, aber als sie hier draußen in ihrem Mietwagen für ein großes altmodisches Abendessen mit Fleisch und Kartoffeln einkaufte, schien es ihr die passende Begleitmusik. Ein Mann, den sie nicht identifizieren konnte, und eine Frau, die sich wie Dolly Patron anhörte, sangen davon, daß ihnen nichts mehr geblieben war, woran sie sich halten konnten. Ein anderer Mann sang, er sei so einsam, daß er sterben könne. Als Miranda wieder in Schuylers Auffahrt einbog, summte sie mit, als ein Mann und eine Frau abwechselnd von vergangenem Herzeleid sangen und im gemeinsamen Finale einmütig beschlossen, es ein letztes Mal mit der Liebe zu versuchen.

Ich bin bloß ein altmodisches Mädchen, das ein altmodisches Essen für einen altmodischen Mann kocht, dachte sie, als sie die schweren braunen Tüten aus dem Kofferraum hob. Sie hatte in drei verschiedene Ortschaften fahren müssen, um alles zu finden, was sie benötigte. Sie packte ihre Einkäufe aus und fand einen Zettel von Schuyler, er werde gegen sieben zurück sein.

Miranda arrangierte die Lebensmittel auf der Küchenanrichte. Es war richtig, hierherzukommen, dachte sie, sie fürchtete schon den Tag, heute in einer Woche, an dem sie nach Hause mußte. Schuyler schien nichts von ihr zu erwarten, nicht einmal Gespräche, und in den letzten Tagen war ihr klargeworden, unter welchem Druck sie gestanden hatte, durch Jason, durch Thompson, durch ihre Familie. Was war es doch in Miami für ein Streß, bloß morgens zur Arbeit zu fahren, bloß den Tag heil zu überstehen.

Hier draußen schien ihr das Leben so einfach wie ein Rezept. Wenn man die richtigen Zutaten hatte und den Anweisungen folgte, konnte nichts schiefgehen. Miranda holte ihren Fotoapparat aus dem Rucksack, legte einen Farbfilm ein und verknipste den ganzen Film mit diesen Lebensmitteln, die ihr auf einmal wunderbar erschienen, die Farben so leuchtend und ansprechend wie eine Schachtel Kindermalkreiden: zitronengelb, apfelrot, schokoladenbraun, orange, und der beachtlichste Fund von allem: frische italienische Petersilie. Sie wollte sich immer an diesen Augenblick erinnern und daran, wie sie sich fühlte, bevor sie sich ans Waschen und Schnippeln, Erhitzen und Servieren machte, was es für ein Gefühl war, sich auf eine so schlichte Betätigung zu freuen. Sie faltete die Tüten zusammen, die sie später für die Abfälle verwenden wollte. In einer klapperte etwas, das sie vergessen hatte. Sie hatte sie in einer plötzlichen Eingebung in den Einkaufswagen geworfen, als sie auf der Suche nach einem Schneebesen einen Gang entlangschob: zwei lange marineblaue Kerzen von derselben Farbe, die ihre Mutter zu kaufen pflegte.

Die Kerzen waren zu Dreivierteln heruntergebrannt. Miranda hatte zu viel Fleisch und zu wenig Soße gekocht. Die Mousse war eiskalt und sah süß aus, schmeckte aber leicht bitter. Schuyler behielt jeden Löffelvoll auf der Zunge, bis er sich erwärmte und zerging. Buddy Holly sang von etwas, das so einfach schien. Während Miranda den Tisch abräumte, überlegte Schuyler, ob er noch eine Flasche Wein öffnen sollte. Noch ein Glas, und er würde sich fragen, ob es wohl ein großer Fehler wäre, wenn der Abend in ihrem

Schlafzimmer endete. Noch zwei Gläser, und es würde ihm egal sein. Danach noch eins, und er würde zu träge und zufrieden sein, um viel mehr zu tun, als seine Stiefel auszuziehen und in Schlaf zu sinken.

Miranda brachte Kaffee herein und stellte das Tonbandgerät lauter.

»Ich darf nicht zuviel davon trinken«, sagte sie, »sonst bin ich die ganze Nacht wach.«

Schuyler trank zwei Schlückchen Kaffee und vier große Schlucke Wein. Es wäre kein feiner Zug, sagte er sich, es wäre nachgerade schändlich, sie auszunutzen, wenn sie am verletzlichsten war. Er kannte etliche Männer, die es darauf anlegten, Frauen zu verführen, die gerade mit einem langjährigen Freund Schluß gemacht hatten. Dazu kannte er Miranda zu lange. Am nächsten Morgen würde sie noch etwas anderes erwarten als nur eine weitere Woche in Montana.

»Nelson hat morgen abend ein paar Leute da, es könnte ganz lustig werden«, sagte Schuyler. Nelson würde sich wundern, wenn er Miranda sähe, nach dem, was Schuyler ihm von ihr erzählt hatte. Die Bräune stand ihr gut. Unter dem Gewicht, das sie abgenommen hatte, waren eine richtige altmodische Taille, schmale Hüften und lange muskulöse Beine zum Vorschein gekommen. Er hatte ihre Brüste vergessen gehabt — wie glatte Haut und ein freundliches Lächeln —, er hatte sie bloß als weitere traurige, nutzlose Dreingabe gesehen, die Gott dicken Frauen schenkte, aber nun, da sie schlank war, waren sie immer noch da und wogten leicht, und er stellte sie sich in einem Reiz-BH aus glänzendem, locker gewirkten Stoff vor. Wie die meisten Männer mit hellen Augen schrieb Schuyler einer Frau mit so braunen und dicht bewimperten Augen wie Miranda alle möglichen traurigen Einsichten und sinnlichen Erfahrungen zu. Ob italienisch, spanisch, jüdisch, griechisch − für ihn war es alles dasselbe: Sie war dunkel, exotisch, ein Geheimnis, das er vielleicht nie ergründen würde.

»Eine Party?« fragte Miranda.

»Man weiß nie, ob es acht oder hundertacht sind, bevor man hinkommt«, sagte er.

»Hört sich lustig an«, sagte Miranda. In Wirklichkeit hörte es sich irgendwie beängstigend an; sie konnte sich nicht erinnern, wann sie zuletzt ohne einen Beschützer auf einer großen Party gewesen war. Sie vermutete, Schuyler sei der perfekte Gentleman, der sie jedem vorstellte (was Jason nie tat), der mit ihnen ein Gespräch anfing und sie nicht vernachlässigte (was Jason immer tat), wenn jemand Wichtiges da war, mit dem er reden mußte. Aus seiner Robustheit, seinem cowboyhaften Auftreten schloß sie, daß er nach einem altmodischen männlichen Moralkodex lebte, der dem Rest des Landes leider abhanden gekommen war. Sie hörte in seinem langen, häufigen Schweigen Dinge, die er nie aussprechen würde. Er ist der Richtige, dachte Miranda, ich habe es nie ganz geglaubt, bevor ich ihn hier sah.

»Ich hab nichts Gescheites zum Anziehen für eine Party mit«, sagte sie.

Schuyler schenkte sich noch ein Glas Wein ein. »Hier bei uns wirft man sich nicht groß in Schale«, sagte er. Er redete sich ein, daß dieses erlesene Essen einfach Mirandas Art war, ihm für seine Gastfreundschaft zu danken. Und selbst wenn es mehr sein sollte, jetzt, in diesem Augenblick, brauchte sie dringender einen Freund als einen Liebhaber.

Es sei denn, sie wären keine richtigen Freunde, hielt er sich entgegen. Er hatte es immer für schlechten Stil gehalten, jemandes Enttäuschung auszunützen, aber wenn man es recht bedachte, war fast jeder über 16 von irgendwem oder irgendwas enttäuscht. Es war lediglich eine Frage, wie lange es her war, Tage oder Wochen, Monate oder zuweilen Jahre. Nelson hatte einen Freund, einen Scheidungsanwalt, der mit mehr als der Hälfte seiner Klientinnen schlief. Er hatte Nelson erzählt, er finde es unglaublich, daß diese Frauen, zumal diejenigen, die sich vernachlässigt fühlten, in einer einzigen Nacht zu beweisen versuchten, daß sie noch attraktiv und begehrenswert waren. Vielleicht war dies genau, was Miranda brauchte. Sie war ein großes, erwachsenes Mädchen. Sie wußte unterdessen, was sie wollte. Er leerte sein Glas und erzählte Miranda einiges über die Leute, die bei Nelson sein würden.

»Das scheint mir ja ein raffiniertes Weibsstück zu sein«, sagte Miranda, nachdem Schuyler ihr Martha beschrieben hatte. Die Sanftheit in seiner Stimme verriet ihr, daß er mit ihr schlief. Sie war eifersüchtig und zu betrunken, um es zu verbergen. Sie kam sich unglaublich dämlich vor, daß sie eine so weite Reise auf sich genommen, in den Tagen vor dem Abflug solche Umstände mit ihren Haaren, ihren Kleidern und ihrem Teint gemacht, dieses erlesene italienische Festmahl gekocht hatte, bloß um diesen Mann, von dem sie wußte, daß er der einzige war, den sie jemals wirklich lieben könnte, der einzige, der sie so wiederlieben könnte, wie sie es sich wünschte, von seiner neuen Freundin erzählen zu hören. Während sie 3000 Kilometer entfernt ihre Zeit mit einem dämlichen Freund und einem dämlichen Job verschwendete, hatte sich Schuyler in diese Martha vergafft. Die vermutlich hübscher und schlanker war als Miranda und möglicherweise älter, und ganz sicher nicht so schlau.

Es gab keine Möglichkeit, Schuyler zu zeigen, daß sie für ihn genauso ideal war wie er für sie. Sie hatte es vermasselt, wie, war ihr nicht ganz klar, aber von nun an würde ihr Leben ein Kompromiß sein, so wie sie es in den Illustrierten gelesen hatte: Liebe gegen Kameradschaft eintauschen, romantische Schwärmerei gegen reife Verbindlichkeit, seelenvolle Blicke gegen Großmut und Zuverlässigkeit, wilden, lasterhaften Sex gegen Einmal-ich-einmal-du und Sinn für Humor. Sie mußte werden wie alle anderen. Sie mußte erwachsen werden. Sie mußte nehmen, was sie bekommen konnte.

»Was ist mit dir?« fragte Schuyler. Ihre Augen glänzten, ihre Unterlippe zitterte. Er wollte sie küssen, das Zittern der Lippen zwischen seinen halten, fühlen, wie sie unter seinen warmen Händen schmolz. Er legte eine Hand auf ihre und leerte mit der anderen den Rest des Weins in ihre Gläser.

»Nichts«, sagte sie. Er streichelte mit dem Daumen ihren Handteller. Buddy Holly erklärte, daß es schneller ging als eine Achterbahn. Miranda sah Schuyler in die Augen und wußte: Ein Zeichen von ihr, und er würde mit ihr ins Bett gehen.

Wenn sie das Letzte aufgäbe, das ihr geblieben war, das kleine bißchen Stolz, das ihr nicht einmal Jason hatte nehmen können, diesen Stolz, der das einzige war, das sie zusammenhielt und sie vor einem tränenreichen Kollaps bewahrte, wenn sie den aufgäbe, würde sie von Schuyler alles bekommen, was sie sich wünschte, und dennoch weniger: einen Mitleidsfick.

Sie zog sich auf wackligen Beinen hoch und strich sich die Haare aus dem Gesicht. »Ich hab ein Mordsdurcheinander angerichtet«, sagte sie. Schuyler stand auf und ging um den Tisch herum auf ihre Seite. Sie trat einen Schritt zurück und deutete zur Küche.

»Da drin sieht es aus wie der Weltuntergang, und ich hab nicht die Kraft, mich damit abzugeben«, sagte sie.

Schuyler trat ebenfalls zurück und lächelte. »Ich auch nicht«, sagte er. »Das hat Zeit bis morgen. Das Essen war fantastisch.«

»Na dann, bis morgen.« Miranda blies eine Kerze aus.

»Wünsch dir was«, sagte Schuyler.

Es war dasselbe, was sie sich bei zahllosen Geburtstagskerzen gewünscht hatte, bei in der Sonne verstreuten Löwenzahnsamen, bei von der Fingerkuppe geblasenen ausgefallenen Wimpern und bei dem Stern, der in Wirklichkeit ein Planet war. Sie wünschte sich *ihn*.

»Du bist dran«, sagte sie und wies auf die andere Kerze.

»Ich muß mir was überlegen«, sagte er. Sie zuckte die Achseln und ging zu Bett.

Er setzte sich hin und wünschte, er hätte nicht soviel Wein getrunken. Wünschte, er hätte sie gleich geküßt, als ihm der Gedanke kam, oder der Gedanke wäre ihm nie gekommen. Wünschte, sie würde morgen abreisen oder lange genug bleiben, bis er sicher sein konnte, daß er, was immer er hatte tun wollen, nicht aus mangelndem Mut, sondern aus mangelnder Begierde unterlassen hatte.

Er haßte den Herbst. Alle hasteten umher, planten Thanksgiving-Essen, redeten von Weihnachten, und er war wieder hier — allein — in diesem großen alten Haus. Er blies die letzte Kerze aus.

»Sie ist wahnsinnig in ihn verknallt«, sagte Martha über eine Punschschüssel hinweg zu Nelson. Die Leute hatten kurz nach Mitternacht zu tanzen begonnen und steigerten sich in eine Gemeinschaftsraserei. »Was ist da eigentlich drin, das sieht ja gräßlich aus.«

»Verdammt, wenn ich das wüßte«, gab Nelson zurück. »Als ich sie vor fünf Stunden hinstellte, war sie leer. Die Leute haben reingekippt, was sie wollten.«

Martha tauchte einen Finger hinein und leckte ihn ab, um den Punsch zu kosten. »Nicht schlecht. Weiß bloß nicht, wovon das Zeug so lila ist. Hübsche Schüssel.«

»Hochzeitsgeschenk«, sagte Nelson. »Das Miststück hat alles hiergelassen.«

»Tun sie doch alle«, sagte Martha. »Ich beneide die Leute, die rausgeschmissen werden. Die wissen gar nicht, was sie für ein Glück haben. Wenn da komische Drogen drin sind, bring ich dich um.«

»Komm schon«, sagte Nelson. »Woher weißt du, daß sie in ihn verknallt ist? Vielleicht guckt sie immer so.«

»Wie guckt sie denn?« fragte Martha. In ihrem irischen Fischerpullover und der abgetragenen braunen Cordjeans kam sie sich ein bißchen schäbig vor. Miranda hatte einen blaßrosa Pullover mit eingewebten glänzenden Silberfäden und eine schwarze Samtjeans an, die wenige Zentimeter über ihren makellosen schwarzen Wildlederballerinas endete. Der Boden draußen war kalt und schmutzig. Schuyler mußte das Mädchen vom Wagen hereingetragen haben.

»So wie Frauen eben gucken. Als wüßten sie mehr über dich als du selbst. Ich hab dich schon gelegentlich so gucken sehen.«

»Hast du nicht«, sagte Martha. Schuyler sah aus wie immer, nur besser, in einem knallroten Waschlederhemd, das mit der Zeit weich geworden war.

»Hab ich doch. Eifersüchtig?«

»Vielleicht«, sagte Martha. Nelson hatte sich auch nicht besonders feingemacht, bis auf die orangefarbene Fliege, die er sich an sein kariertes Flanellhemd geklemmt hatte.

»Na ja, so ist das eben«, sagte Nelson.

»Tja, so ist das.«

»Du bist hübscher als sie. Falls dich das tröstet.«

»Danke«, sagte Martha, aber sie war nicht sicher, ob es stimmte. Sie beobachtete Schuyler und Miranda beim Tanzen und nahm an, daß sie nicht miteinander geschlafen hatten. Noch nicht. Schuyler flog auf Miranda, das sah Martha, und sie selbst fühlte sich ein bißchen zu alt, als daß einer so auf sie flöge. Martha wußte zu gut über die Männer Bescheid, sie wußte Dinge, die zu vergessen sie nicht mal vortäuschen konnte.

»Werd mir bloß nicht rührselig«, sagte Nelson. Er überlegte, was er ihr sagen könnte, um sie aufzuheitern. Daß nur Flittchen Glitzersachen trügen. Daß ein Dutzend Männer hier seien, die sich nach ihr erkundigt hatten. Daß Schuyler nichts wert sei. Die ersten zwei Behauptungen könnte er mit einem Anflug von Überzeugung äußern.

»Das würde mir nicht im Traum einfallen«, sagte Martha. »Weißt du, bei Schuyler hab ich immer so ein Gefühl, als wäre er ein Puzzle, wo ein Teil fehlt.«

»Glaubst du, Miranda ist das fehlende Teil?« fragte Nelson.

»Nein«, sagte Martha. »Aber ich wette mit dir, daß sie weiß, wo es ist.«

»Komm«, sagte Nelson und nahm sie an der Hand, »wir fahren dazwischen.«

»Ich weiß nicht, ob mir danach ist«, sagte Martha, als sie Miranda und Schuyler umstellten.

»Darf ich?« sagte Nelson zu Schuyler, während er gleichzeitig seinen Arm um Mirandas Schultern legte.

»Eine prima Party ist das«, sagte Miranda zu Nelson, der sie herumgedreht hatte, so daß sie der Stereoanlage gegenüber war. Sie versuchte, seiner Führung zu folgen.

»Steckt alles in den Füßen«, sagte Nelson. »So. Genau. So müssen Weiße tanzen. Tolles Parfüm. Bumst du mit meinem besten Freund?«

»Wie bitte?«

»Hab ich auch nicht gedacht. Rechts-links-rechts, zurücklehnen, rechts-links-rechts, zurücklehnen — gut so. Bist du das Mädchen, das ihm das Herz gebrochen hat?«

»Wie bitte?«

»Du hast mich schon verstanden.«

»Nein.«

»Hätt' ich auch nicht gedacht, aber ich war nicht ganz sicher.«

»Das war Katie Lee. Sie ist jetzt verheiratet. Du bist betrunken.«

»Das will ich hoffen«, sagte Nelson und wirbelte sie herum.

»Was, daß du betrunken bist?« fragte Miranda. Während der Drehung beobachtete sie Martha und Schuyler.

»Daß sie verheiratet ist. Das bedeutet, daß sie gestraft ist.«

»Ich nehme an, das bedeutet, daß du verheiratet bist«, sagte Miranda.

»War ich mal. Hast du je einen ledigen Mann mit einer Zehnliter-Bleikristall-Punschschüssel gesehen?« Er wirbelte sie wieder herum, und sie sah Schuyler lachen, als Martha ihm etwas ins Ohr flüsterte.

»Eins gefällt mir an dir, Schuyler Smith«, sagte Martha gerade, »ich kann mich immer darauf verlassen, daß du über meine dämlichen Witze lachst.«

»Bin wohl leicht zufriedenzustellen«, meinte Schuyler.

»So?« Martha hielt ihn etwas von sich ab und starrte ihn fest an.

Er geriet für eine Sekunde aus dem Takt, und als er wieder drin war, ging das Stück gerade in ein anderes über.

»Das Mädchen ist fürchterlich in dich verknallt«, sagte Martha. »Falls du es noch nicht gemerkt haben solltest.«

Schuyler zog sie enger an sich, obwohl die Musik nicht langsamer geworden war. »Herrgott, tut mir leid, Martha. Wir hätten nicht kommen sollen. Ich hab mir das nicht richtig überlegt.«

»Du überlegst nie«, sagte Martha. »Das gefällt mir so an dir.«

»Du läßt mich nicht von der Angel, was?«

»Klar doch. Ich will bloß vorher sehen, wie du ein bißchen zappelst.«

»Ich zapple ja schon, und wie.«

»Das ist also das Mädchen, das dir das Herz gebrochen hat«, sagte Martha. »Ich dachte, sie wäre hübscher«, fuhr sie fort, dabei meinte sie es gar nicht. Es würde ihm nur leichterfallen, sie abzuschieben, wenn sie ihm einen kleinen Anlaß gab, sie zu hassen.

»Nein, das war die blonde Rosalie. Sie ist jetzt verheiratet. Martha, hör zu —«

»Sag es nicht, Cowboy. Wir kennen beide die Spielregeln.« Sie führte ihn langsam zu Miranda und Nelson, die gerade einen Jitterbug versuchten. Das hatte sie im Tanzunterricht in der Schule gelernt, an dem nur Mädchen teilnahmen und wo die größeren immer führen mußten.

»Tauschen wir?« sagte Nelson zu Schuyler.

»Er gehört dir«, sagte Martha zu Miranda.

»Danke«, sagte Miranda zu Martha.

»Danke«, sagte Schuyler zu Nelson, der mit Martha nach hinten in ein Schlafzimmer verschwand, wo sich zwei Songschreiber und ein schielender Barkeeper, der ohne Pause von Key West hierhergefahren war, Drogen und Alkohol von besserer Qualität teilten.

Vom Tanzen im Pullover war es Miranda unangenehm warm geworden, und als Schuyler erklärte, er brauche frische Luft, sagte sie, sie sei jederzeit bereit zu gehen.

Als sie nach Hause kamen, machte Miranda Kaffee.

»Ich denke, wir müssen miteinander reden«, sagte Schuyler. Er beobachtete, wie der Filter das heiße Wasser aufsog.

»Find ich auch«, sagte Miranda und drehte die Flamme ab. »Ich bin nicht sehr gut im Reden. Du zuerst.«

Schuyler schob sich die Haare aus dem Gesicht. »Ich weiß nicht recht, wie ich es anfangen soll«, sagte er.

Sie schenkte ihm eine Tasse ein und reichte sie ihm. »Was du willst«, sagte sie. »Ehrlich. Was du willst, es ist in Ordnung. Nichts. Oder alles.«

Schuyler trank einen Schluck. »Und was ist dazwischen?«

Miranda riß ein Päckchen Süßstoff auf. »Schlamassel vermutlich. Nichts, womit wir nicht fertigwerden können, nehm ich an. Wer weiß.«

»Was willst du?« fragte er.

Sie blickte auf ihre Schuhe. Sie waren mit Schmutz bedeckt. »Die meiste Zeit weiß ich es nicht.«

»Ich weiß, was ich will«, sagte er, »ich will alles.«

Sie sah zu ihm auf. »So?«

»Alles«, sagte er und zog sie an sich. Ihr Kopf reichte gerade bis an sein Herz. Er hielt sie eine Weile, Leidenschaft gegen Wohlbehagen abwägend. Mit Miranda in seinen Armen fühlte Schuyler sich jünger, zuversichtlicher werden, denn sie sah ihn noch immer so, wie er einst, vor vielen Jahren war, bevor er erkannte, daß man, je mehr man lernte, je mehr man erfuhr, um so weniger, ja überhaupt nichts wußte. Miranda könnte ihn glücklich machen, das war ihm nun klar, nicht nur im Bett, sondern in diesem Haus, auf dieser Ranch, an diesem Ort in der Mitte von Nirgendwo. Es war Zeit, sich zu binden, Zeit, etwas aufzubauen außer einem Stapel Abreißkalenderblätter und einer Herde gesunder Rinder.

Es ist soweit, dachte Miranda, endlich endlich endlich. *Endlich,* dachte sie, als er sie zum Bett trug, *endlich,* als sie sich liebten, bedächtig und still, *endlich* kein Druck, keine Unruhe, keine Hast, denn sie hatten jede

Menge Zeit: nicht nur diese Nacht, sondern alle kommenden Nächte.

Nach dem zweiten Mal zog Schuyler die Decke hoch, und Miranda kuschelte sich in seine Armbeuge. Zuerst redeten sie über nichts (sie wollte ihm zeigen, wie sie Kaffee machte, er wollte ihr reiten beibringen) und später über alles, was ihnen einfiel (ihre Familie, seine Familie, sie würde noch einmal nach Florida müssen, um im Büro reinen Tisch zu machen und ihr Apartment zu vermieten, er kannte einen Anwalt, der mehrere Indianerreservate vertrat und jemanden suchte, der ihm bei den Recherchen half), und als sie alles durchgesprochen hatten, waren sie zu müde, um noch einmal anzufangen.

26

In der Woche vor ihrem vierten Hochzeitstag geschah es, daß Mrs. Trevor Goodwood, geborene Rosalie Van Schott, Mutter zweier tadelloser Kinder und Frau eines Mannes, der sie anbetete, sich gegen ihre besseren Instinkte, im Gegensatz zu allem, an das zu glauben sie erzogen war, vielleicht sogar ohne zu realisieren, was vorging, unerklärlich, unbeherrscht, unwiderruflich verliebte.

Anfangs tat sie ihre Gefühle für Francisco Gomez als schulmädchenhafte Schwärmerei ab. In den Jahren, als Rosalie wirklich ein Schulmädchen genannt werden konnte, hatte sie sich nichts aus Flirts gemacht, und so hielt sie es für möglich, daß dieser nicht mehr als eine vorübergehende Erscheinung war, eine Art emotionale Grippe, die mit ausgiebiger Bettruhe und beruhigenden warmen Getränken kuriert werden konnte. Eine erfahrenere Frau hätte die frühen Symptome vielleicht erkannt und lachend abgetan, aber Rosalie, die nie nervös an einem Garderobenspind einer High School oder am Rande eines Baseballfeldes einer Uni gewartet hatte, barg keine Antikörper in ihrem Kreislauf und war deswegen total anfällig für den Charme des panamesischen Jockeys, der täglich ihre Pferde ritt.

Es begann natürlich in Florida, wo es den ganzen Winter warm war. Sie hielt seinem Blick nur mit Mühe stand. Sie errötete, wenn er ihren Namen aussprach, wobei er seine Stimme um eine halbe Oktave senkte. Sie brachte in seiner Gegenwart kein gescheites Wort hervor. Sie fuhr jeden Morgen zu den Stallungen, weil sie wußte, daß er dort war, und wenn sie dann ankam, versuchte sie ihm auszuweichen. Sie erinnerte sich an jedes Wort, das er zu ihr gesagt hatte. Wenn sie abends mit ihren Kindern spielte (die zusammen mit einem Kindermädchen in nebeneinanderliegenden Zimmern in ihrer großen Hotelsuite untergebracht waren), fragte sie sich, wo Francisco war und mit wem, und ihrem Mann schickte sie alberne Postkarten mit Liebesgrüßen.

Wie weit Francisco etwas bemerkte, vermochte sie nicht zu sagen. Meist hoffte sie, daß er nichts wußte; sie flirtete schließlich nicht mit ihm, sie hatte nicht mal eine Tasse Kaffee mit ihm getrunken, ihre Manieren waren untadelig. Sie war nur die reiche amerikanische Dame, die ihm viel zu tun gab, und es war sein Job, nett zu ihr zu sein, zumal jetzt, da sie all die hoffnungsvollen Einjährigen hatten, die sie behielt, um sie nächstes Jahr an Rennen teilnehmen zu lassen.

Doch zuweilen glaubte sie sich durch eine Geste oder einen Blick verraten zu haben. Man sagte ja von Leuten, die den größten Teil ihrer Zeit mit Tieren verbrachten, daß sie wenig auf Worte achteten und statt dessen intuitiv in jemandem »lesen« konnten, im Zurückwerfen eines Kopfes, im Wedeln eines Armes oder im nervösen Tappen eines Fußes im Kies. Wie könnte sie nur dermaßen starke Gefühle verbergen, dachte Rosalie, wie sollte er denn nicht ahnen, daß die wenigen Augenblicke, die sie täglich mit ihm verbrachte, die wunderbarsten und schrecklichsten ihres Lebens waren? Allerdings ließ er nie durchblicken, was er wußte: Sie war die reiche, verheiratete amerikanische Dame, die einer Klasse angehörte, die sich niemals zu seiner herabließ, und es war besonders wichtig, daß er nichts tat, woraus sich ein Problem ergeben könnte, gerade jetzt, da sie ihm so viel zu tun gab.

Manchmal glaubte Rosalie, wenn es auch nur noch eine Minute auf diese unmögliche Weise weiterginge, würde sie sterben oder verrückt werden und in ein Kloster gehen.

Es ging ein Jahr so weiter.

In diesen Monaten achtete Rosalie zum erstenmal genauer auf die Menschen in ihrer Umgebung, auf die Paare, die sie für wahnsinnig verliebt hielt, um zu sehen, ob sie irgend etwas mit ihnen gemeinsam hätte.

Wenn sie mit Trevor in New York auf Partys ging, sah sie, daß ein Paar in der einen Minute über die Tanzfläche wirbeln und sich in der nächsten in ruhigen, vernünftigen Gesprächen ergehen konnte, er über Aktien oder die Jagd, sie über Kinder oder Raumgestaltung. Wenn Rosalie sich vorstellte, wie Francisco sie in einem dämmrigen kleinen Zimmer herumwirbelte, begann sie zu zittern und zu schwitzen.

Wenn sie Schuyler und Miranda in Montana besuchte, sah sie, daß Miranda, wenn Schuyler aus einem anderen Zimmer ihren Namen rief, ohne auszusetzen, einen Satz beenden konnte und daß Schuyler, wenn Miranda ihn am Ellenbogen antippte, seine angezündete Zigarette nicht mitten auf den Wohnzimmerteppich fallen ließ. Beide sagten, es sei die langersehnte wahre

410

Liebe, und nur die Formalität, ihn ihren Eltern vorzustellen, schiebe die Ankündigung der Verlobung hinaus. Wenn Rosalie sich vorstellte, daß sie mit Francisco in demselben Haus lebte und in freudiger Erwartung die Tür öffnete, wenn er von der Arbeit nach Hause käme, mußte sie die Augen schließen und ganz still sein. Es war ein Genuß, den sie sich insgeheim bereitete; diese Vorstellung war die Geschichte, bei der sie jeden Abend einschlief.

Wenn Rosalie übers Wochenende zu Bobby und Katie Lee nach Lexington flog, sah sie, daß Kinder für manche Leute einfach Kinder waren und Mann und Frau nicht unbedingt enger verbanden. Es schien vielmehr, daß Bobby und Katie Lee sich seit der Geburt von Bobby junior auseinandergelebt hatten. Rosalie sah Bobby an, daß er viel trank — sie kannte die Anzeichen von ihrem Vater —, und sie hatte vermutet, daß Bobby fremdging, aber auf Kokain wäre sie nie gekommen, wenn Katie Lee sich nicht darüber beklagt hätte. Rosalie wußte nicht, worüber Katie Lee sich mehr aufregte, über Bobbys Drogenabhängigkeit oder daß er so viel von Katie Lees Geld dafür ausgab. Katie Lee wollte Bobby das Kind nicht anvertrauen, und sie war zuviel unterwegs, um selbst auf es aufzupassen, deshalb war es überwiegend einem im Hause wohnenden Kindermädchen und einer »Hauserzieherin«, wie Katie Lee es ausdrückte, überlassen. Katie Lee konnte nicht glauben, daß Rosalie ihre Kinder zweimal täglich anrief und sie meistens mit auf Reisen nahm. »Sie werden sich doch ohnehin an nichts erinnern«, sagte Katie Lee, »wieviel weißt du denn noch von dem, was du erlebt hast, bevor du zwölf warst?« Als Rosalie sich vorstellte, sie bekäme ein Kind von Francisco, fiel sie fast in Ohnmacht.

Nur ein einziges Mal glaubte sie, es gebe noch einen Menschen, der etwas davon ahnte, was in ihr vorging.

Chris hatte sie angerufen und zu einer Vorstellung von Tory in New York eingeladen, »zwei Karten fünfte Reihe Mitte rechts, bringt Ohrstöpsel mit und zieht bequeme Schuhe an«. Trevor wollte nicht mitgehen, aber Grace sagte, wenn Rosalie sie nicht mitnähme, würde sie nie wieder mit ihr sprechen. Rosalie zog die einzige Bluejeans an, die sie besaß, und ein Paar alte Tennisschuhe, und dann saß sie zwischen Chris und Grace, trank lauwarmes Bier und dachte: Hier sitze ich, bin 26 Jahre alt und besuche mein erstes Rockkonzert.

In einer Pause zwischen den Auftritten wagte sich Grace hinaus zu einem Stand, auf der Suche nach T-Shirts für ihre Kinder, ihre Nichten, ihre Neffen und ihre Putzfrau, die sich Tory anhörte, während sie Graces Fußböden mit einem kurzborstigen Schrubber bearbeitete.

»Er ist wunderbar«, sagte Rosalie zu Chris, »unglaublich, was für eine Energie er hat.«

»Er ist einfach einmalig«, sagte Chris. »Es macht richtig Spaß, hier zu sitzen, das habe ich seit einer Ewigkeit nicht getan. Meistens bleib ich einfach hinten und seh ihn auf Monitoren. Da vergeß ich, wie es für die Fans ist.«

»Ist es nicht ein komisches Gefühl, daß all diese Leute von Tory besessen sind?«

»Doch, schon«, sagte Chris. »Du müßtest mal welche von ihren Briefen sehen. Sie sind wahnsinnig verliebt in diesen Jungen, den sie nie gesehen haben.«

»So was kann passieren«, meinte Rosalie. Sie schob das Bündchen ihres hellblauen Shetlandpullovers herunter.

»Ist es dir mal passiert?« fragte Chris.

Rosalie wurde rot. »Natürlich nicht«, sagte sie. »Aber hältst du es für möglich, daß man sich in jemanden verliebt, den man kaum kennt?«

»Sicher. Vermutlich geht es um so leichter, je weniger man ihn kennt.«

»Du bist zynisch. Erzähl mir, wie du dich in Tory verliebt hast.«

Chris lächelte. »Das ist eine lange Geschichte. Irgendwann hab ich einfach die ganze Zeit an ihn gedacht, ob er da war oder nicht, wenn ich meine Socken in den Wäschepuff warf, dachte ich, welche Socken mag er jetzt anhaben, oder wenn ich ein Bier aufmachte, dachte ich, dieselbe Biersorte hab ich gestern abend mit Tory getrunken, irgendwie ist es ›unser‹ Bier — lauter dummes Zeug. Damals muß ich wohl geahnt haben, daß es mich erwischt hatte.«

»Das hört sich so romantisch an«, sagte Rosalie.

»Socken und Bier statt Mondschein und Rosen? Vielleicht.«

»Hattest du das Gefühl, daß du, ich weiß nicht, daß du tatest, was du gar nicht tun wolltest, aber daß du einfach nicht anders konntest?«

»Du meinst unkontrolliert?«

»Das klingt so extrem.«

»Rosalie, bist du verliebt?«

»Ich bin verheiratet.«

Chris legte Rosalie ihren Arm um die Schultern. »Du hast meine Frage nicht beantwortet, Herzchen. Hast du eine Affäre?«

»Ich könnte nie eine Affäre haben. Wechseln wir das Thema.«

»Es kommt andauernd vor, weißt du«, sagte Chris.

»Nicht bei mir. Lassen wir das. Ich hab halt so Gedanken, das ist alles, aber das heißt noch lange nicht, daß ich mich gehen lasse.«

Gedanken haben, ist der erste Schritt, Schätzchen, sagte Chris bei sich, und ich bin neugierig, ob du den Mumm hast, den zweiten zu tun.

Chris tätschelte Rosalies Kopf. »Du mußt dich ja nicht gehen lassen, wenn du nicht willst«, sagte sie, »aber wenn du's willst —«

»Ich will nicht.«

»Nur mal angenommen. Es wäre nicht das Schlimmste auf der Welt. Ich will dir nicht philosophisch kommen, aber weißt du, es gibt eine bestimmte Art von Liebe, die ist einfach unglaublich einmalig, und den meisten Leuten bietet sich nie die Chance, sie zu erleben. Also, wenn sich dir die Chance bietet, auch wenn es nicht mit deinem Mann ist, weißt du, es ist vielleicht deine einzige Chance. Und sollte sie je kommen, dann solltest du erwägen, diese Chance zu ergreifen.«

»Ich liebe Trevor, Chris.«

»Natürlich liebst du ihn. Er ist großartig«, sagte Chris und dachte, er ist ein langweiliger Blödmann, du wirst den Rest deines Lebens mit einem langweiligen Blödmann verbringen, und fünf Minuten bevor du stirbst, merkst du vielleicht, das war's, du hast es vermasselt, es ist alles vorbei, du hast es versaut, du hast den Augenblick verpaßt. Dennoch fiel es Chris schwer sich vorzustellen, daß Rosalie sich der Leidenschaft hingab. Vermutlich hatte ihr ein Freund von Trevor ein Dutzend Rosen geschickt und sie zu einem gediegenen Mittagessen in einem faden französischen Restaurant eingeladen, und Rosalie befand sich jetzt deswegen in einer moralischen Krise.

Rosalie blickte zu den Rängen hinter ihnen hoch. »Wenn Trevor hier wäre, würde er die Einnahmen schätzen.«

»Die Eintrittskarten machen gar nicht soviel aus. Die Nebengeschäfte bringen eine Menge Geld. Die Leute zahlen fünfzehn Dollar für ihre Karte und geben fünfzig für T-Shirts aus.«

»Wie Grace«, sagte Rosalie, denn Grace war soeben

mit einem Stoß grellfarbener T-Shirts zurückgekommen.

Tory sang nach der Pause eine Reihe von Liebesliedern. Das Publikum ging mit, und Rosalie stellte fest, daß anscheinend alle außer ihr die Texte kannten, sogar Grace. Dann sang Tory von der Suche nach einer Frau zum Lieben, und er zeigte auf verschiedene Zuhörerinnen, wobei er im Takt mit dem Finger wackelte.

»Was machst du, wenn er dich zum Tanzen auffordert?« schrie Grace Rosalie ins Ohr.

»Was?«

»Er sucht sich immer eine zum Tanzen aus – da geht sie hin«, sagte Grace, als Chris auf die Bühne sprang. Rosalie beobachtete, wie Tory und Chris zusammen tanzten, während die Band sich mit Instrumentalsoli abwechselte. Das war ein Tanz, wie sie ihn sich vorgestellt hatte. Es fiel ihr schwer zu glauben, daß für beides ein und dasselbe Wort verwendet wurde, für das, was Trevor in der Tanzstunde gelernt hatte, und für das, was Tory und Chris jetzt vor Tausenden von Menschen taten. Es war etwas zwischen Tory und Chris, etwas, von dem Rosalie sich vorgemacht hatte, es existiere überhaupt nicht, es sei nur die Phantasievorstellung eines Schulmädchens, und als sie es nun sah, gab es kein Zurück.

Als Rosalie zu Hause aus dem Aufzug stieg, öffnete Trevor die Tür, ehe sie ihren Schlüssel herausgekramt hatte, und umarmte sie.

»Hallo, Liebling«, sagte er, »war's schön?«

»Du hättest es gräßlich gefunden«, murmelte ihm Rosalie ins Ohr. »Grace hält dich für den Allerbesten, weil du ihr deine Karte geschenkt hast, und sie hat dir dieses scheußliche Dankeschöngeschenk gekauft – sie sagte, sie hat nachgesehen, aber sie waren alle mit Polyester.«

Trevor trat einen Schritt zurück. »Parker hat angerufen«, sagte er. »Auf der Rennbahn hat es heute nachmittag einen Unfall gegeben.«

Rosalie sah Trevor an und versuchte seinem Gesicht zu entnehmen, wie schlimm diese Nachricht sein könnte. Er hatte seine Miene aufgesetzt, die besagte, Pech-gehabt-aber-so-ist-das-Leben-machen-wir-weiter. Ein Pferd, mutmaßte sie, ein gutes, aber keins, das viele Rennen gewann.

»Orestes?« fragte sie. »Ich hab gewußt, daß sie ihn zu hart rannehmen.«

»Gomez«, sagte Trevor. »Keine Sorge, ihm ist nicht viel passiert. Er hatte einen Sturz. Parker sagt, sie haben sich seit Jahren über den Zustand der Bahn in Hialeah beschwert, aber keiner unternimmt was. Er war auf einem Pferd, das gerade per Schiff aus Kalifornien gekommen war, und das Pferd scheute und tat einen Fehltritt, und Gomez mußte abspringen. Ein paar Pferde waren direkt hinter ihm, und er wurde arg rumgestoßen, aber Parker meint, ihm fehlt nicht viel.«

Rosalie glaubte das Schwierigste zu vollbringen, was sie je im Leben getan hatte. Sie lächelte ihren Mann an, zog langsam ihren Mantel aus, blätterte die Post durch, als sehe sie nach einer erwarteten Einladung, und sagte mit ruhiger, munterer Stimme: »Na Gott sei Dank. Ich nehme an, wir sollten ihm Blumen schicken. Vielleicht ruf ich Francisco morgen früh mal an.«

»Ich glaub nicht, daß sie auf der Intensivstation Telefon haben, Liebling«, sagte Trevor. Er kratzte sich unmittelbar unterhalb des Schlüsselbeins.

»Intensivstation? Ich denke, ihm ist nichts passiert.« Rosalie nahm ihre ganze Kraft zusammen und hörte sich dennoch nicht lauter an als ein Kätzchen, das nach Milch verlangt.

»Na ja, er hätte tot sein können — der Mann lebt, er hat eine Gehirnerschütterung, aber Parker sagt, sie glauben nicht, daß sein Kopf einen dauernden Schaden erlitt. Er hat großes Glück gehabt, der Kleine.«

»Sein Kopf. Und was ist mit dem Rest?«

»Parker sagt, es ist zu früh, man kann noch nichts sagen.«

»Hat er sich irgendwelche Knochen gebrochen?«

»Ich glaube, ja.«

»Welche Knochen?«

»Liebling, ich hab nicht nach sämtlichen grauenhaften Einzelheiten gefragt. Parker sagt, er ruft dich morgen vormittag an. Ich hatte keine Ahnung, daß es dich so mitnehmen würde.«

»Aber natürlich nimmt es mich mit, Liebling.«

»Liebling, du bist ja fast hysterisch, ich werde dir einen schönen großen Cognac einschenken, damit du dich wieder beruhigst.«

»Ich bin nicht hysterisch.«

»Du erzählst immer, so was kommt andauernd vor, und jeder, der dabei mitmacht, weiß, worauf er sich einläßt, und daß es nun mal dazugehört. Du mußt an die hundert Stürze gesehen haben, die schlimmer waren als dieser.«

»Kann schon sein«, sagte Rosalie. Trevor starrte sie unverwandt an. Sie wünschte, sie hätte einen Mann geheiratet, der entweder viel gerissener oder dumm wie Bohnenstroh war. Einen, dem sie nichts erklären mußte, oder einen, der zu doof war, um eine Erklärung zu verlangen. »Es ist bloß, weil jetzt die großen Rennen bevorstehen, und wir wollen Orestes in drei Wochen starten lassen, und wenn Francisco bis dahin nicht in Form ist, müssen wir einen anderen Jockey nehmen, der das Pferd vielleicht nicht so gut kennt. Im Frühjahr verdienen wir unser ganzes Geld, Liebling, und Francisco ist so ein guter Reiter.«

»Nach dem, was Parker sagte, glaube ich nicht, daß

er in drei Wochen wieder dabeisein wird. Ich glaube nicht, daß er überhaupt jemals wieder dabeisein wird. Er kann von Glück sagen, wenn er nicht den Rest seines Lebens im Rollstuhl verbringen muß.«

»Herrgott«, sagte Rosalie und ließ sich in einen Sessel sinken. Es war wohl das erste Mal, daß ihr Mann sie fluchen hörte.

Trevor brachte ihr einen Cognac und setzte sich auf die Sessellehne. »Es hat keinen Sinn, daß du dich aufregst. Du kannst nichts daran ändern.« Er begann ihr die Schultern zu massieren. »Ich hatte keine Ahnung, daß es dich so mitnehmen würde. Arme kleine Rosalie.«

Rosalie schloß die Augen, als seine Daumen sich in ihren Nacken drückten. Das konnte Trevor am besten, süß sein und sich um sie kümmern. Nur sie brauchte ihn nicht mehr, um sich um sie zu kümmern, und sie hatte die Lust auf Süßes verloren. Francisco lag im Krankenhaus – wer weiß wo, in wer weiß welchem Zustand. Vielleicht hatte er sich das Rückgrat gebrochen, vielleicht würde er sein Leben lang gelähmt sein – vor zwei Jahren war es dem netten Kanadier passiert, der Secretariat geritten hatte.

Sie wollte bei ihm sein. Sie wollte an seinem Bett sitzen, seine Hände halten, ihm Suppe einflößen, ihm die Karten mit den Genesungswünschen vorlesen und ihm alberne Witze über Ärzte und Krankenschwestern erzählen.

Er würde vermutlich erstaunt sein, sie zu sehen. Er würde denken, wie höflich es sei von ihr, der netten amerikanischen Dame, ihn im Krankenhaus zu besuchen und ihm zu versprechen, er könne alle seine Pferde wieder reiten, wenn er auf die Rennbahn zurückkehrte. Sie stellte sich vor, wie er nach zehn Minuten sagte, er werde jetzt sehr müde, er danke ihr so sehr, daß sie vorbeigekommen sei. Es war albern von ihr zu denken, es könnte mehr sein als das: ein paar Höflichkeitsbesuche im Krankenhaus, und dann würde sie ihn nie wieder sehen.

Und dann fiel ihr ein Rennen ein, das er letzten Herbst für sie mit einem Pferd gewonnen hatte, dessen Quoten 30:1 standen. Im Absattelring hatte sie ihm zur Gratulation die Hand geschüttelt, und er hatte ihre Hand zwei Sekunden zu lang gehalten und zu lächeln aufgehört und sie nur mit diesem Blick angesehen, der besagte, ich weiß, was du denkst, ich weiß alles, ich hab alles schon lange, lange Zeit gewußt, noch bevor du es selbst wußtest, und ich warte auf dich. Ich bin da, wenn du bereit bist.

Rosalie schüttelte Trevors Hand ab und stand auf.

»Ich muß hin«, sagte sie.

»Darling, du kannst gar nichts tun.«

»Ich muß. Es gibt so viel zu organisieren.«

»Du hast hier genug zu tun. Du wolltest mit Scotty in den Zirkus, und wir sind bei Eleanor zum Essen eingeladen, und ich hab deiner Mutter gesagt, daß wir sie nach Connecticut bringen.«

Rosalie bohrte eine Zehe in den Perserteppich. Da war Trevor in seiner tadellosen Gabardinehose und der beigebraunen Kaschmirstrickjacke und schenkte teuren Cognac aus einer Kristallkaraffe ein. Da war sie, in ihrer engen blauen Bluejeans, die Sohlen ihrer Tennisschuhe klebrig von Bier, die Worte von Torys Songs gingen ihr noch im Kopf herum: »Geh von meiner Wolke, es ist mein Leben, ich tu, was mir paßt.« Sie kam sich vor wie ein aufsässiger Teenager, und Trevor war ihr Vater und tat, als wüßte er es am besten.

»Ist mir egal. Ich muß packen«, sagte sie.

Trevor hielt nichts davon, mit seiner Frau zu streiten. Auch das war für ihn ein Weg zu einer glücklichen Ehe. Er würde ihr helfen, ihren Koffer hoch oben aus einem

Schrank im Flur zu holen, und er würde den Wetterdienst in Florida anrufen und ihr sagen, ob sie Gummistiefel und einen Regenschirm mitnehmen mußte, und er würde den Wagen bestellen, der sie zum Flughafen brachte, und morgen früh würde er sie hinausbegleiten, sie bis zum Kragen zuknöpfen, ihr eine gute Reise wünschen und sich mit einem Kuß von ihr verabschieden.

Aus einer Mumienhülle aus weißen Mullbinden und Gips mit hängenden Schläuchen hervor sagte Francisco lächelnd: »Ich wußte, daß Sie mich besuchen würden.«

»Als ich das letzte Mal in einem Krankenhaus war, bekam ich ein Baby«, sagte Rosalie. Francisco war in ein Privatzimmer verlegt worden, das auf den Parkplatz des Krankenhauses hinausging. Überall waren Blumen. »Sie sehen grauenhaft aus, aber Sie hören sich gut an. Was sagt Ihr Arzt?«

»Der Arzt ist ein Esel. Er hat keine Ahnung. Ich hör nicht auf ihn.«

»Möchten Sie, daß ich einen aus New York kommen lasse? Möchten Sie die Meinung eines anderen hören?«

»Meine eigene Meinung genügt mir«, sagte Francisco. »Schauen Sie meine Füße an.« Rosalie sah ihn mit den Zehen wackeln. »Sie werden sehen, in vier Wochen bin ich draußen. Ich werde in Saratoga für Sie reiten.«

»Das will ich hoffen«, sagte Rosalie, aber sie hatte die Röntgenaufnahmen gesehen, man hatte ihr die zwanzig Stellen gezeigt, wo sein linkes Bein gebrochen war, und sie wußte, daß er nie wieder Rennen reiten würde.

»Haben Sie Parker gesehen?« fragte Francisco.

»Wir haben zusammen zu Mittag gegessen«, sagte sie.

»So ein altes Weib«, sagte Francisco. »Er ist fast in Ohnmacht gefallen, als er mich sah. Er dachte, er sähe einen Toten. Er hat mich besucht und gesagt, er will für mich beten. Ich sagte: ›Bete für dich selbst, Alter, denn wenn ich hier rausmarschiere, ist das erste, was ich tu, daß ich dir eins überbrate, weil du mich auf das idiotische Pferd gesetzt hast.‹«

Rosalie erzählte Francisco nicht, daß Parker gesagt hatte, er wolle Ende des Jahres in den Ruhestand treten, und daß er Rosalie vorgeschlagen hatte, die Zügel einem Freund von ihm zu übergeben, der in England ein erfolgreicher Trainer gewesen war. »Er macht sich große Sorgen um Sie«, sagte Rosalie.

»Ich brauch keine alten Weiber, die mich bemuttern. Ich brauch schöne junge Frauen, die meine Hand halten und mir in die Augen sehen und mir sagen, sie zählen die Minuten, bis ich hier rauskomme und mit ihnen tanzen gehe.«

Rosalie lächelte.

»Also?« sagte Francisco.

»Also?« wiederholte Rosalie.

»Also halten Sie meine Hand und sehen Sie mir in die Augen. So. Danke. Was machen Sie am ersten Samstag im Mai?«

Das war in zwei Monaten. »Ich weiß nicht«, sagte Rosalie, »dann ist Derby-Tag. Ich werde wohl in Louisville sein.«

»Wenn Sie nächstes Jahr in Louisville sind, reite ich Orestes für Sie.«

»Orestes hat nicht mal angefangen. Bis dahin kann so viel passieren.«

»Das will ich hoffen. Aber dieses Jahr müssen Sie wieder nach Florida kommen und mit mir das Derby anschauen, und dann führe ich Sie zum Essen aus. In acht Wochen.«

Rosalie ließ den Kopf sinken. »Sie wissen, das geht nicht.«

»Bitte, ich will nichts davon hören, daß Sie eine

glücklich verheiratete Frau sind und einen großartigen Mann haben und lauter so dummes Zeug. Ich bin soeben vom Rande des Grabes zurückgekehrt. Bitte reden Sie mir keinen Unsinn. Sie sind nicht den weiten Weg hierhergekommen, um Unsinn zu reden.«

»Es ist kompliziert«, sagte Rosalie.

»Nein. Es ist das Einfachste von der Welt.«

»Es tut mir leid. Ich kann nicht.«

»Dann gehen Sie bitte«, sagte Francisco und drehte den Kopf ein wenig zur Seite. »Ich brauch Ihre Höflichkeitsbesuche nicht.«

»Francisco, mein Leben ist nicht so, das wissen Sie doch.«

»Sie können jetzt gehen. Kommen Sie wieder, wenn Sie bereit sind. Oder kommen Sie nicht wieder. Ich werde meine ganze Kraft brauchen, um wieder gesund zu werden und hier rauszukommen. Ich hab keine Zeit für kleine dramatische Szenen. Entweder Sie sind bei mir, ganz und gar, oder ich will Sie überhaupt nicht hier haben.«

Sie zog ihren Mantel an. »Verzeihen Sie«, sagte sie. »Falls Sie irgend etwas brauchen . . .«

Er sagte nichts. Sie konnte sein Gesicht nicht sehen. Als sie ging, brachte eine Schwester einen Korb mit Obst und einen Strauß mit Freesien und Tulpen herein. Auf dem Parkplatz ließ Rosalie ihren Mietwagen an. Sie blieb ein paar Minuten einfach sitzen und lauschte auf das Summen des Motors.

Vielleicht ist es wahr, was Chris sagte, daß manche Menschen nur eine einzige Chance bekamen, und vielleicht war Francisco diese einzige Chance. Wenn sie den Parkplatz verließ und in die Schnellstraße einbog, würde sie von dem einzigen Mann fort fahren, der ihr geben konnte, was sie sich wünschte. Sie würde für immer Zuschauerin bleiben, sie würde andere Menschen tanzen sehen und wissen, daß sie die Gelegenheit verpaßt hatte, zu den Tänzern zu gehören. Sie würde ein in der Dunkelheit vergessenes Mauerblümchen sein, während Francisco nur wenige Meter entfernt sang und mit einem hübschen Mädchen in einem Ballerinakleid aus rosa Chiffon tanzte.

Es war traurig, aber sie wußte, wie sie war. Ein guter Mensch, der Recht und Unrecht unterscheiden konnte. Sie war zuverlässig, großzügig und liebenswürdig, und ihre Familie konnte immer auf sie zählen. Sie würde heute nachmittag nach New York zurückfliegen und wieder mit Trevor zur Kirche gehen. Sie hatte sich verirrt, wäre fast vom rechten Weg abgekommen, aber sie wußte, daß sie den Rückweg finden konnte.

Sie schaltete in den ersten Gang, behielt aber den Fuß auf der Bremse.

Und dann schaltete sie wieder in den Leerlauf. Bevor sie Trevor heiratete, hatte sie sich an mehreren Nachmittagen vom Pfarrer unterrichten lassen. Sie saßen Tee trinkend in seinem Wohnzimmer, während er erklärte, die Fähigkeit zu lieben sei eine Gabe Gottes, eine Gabe, die man hochhalten müsse, eine Gabe, die eine Lektion enthalte: daß wir in unserer gegenseitigen Liebe die Widerspiegelung von Gottes Liebe zu uns sehen können, eine verzeihende, erhebende Liebe, die uns stark mache. Rosalie hatte nur halb zugehört. Damals dachte sie, er leiere eine abgedroschene Rede herunter.

Jetzt aber glaubte Rosalie die Worte des Pfarrers zum erstenmal in ihrem Leben richtig zu verstehen. Ihre Liebe zu Francisco war eine Gabe. War es nicht eine große Sünde, zu Trevor und ihrer Lebenslüge zurückzukehren und diese kostbare Gabe zu verschwenden?

Als sie an seinem Bett ankam, war ihr Gesicht tränenüberströmt.

Er schlug die Augen auf. »Ich habe gebetet, daß du zurückkommst«, sagte er. »Siehst du, die Engel sind auf unserer Seite. Mach die Schublade auf. Parker hat mir ein paar Sachen aus meiner Wohnung gebracht. Nimm bitte den Lederbeutel heraus.«

Rosalie zog den Reißverschluß des Beutels auf, den sie für eine Toilettentasche hielt. Darin waren eine Bibel, die Fotografie eines Mannes, vermutlich Franciscos Vater, eine Muschel und ein quadratisches Seidentuch, dessen Kanten rundum mit Blumen verziert waren.

Sie zog den Schal heraus. »Dann hast du es also gewußt«, sagte sie, während sie sich das Tuch um den Hals band.

»Immer«, sagte er.

Als sie ihn sanft, behutsam küßte, spürte sie die Kraft unter den Verbänden und dem Gips, die Kraft, die Knochen zusammenwachsen und Muskeln heilen und ihn diese unglaublichen Schmerzen ertragen ließ. Sie fühlte sich selig, selig und unschuldig und verängstigt und neugierig — wie jemand, der gerade, eben erst, zu leben begonnen hatte.

27

»*Das wird das* schauerlichste gesellschaftliche Ereignis unseres Lebens«, sagte Katie Lee bei einem Ferngespräch aus Lexington, »ich möchte es auf keinen Fall verpassen.«

»Hat Rosalie sich schon entschieden?« fragte Miranda. Katie Lee muß einen sechsten Sinn haben, dachte sie, sie ruft immer an, wenn Schuyler nicht in der Stadt ist.

»Trevor sagt, sie ist in Florida, aber ich kann sie nicht erreichen. Ich habe beim Kindermädchen eine Nachricht hinterlassen.«

»Morgen findet das Derby statt, sie muß wohl auf unzählige Partys gehen.«

»Trotzdem, Rosalie wird selbstverständlich kommen«, sagte Katie Lee. »Fünfjahrestreffen im College werden für Leute wie Rosalie veranstaltet. Ich lasse im Ritz Zimmer reservieren, und ich muß bis nächste Woche wissen, ob du kommst, wenn wir uns Zimmer auf derselben Etage sichern wollen. Ich leg mich nämlich nicht in einen widerlichen Schlafsaal und benutze dasselbe Bad wie irgendein Computertrottel, der womöglich eine eklige Krankheit hat.«

»Was für eine eklige Krankheit soll das sein, Katie Lee?« fragte Miranda.

»Du weißt schon. Wir können unserem Glücksstern dankbar sein, daß wir verschont wurden und alle vor der ›Ära der eiternden Wunden‹ geheiratet haben.«

»Ich bin nicht verheiratet, falls du das vergessen haben solltest.«

»Hab ich nicht. Es geht schon fast ein Jahr, stimmt's, Herzchen?«

»Über ein Jahr, um genau zu sein«, sagte Miranda.

»Na, dann wirst du mir bestimmt bald was zu erzählen haben. Vielleicht, wenn Schuyler aus Kalifornien zurück ist. Chris sagte, sie haben die Besetzungsliste für seinen Film fertig.«

Chris sagte. Schuyler hatte Miranda in den zehn Tagen, die er in Los Angeles war, täglich angerufen und nicht erwähnt, daß er Chris getroffen hatte. Miranda wünschte, sie hätte ihn nach Kalifornien begleitet, aber im Büro gab es soviel zu tun, sie konnte sich unmöglich frei nehmen. Ich hasse es, einen Job zu haben, dachte sie. Sobald wir verheiratet sind, werde ich schwanger und kündige.

Chris sagte. Katie Lee konnte Mirandas Schweigen entnehmen, daß sie einen wunden Punkt berührt hatte.

Als Katie Lee Chris wegen der Hotelreservierung anrief, hatte Chris ihr lediglich die amüsante Geschichte
erzählt, daß Schuylers Produzent ein Mittagessen mit
Alex abgesagt hatte, um sich mit Schuyler am Flughafen treffen zu können, und daß Alex nun diverse Arten
von gesellschaftlichen Foltern ersann, um diesen Mann
dafür zu bestrafen, daß er anzunehmen wagte, es könne etwas Wichtigeres geben als ein Mittagessen mit
Alex Child. Trotzdem, es geschah Miranda ganz recht.
Miranda hatte Bobby den ganzen Winter ihre Eigentumswohnung in Florida überlassen, und Katie Lee
wußte mit Bestimmtheit (der Detektiv hatte Fotos),
daß Bobby es im »Vincent-Puff am Meer« mit mindestens drei Frauen getrieben hatte.

»Ich geb dir in ein paar Tagen Bescheid«, sagte Miranda. »Kommt Chris auch?«

»Wenn sie sich von ihrem Schwarm losreißen kann. So
ein Banause.« Für Katie Lee war Chris' Affäre mit Tory
der reinste Witz. Chris, ihr elegantes Aushängeschild, ihre
Zimmergenossin in Harvard, zog mit einem Kerl herum,
der kaum den High-School-Abschluß geschafft hatte.
Okay, er hatte ein paar Romane gelesen — Katie Lee war
aufgefallen, daß er das immer in seine Interviews einflie-
ßen ließ — aber deswegen war er noch lange nicht gebildet. Und darum brauchte er Chris, mutmaßte Katie Lee,
um der Welt zu zeigen, daß er gebildet war. Und Chris
fühlte sich aufgrund ihres ewigen alten Rebellentums zu
Tory hingezogen. Er war ein schmieriger Typ aus einer
unbedeutenden Familie.

»Ich ruf dich in ein paar Tagen an«, sagte Miranda.

»Du tust gerade so, als verhandelten wir hier um den
Weltfrieden«, sagte Katie Lee. Ehrlich, wenn man diesem
Mädchen eine Erdnuß in den Weg legte, würde sie drei
Wochen brauchen, um sich zu überlegen, wie sie darüber
wegspringen sollte. Wenn sie ein bißchen Hirn im Kopf

hat, bringt sie diesen Smith schleunigst dazu, sie zu heiraten. Wenn sie auch nur eine Minute länger über ihre Beziehung diskutieren, quatschen sie alles kurz und klein. Nichts regte Katie Lee mehr auf als Leute, die lamentierten und zögerten und nicht wußten, was sie wollten. Leute wie Miranda verschwenden ihre besten Jahre mit Überlegen, was sie wollen, und wenn sie sich endlich entschieden haben, sabbern sie im Rollstuhl und fragen sich, wo die Zeit geblieben ist.

Als sie den Hörer aufgelegt hatte, griff Katie Lee zur Puderdose und überzeugte sich, daß ihr Make-up im Neonlicht des Büros nicht zu orangefarben wirkte. Und ich werde vor meinem 30. Geburtstag mehr erreicht haben als die meisten Männer in ihrem ganzen Leben. Nicht, weil ich was Besonderes bin. Ich arbeite nur härter, das ist alles. Katie Lee trödelt nicht herum. Das Leben ist eine ernste Angelegenheit. Du stehst jeden Morgen früh auf und strengst dich nach besten Kräften an. Du bleibst auf Trab, bis du dich nicht mehr rühren kannst. Katie Lee zu bremsen versuchen, das ist, als stelle man sich mit einer hochgehaltenen kleinen roten Flagge vor einen rasenden Güterzug. Ich werde alles und alle überfahren, die so dumm sind, sich mir in den Weg zu stellen. So hat mein Daddy mich erzogen.

Sie holte tief Luft. Sie war gewappnet. Sie war bereit, zu ihrem Vater zu gehen und die endgültigen Berechnungen für das Casino-Hotel, das sie in Atlantic City plante, mit ihm zu besprechen.

»Sieht gut aus«, das war alles, was Henry zunächst sagte. Er hatte seine Schreibtischplatte leergeräumt bis auf Katie Lees Aktenordner. »Aber mit der Baugenehmigung werden wir Schwierigkeiten haben.«

»Das kriegen wir schon hin«, sagte Katie Lee. »Bobbys Vater kann uns dabei helfen.«

»Hat er das zugesagt?« fragte Henry. Er drehte seinen

Stuhl herum und blickte aus dem Fenster. Im Profil konnte Katie Lee sehen, wie stark er gealtert war. Unter seinem Kinn hing die Haut faltig an seinem Hals. Seinen schütteren rötlichgrauen Haarkranz konnte man kaum als vornehm bezeichnen.

»Nicht direkt. Aber ich weiß, daß ich auf ihn zählen kann.«

»Fein. Fein. Gefällt mir. Ich hätte nie gedacht, daß wir unseren Namen für ein Spielcasino hergeben würden, aber die Zeiten haben sich geändert.«

»Allerdings, Daddy«, sagte Katie Lee. »Wir sind in den achtziger Jahren.« Im Mai 1981, um genau zu sein, wenige Wochen vor Henrys 65. Geburtstag, dem Tag, an dem er sich, wie er immer gesagt hatte, zur Ruhe setzen wollte. Aber er machte keinerlei Anstalten, die Zügel aus der Hand zu geben, und hatte seit Monaten nichts mehr von Rücktritt verlauten lassen. Katie Lee hatte in den letzten Jahren ihre Position als rangnächster Chef des Familienunternehmens gefestigt, und sie war es allmählich leid, Henry wegen jeder Kleinigkeit um Erlaubnis fragen zu müssen, keine Schecks über mehr als eine halbe Million Dollar ausstellen zu können, Henry auf Zusammenkünfte mit Bankiers und Partnern schleppen zu müssen, die sich selbst für zu bedeutend hielten, als daß sie sich mit jemand anderem als dem »obersten Boß« an einen Tisch setzten.

»In diesen modernen achtziger Jahren hat sich allerdings vieles verändert«, sagte Henry. »Wieviel Zeit wirst du auf das Projekt verwenden können? Wie weit wirst du es selbst in die Hand nehmen?«

Katie Lee stützte sich mit einem Ellenbogen auf seinen Schreibtisch. »Hundertprozentig. Das wird ein aufregender Fortschritt für uns.«

»Du paßt wahrhaftig in die achtziger Jahre«, sagte Henry. »Vor zwanzig Jahren hättest du mit drei Kindern zu Hause gesessen und dich für den Herrn des Hauses schön gemacht. Du hättest nicht mal eigene Kreditkarten gehabt.«

Eine gute Definition von Sklaverei, dachte Katie Lee, keine eigenen Kreditkarten haben zu können. »Ich bin ein Glückskind, ich weiß«, sagte sie. »Zur richtigen Zeit am richtigen Ort geboren. Ich habe mich bemüht, dich stolz zu machen.«

»Ich bin stolz, Katie Lee, ich bin stolz. Jeder Vater wäre stolz, wenn er einen Sohn wie dich hätte.«

»Oder eine Tochter?«

»Hm, nun ja, vielleicht bin ich einfach etwas zu altmodisch, du mußt deinem Vater verzeihen, wenn es ihm ein bißchen Mühe macht, sich anzupassen. Ich mache mir Sorgen um den kleinen Bobby. Ein Kind braucht seine Mutter. Meine Mutter war immer für mich da, eine wunderbare Frau, schade, daß du sie nie kennengelernt hast. Und deine Mutter war immer für dich da.«

Weil sie praktisch jedesmal, wenn sie zum Einkaufen fuhr, eine Unterschrift von dir brauchte, dachte Katie Lee bei sich. Sie hatte sich neulich denselben Sermon anhören müssen, als sie Bobbys Familie in New Jersey besuchte. Bobbys Eltern beklagten sich darüber, daß sie ihr Enkelkind nicht oft genug sahen, daß der Kleine von Fremden aufgezogen wurde, sie verlangten, daß er öfter mit seinen Cousins und Cousinen zusammen sei und lerne, was es hieß, ein Vincent zu sein.

»Der Kleine macht sich prächtig«, sagte Katie Lee zu Henry. »Als Rosalie hier war, sagte sie, er ist ihren Kindern um Monate voraus.«

»Die liebe kleine Rosalie. Sie sagte, sie nimmt ihre Kinder fast überall mit hin. Sie meinte, wir sollten in unsern Hotels auch Babynahrung anbieten. Sieh zu, daß sich jemand darum kümmert.« Henry hob eine Hand, um sich mit den Fingern durchs Haar zu fahren, dann wurde ihm klar, daß er damit die mit Spray befestigte Anordnung seiner wenigen verbliebenen Strähnen zerstören könnte, und begnügte sich damit, sich die Rückseite seines linken Ohrs zu kratzen.

»Also ich könnte das nicht mit meiner ewigen Reiserei. Ich möchte nicht, daß mein Kind auf Flughäfen aufwächst.«

»Ganz recht. Die Sache ist die, mein Herz, ich finde, du solltest mehr zu Hause sein. Das ist das einzige, was mich an dem Projekt bedenklich stimmt. Wir müssen jemand anderen für die Abwicklung finden.«

Das ist mein Baby, dachte Katie Lee, du kannst es niemand anderem geben, nachdem ich mir die ganze Arbeit mit den Plänen und Berechnungen gemacht habe. »Im Moment ist niemand anders da, das weißt du doch«, sagte sie.

»Dann werde ich es wohl leider zurückstellen müssen, Liebes. Weißt du, mit dem Älterwerden wird mir klar, daß es noch etwas anderes im Leben gibt als Dollars. Wenn du erst in meinem Alter bist, wirst du besser verstehen, wovon ich spreche. Dann wirst du zurückblicken und dich an die Zeit erinnern wollen, die du mit deiner Familie verbracht hast. Ich wünsche mir jedenfalls, ich hätte mir mehr Zeit für dich genommen, als du klein warst.«

»Was meinst du mit ›zurückstellen‹?«

»Drei, vier Jahre.«

»Aber das ist doch Wahnsinn! Casinos haben eine lange Anlaufzeit. Wir steigen hier ohnehin relativ spät ein — in drei Jahren ist die Konkurrenz noch größer.«

»Das ist mein letztes Wort«, sagte Henry. Er legte den Aktenordner in die Ablage mit der Aufschrift »Aus«. »Du solltest dein Augenmerk lieber mal darauf richten, was zu Hause vorgeht. Mir ist allerhand über deinen Mann zu Ohren gekommen. Er macht uns alle lächerlich.

Schaff du dort Ordnung, dann werde ich es mir noch einmal überlegen.«

Katie Lee versuchte noch eine Stunde lang, ihren Vater umzustimmen, aber es war hoffnungslos. Als sie wieder an ihrem Schreibtisch saß, konnte sie sich nicht auf die Arbeit konzentrieren, die sie sich für diesen Nachmittag vorgenommen hatte. Sie sagte ihrer Sekretärin, sie habe außerhalb zu tun und sei in ein paar Stunden zurück.

Der Torwächter auf dem Gestüt kannte ihren Wagen und winkte sie durch. Katie Lee parkte in der Nähe der Hengstkoppeln, wo Agamemnon sich tummelte. Sie lehnte sich auf den Holzzaun und sah ihm zu, wie er von einer Seite der Koppel auf die andere rannte.

Es war kaum zu glauben, daß dieses große, dumme Tier Rosalies Leben vollkommen verändert hatte. Die liebe, stille, passive Rosalie, erzogen, nichts anderes als eine perfekte Ehefrau und Mutter zu sein, leitete nun ein Multi-Millionen-Dollar-Unternehmen. Katie Lee schrieb sich an dieser Entwicklung keinen geringen Anteil zu. Wenn es nach Trevor ginge, säße Rosalie immer noch zu Hause und würde Kreuzworträtsel lösen und Petitpoint-Stickereien anfertigen.

Man erkennt die Regeln und tut sein Bestes, sie zu befolgen, und dann werden die Regeln mitten im Spiel geändert. Das ist nicht fair, dachte Katie Lee, man wird zu etwas erzogen, und dann soll man plötzlich jemand ganz anderes werden — in ihrem Fall eine von diesen Karrieremüttern, über die sie in den Illustrierten gelesen hatte, die in der Mittagspause mit ihren Kindern zum Kinderarzt gehen und ihre Geschäftsreisen mit dem Terminkalender ihres Mannes abstimmen; eine von denen, die es, wie Katie Lee stark argwöhnte, in Wirklichkeit gar nicht gab. Oder, falls es solche Frauen gab, dann arbeiteten sie alle bei diesen Illustrierten und schrieben über sich selbst. In der realen Welt konnte man das nicht schaffen, man

konnte nicht mit den Männern konkurrieren und gleichzeitig mit den Verkäuferinnen im Spielwarengeschäft auf
du und du sein.

Ihr Leben lang hatte sie geglaubt, um die Liebe und
Anerkennung ihres Vaters zu gewinnen, müsse sie ihm so
ähnlich wie möglich werden. Nun stand sie da, war in seine Fußstapfen getreten, und plötzlich hatte er sich umgedreht und gesagt, zurück, zurück, dieser Weg ist nichts für
dich!

Sie beobachtete Agamemnon, wie er den Kopf ins Gras
senkte. So einfach ist das, dachte sie, das Tier wird gezüch-
tet, um schnell zu laufen, und es hat nichts weiter zu tun, als
schnell zu laufen. Sie war dazu geboren, die Firma Hopewell zu übernehmen, und sie würde es tun, mit oder ohne
Zustimmung ihres Vaters. Sie konnte es aus eigener Kraft
schaffen. Sie würde es für sich selbst tun. Am Ende würde
er einsehen, daß sie recht hatte, und wenn er es nicht einsah,
konnte sie nicht ihr Leben damit verbringen, daß sie sich
bemühte, ihn glücklich zu machen.

Bobby war an allem schuld. Das machte ihrem Vater
die größte Sorge, daß ihre Ehe nicht funktionierte. Sie
konnte die Nächte an ihren Fingern abzählen, die sie seit
Weihnachten in derselben Stadt verbracht hatten. Er war
nur dem Namen nach ihr Mann, aber das war ja schließlich das beste daran, daß sie Mrs. Bobby Vincent war, das
war von vornherein die Hauptsache gewesen.

Sie würde mit ihrem Vater ein Abkommen treffen. Sie
würde einen Weg finden, Bobby bei der Stange zu halten,
wenn Henry ihr das Atlantic-City-Projekt ließ.

Sie würde mit Bobby ein Abkommen treffen. Sie würde ihn ungeschoren lassen, wenn er sich einverstanden erklärte, aus Lexington wegzubleiben. Er könnte tun, was
er wollte, und sie würde es finanzieren, so lange ihr Vater
von seinem schlechten Benehmen nicht Wind bekam.

Sie würde mit Bobbys Vater ein Abkommen treffen.

Sie könnten den Kleinen den ganzen Sommer haben, wenn sie ihr zur Baugenehmigung in Atlantic City verhalfen. Sie würde ihrem Vater erzählen, daß sie mit dem Kleinen bei den Vincents wohnte und nach Atlantic City (das war eine zumutbare Strecke) pendelte.

»Treffen wir ein Abkommen« ist vermutlich die größte Spiel-Show die es je gab, dachte Katie Lee auf der Rückfahrt zum Büro. Man ging ein Risiko ein und traf seine Wahl. Türe Nummer eins: Erfolg und Karriere. Türe Nummer zwei: Ehemann und Familie. Türe Nummer drei: Man verliert – wenn man Glück hat, kann der zottige Hund den Erdnußkrokant fressen.

Türe Nummer eins, Katie Lee wollte Türe Nummer eins – ich bin bereit, alles hinzugeben für das, was hinter Türe Nummer eins ist.

28

Nachdem sie sich zum zweitenmal mit Chanel besprüht und das hellbeige Spitzennachthemd angezogen, sich etwas Rouge auf die Wangen gerieben und ihre Haare mit zwanzig Bürstenstrichen bearbeitet hatte, nachdem sie sich die Zähne geputzt und etwas Lip gloss aufgetragen und ihre Kleider an die Badezimmertür gehängt hatte, entdeckte Rosalie ihr erstes graues Haar.

Da, es stand von ihrem Seitenscheitel ab. Sie hatte keine Ahnung, ob sie ihrem genetischen Zeitplan voraus oder hintennach war: Ihr Vater war grau gewesen, so weit sie sich zurückerinnern konnte, und das Aschblond ihrer Mutter war stets gerade soviel toupiert, um in den ersten Wochen den nachgewachsenen ungefärbten Ansatz zu verdecken. Rosalie wickelte das Haar um einen Finger und riß es aus.

Francisco würde in ein paar Minuten oben sein. Sie war bis Key West gefahren — sein linker Arm war noch etwas steif, und es bereitete ihm Mühe, den Hals zu drehen —, und in der Bar seines Bruders hatten sie zugeschaut, wie Pleasant Colony das Derby gewann. Das Abendbrot bestand aus Champagner und Krabbenfleisch. Francisco hatte ihr erklärt, um die Versorgung mit hiesigen Meeresfrüchten zu sichern, dürften die Fischer aus jeder Krabbe, die sie fingen, nur eine bestimmte Menge entfernen und müßten die Krabben dann wieder ins Meer werfen, wo sie sich regenerieren würden. Rosalie fragte ihn, wie lange es dauerte, bis die Krabbe wieder heil war, und Francisco sagte, er wisse es nicht, vermutlich nicht lange, denn das Leben einer Krabbe sei sehr kurz. Rosalie sagte: »Dann ist es also möglich, daß man in Abständen von Tagen, Wochen oder Jahren Krabbenfleisch bestellt und immer dieselbe Krabbe ißt? — Das ist doch eine vernünftige Frage«, sagte sie, »warum lachst du so?«

»Weil du dich immer über alles wunderst«, antwortete er, »weil es mir Spaß macht, dich dabei zu beobachten, wenn du dich wunderst.« Er steckte ihr den Schlüssel zu einem der oberen Zimmer zu und sagte, er wolle für sich allein noch einen kurzen Strandspaziergang machen.

Ich bin wie eine altmodische Braut, dachte Rosalie, als sie ihr erstes graues Haar (zusammen mit dem Trauring, den sie in der Bar bei den ersten Klängen von »My Old Kentukky Home« abgezogen hatte) in ein blaues Leinentaschentuch wickelte und ganz unten in ihren Koffer stopfte. Sie schlug die Decke zurück und legte sich ins Bett.

Francisco kam mit einem Zweitschlüssel herein und setzte sich auf die Bettkante.

»Du siehst aus wie das Mädchen im Märchen«, sagte er, indem er ihr die Haare aus dem Gesicht strich.

»Aus welchem?« fragte Rosalie.

»Wo sie vom Prinzen geküßt werden muß. Dornröschen. Schneewittchen. Ich weiß nicht mehr, welches es war.«

»Alle Märchen gehen ähnlich aus, nicht wahr?« fragte Rosalie.

»Scheint so«, sagte er. »Die sie uns erzählt haben, als wir Kinder waren.«

Er stellte sich ungeschickt an, vielleicht war er nervös, oder vielleicht lag es an den Verletzungen, aber er bat sie nicht um Hilfe. Im Dunkeln konnte sie keine Zeichen des Unfalls erkennen, die Haut war nicht aufgerissen, die Narben waren alle innerlich.

Er kam ins Bett, sie legten sich nebeneinander und sahen sich an.

»Du bist so schön«, sagte er, »so zart.«

Er küßte sie. Sie fühlte seine Brust an ihrer sich heben und senken, sie waren aufeinander abgestimmt mit einer Präzision, die Rosalie mehr an Schicksal als an Zufall denken ließ, es war, als seien sie nur füreinander gemacht, ihre Knie berührten sich, seine Zehen bogen sich gegen ihre.

»Mach die Augen auf«, sagte er. »So. Laß sie offen. So.«

Sie betrachtete ihn, wie er sie ansah und ihr das Nachthemd auszog und es vierfach zusammengefaltet ans Fußende des Bettes legte. Es war vielleicht das Wunderbarste, das sie einen Mann je tun sah; sie hatten Zeit, alles Empfindsame vorsichtig und zärtlich zu behandeln, ihren Geist und seinen Körper, sie wollten sorgfältig vorgehen, nicht eine Kleinigkeit sollte ungetan, unbemerkt, unbeachtet, unerinnert bleiben.

Er legte seine Lippen an ihren Kinnbogen und strich mit einer Hand über ihre Brüste, nur innehaltend, wenn sie die Augen schloß, und begann von neuem, wenn sie sie wieder öffnete. Sie hatte das Gefühl, trainiert zu werden, auf daß sie lernte zu tun, was er wollte, damit die

Wonne anhielt, bis Unterricht und Belohnung miteinander verschmolzen und das Tun die Wonne wurde. Sie fuhr über die Muskeln seiner Schultern, seiner Arme, seiner Brust, seiner Gürtellinie, zuerst nur mit den Fingern, dann mit der ganzen Kraft ihrer Hand. Das hatte sie immer gut gekonnt, aber nun verwandelte es sich in etwas anderes, ihre Hand bewegte sich mit einer ungekannten Neugierde. Sie wollte wissen, wie er überall war. Sie wollte den Pulsschlag an seinem Hals finden, die Struktur des Bizeps erfühlen, den festen Druck seines Arms spüren, seine Rippen zählen, die Temperatur seiner Haut messen.

Er sprach zu ihr, spanische Worte, die sie nicht verstand, englische Worte, wieder und wieder dieselben, im leisesten Flüsterton; wie schön sie sei, wie sich alles für ihn anfühlte, ihre Haut, ihre Knochen, ihre Haare, ihr Atem. Er hörte nicht auf zu sprechen, bis sie ihn küßte. Ihre Zunge untersuchte jede Fläche, sie wollte einen Weg finden, um unter die Oberfläche zu gelangen, unter die Haut, um die Muskelkraft zu fühlen, um zu fühlen, was rauh war und was glatt, um seine wärmste Stelle zu finden. Er fuhr mit den Lippen an ihrem Körper entlang, hob den Kopf, um ihren Blick aufzufangen, ihr alles zu sagen, was er bemerkte. Den Duft von Blumen. Einen salzigen Geschmack. Es hatte immer ein Teil ihres Verstandes gegeben, das kein Mann einnehmen konnte, das an die Farbe der Tapeten dachte oder an den Luftzug vom Fenster oder an ein Kind in einem fernen Zimmer, jetzt aber war dieses Teil gezwungen, ihm zuzuhören, auf seine Worte einzugehen, sich vollkommen auf sein Tun zu konzentrieren, so daß sein Sprechen nicht ablenkte, sondern ihr ganzes Sinnen und Denken genau dort zusammenführte, wo er es haben wollte.

»Liebster«, war das erste Wort, das sie äußerte, als seine Zunge an ihr entlangglitt. »Liebster, Liebster, Liebster«, sagte sie, als sei es sein Name. Sein Mund umrundete sie, seine Lippen blieben an ihr haften, murmelten Worte, die sie nicht hören konnte, sie fühlte nur das Summen und Zischen und Bilden der Buchstaben, das Biegen seiner Zunge, den Atem in einem Mitlaut und das Ansaugen eines Selbstlauts. Sie sah, wie sein Haar fiel, wenn er den Kopf hin und her bewegte, sie sah das Flattern eines Augenlides, das Hochziehen seiner Stirn. Sie verwandelte sich, erhitzte sich, sie schmolz, sie war vom festen Zustand in flüssigen übergegangen, gleich würde sie in der warmen Luft verdampfen. Mit zitternden Fingern umfaßte sie seine Schultern, um ihn an sich zu ziehen. Sie war bereit.

»Sag mir, was du willst«, sagte er.

»Ich will dich«, sagte sie. Sie war bereit für ihn. Sie erwartete ihn.

»Ich bin hier«, sagte er, seinen Mund wieder an sie legend.

»Komm her, komm in mich«, sagte sie, an seiner Schulter zerrend.

»So will ich dich«, sagte er.

Sekundenlang spürte sie einen krampfhaften Griff, das kleine Kitzeln der Furcht unter den Rippen, sie war nicht sicher, was er wollte oder was sie selbst wollte – sie war bereit, sich nach vorn zu bewegen, und er zog sie beharrlich zurück, zog sie zurück zu sich. Sie wußte, er wartete auf etwas, sie dachte, sie hätte ihm das Zeichen gegeben, aber es war das falsche Zeichen gewesen. Er nahm ihre Hand von seiner Schulter und hielt sie, seine Finger mit ihren verschränkend.

»Nicht bewegen«, sagte er. »Nicht verkrampfen. Nicht so eilig. Nicht denken. Nicht bewegen.« Er fuhr fort, weiter und weiter und weiter, es würde ewig weitergehen, sie konnte nichts machen, er achtete nicht darauf, es würde ewig weitergehen, er würde es ewig so mit ihr machen, und gerade, als sie sich an diesen Gedanken gewöhnt hatte, fühlte sie sich von Wonne ergriffen, er machte weiter, und sie kam noch einmal. Jetzt wußte sie Bescheid. Nach acht Jahren, drei Liebhabern, zwei Kindern wußte sie jetzt Bescheid.

Sie liebten sich ein einziges Mal. Als er kam, schlang sie die Arme um ihn und hielt ihn, so fest sie konnte. Jetzt wußte sie es, jetzt wußte sie, wie es sich für ihn anfühlte, oder wie es sich für alle anfühlte, für alle Menschen, die in Liebe vereint waren, die für die Liebe ihr Leben umkrempelten, die für sie Ozeane überflogen, ihretwegen die Tage zählten. Die Menschen heirateten ihretwegen und ließen sich ihretwegen scheiden und fuhren ihretwegen die ganze Nacht durch und logen für sie und bettelten für sie und bezahlten Geld für sie, und Rosalie verstand endlich, warum.

Francisco hatte seinen Kopf auf ihrem Bauch und betrachtete ihren Hals.

»Du hast so einen schönen langen Hals«, sagte er. »Wie ein Schwan.«

»Ich habe irgendwo gelesen, daß Schwäne äußerst dämliche Vögel sind.«

»Ein Schwan ist nur so klug, wie ein Schwan sein muß«, sagte er, »jedes Mehr ist nutzlos. Hör zu. Ich möchte Kinder mit dir.«

»Was?« sagte sie.

»Willst du nicht noch mehr Kinder? Zwei sind nicht viel.«

»Ja, doch, aber, ich weiß nicht. Es gibt so viel zu bedenken«, sagte sie. Unsere Kinder werden alle knallgrüne Augen haben, dachte sie. »Kinder eignen sich kaum als Bettgeflüster.«

»Eignen. Bettgeflüster. Dummes Wort. Alles ist Bettgeflüster.«

»Ich wollte sagen, ich weiß nicht, ob ich jetzt, so wie

ich mich fühle, zu einer ernsten, vernünftigen Unterhaltung imstande bin.«

»Und wie fühlst du dich?«

»Das weißt du doch«, sagte sie.

»Jetzt ist die beste Zeit, um über Kinder zu sprechen. Das Bett ist der beste Ort für jede ernste Unterhaltung. Wir werden uns nie näher sein als hier. Willst du über Kinder reden, während wir im Auto fahren und uns über den Verkehr ärgern und uns fragen, ob die Scheibenwischer funktionieren, wenn es regnet? Oder während des Abendessens? Ob eine Gräte in meinem Fisch ist und ob der Ober uns hören kann?«

»Vielleicht meine ich ja bloß, weil es noch so früh ist«, sagte Rosalie. Vor zwölf Stunden hatte sie in einer Bar gesessen, Champagner getrunken und ihren Trauring in die Tasche gesteckt.

»Was wird morgen oder nächste Woche anders sein? Was glaubst du, wird sich von jetzt an ändern?«

Sie legte den Kopf seitlich aufs Kissen. Nichts würde sich ändern. Sie wußte alles, was sie wissen mußte. Sie liebte diesen Mann. Beim bloßen Gedanken an die letzten Stunden spürte sie ein unbeschreibliches Glücksgefühl in sich aufsteigen. Sie würde Francisco niemals aufgeben.

»Nichts wird sich ändern«, sagte sie.

»Versprich's mir.«

»Nichts wird sich ändern. Nichts wird sich jemals ändern.«

»Dein Mann wird sehr wütend sein. Wir müssen einen klugen Anwalt finden, einen teuren Anwalt, der uns einen guten Vertrag aufsetzt.«

»Meine Kinder«, sagte Rosalie.

»Sie werden mich mögen«, sagte er. »Sie sind noch so klein.«

»Süß«, sagte sie.

»Es wird ein ungeheurer Skandal.«

»Na, wenn schon«, sagte sie.

»Unsere Kinder werden sehr klein sein. Sie werden gelbe Haut haben und hinter deinem Rücken spanisch sprechen.«

»Hört sich wunderbar an«, sagte sie.

»Deine Freundinnen werden sagen, du machst den größten Fehler deines Lebens. Die Zeitungen werden wiehern. Deine Mutter wird weinen, und dein Vater wird dich verstoßen. Ich bin ein schrecklicher Kerl. Sie werden dir lauter Geschichten erzählen, wie schrecklich ich bin. Der schreckliche Gomez. Er ruiniert dein Leben.«

»Das ist mir egal«, sagte Rosalie. Ihr Märchen wurde wahr. Er gab ihr einen Kuß, um sie in den Schlaf zu schicken.

29

Wann hatte sie zuletzt ein Glühwürmchen gesehen? Wenn alle Welt Drum-Soli haßte, warum spielten die Bands sie dann noch? Hatte es irgendwann Anfang der siebziger ein Jahr gegeben, als die Leute aufhörten, den Ausdruck »scharf« zu verwenden? Oder war es einfach ein Wort, dem die Leute entwuchsen, sagten Jugendliche immer noch, sie seien scharf, und Chris und ihre Altersgenossen waren ihm einfach entwachsen? Wer kaufte die vielen dunkelbraunen Rouges und Lippenstifte, die sie im Supermarkt an Preßspanplatten hängen sah? Wenn keiner ihrer Freunde zugab, für Reagan zu stimmen, wieso war er dann gewählt worden?

Chris stellte sich diese Fragen, sie hatte Zeit, sich solche Fragen zu stellen, weil sie während der Umbauten zwischen den Aufnahmen nichts zu tun hatte. Es war wieder ein Agentenfilm, und sie war wieder die schurkische Schöne. Aber er wird völlig anders, sagte der Regisseur zu ihr, einfach toll, wegen der Musik und der schnellen Schnitte und wegen dieses Schauplatzes in Alaska.

Chris zupfte am Beingummi ihres Bikinis, der ganz aus Nerz war. Die Dreharbeiten in Alaska in der ersten Juniwoche hatten nur ein Gutes: Chris brauchte nicht zum Fünfjahrestreffen ihres Colleges zu reisen.

Chris rechnete sich aus, wenn die Zinssätze nach diesem Film nicht allzusehr schwankten, würde sie genügend Einkünfte haben, um die nächsten 22 Jahre bequem davon zu leben. Im Jahre 2003 würde sie 48 sein. Sie wußte nicht, was absurder war: das Jahr oder das Alter. Es hatte wenig Sinn, dafür vorzusorgen. Wenn sie die Dreharbeiten hinter sich hatte, wollte sie sich einen langen Urlaub gönnen. Torys laufende Tournee würde dann vorüber sein. Sie wären nur zu zweit— keine Band, keine Manager, keine Fotografen, nur sie und Tory würden wer weiß wo in dem Mustang herumfahren, dem gerade ein neues Getriebe eingebaut worden war. (Vielleicht würden sie nach Las Vegas fahren und heiraten. Na ja, vielleicht nicht. Vielleicht sicher nicht.) Ein langer, langer Urlaub. Wie wäre es für den Rest ihres Lebens?

Miranda wußte nicht, warum sie von Ferientagen sprechen mußten, wenn es gar keine Ferien waren. Sie fuhren einfach für ein paar Tage nach Cambridge. Es würde wie eine Familienhochzeit: etwas, auf das man sich lange gefreut hatte, und wenn es dann soweit ist, trank man, soviel man konnte, um es hinter sich zu bringen.

»Wie hast du's geschafft, dein Treffen zu vermeiden?« fragte sie Schuyler, der ihr beim Packen zusah.

»Ich bin gar nicht erst auf die Idee gekommen, hinzugehen«, sagte er.

»Das war schlau«, sagte sie. Sie würden sie fragen, was sie machte, und sie würde ihre Augen glasig werden sehen, wenn sie zu erklären versuchte, als wie unwahrscheinlich befriedigend sich ihre Arbeit, bei der es um Wasserverteilung und Besteuerungen ging, erwiesen hatte. Sie würden sie fragen, ob sie verheiratet sei, und sie würde sie gönnerhaft lächeln sehen, wenn sie sagt, nein, alles ist gut, so wie es ist, erinnert ihr euch noch an Schuyler, ja er *war* mit Rosalie zusammen, ja, mit Katie Lee auch, das ist eine lange, komplizierte Geschichte.

Vielleicht würde sie einfach drauflos lügen, sobald sie dort war. Ich arbeite bei der Regierung, würde sie sagen, als Beraterin, bin viel unterwegs, wo, kann ich nicht genau sagen. Dann würde sie mit den Augen zwinkern. Es gibt einen Mann, er ist auch bei der Regierung, und dann würde sie wieder zwinkern.

»Welchen Pulli?« fragte sie. Sie hielt einen aus pinkfarbener Baumwolle und einen aus marineblauer Seide in die Höhe.

»Sie sind beide todschick«, sagte Schuyler. »Nimm alle beide mit.«

»Geht nicht, ich hab nicht genug Platz.«

»Den pinkfarbenen«, sagte Schuyler, obwohl es ihm einerlei war. »Du mußt nicht hinfahren, wenn du nicht willst.«

»Katie Lee hat die Zimmer schon bezahlt«, sagte sie. Miranda überlegte, ob sie in Wirklichkeit hinwollte, um etwas über Chris herauszubekommen, die sie seit über einem Jahr nicht gesehen hatte und die Schuyler nie erwähnte. Trotzdem. Als er das letzte Mal in Kalifornien war, hatte Miranda ihn ein paarmal spät nachts in seinem Hotelzimmer angerufen, und er hatte sich nicht gemeldet. Sie hatte nicht den geringsten Beweis. Sie überprüfte die Ferngesprächsspalten ihrer Telefonrechnungen, ob dort irgendwelche fremden Städte aufgeführt waren, wo Chris sich bei Dreharbeiten oder wegen ihrer Arbeit für Katie Lee aufgehalten hatte. Wenn Schuyler ans Telefon ging, horchte sie aufmerksam, um festzustellen, ob er vielleicht mit jemand anderem sprach, als er behauptete, ob »diese Woche regnet es nicht« in Wirklichkeit bedeutete, »ich kann nicht sprechen, Miranda ist im Zimmer«, und ob »wir haben bei der Auktion fünf Stück verkauft« hieß, »ich liebe dich wahnsinnig und werde dich immer lieben.« Bei der Post war nichts. Trotzdem. Es war bloß so ein Gefühl. Er könnte sie vom Postamt aus anrufen oder aus einer Bar oder von einer Telefonzelle an der Schnellstraße. Sie wußte, daß er Chris nicht von Nelson aus anrief; denn als Miranda das letzte Mal dort war, hatte sie bei einem längeren Toilettenaufenthalt im ersten Stock Nelsons Telefonrechnungen ebenfalls überprüft.

Sie hielt es einfach nicht aus, daß Chris irgendwo da draußen war, irgendwo auf dem Erdboden.

»Na gut, wir wollen Katie Lees sauerverdientes Geld nicht verschwenden«, sagte Schuyler. Er vermutete, daß Chris dort sein würde. Er vermied es wohlweislich, ihren Namen zu erwähnen. Er hatte seit Jahren nicht mit ihr gesprochen, seit der traurigen Nacht, die er auf ihrer Wohnzimmercouch verbrachte, aber mit Miranda war ein zwangloses Gespräch über Chris Dunne nicht möglich. Er hatte ihr Gesicht gesehen, wenn Nelson oder ein anderer nichtsahnender Freund auf Chris zu sprechen kam: Du warst mit *ihr* im College, sie war deine *Zimmergenossin*, steht ihr noch in Verbindung . . .

Wenn er sie sich so verkrampfen sah, hätte er sie am liebsten in seine Arme genommen und gesagt, hab keine Angst, du Dummerchen, ich würde dir niemals weh tun, damit ist es aus und vorbei. Er hatte sich in dem Jahr, seit sie zusammen waren, sehr verändert; er genoß das schlichte häusliche Behagen mit einer Frau, die ihn liebte, die ihn umsorgte.

Er wollte zur nächsten Phase seines Daseins übergehen, fort von Schmerz und Sehnsucht, hin zu dem, was wohl als Nächstes kommen mußte: ein Leben einrichten, eine Familie gründen, sich zurücklehnen und genießen, was man aufgebaut hatte. Miranda verstand das, ohne ihn zu drängen, ohne etwas zu erwarten, das er noch nicht zu geben bereit war. Sie machte alles einfach. Manchmal setzte er sich nachts im Bett auf und fragte sich: Wann haben wir das letzte Mal ein Gespräch geführt – gestern, vorgestern – und worum ging es? Dann erkannte er, daß es keine Rolle spielte. Er wurde verstanden. Darauf legte er sich hin und schlief ein. Wenn er wieder aufwachte, saß sie mit einem freundlichen Lächeln und einer Tasse heißem Kaffee auf der Bettkante.

»Es wird bestimmt amüsant«, sagte Schuyler. »Ich wünschte, ich wäre zu meinem Treffen gegangen.«

»Nein, das wird es nicht, und das wünschst du nicht«, sagte sie. Sie dachte, dies wird die erste Reise in zehn Jahren, für die ich mein Pessar nicht einpacke.

Schuyler zog die obere Schublade seiner Kommode auf und holte etwas unter einem Stapel dicker grauer Wollsocken hervor.

»Hier. Ich hab was für dich, das sollst du tragen.«

Miranda nahm die dunkelblaue Samtschachtel. Drinnen lag ein kleiner, rautenförmig geschliffener Smaragd in einer antiken Platinfassung. Sie wußte, was immer sie als nächstes sagte, er würde sich bis zum Tag seines Todes daran erinnern, aber ihr fiel absolut nichts ein. Sie würde jetzt bestimmt nicht abreisen, sie würde nirgends hingehen, sie würde hierbleiben und mit ihm das wunderbarste Wochenende seines Lebens verbringen.

»Dies ist die Stelle, wo ich auf die Knie sinke und dir sage, ich liebe dich und kann ohne dich nicht leben und möchte den Rest meines Lebens mit dir verbringen«, sagte Schuyler, indem er sich auf ein Knie niederließ.

Sie sank mit ihm auf den Fußboden und lehnte ihren Kopf an seine Brust.

»Heißt das ja?« fragte er.

»Ja«, sagte sie. »Ich mache dich zum glücklichsten Mann, der je auf Erden wandelte.«

»Der bin ich schon«, flüsterte er ihr ins Ohr, »der bin ich schon.«

Katie Lee wollte gerade zum Flughafen von Newark aufbrechen, als sie einen Anruf erhielt, daß Bobby einen Autounfall hatte, nein, keine Sorge, nichts Ernstes, ein Arm ist gebrochen und ein paar Schnitte, das ist alles, er ist soeben aus der Röntgenabteilung im Riverside-Hospital gekommen.

Sie verfluchte ihren Mann auf dem ganzen Weg zum Krankenhaus. Zwanzig Minuten später, und sie hätten sie nicht vor morgen früh erreichen können. Ihr Koffer lag auf dem Rücksitz. Sie hatte vom Blumenladen im Hotel einen riesigen Strauß hinschicken lassen. Das sah Bobby ähnlich, ihr bei einer der seltenen Gelegenheiten, wo sie sich amüsieren konnte, dazwischenzufahren.

Sie parkte ihren Wagen auf einem für Gastärzte reservierten Platz, nahm ihren Kassettenrekorder heraus und legte ihn unter den Vordersitz, schob das Schild »Kein Radio« ins Fenster auf der Fahrerseite, nahm ihren Koffer heraus, schaltete die Alarmanlage ein und schloß die Autotür hinter sich ab. *BMW* bedeutet Brich Meinen Wagen, hatte ihr der Mechaniker gesagt, als sie ihm den Wagen zum viertenmal brachte, um neue Zylinderschlösser einbauen zu lassen.

Sie wies sich am Empfangsschalter aus und bemühte sich um einen Tonfall, der sich gleichermaßen für eine Rezeptionistin wie für eine Krankenschwester eignete, denn die Frau in Hellblau trug kein Namensschild.

»Zimmer 802«, sagte die Frau, dann wies sie auf Katie Lees Koffer. »Oh, tut mir leid, aber den dürfen Sie nicht mitnehmen. Krankenhausvorschrift.«

»Es sind bloß Kleider, keine Bombe«, sagte Katie Lee.

»Das weiß ich. Bitte regen Sie sich nicht auf.«

»Ich reg mich nicht auf.«

»Jede würde sich aufregen, wenn der Mann einen Autounfall hatte.«

»*Ihr* Mann, *ihr* Mann«, berichtigte Katie Lee.

»Er ist nicht Ihr Mann?« fragte die Frau.

»Natürlich ist er mein Mann.«

»Ist ja auch egal. Sie können nicht in seinem Zimmer übernachten.«

»Hab ich danach gefragt?«

»Gut, Sie haben keine Bombe in Ihrem Koffer. Viele Frauen wollen über Nacht bleiben, solange ihre Männer hier sind, sie meinen, es hilft den Männern, bald gesund zu werden, aber was der Patient wirklich am meisten braucht, ist Ruhe.«

»Warum sollte ich länger als fünf Minuten in diesem Haus bleiben wollen?« fragte Katie Lee und riß der Frau den Besucherausweis aus der Hand. So was Lächerliches hatte sie noch nie gehört. Sie stellte erleichtert fest, daß sie den Aufzug für sich allein hatte — man konnte sich in solchen Häusern durch bloßes Einatmen was Schreckliches holen —, und als sie Bobby fand, saß er aufrecht im Bett und sah sich im Fernsehen einen Zeichentrickfilm für Kinder an.

»Hallo Liebling«, sagte sie. Sie beugte sich vor und gab ihm einen Kuß auf die Stirn.

»Zweikommanull«, sagte er.

»Wie bitte?«

»Ich hatte Zweikommanull. Das ist fast doppelt soviel wie erlaubt. Ich dachte, ich sag's dir, bevor sie's tun.« Er stellte mit der Fernbedienung den Ton lauter. Er besaß dieses gute Aussehen, das um so besser wurde, sobald es ihm auch nur eine Spur schlechtging. Ein Zweitagebart verlieh der kindlichen Rundung des Mundes etwas Hartes, einen Anflug von Gefährlichkeit. Seine ungekämmten pechschwarzen Locken standen in allen Richtungen ab, als wäre soeben eine Frau mit den Fingern hindurchgefahren.

»Meine Güte«, sagte Katie Lee, »was hast du getrunken?«

»Alkohol. Haha. Bourbon. Dachte, das würde dich amüsieren. Der Wagen hat Totalschaden.«

»Ich ruf die Versicherung an. Und einen Anwalt, brauchst du einen Anwalt?«

»Ich bin Anwalt, falls du das vergessen hast. Nicht nötig, sie waren die Höflichkeit in Person, sobald ich meinen Führerschein vorzeigte. Willst du mich nicht fragen, wie's mir geht?«

»Man hat mir gesagt, dir geht's gut«, sagte Katie Lee. Manchmal war es erschreckend, daran erinnert zu werden, wie ungeheuer gut Bobby aussah. Er war bestimmt der bestaussehende Mann im Krankenhaus. Sie mochte nicht darüber nachdenken, was die Schwestern hier taten, außer den Patienten die Betten für die Nacht zu richten. »Bloß ein paar Schnitte und einen Arm gebrochen«, sagte sie. »Tut es weh?«

»Inoffiziell oder offiziell?«

»Wo liegt der Unterschied?«

»Inoffiziell, kein Grund zur Sorge, ich bin bloß ein bißchen angeschlagen, mehr nicht, und hätte jetzt vermutlich einen Mordskater, wenn sie mir nicht diese Superschmerztöter gegeben hätten.«

»Und offiziell?«

»Sehr schlimm. Sehr schlimm. Verschreibung wiederholen, bitte.«

»Bobby, du bist unmöglich. Man sollte dir den Hintern versohlen.«

»Meldest du dich freiwillig für diesen Job?«

»Frecher Kerl. Ich wollte eigentlich zu meinem College-treffen. Ich hatte schon gepackt und alles.«

Er wandte sich ab. »Ich brauche dich hier nicht unbedingt. Du kannst immer noch hin, wenn du willst«, sagte er sanft.

»Nein, das geht nicht«, sagte sie. Es würde nicht anständig aussehen. Sie seufzte. »Wann lassen sie dich hier raus?«

»Bald. Ist gar nicht so schlecht hier, wirklich. Schön ruhig. Gut geeignet zum Nachdenken.«

»Du bist erst ein paar Stunden hier, morgen früh kommt der große Katzenjammer. Dann wirst du mich anflehen, dich nach Hause zu holen.«

»Hm, ja, darüber müssen wir uns unterhalten«, sagte Bobby. »Ich will nicht nach Hause.«

»Wo willst du hin?«

»Irgendwo. Egal. Ich möchte eine Weile allein sein. Ich denke — ich denke, ich hab einiges zu denken.«

»Das war dreimal ›denken‹ in einem Satz.«

»Ich hab einiges aufzuholen.«

»Bobby, du hast einen gebrochenen Arm. Du brauchst jemanden, der für dich sorgt«, sagte Katie Lee. Sie hoffte, daß eines ihrer Hausmädchen bereit war, ihren Urlaub in letzter Minute zu verschieben, damit die andere sich nicht über Überstunden beklagte.

»Das ist doch nicht so schlimm.«

»Also ehrlich. Manchmal bist du so dumm, daß ich schreien könnte.«

»Schau, ich mag jetzt einfach niemanden sehen. Mir ist klargeworden, daß ich im Wagen hätte umkommen können. Oder jemanden hätte töten können. Oder beides. Weil ich am hellichten Tag stockbetrunken war.«

»Wir können dir Hilfe besorgen. Du weißt, ich wollte schon lange, daß du dir helfen läßt«, sagte Katie Lee. Ist es nicht immer so, dachte sie, nie loben dich die Leute für deine Ideen, sie greifen sie einfach auf und geben sie als ihre eigenen aus. In Lexington hatte sie versucht, Bobby zu einem Therapeuten zu schicken. Er hatte gesagt, er brauche keinen.

»Das war damals. Jetzt ist jetzt«, sagte Bobby. »Es ist nicht dasselbe, wenn andere wollen, daß man es tut. Man muß es selbst wollen. Katie Lee, ich versau mir mein Leben, es ist das einzige, das ich habe, und ich will zu mir kommen, ehe es zu spät ist.«

»Ich helfe dir dabei, Liebling. Darauf verstehen sich Ehefrauen am besten.«

»Es ist nicht so.«

»Was ist nicht so?«

»Du kapierst es nicht, stimmt's?«

»Was kapier ich nicht? Ich versuche zu verstehen, was du sagst.«

»Katie Lee, ich hab eine Menge Probleme. Und eins davon ist unsere Ehe.«

»Warum rückst du nicht einfach raus damit?«

»Womit?«

»Sag's schon. Ich treibe dich in den Suff. Sag, ich bin an allem schuld. Ich bin schuld, daß du all die schrecklichen Sachen machst. Wenn du mich nicht geheiratet hättest, wäre dein Leben eitel Sonnenschein. Sag's schon«, fuhr sie fort, »sag es, sag es, sag es!«

»Katie Lee, hör mir zu. Ich will aussteigen. Ich hau ab.«

»Du bist katholisch. Das kannst du nicht machen.«

»Wach auf. Du kannst mich nicht zwingen, mit dir verheiratet zu bleiben.«

»Und ob ich das kann. Willst du dein Kind je wiedersehen? Willst du, daß ich meinen Mund halte über deine schäbige schleimige Herumhurerei mit jeder Nutte mit zwei Zähnen im Mund zwischen hier und Pensacola, willst du, daß ich schweige über die Drogen, die du genommen hast, denkst du, ich lasse einen wahnsinnigen Drogensüchtigen in die Nähe von meinem Kind? Willst du nach Hause kommen und mehr als zehn Cent auf deinem Bankkonto vorfinden? Verdammt noch mal, und wie ich dich zwingen kann, mit mir verheiratet zu bleiben. Wenn hier irgend jemand die Scheidung beantragt, dann bin ich es.«

»Gut, dann beantragst du die Scheidung. Sag, was du willst. Nimm, was du willst.«

»Ich will keine Scheidung«, sagte Katie Lee. »Daß *ich* mich von *dir* scheiden lasse, das kannst du vergessen.«

»Warum willst du mit einem Mann verheiratet bleiben, der dich nicht liebt?«

»Ach bitte, verschone mich mit dem Theater. Du weißt ja nicht, wen du liebst und was du willst. Du hast dein Leben verpfuscht, aber ich will verdammt sein, wenn ich mir von dir mein Leben und das von dem Kleinen verpfuschen lasse«, sagte sie. Ich habe zwei Kinder, dachte sie, den Kleinen und das hier, das sich eine Sendung mit einem Elch und einem Eichhörnchen ansieht.

»Es hat keinen Sinn, mit dir zu reden«, sagte Bobby und schloß die Augen. Mit Katie Lee zu streiten, war schlimm genug, aber nüchtern mit Katie Lee zu streiten, war unerträglich.

»Und es hat keinen Sinn, mit *dir* zu reden«, sagte Katie Lee. Sie nahm ihren Koffer. Sie haßte es, ihr Gepäck selbst tragen zu müssen. Im Aufzug waren ein Pakistani mit einem weißen Schlips und ein blondes Mädchen, das einen Teddybären vorwärts und rückwärts über die Haltestange zog. Es machte sie verrückt, der Aufzug war so langsam, und das Mädchen zerrte seinen Teddy bloß hin und her, um sie zu ärgern.

»Geh lieber vorsichtig mit dem Teddy um«, sagte Katie Lee. Der Pakistani trat einen Schritt auf den Feueralarmknopf zu. »Wenn du so mit ihm spielst, könnte es sein, daß ihn dir jemand wegnehmen muß.«

Das Mädchen fing an zu weinen. Der Pakistani setzte

eine goldgeränderte Sonnenbrille auf. Katie Lee war als erste aus dem Aufzug. Als sie zu ihrer Parklücke kam, lehnte ein Mann, der tatsächlich ein Gastarzt sein konnte, auf der Motorhaube ihres Autos und schrieb etwas auf ein Stück Wellpappe.

»Sie sind mir im Weg«, sagte Katie Lee. Sie schloß ihre Tür auf und ließ den Motor an, bevor der Mann ihre Anwesenheit richtig registrieren konnte. Sie fuhr rückwärts hinaus. Als sie den Parkplatz verließ, ging ihre Alarmanlage los und heulte wie ein Ambulanzwagen, bis sie ihren vierziffrigen Sicherheitscode eingab. Das Stück graue Wellpappe lag noch auf der Motorhaube ihres Wagens. *Manche Leute meinen, sie können,* so weit war der Mann gekommen, bevor er von Katie Lee unterbrochen wurde.

»Wie lange geht diese, diese, ich kann es nicht mal aussprechen. Wie lange geht das schon?« fragte Trevor. Sie saßen sich am Eßzimmertisch schräg gegenüber. Die Köchin war nach Hause und das Kindermädchen mit den Kindern zu Bett gegangen.

»Erst ein paar Wochen«, sagte Rosalie. Das stimmte, aber es kam ihr wie eine Lüge vor.

»Wie kannst du dir nach ein paar Wochen sicher sein«, sagte Trevor.

»Ich bin mir sicher«, sagte Rosalie. Seine Ruhe erschreckte sie. Sie wußte nicht, was sie erwartet hatte — daß er schrie, daß er fluchte, daß er weinte, daß er sie schlug. Aber Trevor war ganz er selbst: besonnen, logisch, bemüht, das Richtige zu tun.

»Das ist schon öfter vorgekommen«, sagte er.

»Nein«, sagte sie. Wie kann er es wagen mir vorzuwerfen, ich hätte Affären, dachte sie, und dann begriff sie. Eine Affäre, mehr nicht, meinte er. Das wollte er damit sagen: Es war schon öfter vorgekommen, daß eine Frau ihren Mann betrog, er erzählte ihr, daß sie nichts Besonderes sei und daß Francisco nichts Besonderes sei, daß das Erregende daran nachlassen werde, daß er mit seinem Nachlassen rechne und daß er auf sie warten werde, wenn es soweit sei.

»Doch. Ich hätte mir allerdings nie träumen lassen, daß es uns passieren würde«, sagte er.

Uns. Es gibt kein uns mehr. Über dem Hemd und dem Schlips, womit er am Morgen ins Büro gegangen war, trug er eine braune Kaschmirstrickjacke. Er kam ihr mit einemmal lächerlich vor, ein Mann, noch keine Dreißig, in Altmännerkleidern, und seine Lächerlichkeit erfüllte sie für einen Augenblick mit Liebe, gerade lange genug, daß ihr all die dummen Dinge an ihm einfielen, die sie vermissen würde. Wie er ihr immer Nelken schickte (obwohl sie Nelken eigentlich nicht besonders mochte), weil er wußte, wenn er nach Hause kam, würde sie sagen, »Trev, du bist der Beste« und er sei ja so romantisch, und sie würde eine Blume aus dem Strauß zupfen, damit er sie sich ins Knopfloch stecken konnte, und er mochte keine anderen Blumen tragen als Nelken. Wie er zerriebene Gewürznelken im Handschuhfach seines Wagens aufbewahrte, um, wenn sie an einer Tankstelle hielten, den Kindern die Gewürzsäckchen unter die Nase zu halten, damit ihnen von den Dämpfen nicht schlecht wurde. Wie er im Bett immer Schlafanzüge trug und manchmal, nachdem sie sich geliebt hatten, einen frischen anzog, einen farbenfroheren. Wie er die Übungen machte, die in einem zerlesenen Bändchen empfohlen wurden, wie sie ihm versprechen mußte, daß sie für den Rest ihres Lebens am Silvesterabend exakt dasselbe phantastische Essen mit exakt denselben phantastischen Leuten einnehmen würden, wie er es fertigbrachte, im Vierviertteltakt Walzer zu tanzen, wie er sich weigerte, irgendeinem, sie eingeschlossen, zu verraten, wem er bei den Wahlen seine Stimme gab. Die geheime Wahl ist der Eckstein der Demokratie, sagte er. Sie kannte all seine Sprüche, all seine Vorlieben, all seine Abneigungen, all seine Scherze.

Er sagte ihr, sie solle nichts überstürzen.

Sie sagte ihm, warten habe keinen Sinn, sie würde es sich nicht anders überlegen.

Was er ihr nicht sagte: Sie brach ihm das Herz. Sie war die einzige, die er je geliebt hatte. Doch Jammern würde nichts nützen. Frauen mochten keine Männer, die Schwäche zeigten. Er würde ihr leid tun, das war alles. Das würde ihm nicht helfen.

Was sie ihm nicht sagte: daß er »der Andere« geworden war. In der Zeit, die sie letzten Monat mit ihm zusammengewesen war (es war einfach gewesen, nicht mit ihm zu schlafen, er bedrängte sie nie), hatte sie das Gefühl, daß sie Francisco hinterging, daß der einzige Betrug in ihrer Vortäuschung lag, sie sei Trevors Frau. Sie hoffte, indem sie Trevor freigab, würde sie es ihm ermöglichen, eine zu finden, die ihn mehr liebte, so daß auch er haben könnte, was sie mit Francisco hatte. Wenn er es fände, würde sie ihn beglückwünschen. Wenn nicht, würde das beweisen, daß er ein hoffnungsloser Fall war? Oder daß sie ihm einen irreparablen Schlag versetzt hatte?

Trevor war es, der als erster die praktischen Fragen zur Sprache brachte. Die Auflösung ihrer Ehe berührte verzweigte Treuhandvermögen, Ländereien, Häuser, Pferde, Gemälde, Teppiche und allerlei, was Trevor als »Sachwerte« bezeichnete; es ging nicht nur um eine Scheidung, sondern um ein kompliziertes gemeinsames Ganzes.

»Ich hab mir eigentlich noch keine Gedanken wegen eines Anwalts gemacht«, sagte Rosalie.

»Davis wird das natürlich für dich erledigen«, sagte Trevor.

»Ach, lassen wir ihn aus dem Spiel«, sagte sie. Davis hatte sich so lange um die Belange ihrer Familie gekümmert, daß er schon fast so etwas wie ein Verwandter war.

Sich auf Davis zu stützen, schien ihr ein unfairer Vorteil; wenn er sie vertrat, würde das eine moralische Rechtfertigung beinhalten, die sie nicht zu verdienen glaubte.

»Nein, nein, ich bestehe darauf. Wie würde das sonst aussehen! Wir werden uns doch nicht auf eine von diesen schrecklichen, schmutzigen Scheidungen einlassen, oder?«

»Jede Scheidung ist schrecklich«, sagte Rosalie.

»Wir gehen so zivilisiert vor, wie es bei einer Scheidung möglich ist. Mach dir um mich keine Sorgen. Es ist doch nicht so, daß wir nie wieder miteinander sprechen, oder?«

»Natürlich nicht. Ich werde dir die Kinder hierherbringen, so oft du willst.«

»Hierherbringen? Willst du denn nicht hier wohnen bleiben?«

»Wo willst du hinziehen?« fragte sie.

»Wo würdest du hinziehen?« fragte er zurück.

»Ich weiß nicht. Wohin soll ich denn?« meinte sie und kicherte beinahe. Es war unmöglich, sie würde ihn immer fragen, was sie tun sollte.

Und er wußte es immer. »Von der Frau wird erwartet, daß sie im Haus wohnen bleibt. Damit die Kinder nicht entwurzelt werden.«

»Und wo sollst du hin?«

»Von mir wird erwartet, daß ich mir ein Apartment im Carlyle nehme, sozusagen nur vorübergehend, allerdings halte ich es für annehmbar, daß ich bis zu fünf Jahren dort wohne, so lange es eben dauert, bis ich eine andere Bleibe finde.«

Du meinst, bis du eine andere Frau findest, dachte Rosalie. Trevor würde selbstverständlich wieder heiraten. Warum sollte er nicht? Er wird im Nu wieder verheiratet sein.

»Das Carlyle ist ganz in der Nähe, das macht es einfach, wegen der Kinder. Von mir wird erwartet, daß ich

einige Gemälde mitnehme und einen alten Lieblingsses-
sel, aber keins von den Hochzeitsgeschenken.«

Regeln für alles, dachte Rosalie. Leute wie wir haben sogar Regeln dafür, wie man gegen Regeln verstößt. Trevor
erläuterte ihr seine Pläne: Er würde eine Woche lang im
Gästezimmer schlafen, in dieser Zeit würden sie ihren
Freunden und Angehörigen die Neuigkeit mitteilen, und
anschließend würde er ins Hotel ziehen. Sie sollte es so
einrichten, daß sie mit den Kindern nicht in der Stadt
war, wenn er auszog.

»Was wirst du den Zeitungen sagen?« fragte Rosalie.

»Das ist das letzte, was einer von uns tun wird, mit den
Zeitungen reden«, sagte Trevor.

»Ich meine, du mußt ihnen doch irgendwas erzählen,
von wegen seelische Grausamkeit oder Unverträglichkeit,
irgendwas für die Gerichtsakten.«

»Ich werde überhaupt nichts sagen, Liebling. Du mußt
mich verklagen.«

»Wie könnte ich dich verklagen? Aus welchem Anlaß?«

»Die Frau bittet immer den Mann um die Scheidung.
Immer. Ein Gentleman gewährt sie, ohne zu protestieren
oder zu klagen. Wenn ich die Scheidung von dir verlangte, würden die Leute denken, nun ja — ich könnte es einfach nicht.«

»Aber du hast doch gar nichts getan«, sagte Rosalie.

»Das müssen wir ja nicht publik machen, Liebling«,
sagte er. »Das ist das einzige, worum ich dich bitte. Davis
wird wissen, wie man das formuliert. Du mußt *mich* verklagen.«

»Das ist doch lächerlich!« sagte Rosalie. »Lauter sinn-
lose Konventionen.«

Trevor stand endlich auf. »Es mag zwar lächerlich sein,
aber sinnlos ist es bestimmt nicht. Meinst du, mir macht
das Spaß? Meinst du, mir fällt das leicht? Wenn wir keine

Konventionen hätten, würden wir uns anschreien und brüllen und wie die Tiere aufeinander losgehen, wie es der Rest der Welt tut.«

»Du schreist mich an.«

»Entschuldige.«

»Du brauchst dich nicht zu entschuldigen. Ich hab's verdient. Ich habe darauf gewartet. Eigentlich ist es eine richtige Erleichterung.«

Er senkte die Stimme wieder. »Ich möchte eine Weile allein sein.«

Sie stand auf. Er hatte ihr den Rücken zugewandt. Aus dem Zimmer gehen, ohne ihm einen Gutenachtkuß zu geben, war wie zur Messe gehen ohne Kommunion.

Als sie gegangen war, setzte er sich und stützte den Kopf auf die Hände. Er würde sie niemals umstimmen können — das hatte er von vornherein gewußt —, aber er hatte es versuchen müssen, er gehörte zu den Männern, die immer sagen konnten, sie hätten sich nach Kräften bemüht.

Sie war das Wunderbarste, was ihm je zugestoßen war. Sie war auf tausenderlei Arten etwas Besonderes, so etwas würde er nie wieder finden. Auf tausenderlei Arten, die er vermutlich nicht verdient hatte, und sie dachte wohl, er hätte es nicht bemerkt oder nicht geschätzt; er war eben nicht wie sie, er besaß dieses Talent nicht, er konnte es an ihr lieben, würde es jedoch niemals selbst besitzen. So war sie denn hingegangen und hatte jemanden gefunden, der es besaß. Ein Skandal. Er würde im Mittelpunkt eines Skandals stehen. Es würde eine Gelegenheit sein, der Welt zu zeigen, aus welchem Holz er geschnitzt war. Er wünschte, er wäre tot.

Sein Leben lang hatte er das Gefühl gehabt, im bewegten Ozean zu schwimmen. Es war Schwerarbeit, sich über Wasser zu halten, aber er war zuversichtlich, er war ein kräftiger Schwimmer, er konnte eine Stelle am Ufer ausmachen und darauf zuschwimmen, strampeln, atmen, im Rhythmus bleiben. Als Rosalie daherkam, war sie wie eine winzige Gestalt in einem hölzernen Beiboot gewesen, ein kleines Mädchen in einem viel zu großen gelben Regenmantel, das ihm ein Seil zuwarf, an dessen Ende sich ein Rettungsring befand. Ohne sie schwamm er mitten im Nirgendwo. Er hatte seinen Richtungssinn verloren. Er wünschte beinahe, sie hätte ihn ohne alles zurückgelassen, so daß er sich entspannen und untergehen könnte; es hieß allgemein, daß ein Ertrinkender in den Augenblikken vor dem Tod von einer ungeheuren Euphorie ergriffen würde.

Aber er würde weiterstrampeln. Es gab so viel zu tun. Arrangements. Reservierungen. Telefongespräche. Zusammenkünfte. Die Scheidung würde ihn zu einem vielbeschäftigten Mann machen. Zu beschäftigt, um sich in Selbstmitleid zu ergehen. Zu beschäftigt, um angestrengt nachzudenken. Nachdenken wäre das Schlimmste, was er jetzt tun könnte. Er legte den Kopf auf die kühle Maserung des Mahagonitisches und weinte.

30

Schuyler war gleich nach Weihnachten nach Montana zurückgekehrt. Miranda hatte sich über ihre Familie gewundert: Jetzt, da sie im Begriff war, jemanden zu heiraten, mit dem sie einverstanden waren, da sie ein offizielles Datum festgesetzt hatte, am Valentinstag, dem 14. Februar 1982, jetzt, da sie den Ring — den Klunker — hatte, wurde sie von ihren Angehörigen ziemlich gut behandelt. Das war natürlich nett, aber andererseits befürchtete sie, Schuyler könnte sich fragen, ob ihre früheren Klagen nicht etwas übertrieben waren.

Sie hatte ihre Stellung gekündigt, und ihr Vater hatte sie deswegen aufgezogen: »So ein modernes Mädchen, du hast es uns immer so schwergemacht, und nun sieh dich an. Deine Mutter wird stolz auf dich sein.«

»Aber ich habe eine Menge zu tun«, hatte Miranda gesagt, »es ist ein Haufen Arbeit, in weniger als zwei Monaten eine Hochzeit auf die Beine zu stellen.« Die Einladungen waren bestellt und würden in zwei Tagen eintreffen.

Miranda war mit ihrer Mutter nach New York gefahren, um einen Stoff für das Brautkleid auszuwählen, elfenbeinfarbenen Samt, mit einer Perleneinfassung am herzförmigen Ausschnitt; sie wollte es selbst nähen, das war Familientradition. Wo habe ich dergleichen gelernt, fragte sich Miranda, wieso habe ich jemals auf so etwas geachtet? Sie konnte sich nicht erinnern, gelernt zu haben, wie man Samt mit Perlen besetzte oder welche Stoffe man von links durch Tücher bügelte oder daß man eine versalzene Suppe retten konnte, indem man eine Kartoffel hineinwarf, oder daß man Blut nur mit kaltem Wasser aus Stoff auswaschen konnte . . . Ein Teil von ihr hatte sich all diese Dinge gemerkt. Es war der Teil von ihr, der nachts wach lag und zu entscheiden versuchte, zu welcher Musik sie den Mittelgang entlanggehen und wie sie gespielt werden sollte.

Am letzten Tag des Jahres nahm Miranda sich das leere Blatt Pergamentpapier vor, das Schuyler ihr zu Weihnachten geschenkt hatte, und begann mit dem Entwurf ihres Beitrags für sein Familienalbum. Nach dem Frühstück, das aus einer halben Grapefruit und einer dünnen Scheibe salzlosem Toast bestand, ging sie mit einer Taschenlampe auf den großen, nicht ausgebauten Dachboden, einen riesigen unordentlichen Speicher mit Pappkartons, alten hölzernen Aktenregalen, Schuhkartons, Bücherschränken und einigen ausrangierten Möbelstücken. Hier war alles mögliche aufbewahrt. Miranda wischte sich den Staub von den Händen und riß das Kreppband von einer Kiste ab, auf der ihr Name stand. Obenauf lag mit schauerlich verrenktem Kopf Mirandas Barbiepuppe, bekleidet mit einem pinkfarbenen Satinkleid und einer weißen Stola aus Pelzimitation. Ein Büchlein, nicht größer als ein Reisepaß, eine Kalorientabelle, die sie bei Woolworth mitgenommen hatte, als sie 13 war. Briefe von Peter. Artikel, die sie für die Schülerzeitung geschrieben hatte. Eine Fotografie von Miranda bei einem Demonstrationsmarsch gegen den Vietnamkrieg — angetan mit türkisem und silbernem Schmuck, die rechte Hand zur Faust erhoben, mit der linken eine weiße Haushaltskerze umklammernd. Das wäre prima für das Album, dachte sie, wenngleich das Foto eigentlich eine Lüge war: Miranda war nur ein einziges Mal mitmarschiert, weil alle ihre Freundinnen mitgingen, und auch, um einem Familienausflug ans Meer zu entgehen.

Als nächstes öffnete sie eine Schachtel mit Papieren ihres Großvaters. Sie konnte sich kaum an ihn erinnern, wohl aber an die Menschenmenge, die an seinem Begräbnis teilgenommen hatte, und sie wußte, daß sie hier etwas finden würde — einen Brief vom Gouverneur, einen Artikel über einen Fall, den er gewonnen hatte — was Schuyler zeigte, daß sie aus einer Familie kam, auf die er stolz sein konnte.

Miranda trank einen Schluck kalten Kaffee und stellte den Styroporbecher auf ein Bücherregal mit einem überholten vielbändigen Lexikon. Irgendwo zwischen all diesen Kartons und Ordnern mußte es doch etwas Präsentables über die Vincents geben, gerade genug, um eine Seite eines Albums zu füllen, gerade genug, um Schuyler zu versichern, daß, was immer er gehört, was immer er erfahren hatte, als er seinen Artikel über das organisierte Verbrechen schrieb, die Vincents im Grunde anständige Leute waren, daß die Guten die Schlechten überwogen, daß Schuyler nicht in eine Familie hineinheiratete, die ihn blamierte, deren er sich eines Tages schämen würde.

Triplister Industries, 1946-48. Eine Bauunternehmerin hatte es mit Hilfe ihres Großvaters fertiggebracht, fast alle Bestimmungen des Baugesetzes zu verletzen. In die untere linke Ecke einiger Briefkopien, die Änderungsvorschlägen beigeheftet waren, waren handschriftlich mit Bleistift drei- bis vierstellige Ziffern geschrieben. Sie konnten alles mögliche bedeuten: Teil eines vergessenen Ablagesystems, ein Code, wie hoch man beim Buchmacher in der Kreide stand, oder die Höhe der Änderungskosten.

Miranda war ein wenig schwindlig geworden (kein Wunder, dachte sie, bei 800 Kalorien am Tag), und sie trank noch einen Schluck. Der Kaffee wurde zum Becherboden hin süßer — der Zucker im Kaffee war das einzige, worauf sie diesmal nicht verzichtete. Der Speicher war überhitzt und roch nach Insektenvertilger. Miranda stand auf, machte ein paar Dehnübungen und öffnete das einzige Fenster, das nicht übermalt war. Sie sah Bobby den Schnee von seinem Wagen fegen. Katie Lee war nach Kentucky zurückgekehrt. An den Weihnachtstagen hatten die beiden Miranda abwechselnd beiseite genommen und versucht, ihre Unterstützung zu gewinnen: Bobby wollte die Scheidung, und Katie Lee weigerte sich strikt. Bobbys Eltern waren auf Katie Lees Seite — sie hatten Katie Lee den Sommer über ins Herz geschlossen. Das Ganze war unsagbar fade.

Schuyler hatte sie seit vier Tagen nicht angerufen. Das machte sie deprimiert und gereizt: Am liebsten würde sie herumsitzen und Sahneeis mit Schokoladenchips essen. Das war das Problem, wenn man Samt für ein Brautkleid nahm: Die alten Nähte blieben sichtbar, wenn man sie ausließ. Diese Diät würde sie umbringen, aber es gehörte sich nun mal, daß sie an ihrem Hochzeitstag absolut-phantastisch-einmalig schön war. Sie trank täglich acht

Gläser Wasser und joggte viermal wöchentlich eine halbe Stunde lang um den See. Nachts rieb sie ihre Haare mit Petroleum ein und ihren Körper mit Vaseline; Doris Day hatte gesagt, daß sie dieser Kur ihr strahlendes Aussehen auf der Höhe ihrer Popularität verdankte.

Die bevorstehende Heirat erweckte in Miranda den Wunsch, sich in Frauenillustrierte zu vertiefen, die mit Ratschlägen gespickt waren. Sie führte mit sich einen Test durch, der ihr verriet, ob sie romantisch, klassisch, modern oder natürlich veranlagt war. Sie wurde über das Geheimleben von Friseusen aufgeklärt. Eine Frau hatte an eine Illustrierte geschrieben, seit sie verlobt sei, scheine ihr Bräutigam sie weniger zu beachten als sonst. Sie hatte versucht, mit ihm darüber zu reden (das wurde in jedem Brief betont — *ich habe versucht, mit ihm darüber zu reden* —, weil sie aus den Illustrierten wußten, daß dies immer die beste Verteidigung war, oder vielleicht auch, weil sie nicht wollten, daß die Ratgeberin ihnen antwortete: *Versuchen Sie, darüber zu reden)*, aber er stritt alles ab. Die Illustrierte sagte ihr, das sei nicht ungewöhnlich. Viele Männer verteidigten in den letzten Monaten vor der Hochzeit ihre Unabhängigkeit. Sie riefen nicht zur vereinbarten Zeit an. Sie blieben nachts lange aus. Sie sahen in den Jahrbüchern ihrer Schule Bilder von alten Freundinnen und riefen an, um zu sehen, ob sie noch existierten. Das war nun mal ihre Art.

Das ist alles, was Schuyler tut, dachte Miranda — es ist einfach seine allerletzte Ausschweifung als Junggeselle. Nachts lange ausbleiben, mit Nelson und den Jungs saufen. In was für einen Schlamassel könnte er innerhalb einer Woche schon geraten?

Oh, in nahezu jeden Schlamassel, den man sich denken konnte. Eine besondere Art von Schlamassel mit dem Anfangsbuchstaben C. Miranda glaubte zu verstehen, wie man jemanden genug hassen konnte, um ihn zu ermorden, so sehr hassen, daß man zur erstbesten Waffe griff. Sie wollte Chris nicht wirklich töten, sie wollte sie lediglich entmachten, wollte töten, was ihrer Meinung nach zwischen Chris und dem Mann, den Miranda liebte, vorhanden war, sie wollte Chris irgendwie in seinen Augen erniedrigen, damit er sie so sah, wie sie war: würdelos, lieblos, selbstsüchtig, unter seinem Stand. Ein Mädchen, dessen Seite in seinem Familienalbum nichts enthalten würde als eine lange Liste von Liebhabern und Starrollen in einigen der schlechtesten Filme, die je gedreht worden waren.

Miranda nahm sich die Aktenschränke vor. In einer unteren Schublade befand sich ein Ordner mit der Bezeichnung *Hintergründe*. Er enthielt Zeitungsausschnitte mit kurzen beigehefteten Notizen ihres Großvaters. Etwas über einen Erfinder, den er vielleicht als Zeugen in einer Patentsache brauchen konnte. Ein Artikel über eine Polizeidienststelle, die sich einer Wahrsagerin bedient hatte, um Leichen ausfindig zu machen. Eine Titelseite mit dem Großfoto eines Mannes, der genau so aussah wie Chris.

Der genau so aussah wie Chris. Es war unheimlich. Das vergilbte Zeitungspapier zerfiel in ihren Händen, als Miranda über die Morde, die Untersuchung, die Verhandlung, die Opfer las, sie blätterte um und sah Fotos von den Opfern, ihren Häusern, von dem Mörder, der in die Kamera lächelte — er sah so unschuldig aus, daß man ihm den Spitznamen Chorknabenmörder gab —, von seiner Frau, seiner kleinen Tochter. Gloria. Chris. Natürlich.

Chris hatte gesagt, sie sei als Kind oft umgezogen. Irgendwann hatte Willie Dunne sie adoptiert. Miranda wollte es ganz sicher wissen, und zwar rasch. Irgendwo mußten Unterlagen existieren, Beweise — Menschen konnten nicht einfach verschwinden und mit einer neuen Identität wieder auftauchen — auch wenn sie vielleicht teils geheim waren und bei den Gerichten unter Verschluß standen.

Ihr Vater würde sie ihr beschaffen können. Es gab Leute, die ihm einen Gefallen schuldeten — Leute, die Zugang zu geheimen Gerichtsakten hatten, die ihr Kopien anfertigen konnten, wenn nötig noch heute abend, wenn ihr Vater darum bat.

Miranda stand auf und trank den zuckrigen Rest ihres Kaffees. Ihre Hände hatten Schmutzstreifen. Zwei Dinge gingen ihr durch den Kopf. Daß sie, wenn sie heiratete, ihren Mädchennamen behalten wollte. Und daß die Zeitungsredaktionen in Kalifornien erst drei Stunden später schlossen als in New York.

»Geh auf keinen Fall ans Telefon«, sagte Alex zu Chris.

»Ist gut.«

»Wenn ich dich anrufe, laß ich einmal klingeln, lege auf, und rufe in exakt zwei Minuten noch mal an. Ansonsten rühr das Telefon nicht an.«

»Ist gut.«

»Und mach auf keinen Fall die Tür auf. Sieh nicht mal aus dem Fenster. Reg dich nicht auf, wenn du Leute auf dem Rasen vor deinem Haus kampieren siehst. Sie werden sagen, ihnen ist schlecht, es handelt sich um einen Notfall, sie müssen telefonieren, sie müssen aufs Klo. Du darfst sie nicht hereinlassen. Du darfst nicht mal mit ihnen sprechen.«

»Ist gut.«

»Katie Lee will deinen Vertrag auflösen. Sie sagt, die Veröffentlichungen über deinen Vater haben die ganze Werbekampagne ruiniert. Sie sagt, sie hat einen dicken Aktenordner voll Notizen von Louise über ›unziemliche Episoden‹, wie sie sich ausdrückte. Ich glaube nicht, daß wir darüber mit ihr streiten können.«

»Ist gut«, sagte Chris. In den Zeitungen würde es heißen, sie stehe für Kommentare nicht zur Verfügung. Alex hatte sich in seinem Büro verkrochen, er nahm Anrufe entgegen, gab sorgsam formulierte Erklärungen ab, überzeugte Gloria, daß es nicht das Klügste sei, die Fotografen der Sensationsblätter zu einem Rundgang durch ihr Haus einzuladen.

»Wann kommt Tory zurück?« fragte Alex.

»In ein paar Stunden. Sie sind um zwei abgeflogen.«

»Der Flug von Philadelphia dauert doch keine neun Stunden!«

»Sie müssen zweimal umsteigen. Es ist Silvester. Alle Flüge sind ausgebucht.«

»Sag ihm, er soll mich anrufen, wenn er kommt.«

»Ist gut.«

»Du kannst doch bis dahin durchhalten? Versprich's mir.«

»Ist gut.«

»Du weißt, ich liebe dich wahnsinnig bis in alle Ewigkeit. Wer du auch bist.«

»Ich bin dieselbe wie vorher«, sagte Chris und legte auf.

Sie holte sich ein Bier aus dem Kühlschrank. Jetzt war er da, der Augenblick, auf den sie ihr ganzes Leben vorbereitet gewesen war, und nun, als er gekommen war, wußte sie nicht, was sie tun sollte. In zwei Stunden würde Tory hier sein. Ein Schritt nach dem anderen. Sie mußte sich um nichts weiter kümmern als darum, wie sie die nächsten zwei Stunden überstand.

Sie nahm eine irrsinnig heiße Dusche, wobei sie auf der Seifenablage aus Plastikgeflecht ein frisches Bier balancierte. Sie rieb sich mit Babyöl und Babypuder ein und zog hellrosa Baumwollunterwäsche, ein pinkfarbenes T-Shirt und eine ausgeblichene Bluejeans an.

Im Fernsehen sah sie einen alten Schwarzweißfilm, irgendwas Aufmunterndes mit James Stewart, und Werbespots für Discount-Teppichmärkte und nachbarschaftliche Fahrgemeinschaften. Während der Nachrichten stellte sie den Ton leise. Sie zeigten die Frau des Präsidenten, die Reportern zuwinkte. Einen bärtigen Schauspieler, der einen Anstecker mit der Aufschrift *Freunde lassen Freunde nicht betrunken autofahren* trug. Eine Wetterkarte. Ein Flugzeug in Flammen auf einem Hügel oberhalb einer Wüste. Einen Plan von Las Vegas mit einer flammendroten Fahne darauf. Ein altes Foto von Tory. Einen Mann mit einem Mikrophon im Gespräch mit einem Feuerwehrmann, der den Kopf schüttelte. Wieder ein Foto von Tory, diesmal ein neueres.

Sie drehte den Ton rechtzeitig auf, um die letzten dreißig Sekunden der Sendung mitzubekommen, in denen der Sprecher diejenigen mit Namen aufzählte, die, zusammen mit Tory, bei dem Absturz getötet worden waren, und sagte, daß die Ursache des Unglücks untersucht werde und daß die Direktion des Senders ihren Zuschauern ein gutes neues Jahr wünsche.

Das Café »Kreuzung« war weder ein Café noch an einer Straßenkreuzung gelegen. Es war ein heruntergekommener, hölzerner Rock-and-Roll-Schuppen ungefähr in der Mitte einer Sackgasse, die an einem schmalen Bach endete, an dessen anderem Ufer Eisenbahnschienen entlangliefen. In den Musikpausen konnte man manchmal die Züge vorbeifahren hören. Tory hatte vor seinem ersten Plattenvertrag mit der Hausband gespielt und tauchte nach wie vor ein paarmal im Jahr an einem Werktagabend auf, wenn wenig los war; manchmal begleitete er dann eine lokale Band bei der letzten Stückefolge des Abends.

Sein Bild hing auffällig über der Bar an der Stelle, die dort, wo Chris herkam, gewöhnlich Frank Sinatra vorbehalten war. Die Kabinenwände der Damentoilette waren über und über mit Filzschreiber-Graffiti bedeckt, Schwärmereien, bei denen es meistens um Tory ging. Wenn er hier war, standen die Leute vor dem öffentlichen Fernsprecher Schlange, um ihren Kumpeln Bescheid zu sagen, um ihnen zu beschreiben, was er anhatte, was er trank. Wenn er nicht da war, taten die Leute, als sei es ihnen egal, und tanzten zu seinen Songs, die im Repertoire der nächtlichen Melodienmixtur stark vertreten waren, kauften an der Garderobe des Cafés Souvenirs und steckten Vierteldollarmünzen in ein Tischfußballspiel, an dem zwei Griffe fehlten.

Als Chris ankam, war auf dem Parkplatz eine riesige, spontane Totenwache versammelt, eine große Schar von Fans, die sich schickgemacht hatten und zu Silvesterfeiern unterwegs waren und dann, als sie die Nachricht im Radio hörten, statt dessen hierhergekommen waren. Ein Dutzend Lautsprecherboxen stand auf Autodächern, alle auf denselben Mittelwellensender eingestellt, der nicht von Werbung unterbrochene Stücke aus Torys Alben spielte. Einige Leute weinten. Einige tanzten. Einige weinten und tanzten. Andere saßen still in ihrem Auto, tranken aus durchsichtigen Plastikbechern und in Papiertüten eingewickelten Flaschen. Ein Mädchen mit einer alten Lederjacke ging schluchzend von Wagen zu Wagen und bat die Leute, ein Beileidsposter aus Eichenfurnier zu unterschreiben, das sie Torys Mutter schicken wollte. Zwei uniformierte Beamte lehnten mit verschränkten Armen an einem Polizeitransporter, dessen Scheinwerfer in die Menge gerichtet waren, rauchten Zigaretten und achteten auf Anzeichen eventueller Unruhen.

Ein Barkeeper kam heraus und stellte einen Blechkübel mit Eis am Rande des Parkplatzes ab. Als er Chris erkannte, umarmte er sie, und obwohl sie sich nicht an seinen Namen erinnern konnte, ja nicht einmal sicher war, ob sie ihm je begegnet war, erwiderte sie seine Umarmung und ließ sich von ihm hineinführen, wo diejenigen, die zuerst am Schauplatz erschienen waren, sich der Bar bemächtigt hatten. Sie ging mit ihm hinter die Theke.

Der Discjockey spielte die schwarz mitgeschnittenen Bänder von Live-Konzerten, deren Besitz er jahrelang abgestritten hatte.

Wenn es nicht so laut gewesen wäre, wenn sie nicht so mit Einschenken beschäftigt gewesen wäre, hätte sie vielleicht gemerkt, wie betrunken sie unterdessen war. Sie verschüttete billigen Scotch auf der Theke, sie zündete sich Zigaretten an und warf sie halb geraucht in ein Dutzend Aschenbecher, sie küßte einen Jungen, dessen Gesicht tränenüberströmt war, sie verlor ihre Schuhe zwischen den leeren Bierdosen, und Glasscherben zerschnitten ihr die Füße. Aber Chris achtete nicht darauf, sie wollte nur eins, nicht allein sein müssen. Morgen würde sie allein sein, und übermorgen, und überübermorgen. Zum erstenmal im Leben würde sie eine lange, lange Zeit allein sein. Und zum erstenmal im Leben hatte sie Angst.

Als sie nicht mehr aufrecht stehen konnte, trug der Barkeeper sie in ein Hinterzimmer und legte sie auf einen Stapel mit Farbe bekleckerter Schutzfolien, wo sie sich das Gesicht mit einem Geschirrtuch bedeckte und das Bewußtsein verlor. Als sie aufwachte, war es hell draußen, und sie war 27 Jahre alt.

»Höre ich da eine Party?« fragte Rosalie, wobei sie einen Ohrclip löste, damit er nicht gegen den Hörer klapperte.

»So was Ähnliches«, sagte Schuyler. »Nelson hat auf dem Speicher Langlaufskier gefunden, und wir sollen sie um Mitternacht alle ausprobieren. Ich werde Neujahr vermutlich damit verbringen, verrenkte Knöchel zu bandagieren. Mein Cousin Teddy ist mit seiner kleinen Freundin gekommen.«

»Wie ist sie?« fragte Rosalie. Sie lächelte Francisco an, als er ihr ein Glas Champagner brachte. Die Kinder lagen in Schlafsäcken am Fuße des Weihnachtsbaums, und Rosalie hatte ihnen versprochen, die Lichter die ganze Nacht brennen zu lassen. Trevor hätte das nie erlaubt, dachte sie. Er würde es morgen erfahren, wenn er zu Besuch kam, nachdem Francisco zur Rennbahn aufgebrochen war, und würde ein paar Bemerkungen über Sicherheitsrisiken und Elektrokabel machen.

»Sie heißt Joan, und sie ist genau wie Teddys Mutter, aber wir sind alle zu höflich, um die Ähnlichkeit zu erwähnen.«

»So sind die Männer«, sagte Rosalie.

»Manche.«

»Sag mal, du hast wohl nicht ferngesehen?«

»Nein.«

»Katie Lee hat vorhin angerufen. Chris steckt irgendwie in der Klemme.«

»Soso«, sagte Schuyler und ging mit dem Telefon in die ruhigste Ecke des Zimmers.

»Ich dachte, sie hätte dich vielleicht angerufen.«

»Ich hab seit Weihnachten nicht mit Katie Lee gesprochen«, sagte Schuyler.

»Ich meine nicht Katie Lee, ich meine Chris«, sagte Rosalie.

»Ich hab eine Ewigkeit nicht mit Chris gesprochen«, sagte er. Etwas über vier Jahre, doch es kam ihm länger vor; 1977 schien ein Jahrhundert entfernt.

»Es war bloß so ein komisches Gefühl von mir«, sagte Rosalie. »Die Zeitungen werden morgen voll davon sein. Erinnerst du dich — ich meine, ich hatte es ganz vergessen, aber sie ist offenbar adoptiert worden, nicht?«

»Ich erinnere mich«, sagte er. *Ich erinnere mich an alles,* dachte er.

Und Rosalie wiederholte ihm die Geschichte, wie sie sie zuerst von Katie Lee und dann von Fernsehreportagen und dann in den Frühausgaben der Zeitungen vom nächsten Tag erfahren hatte, die Francisco besorgte, während sie die Kinder badete.

»Beim Aufprall getötet, heißt es«, sagte Rosalie.

Schuyler sagte nichts.

»Merkwürdig — man glaubt sie zu kennen, und dann stellt sich heraus, daß man sie überhaupt nicht kennt. Es muß furchtbar für sie sein. Ich finde, jemand von uns sollte bei ihr sein.«

»Jemand von uns?« fragte Schuyler.

»Ach Sky, du weißt, was ich meine. Jemand, der sie gern hat. Jemand aus der Zeit vor Kalifornien.«

»Fährst du hin?« fragte er.

»Ich dachte an dich.«

Schuyler sah aus dem Fenster. Im Scheinwerferlicht eines Lieferwagens mit laufendem Motor zeigte Nelson Joan einen Abfahrtslauf; sie sahen aus wie Teenager aus einer Tanz-Show der frühen sechziger Jahre, die sich stumm im Schnee wälzten.

»Das ist unmöglich«, sagte Schuyler.

»Ach vergiß, daß ich davon angefangen habe, es war dumm von mir, du hast bestimmt alle Hände voll zu tun mit Arbeit und Hausgästen«, sagte Rosalie wie eine Gastgeberin, die, nachdem sie einem zuvor übersehenen Gast in letzter Minute eine Einladung geschickt hatte, kurz und verbindlich die Absage entgegennimmt.

»Das hatte ich nicht gemeint«, sagte er. Es war typisch Rosalie, um etwas zu bitten und ihre Bitte im selben Atemzug zurückzunehmen. Schuyler konnte gar nicht glauben, daß sie imstande gewesen war, ihren Mut zusammenzunehmen und Trevor um die Scheidung zu bitten. Er glaubte es erst, als er sich kurz vor Weihnachten in New York mit Francisco und Rosalie zum Essen traf und sie zusammen sah. Am nächsten Tag hatte Schuyler mit Trevor zu Mittag gegessen, dem seine Anwälte zugesichert hatten, daß die Scheidung vor Ende des Steuerjahres rechtskräftig sein werde, und zwei Stunden in dem kleinen Speisezimmer eines Clubs in der Stadtmitte gesessen, während Trevor sich über eine bevorstehende Auktion von Schatzwechseln ausließ und Rosalies Namen kein einziges Mal erwähnte.

»Ich weiß, das brauchst du mir nicht zu sagen«, sagte Rosalie.

Und wie ein Pokerspieler, der sein Herz Flush vorweist, nachdem er das Spiel schon bei einem Full House aufgegeben hatte, rückte Schuyler damit heraus: »Ich war einmal bei ihr. In Kalifornien.«

»Das wußte ich nicht.«

»Einmal ist genug, Rosie. Es ist vorbei. In sechs Wochen heirate ich.«

»Miranda hat mir eine Skizze von ihrem Kleid gezeigt, ich darf nichts verraten, aber es wird absolut phantastisch«, sagte Rosalie und dachte, daß sie beinahe ihre Rolle als loyale Brautführerin vergessen hatte und wie nahe sie daran gewesen war, Mirandas Leben ein für allemal zu verändern. »Ich komme eine Woche früher von Florida nach New York zurück, ich dachte, vielleicht lade ich sie zu einem kleinen Mittagessen zu mir ein — meinst du, daß sie das freuen würde?«

»Ganz bestimmt«, sagte er. Teddy drückte sein Gesicht an die Fensterscheibe und winkte Schuyler in die Kälte hinaus.

»Also dann. Frohes neues Jahr und so«, sagte Rosalie.

»Und so.«

»Viel Glück, und träum was Schönes«, sagte sie und legte auf.

»Du auch. Rosie?« sagte er, aber sie war schon weg. Er wollte ihr noch sagen, was für ein Glück sie habe, was für ein Glück Francisco habe, etwas Sentimentales, Silvesterhaftes. Es war kurz nach zehn, und er saß da, das Telefon in den Händen, und versuchte sich an Mirandas Nummer zu erinnern, er wählte die ersten drei Ziffern, dann hielt er inne. Er zog seine Stiefel an und ein Paar

Lederhandschuhe, die vom nachmittäglichen Schnee-schaufeln noch etwas feucht waren.

»Seh ich da einen amerikanischen Jean Claude Killy?« fragte Nelson und warf ihm einen Skistock zu.

»Das ist eine andere Sportart«, sagte Schuyler. Joan fiel andauernd hin und gab dem Champagner die Schuld. Teddy zog sie hoch, dabei sang er mit trunkener Bariton-stimme ein improvisiertes Potpourri alter Melodien.

»Skilaufen ist Skilaufen«, sagte Nelson.

Joan fiel wieder hin, und Nelson schüttelte den Kopf.

»Da geht sie hin, Amerikas Hoffnung auf die Silber-medaille«, sagte Nelson.

»Halt meine Hand«, sang Teddy, indem er Joan einen wattierten blauen Plastikfäustling reichte, »und wir sind halbwegs da.«

»Irgendwo«, fielen Joan und Nelson ein.

»Irgendwie«, sangen die drei zusammen, als sie auf den Wald zuschoben. Teddy drehte sich um und gab Schuyler mit ausgestrecktem Arm den Einsatz.

»Irgendwann«, sagte Schuyler mit einer Stimme, die so etwas wie Gesang andeutete, wie ein alter englischer Schauspieler, der vor allem wegen seiner ernsten klassi-schen Rollen berühmt und noch nicht ganz bereit ist für Musik, für Komödie, für Spaß.

In dem großen warmen Haus ihrer Familie an der fernen Küste wartete eine Frau auf einen Anruf, der nicht kam. Mit einer rosa Zierpuppe im Arm, die sie von ihrem Vater zu ihrem 16. Geburtstag bekommen hatte, schlief sie ein. Als sie aufwachte, war es Mittag, und Schuyler betrachtete sie, ein Glas Wasser trinkend, von einem Schaukelstuhl aus.

Sein Blick kündete von schlechten Nachrichten, Mit-leid und einer Entscheidung, zu der er während einer schlaflosen Nacht in der ersten Maschine, die Montana verließ, gelangt war. Er war gekommen, um ihr das Herz zu brechen. Er brauchte kein Wort zu sagen, sie sah es in seinen Augen, an der Haltung seiner Schultern, an der Art, wie er nach vorn schaukelte und die Arme auf die Knie stützte, als versuche er, einem kleinen, vertrauensvollen Kind etwas sehr Kompliziertes, Erwachsenes zu erklären.

Miranda warf mit der Puppe nach ihm. Als er nicht überrascht reagierte, wußte sie es ganz sicher. Auf ihrer Kommode stand eine mit Geschenkpapier ausgekleidete Schachtel voll Kuverts, anmutig mit Tusche beschrieben, zum Abschicken bereit; Miranda war letzte Nacht lange aufgeblieben, um sie zuzukleben, sie hatte sie über einen feuchten Küchenschwamm gezogen, während sie die Nachrichten von der anderen Seite der Rocky Mountains sah.

Der Kater verging nach zwei Tagen. Alex war dagewesen und hatte Telegramme mit tröstlichen Zusprüchen mitgebracht, Obstkörbe mit beigefügten Beileidskarten, Hilfsangebote und Zusicherungen fortgesetzter Arbeitsmöglichkeiten. Sag ihnen, sie sollen in 22 Jahren wieder anrufen, hatte Chris gesagt.

Es war nicht einsam in ihrem Haus über der Schlucht, nur friedlich. Alles erinnerte sie an Tory. Seine Musik wurde die ganze Zeit im Radio gespielt. Sie spürte, daß an dem Tag, als er starb, etwas von ihrer inneren Wildheit entschwunden war. War es möglich, fragte sie sich, daß ein Mensch nur für mich allein auf diesen Planeten gesetzt wurde, daß sie das Glück gehabt hatte, dem einzigen für sie bestimmten Menschen begegnet zu sein, daß es nie wieder geschehen würde. Sie schnitt sich die Haare bis kurz über Schulterlänge ab und verkaufte den Mustang mit leichtem Verlust.

Zum erstenmal in ihrem Leben sah sie die Tage sich vor ihr erstrecken. An einem sonnigen Morgen im März würde sie einen Garten mit Tomaten, Kräutern und verschiedenen Sorten Peperoni anlegen. In der Hitze eines

Augustnachmittags würde sie mit einem systematischen Leseprogramm beginnen, Tolstoi, Dickens und Proust. An einem kühlen Oktoberabend, wenn die Hügel trokken sind und die Brände, die aufzuhalten noch keinem Menschen gelang, übergreifen und alles niedersengen können, würde sie die Fenster weit öffnen und eine Lukky Strike rauchen. Torys Musik würde aus der Stereoanlage dröhnen, und wenn die Songs kamen, die er für sie geschrieben hatte, würde sie die Lautstärke voll aufdrehen. Seine Musik würde die Schlucht erfüllen, und das Haus würde zu wackeln beginnen, und erst dann würde sie sich hinlegen und, wenn sie spürte, wie die Baß-Vibrationen vom Boden hochstiegen, durch das Bett hindurch, in einen tiefen, traumlosen Schlaf sinken.

31

Ned Vincent mußte Mirandas Leistungen anerkennen. Es war die Idee seines Bruders gewesen, sie in die Anwaltskanzlei der Familie aufzunehmen, und anfangs hatte er sich gesträubt und eine ganze Reihe von Nachteilen aufgeführt: Deprimiert infolge einer gelösten Verlobung, wäre seine Nichte womöglich nicht imstande, ihr Bestes zu geben. Sie hatte weder in New York noch in New Jersey das Examen für die Zulassung als Anwalt gemacht. Sie hatte keine Erfahrung mit der Art von Fällen, mit denen sie es zu tun hatten. Frauen waren schlechte Anwälte, sie verstanden nicht, mit harten Bandagen zu kämpfen.

Ned hatte sich bereit erklärt, sie versuchsweise einzustellen, und dann hatte er Miranda vierzehn Stunden täglich, sechs Tage die Woche schuften gesehen. Er hatte jedes Dokument gelesen, das sie aufgesetzt hatte, er war bei ihren Treffen mit Klienten zugegen gewesen, er hatte sogar heimlich einige ihrer Telefongespräche mitgehört. Er sah, daß sie den Mund halten konnte: Ned hatte die Erfahrung gemacht, daß die Leute, die am besten Geheimnisse bewahren konnten, selber die schrecklichsten Geheimnisse hatten. Was Miranda dieser Chris Dunne angetan hatte, war nicht sehr nett— Ned hatte seine Nichte danach ziemlich leiden sehen — aber es war eine gute Lektion für Miranda, so lernte sie, daß jeder Sieg seinen Preis hat und daß in der Sieger-Umkleidekabine kein Platz für das geringste Schuldgefühl ist. Gestern hatte Ned es offiziell verkündet: Sie habe ihren Vater stolz gemacht, sie habe eine große Zukunft vor sich, willkommen im Club. Es war dieselbe Rede, die er seinem Sohn gehalten hatte, als Bobby sein Jurastudium beendete. Bloß daß er es diesmal ernst meinte.

Ned legte seine Brille zur Seite und rieb sich den Nasenrücken. Seine Augen konnten acht Stunden Neonlicht nicht mehr vertragen; er würde seine Frau bitten müssen, ein paar Halogen-Schreibtischlampen für sein Büro zu besorgen. Er hörte Bobby junior in einem Büro auf der anderen Seite des Flurs schreien; das Kind war seit Weihnachten in New Jersey, und er hatte seine Schwägerin gebeten, den Kleinen ins Büro zu bringen, damit seine Mutter ihn sehen konnte, wenn sie zu ihrem vereinbarten Termin um ein Uhr kam. Die Sekretärinnen vernachlässigten ihre Arbeit, sobald das Kind auftauchte. Ned biß ein Stückchen von einem der rosa glasierten herzförmigen Butterplätzchen ab, die ihm seine Sekretärin auf einem Teller an den Rand seiner Schreibunterlage gestellt hatte, bevor sie in die Mittagspause ging.

»Mrs. Vincent ist da«, meldete die Aushilfsrezeptionistin über die Sprechanlage.

Ned nahm den Hörer ab. »Welche Mrs. Vincent?« fragte er.

»Die blonde.«

»Führen Sie sie herein«, sagte er. Schnell stapelte er mehrere Aktenstöße auf die bequemeren Gästesessel, so daß Katie Lee gezwungen sein würde, auf einem harten Fichtenholzstuhl mit Sprossenlehne Platz zu nehmen. Er wollte nicht, daß dieser Besuch auch nur eine Sekunde länger dauerte als unbedingt nötig.

»Papa Vincent, wie geht's?« Katie Lee kam um seinen Schreibtisch herum und gab ihm einen flüchtigen Kuß.

»Schön, dich zu sehen, Katie Lee.« Als sie sich hinsetzte, fiel ihm ihr Haarschnitt auf: Es war derselbe, den seine Frau sich letzte Woche zugelegt hatte, kurz und knabenhaft, populär geworden durch das Mädchen, das Prinz Charles geheiratet hatte. Seine Frau sah damit schrecklich aus, aber Katie Lee stand er phantastisch, und die dichten, glatten, goldblonden Haare gehörten zu den wenigen Dingen, von denen er hoffte, daß sein Enkelkind sie von seiner Mutter erben würde.

»Hast du den Kleinen gesehen?« fragte Ned.

»Auf dem Weg hierher«, sagte sie. »Ich nehme ihn nächste Woche mit nach Kentucky zum Geburtstag meines Vaters. Haben diese Weiber eigentlich nichts Richtiges zu tun?«

»Plätzchen?« Er schob ihr den Teller hin.

»Oh, nein danke, ich bin auf Diät.«

»Ich bestehe darauf.«

»Nein, wirklich nicht, danke.«

»Es bringt Unglück, etwas Herzförmiges zurückzuweisen. Altes italienisches Sprichwort«, improvisierte er.

»Nun, wenn das so ist«, sagte Katie Lee und nahm einen kleinen Bissen. Winzige Krümel blieben auf ihrem korallenroten Lippenstift haften, während sie weitersprach. »Du hast gestern abend eben noch rechtzeitig angerufen, ich wollte gerade zum Flughafen.«

»Ich lasse dich nach Newark fahren, wenn wir fertig sind.«

»Bobby läßt grüßen«, sagte Katie Lee, obwohl sie seit Wochen nicht mit ihrem Mann gesprochen hatte.

»Ich habe gestern mit ihm gesprochen«, sagte Ned. »Er hat aus Lexington angerufen.«

»So?« sagte Katie Lee, indem sie sich die Krümel mit einem hellrosa Papiertaschentuch abtupfte.

»Wir haben sehr lange miteinander geredet. Es war ein hochinteressantes Gespräch«, sagte Ned. Ned hatte Bobby von Mirandas Fortschritten berichtet und ihm gesagt, wenn er weiterhin so nachlässig sei, werde er eines Tages unter einer Frau arbeiten. Als Bobby am Telefon zusammenbrach, konnte Ned es kaum glauben; er hatte seinen Sohn nicht weinen hören, seit er mit acht Jahren vom Garagendach gefallen war.

»Ich weiß, ich bin ein Versager«, hatte Bobby gesagt, »das brauchst du mir nicht zu erzählen.«

»Ich habe nicht gesagt, daß du ein Versager bist«, hatte Ned erwidert.

»Aber du denkst es. Ich merke es. Du zeigst es mir. Verdammt, jedesmal, wenn ich mit dir rede, hast du so eine unglaublich heimtückische Art, es mir zu zeigen.«

Ned sagte nichts. Seine Frau war im Badezimmer und bearbeitete das lange Pony ihres neuen Haarschnitts mit einer elektrischen Lockenschere.

»Dieses Biest ist an allem schuld«, sagte Bobby.

»Das bezweifle ich. Du bist fast dreißig Jahre alt. Du kannst nicht für den Rest deines Lebens herumlaufen und andere Leute für deine Fehler verantwortlich machen. Ich dachte, soviel hätte ich dir wohl beigebracht.«

»Du weißt ja nicht, wie sie wirklich ist, du siehst sie bloß, wenn sie dir was vorspielt. Sie hat mich ruiniert.«

Ned kratzte sich am Ohr und untersuchte einen Fingernagel. »Ich weiß genau, wie deine Frau ist. Falls du dich erinnern solltest, ich habe es dir zu sagen versucht, bevor ihr geheiratet habt. Wie man sich bettet, so liegt man.« *Sei ein Mann,* dachte er, *warum kannst du nicht erwachsen werden und ein Mann sein.*

»Sie will sich nicht scheiden lassen.«

»Ich will das Wort nicht hören.«

»Wir haben 1982, um Himmels willen.«

»Sie ist deine Frau und die Mutter deines Kindes.«

Bobby hatte unter Tränen gelacht. »Ja, und ich will dir erzählen, was für eine fabelhafte Mutter sie ist. Bis sie den Kleinen groß hat, ist er genauso ein Ungeheuer wie sie. Weißt du, was er mir gestern erzählt hat? Er sei gerne bei Papa Spaghettifresser — sie hat ihm beigebracht, dich so zu nennen. Als Katie Lee das letzte Mal von einer Geschäftsreise nach Hause kam, hat er sie in den Fuß gebissen.«

Ned schnippte den Schmutz von seinem Fingernagel über die Bettseite seiner Frau. Er hatte kein Mitgefühl mit Bobby, aber er wußte, daß Bobby recht hatte, was das Kind betraf. Er hatte seit Weihnachten genug gesehen. Der Junge war verwöhnt und schwächlich und verstand nicht mit gleichaltrigen Kindern zu spielen. Er würde zu etwas heranwachsen, das Ned am meisten haßte: einem Waschlappen, einem Schwächling, einem Jungen, der immer seinen Willen haben wollte und keine Ahnung hatte, wie er ihn bekam. Vielleicht hatte Bobby auch in einigen anderen Dingen recht; wenn er sich von Katie Lee befreite, hätte er vielleicht eine Chance, sich zu bessern und Ned stolz zu machen. Miranda war seine Nichte, aber Bobby war sein ältester Sohn. Miranda war imstande, die Dinge in die Hand zu nehmen, daran bestand kein Zweifel, aber bei dem Gedanken, daß sein Sohn unter Miranda arbeiten sollte, wand sich etwas in ihm, das viel tiefer lag als die Sorge um die Zukunft seiner Firma, zu einem Zornesknoten. Und schließlich war es Miranda gewesen, die Katie Lee in die Familie eingeführt hatte. Wer war dieses Mädchen aus Kentucky, das glaubte, sie könnte sie alle gängeln wie kleine Marionetten?

Für wen hielt sie sich eigentlich, für die Königin von Spanien?

Als Ned aufgelegt hatte, war er in sein Arbeitszimmer hinuntergegangen und hatte seinen Bruder angerufen. Katie Lee war für die Vincents zu dem geworden, was sie »ein Problem« nannten, und sein Bruder wußte stets, wie man ein Problem beseitigte.

Sein Bruder hatte einige Telefongespräche geführt, bevor er Ned zurückrief mit einer Idee, die Ned nun Katie Lee unterbreitete.

»Ich dachte, du hältst nichts von einer Scheidung«, sagte Katie Lee.

»Es gibt Situationen«, hielt Ned ihr entgegen, »da bleibt einem keine andere Wahl.«

Katie Lee wollte ihren Stuhl zurückschieben, aber die Stuhlbeine verfingen sich im Webteppich. »Damit das klar ist«, sagte sie, »wenn ich in die Scheidung einwillige ohne irgendwelche finanziellen Abmachungen, wirst du dann dafür sorgen, daß ich für das Projekt in Atlantic City grünes Licht bekomme?«

»Ein Kinderspiel«, sagte er.

»Die zusätzlichen hundert Zimmer?«

»Kein Problem.«

»Kein Ärger mit den Gewerkschaften?«

»Würde denen nicht im Traum einfallen.«

»Was ist mit der Genehmigung?«

»Keine Schwierigkeit.«

Katie Lee atmete ein. »Und wenn ich nicht einwillige?«

Ned atmete aus. »Dann hast du eben das teuerste Stück unbebaubares Sumpfland diesseits des Delaware gekauft.«

»Ich verstehe«, sagte sie, und sie sah es klar: Sie mußte alles einhandeln, ihren Mann, ihre Ehe, sie hatte keine

Wahl, sie mußte tun, was Ned verlangte. Sie hörte ihren Vater sagen: *Alles Schlechte hat auch eine gute Seite, wenn man nur schlau genug ist, sie zu sehen.* Vielleicht wäre sie ohne Bobby besser dran; er hatte sich ganz und gar nicht als das erwiesen, was sie erwartet hatte. Sie könnte wieder heiraten, vielleicht nicht in Lexington, wo sie als zu alt für irgendwen unter fünfzig gelten würde, aber sie könnte in New York oder Chicago einen Mann finden, es gab jede Menge Männer, und sie hatte jede Menge Geld. *Niemals kampflos aufgeben, im Zweifelsfall verhandeln.*

»Mein Anwalt wird dich morgen anrufen«, sagte Katie Lee, als sie aufstand, dabei hatte sie sich längst entschieden.

Ned erhob sich mit ihr und half ihr in ihren knöchellangen Nerzmantel. »Bis morgen«, sagte er. »Ich bin gespannt.«

An der Tür drehte sie sich um und fuhr mit einem korallenroten Fingernagel über die olivgrüne Tapete. »Ich fand diese Farbe immer sehr unschmeichelhaft für Leute mit deinem Teint«, sagte sie. »Damit wir uns recht verstehen, keinerlei Abmachungen?«

»Ich glaube nicht, daß Unterhaltszahlungen erforderlich sind«, sagte Ned.

»Meine Güte, deine Gehässigkeit ist überflüssig. Geschäft ist Geschäft. Ich dachte zum mindesten an eine Unterstützung für das Kind.«

»Ich glaube nicht, daß das nötig ist.«

»Eine symbolische Geste«, sagte Katie Lee.

»Nicht nötig, mein Enkel bleibt nämlich hier.«

»Wie bitte?«

»Vergaß ich das zu erwähnen?« fragte Ned. »Bobby behält selbstverständlich das Sorgerecht. Wir meinen alle, daß das Kind hier glücklicher ist, es ist jetzt an uns gewöhnt, und du darfst versichert sein, daß du willkommen bist, ihn zu besuchen, wann immer du willst.«

Wohl kaum, dachte Katie Lee. »Kommt nicht in Frage.«

»Es ist das Beste für das Kind. Darüber sind sich alle einig.«

»Alle?«

»Wir haben gestern abend mit deinem Vater gesprochen. Er sagte, er sei sehr froh, daß die Vincents seinem Enkel ein beständiges Zuhause bieten können. Dein Vater ist ein bemerkenswerter Mann. Er ist sehr stolz auf das, was du in Atlantic City leistest. Ich hoffe, er kann diesen Sommer eine Zeitlang zu uns kommen.«

»Das ist einfach unglaublich.«

»Ich rede morgen mit deinem Anwalt. Es war mir wie immer ein Vergnügen, dich zu sehen.«

»Ach, halt die Klappe«, sagte Katie Lee. Sie stürmte durch den Flur und traf auf Miranda, die im Kostüm mit türkisch gemusterter Fliege gerade aus ihrem Büro kam.

»Miranda, Schätzchen, du siehst ausgesprochen männlich aus, und das meine ich als Kompliment.«

»Dann danke schön«, sagte Miranda. Sie lehnte sich an die Tür zum Konferenzraum.

»Du bist allerdings etwas blaß«, sagte Katie Lee. »Das muß an der Luft liegen«, fuhr sie naserümpfend fort. »Weißt du, daß hier mehr Luftverschmutzung und Giftmüll anfält als in den nächsten drei Staaten zusammen?«

»Krebskorridor nennt man es hier«, erklärte Miranda.

»Reizend. Schaff dir ein Solarium an, Süße, das wirkt Wunder. Ist heute nicht Valentinstag?«

»Ich glaube, ja.«

Katie Lee zwinkerte ihr übertrieben zu. »Du bist doch nicht eins von diesen ledigen Mädchen, von denen ich immer lese, die so viele Valentinsgrüße kriegen, daß sie kaum noch mitkommen?«

Miranda sagte nichts.

»Du wolltest eigentlich heute heiraten, Schätzchen,

stimmt's? Natürlich, wie konnte ich das vergessen. Ich hab's in meinem Kalender angestrichen. Miranda und Schuyler steht da, und ich hab ein paar Herzchen drum herum gemalt.«

»Na ja, du weißt doch, man kann das Brautjungfernkleid immer auf eine Party anziehen.«

Katie Lee schniefte. »Nicht auf die Art von Party, wo ich hingehen würde. Aber Miranda, genug von dem Mädchengeschwätz — ich hatte eben eine gräßliche Unterredung mit deinem Onkel«, sagte Katie Lee und blinzelte rasch, so daß ihr ein Tränchen über die Wange lief. »Er ist ein Ungeheuer, alles, was du je über deine Familie erzählt hast, ist wahr, denen geht es bloß ums eigene Wohl.«

»So schlimm sind sie gar nicht«, entgegnete Miranda. Sie verlegte ihr Gewicht vom linken auf den rechten Fuß. »Ich meine, so schlimm sind *wir* gar nicht.«

»Weißt du, was sie Schreckliches vorhaben?«

»Ich bin informiert«, sagte Miranda. Ihr Vater hatte sie gestern abend angerufen, gerade als sie vom Essen mit einem äußerst langweiligen Senator zurückkam, der ihr zwischen den Gängen erzählte, ihre Augen erinnerten ihn an Ida Lupino. Sie hatte Anfang Januar wieder angefangen, mit Männern auszugehen, zuerst mit Geschäfts- und Politikerfreunden ihrer Familie, dann mit Leuten, die sie über Cousins und Cousinen und ehemalige Schulfreunde kennenlernte, und gestern abend mit dem Senator, der demnächst für ein Staatsamt kandidieren wollte. Sobald er sich einer Hirntransplantation unterzogen hat, dachte Miranda. Es war erstaunlich, wie viele Männer mit Miranda Vincent ausgehen wollten, seit sie schlank und verfügbar und der Augapfel ihres Onkels war.

Die Tür zum Konferenzraum ging auf, der kleine Bobby kam herausgekrabbelt und zog ein hölzernes Rollspielzeug hinter sich her.

Katie Lee bückte sich und zerzauste ihm die Haare.

»Du mußt mir helfen, Miranda«, sagte sie. »Ich weiß, daß sie auf dich hören werden. Scheidung, das ist eine Sache, aber mir mein Baby wegnehmen, das ist schlichtweg unmoralisch.«

Miranda lächelte. »Eigentlich«, sagte sie, indem sie den Jungen aufhob und auf ihrer Hüfte balancierte, »war die Sache mit dem Sorgerecht meine Idee. Viele Väter bekommen heutzutage das Sorgerecht zugesprochen.«

Katie Lee schlug Miranda so fest, daß ihr Kinn gegen den Kopf des Kindes prallte, worauf es zu heulen begann und drei Sekretärinnen aus dem Konferenzraum erschienen und mütterlich glucksend Trost spendeten.

»Du bist ein verbittertes kleines Biest«, flüsterte Katie Lee, bevor sie kehrtmachte und davonmarschierte.

»Was ist der denn nicht bekommen?« fragte die Sekretärin, die die Plätzchen gebacken hatte.

Miranda zuckte die Achseln und gab dem Jungen einen kleinen Stups.

»Tante Miranda versteht dich am besten, nicht«, sagte sie mit Kinderstimme. »Nicht wahr, mein Süßer? Sind wir naß?« fragte sie und kontrollierte seine Hosen. »Wir sind naß, nicht wahr, Schätzchen?« Sie übergab Bobby junior der Sekretärin ihres Vaters und ging wieder an die Arbeit.

32

Rosalie legte ein Holzbrett über die Armlehnen des Rollstuhls ihres Vaters und breitete die Bilder von Agamemnon darauf aus. Es war April, und Joseph war zum erstenmal seit dem vergangenen September ins Freie geschoben worden.

»Sieht er nicht dick und zufrieden aus?« fragte sie.

»Wie wir alle«, sagte ihr Vater. Er war droben in Neuengland kahlköpfig und schwergewichtig wie ein Weihnachtsmann geworden; Rosalie vermutete, daß essen eine der wenigen ihm verbliebenen Vergnügungen war, die herzhafte ländliche Kost, die das Klinikpersonal für diejenigen zubereitete, die nicht zu deprimiert waren, um sie zu verzehren.

Auch Rosalie war dick: Sie war im fünften Monat schwanger, und diesmal würde sie soviel zunehmen, wie sie wollte. Wenn sie um fünf Uhr morgens aufstand, stellte sie sich, unwohl und müde, vor den Spiegel. Ihr Mann trat hinter sie und legte seine kleinen starken Hände auf ihre Brüste. Er sagte ihr, er träume davon, daß sie eine Tochter bekommen und sie Josephine nennen würden. Dann ging er zu den Stallungen; er sagte, es bringe ihn jeden Morgen zum Lachen, weil er auf Parkers altem Stuhl in Parkers altem Büro sitze. Parker hatte Rosalie letzten Sommer bei seinem Abschiedsessen, zu welchem sie erheblich beigesteuert hatte, gesagt, sie begehe einen schlimmen Fehler: Gomez würde einen miserablen Pferdetrainer abgeben — alle abgedankten Jockeys seien schlechte Trainer. Im Herbst gewannen die Pferde von Blue Smoke acht hochdotierte Rennen, und Ende des Jahres galt Agamemnon als viertbester unter den zweijährigen Zuchthengsten.

»Was macht deine Mutter?« fragte Joseph. »Sie ruft nie an.«

»Immer dasselbe«, sagte Rosalie. »Mich ruft sie auch nie an. Sie schickt Botschaften durch Trevor, der ist ihr neuster Lieblingsfall. Ich glaube tatsächlich, sie versucht ihn zu heiraten.«

Joseph seufzte. Die Leute hier hatten für ihn ein Programm zusammengestellt, das Beratungen, freie Unmutsäußerungen und Beruhigungsmittel umfaßte, um ihm zu helfen, die Depressionen zu bekämpfen. Sie lehrten ihn akzeptieren, was er aus seinem Leben gemacht oder vielmehr nicht gemacht hatte. Er hörte zu, als seine Tochter ihm Bilder von Pferden zeigte und ihm dabei erzählte, wie jedes einzelne sich machte, was es für Eigenschaften hatte, ob es zum Rennen oder für die Zucht bestimmt war, für Sand- oder Grasbahn, für Mittel- oder Sprintdistanz. Es war ihm zuwider. Er wünschte, er hätte nie von Agamemnon gehört, wäre nie auf der Rennbahn gewesen, hätte Paris nie besucht, denn dann hätte er vielleicht einen Zipfel vom Glück erwischt.

»Und jetzt sagen alle, was du für ein Genie warst«, fuhr Rosalie fort. »Und letzte Woche erhielt ich ein unerhörtes Angebot für einen Anteil an Agamemnon. Eine Million Dollar. Für weniger als drei Prozent Beteiligung an dem Pferd! Du hörst ja gar nicht zu.«

»Eine Million Dollar«, sagte Joseph. Er hätte ihr gern gesagt, daß er schon eine Million Dollar hatte, ja sogar viel, viel mehr.

»Aber ich werde noch mehr herausholen.«

»Mehr als eine Million Dollar«, sagte er.

»Denn nach dem Derby wird er das wert sein.«

»Nach dem Derby?« fragte Joseph.

»Oh, ich weiß, alle glauben, daß sie das Derby gewinnen, aber ich habe einfach so ein Gefühl wegen Orestes. Als wäre es ihm einfach bestimmt zu gewinnen. Francisco hat davon geträumt. Er sagt, es war wie im Fernsehen, so scharf war das Bild.«

»Das Derby«, sagte Joseph. »Wir haben das Derby nie gewonnen.«

»Ich weiß. Ich wollte, du könntest hinkommen«, sagte sie. Sie hätte am liebsten gesagt, es war alles für dich, wir haben ihnen gezeigt, daß du recht hattest, allen, die gelacht haben, allen, die mitleidig waren, alles für dich.

Joseph hielt einen Schnappschuß auf Armeslänge von

sich. Die kleine Rosalie, was hatte sie getan. Einen Skandal erzeugt, schlimmer als seiner, ihre Ehe ruiniert, einen feinen Gentleman, den er stolz seinen Schwiegersohn genannt hatte, zum Wrack gemacht. Und alles wegen eines Pferdes.

Aber das Derby.

Es spielte keine Rolle, was die Leute sagten – es gab höher dotierte Rennen, die von besseren Pferden gewonnen wurden, aber das Derby war das einzige, das zählte. Wenn man ins Grab ging, und das einzige, was man geleistet zu haben behaupten konnte, war, das Kentucky Derby gewonnen zu haben, dann starb man als glücklicher Mensch.

»Darf ich das behalten?« fragte er und zeigte ihr ein Bild von Agamemnon, das durch den vertrauten blauen Lattenzaun aufgenommen worden war.

»Du kannst alle behalten, ich hab sie für dich mitgebracht«, sagte sie.

»Bloß dies eine«, sagte er, »ich brauche nur eins.«

Rosalies Morgenübelkeit legte sich am ersten Samstag im Mai. Von ihrem Tribünenplatz in Churchill Downs überblickte sie das Innenfeld: Hunderte von betrunkenen Collegestudenten tummelten sich dort. Ein Mädchen in einem weißen Kleid kam herauf und stellte sich als Beth vor, sie sei vom Rundfunk und ob Rosalie etwas dagegen hätte, wenn sie vor ihrem Tribünenplatz ein gelbes Schild anbrachte, damit der Kameramann sie rasch ausfindig machen könne. Franciscos Bruder bot ihr das Pfefferminzblatt aus einem Erfrischungsgetränk an. Davis erkundigte sich, welche Instruktionen der Jockey, ein altgedienter kalifornischer Reiter, erhalten habe, der vor zwei Tagen hergeflogen war. »Er soll so schnell reiten, wie er kann«, sagte Rosalie, »und dann noch ein bißchen schneller.« Als die Pferde zum erstenmal an der Tribüne vorbeigaloppierten, klammerte sie sich erschrocken ans Geländer, sie konnte nicht glauben, daß Orestes so weit zurücklag. Er war kein Aufschließer, er war ein Pferd, das gleich vorne liegen und dann hart gepeitscht werden mußte, um sich dort zu halten. Am Anfang der Geraden, wenige hundert Meter vor der Ziellinie, war er immer noch achter in einem Feld von vierzehn. »Los, los, schaff es«, flüsterte Rosalie, »schaff es, tu's für Francisco, tu's für meinen Daddy, tu's für deinen Daddy, tu's für Joseph, tu's für Agamemnon. Schaff es!« sagte sie. »Tu's für mich.«

Sie hatten einen Fernsehapparat in Josephs Zimmer gerollt und seinen Kopf gegen ein Kissen gestützt. Er konnte kaum sehen, er war in den letzten drei Tagen kaum zu irgend etwas imstande gewesen, aber er hatte ihnen das Versprechen abgenommen, Rosalie nichts von seinem Zustand zu sagen, bis das Derby vorbei war. Eine Krankenschwester blieb bei ihm und fühlte seinen Puls. Eine Schwester regelte den Thermostat und reichte ihm ein Glas Saft. Er fühlte das Leben aus sich schwinden. Es war leichter, als er gedacht hatte. Man gab sich einfach drein. Man lernte einfach loszulassen.

Mit dem Fernsehapparat stimmte etwas nicht. Er glaubte Charlotte in einem Werbespot zu sehen, sie hielt eine Tube künstliche Margarine in die Höhe. Er hörte die Melodie von »My Old Kentucky Home«, aber der Text war anders. Der Präsident sprach. Der Präsident hoffe, er fühle sich hier im Weißen Haus willkommen. Dann konnte er gar nichts mehr hören, nur seinen eigenen Atem, dieses leise jämmerliche Pfeifen, und er konnte auch nicht mehr richtig sehen.

Dann wurde das Fernsehbild für eine letzte Sekunde beinahe deutlich. Er sah ein Stück fuchsrotes Fell. Einen Jungen in einer weißen Hose und einem rauchblauen

Hemd, der Farbe von Blue Smoke. Und Rosen, eine Decke aus dunkelroten Rosen, er versuchte ihren Duft einzuatmen, aber der Atem wollte nicht kommen. Rosen, Rosen, Rosalie.

33

Das Radio gab nichts als atmosphärische Störungen von sich. Das Lämpchen des Ölstandsanzeigers blinkte immer noch, obwohl Chris in Utah einen ganzen Liter nachgefüllt hatte. Der Aschenbecher war halb offen und klemmte. Sie hatte gedacht, es würde Spaß machen, mit einem Mietwagen querfeldein zu fahren. Sie war am Unabhängigkeitstag in Kalifornien aufgebrochen, die auffällige Symbolik war beabsichtigt. Das Haus war heiß und beklemmend, und Alex bedrängte sie, wieder zu arbeiten.

»Du verstehst anscheinend nicht«, hielt er ihr vor, »wenn du in Los Angeles herumsitzt, ohne zu arbeiten, denken die Leute, es ist, weil du keine Arbeit bekommen kannst.«

»Ich will nicht arbeiten«, sagte sie.

»Was willst du dann?« fragte er.

»Ich weiß nicht«, sagte sie. »Ich hab noch nicht darüber nachgedacht.«

»Dann erhebe dich von deinem süßen kleinen Arsch und denk nach. Mach eine Reise. Betrachte ein paar herrliche Sonnenuntergänge. Besuch ein berühmtes Grabmal. Du weißt, ich liebe dich, ich will nur dein Bestes«, sagte er.

»Ich liebe dich auch«, sagte sie, »du sexbesessene Schwuchtel.«

»Versuch nicht, mich zu beleidigen, das funktioniert nicht.«

»Ich könnte zu Rosalie nach New York fahren«, sagte sie.

»Hört sich passabel an.«

»Ich könnte nach New Jersey fahren«, sagte sie, »ein bißchen Wind machen.«

»Hört sich alles andere als passabel an«, sagte er. »Aber wie auch immer, Küßchen.«

»Küßchen«, sagte sie.

Sie packte einen Rucksack voll Kleidungsstücke und rief bei den Banken an, um die Abhebungshöchstbeträge ihrer Kreditkarten erhöhen zu lassen. Sie mietete eine hellblaue Cutlass-Limousine, die 30 000 Kilometer auf dem Tacho hatte, und kaufte fünf teure ausländische Sonnenbrillen.

Als sie nach Las Vegas kam, quartierte sie sich mitten in der Stadt in einem älteren Hotel mit einer schillernden Neonmarkise ein und verlor an den Kartentischen 3500 Dollar. Sie fuhr zu der Stelle von Torys Flugzeugabsturz und legte ihren lila Freesienstrauß neben die Dinge, die andere zurückgelassen hatten: ein Arrangement von Plastik-Gänseblümchen in einem grünen Aluminiumblumentopf, eine amerikanische Flagge, einen Matchbox-Kipper.

Wieder in ihrem Hotelzimmer, machte sie sich ein Gesichtspeeling mit einem Gel aus Aprikosenduft und färbte sich dann die Haare pechschwarz. Jetzt war sie unkenntlich, sogar für sich selbst.

Weiter nach Utah, wo das Radio aufgab. In der Stille des fremden Staates kam ihr der Gedanke, daß sie, mit den erhöhten Abhebungsbeträgen, monatelang so weiterfahren könnte, unentdeckt von Freunden und Verwandten, überallhin, wo sie wollte, oder nirgendwohin. Sie wollte eigentlich nicht nach New York, sie hatte New York immer gehaßt. Es war Monate her, seit sie bis zum Morgengrauen aufgeblieben war, was hatte sie da vom Atlantischen Ozean.

Als sie das nächste Mal anhielt, um zu tanken, rief sie Rosalie aus einer Telefonzelle an.

»Hallo, ich bin's«, sagte sie.

»Chris!« rief Rosalie. »Ich habe gerade an dich gedacht. In diesem Moment.«

»Ehrlich?«

»Du klingst so überrascht. Wann kommst du hier an? Ach, vergiß es, du hast mir ja gesagt, ich soll nichts fragen.«

»Ich weiß nicht genau«, sagte Chris. Sie winkte durch das schmutzige Glas einem Lastwagenfahrer ab. »Ich weiß nicht mal, in welchem Staat ich bin.«

»Wie komisch. Wo bist du, in einem Motel?«

»An einer Tankstelle.«

»Guck auf die Nummernschilder. Was steht da drauf?«

»Pennsylvania, Idaho, New Hampshire. Morgen oder übermorgen könnte ich in Indiana sein«, sagte Chris. »Wie geht's euch allen?«

»Fabelhaft, einfach fabelhaft. Und ich bin so dick, wie's nur geht«, sagte Rosalie.

»Das kann ich mir nicht vorstellen.«

»Doch, wirklich«, sagte Rosalie.

Während Chris den Verkehr vorbeirauschen sah, hatte sie das Gefühl, daß sie Rosalie etwas sagen müßte. Daß sie Rosalie etwas mitteilen müßte für den Fall, daß sie es nicht bis New York schaffte.

»Das hast du gut gemacht, Rosie«, sagte sie. »Mit Francisco, meine ich.«

»Ja, ich weiß. Ich meine, ich weiß nicht nur, daß ich es gut gemacht habe, ich weiß auch, daß du es weißt.«

»Ich hab dich nie angerufen, als alles so schlimm wurde. Ich hab die Post und alles bekommen, aber ich weiß nicht, hier war soviel los, ich meine, dort war soviel los«, sagte Chris. Der Lastwagenfahrer zeigte auf seine Uhr.

»Ich hab auch dann an dich gedacht, wenn du nicht angerufen hast«, sagte Rosalie. »Weißt du noch, wie wir in das Konzert gegangen sind, um Tory zu sehen?« fragte sie. Als Chris nicht antwortete, dachte Rosalie, es war vielleicht ein Fehler, seinen Namen am Telefon zu erwähnen, wenn sie Chris' Gesicht nicht sehen konnte.

»Ja«, sagte Chris. Sie wußte es noch ganz genau.

»Weißt du noch, was du zu mir gesagt hast?«

»Nein.«

»Du hast gesagt, die Menschen haben nicht sehr viele Chancen, und sie sollten die Chancen ergreifen, wenn sie können, oder so etwas ähnliches. Du hast von einer besonderen Art von Liebe gesprochen, ich wußte nicht recht, was du meintest, aber als alles so schrecklich wurde, mit Trevor und so, da mußte ich immer daran zurückdenken, was du gesagt hattest. Von wegen die Chance ergreifen.«

»Das hab ich gesagt? Na ja, ich muß wohl mal ein ziemlich kluges Kind gewesen sein«, sagte Chris. Der Lastwagenfahrer hatte ein Gesicht gezogen und war weggegangen.

»Oh, ich weiß, was du meinst!« sagte Rosalie. »Hast du manchmal das Gefühl, daß du heute weniger weißt als früher? Ich meine, daß du glaubtest, du wüßtest alles, aber jetzt weißt du überhaupt nichts? Drücke ich mich klar aus? Gibt es einen Grund, weshalb ich immer absolut konfus rede, wenn ich schwanger bin?«

»Hormone«, sagte Chris.

Rosalie kicherte. Chris hörte alles in diesem Kichern: Mädchenhaftigkeit, Unschuld und einen Hauch Sex.

Achtzig Kilometer weiter auf der Autobahn schaltete sie das Radio ein und fand es vollkommen klar auf einen Landessender eingestellt. Hatte sie das wirklich zu Rosalie gesagt, hatte sie ihr diesen Rat gegeben, wie lange war das her? Der Ölstandsanzeiger hatte sich scheinbar selbst repariert. Tory hatte sie gelehrt: Folge der Straße, laß dir von der Straße sagen, wohin, vergiß die exakten Wegweiser und Straßenkarten und den Kompaß am Armaturenbrett und fahr einfach nach Eingebung. Sie klopfte gegen den Aschenbecher, und er sprang weit auf.

Irgendwo in Colorado bog sie nach links ab. Nach Norden, hinauf nach Montana.

Ohne einen Anruf, um ihn vorzubereiten, und ohne einen Drink, um sich selbst vorzubereiten, kam sie ein paar Minuten vor Sonnenuntergang an.

Zuerst erkannte er die Frau mit den schwarzen Haaren und der übergroßen Sonnenbrille nicht. Als er endlich begriff, blieb er mit ausdruckslosem Gesicht in der Tür stehen.

»Willst du mich nicht hineinbitten?« fragte sie.

»Kommt darauf an.«

»Worauf?«

»Warum du gekommen bist.«

»Ich weiß es nicht genau«, sagte sie. »Ich war unterwegs — also, das ist eine lange Geschichte, es war einfach so ein Gefühl, daß es richtig wäre, hierherzufahren. Ich kann ja wieder gehen, wenn du willst.«

»Nein. Das will ich nicht«.

Sie verspürte eine erstaunliche, wunderbare Erleichterung darüber, daß bei ihm keine Anzeichen von beginnenden Geheimratsecken zu sehen waren. Er gehörte zu den Männern, die mit der Zeit immer besser aussehen, als ob sein hageres, durchfurchtes Gesicht sich an etwas viel Älteres in seinem Innern anglich, an ein Wissen, das über seine Jahre hinauszugehen schien. Heute war alles an ihm in einer Farbe: seine hellbraunen Haare, seine Cowboybräune, seine abgetragene Wildlederjacke, die alte enge Cordjeans über karamelfarbenen Stiefeln. Alles an ihm wirkte warm und sonnenbeschienen, außer seinen

Augen, die immer noch von demselben kühlen, metallischen Grau waren, der Farbe von Stahl, es war, als verliefe der Stahl überall durch ihn hindurch, als seien seine Knochen aus ihm geformt, und die einzige Stelle, wo er sichtbar wurde, befand sich dort, wo er in seinen Augen glitzerte.

Chris begehrte die Kraft dieses Stahls, sie wollte sie in ihren Händen fühlen, wollte sich daran anlehnen und davon hochgehoben werden. Und einmal hatte er sie begehrt — zweimal, eigentlich — aber sie hatte nicht erkannt, was er ihr anbot. Sie war so begierig gewesen, sie hatte nach etwas gegriffen, das die begierige Stelle ausfüllte. Aber vielleicht kam es darauf an, den Gegenstand zu finden, der die Begierde stillte. Das hatte Schuyler irgendwann auf seinem Wege begriffen, es war etwas, das er nicht mitteilen oder erklären konnte. Daß sie sich auf immer zusammenschweißen und aus diesem »Auf-Immer« etwas aufbauen konnten.

Sie zog an einer Strähne ihrer dunklen Haare und sagte: »Ich weiß nicht, warum ich hierhergekommen bin.«

Endlich lächelte er.

»Aber ich«, sagte er.

Sie folgte ihm die Treppe hinauf.

Sie schälten die Schichten langsam ab, als es dunkel wurde. Seine Wildlederjacke. Ihr Baumwollsweatshirt. Seine Stiefel. Ihre knöchelhohen Turnschuhe. Sein Arbeitshemd. Ihr T-Shirt. Socken. Uhren. Als sie ihr T-Shirt über den Kopf zu ziehen begann, hielt er sie zurück und tat es selbst. Als sie ihn küssen wollte, legte er seine Hand auf ihren Mund.

»Ich möchte dich ansehen«, sagte er. »Vorher.«

Er betrachtete sie und bat sie mit einer Handbewegung, ihre restlichen Kleidungsstücke auszuziehen. Er blieb noch ein paar Minuten so stehen.

»Die Haare«, sagte er. »So dunkel.«

»Das Dunkelste, was es gibt«, sagte sie. »Auf der Pakkung steht, es läßt sich mit vier- bis sechsmal schamponieren auswaschen.«

Er hob sie auf und trug sie ins Badezimmer, setzte sie in die Wanne und ließ das Wasser ziemlich heiß laufen. Er nahm den Brauseschlauch vom Haken, stellte den Strahl auf scharf und begann ihre Haare einzuschäumen. Der Seifenschaum, zuerst golden, nahm den Ton des Haarfärbemittels an, das sich, als es naß war, nicht als schwarz, sondern schlicht als ein sehr dunkles Braun erwies. Er spülte aus und schäumte Chris wieder ein. Sie saß in zwei Zentimeter tiefem verfärbtem Wasser. Ihre Haare wurden heller. Er massierte ihre Kopfhaut und drehte die Haarspitzen zwischen seinen Fingern. Das Shampoo roch nach Zitrone. Wieder spülte er und schäumte ein, und spülte und seifte ein, bis das Schwarz aus ihren Haaren war und das Wasser klar wie eine Quelle ablief. Er seifte sie über und über ein, spülte sie ab, bis sie vollkommen sauber war und ihre Fingerspitzen sich kräuselten. Als er sie abtrocknete und ins Bett trug, spürte sie einen Kälteschauder, obwohl es ein warmer Sommerabend war.

Im Bett schloß sie die Augen, und endlich küßte er sie. Sie fühlte sich unter seinem Kuß jünger werden, so jung wie das Mädchen, das sie war, als er sie das erste Mal geküßt hatte. Sie spürte etwas von dem Stahl in diesem Kuß, sie wurde stark und glücklich, sie erinnerte sich, wie es war: Es hatte nichts zu tun mit Körpern und Leidenschaft und Macht und Beherrschung, es hatte nur mit Geist zu tun, mit Aus-sich-Herausschlüpfen.

Als er ihre Brustwarze in den Mund nahm, als er mit den Fingern an ihr entlangfuhr, dachte sie, er weiß genau, wie er sich für mich anfühlt, und als sie ihn in die Hände nahm, wußte sie genau, was ihre Berührung bewirkt hatte. Sie dachte, sie würde vom Bett schweben, und dann drückte er sie dorthin, wo er sie haben wollte, und hielt sie unten.

Es war so lange her. Sie bewegte sich ihm entgegen, nicht nur zu seiner oder ihrer Lust, sondern um nach all diesen Jahren zu erfahren, wie er war. Wenn eine taube Frau lernte, mit den Augen zu hören, wenn eine Blinde lernte, mit den Händen zu sehen, dann war es möglich, daß alle Sinne auf dies eine reduziert wurden, dann konnte sie alles genau hier entdecken: den Puls in einer schmalen Vene fühlen, das Maß einer Biegung, die glatte Stelle, die weichere Stelle, das Zucken warmer Haut.

Konnte er es auch entdecken? Er bewegte sich, nicht einfach ein und aus, er vollführte nicht die ausgefallenen Hüfttricks, die sich mittels eines Kissens ausüben ließen, sondern er rührte sich flink wie ein Finger, rieb sich in Stellen hinein, von denen sie nie gedacht hatte, daß sie einfach da waren: diese Stelle hier, ein langsames, sanftes Schieben. Diese Stelle, etwas Schnelleres. Diese Stelle, und diese Stelle, und diese. Und dann eine Stelle, wo sie ihn wortlos zu bleiben bat, und er blieb, denn es war die Stelle, die so sicher wie eine Zunge wußte, wie sie ihn aufnehmen mußte, wie sie seine Temperatur und seinen Geschmack und seine Klebrigkeit erkennen konnte.

Er hob mit dem Daumen ihr Kinn an und gab ihr einen Kuß und hob fragend die Augenbrauen.

Sie sagte nichts. Sie sagte nie etwas.

Er lächelte und bildete mit dem Mund einen Laut, die oberen Zähne leicht entblößt, die Lippen bewegten sich nach vorn, als bringe er jemand das Sprechen bei, der ihn nicht hören konnte.

Sie machte seine Mundstellung nach und atmete aus.

»Ich«, sagte sie.

»Ich«, wiederholte er. Dann steckte er die Zunge hinter die oberen Zähne.

»L«, sagte sie.

»L«, wiederholte er, den Laut haltend, und dann sagten sie zusammen:

»Liebe dich.«

34

Irgendwann hat er uns alle geliebt — Rosalie, Katie Lee, Miranda und mich. Wir konnten nicht anders, als seine Liebe erwidern. Es ist fast zehn Jahre her, seit wir an einem Ort zusammen waren, aber das spielt keine Rolle: Alle dachten immer an uns als ein Quartett.

Da ist Miranda in einer Abstufung von violett. Ich glaube, in viktorianischen Zeiten zeigte dieser Farbton das letzte Stadium der Trauer an.

Und da ist Katie Lee in Taft mit Tupfen und Rüschen. Es wird viel Lärm machen, wenn sie sich bewegt. Wie ich höre, tut sie neuerdings schrecklich dicke mit Trevor. Es macht ihr sichtlich Spaß, Rosalies Reste aufzuwärmen.

Und da sind Rosalie und der stolze junge Papa. Josephine. Na so was.

Vier schöne Mädchen, die glaubten, die Welt schulde ihnen alles.

Vier Frauen, die feststellen mußten, daß es nicht ganz so funktioniert.

Vier kluge Köpfchen.

Obwohl ich ein paar ziemlich dumme Sachen anstellen mußte, bevor ich so klug wurde. Es ist, als glaubte ich, das Leben sei so groß und rund wie der Erdball, und wenn ich mich von dem, was ich mir am meisten auf der Welt wünschte, abwendete und fortginge, so würde ich schließlich von einem anderen, überraschenden Winkel aus wieder darauf stoßen.

Warum ich ihn liebe? Ich habe keine Ahnung. Ich weiß eigentlich sehr wenig von ihm, wenn ich es recht bedenke. Ich könnte weder das Fabrikat seines ersten Autos sagen, noch das Thema seiner Abschlußarbeit oder warum sein Film nie gedreht wurde, oder wie es kommt, daß er so gern Kühe und Pferde um sich hat. Er ist eben, wie er ist.

Er ist der wunderbarste Mann auf der Welt. Die Rosenknospe in seinem Knopfloch war meine Idee, sie paßt zu meinem Kleid, das ungefähr das Jungfräulichste ist, was ich je getragen habe. Abgesehen von der Farbe. Gelb ist die Farbe, mit der man die Rückkehr der Iran-Geiseln feierte, und genau so war mir zumute, als ich nach Montana kam. Als hingen an den Bäumen und den Fenstern und an der Antenne von Schuylers schmutzigem rotem Lieferwagen gelbe Bänder, als sei ich so lange gefangengehalten worden, daß ich aufgehört habe, die Tage zu zählen, ja aufgehört habe zu glauben, daß ich eine Gefangene war.

Es macht mich fertig, wie ich ihn da am anderen Ende des Mittelgangs sehe und wie er zu einer Brahms-Melodie mit großen Schritten auf mich zukommt.

Hier bin ich.

Näher. Näher.

Hier bin ich. Die eine, die dich am meisten liebt. Die eine, die dich als letzte liebte, aber deren Liebe sie alle überdauern wird.